Linus Pauling

Cómo vivir más y sentirse mejor

Documento/207

Linus Pauling

Cómo vivir más y sentirse mejor

Traducción de
Cristina Pagés

Planeta

COLECCIÓN DOCUMENTO
Dirección: Rafael Borràs Betriu
Consejo de Redacción: María Teresa Arbó, Marcel Plans, Carlos Pujol y Xavier Vilaró

Título original: How to live longer and feel better
First published in the United States by W. H. Freeman and Company, New York, New York, and Oxford

Editorial Planeta, S. A., Córcega, 273-277, 08008 Barcelona (España)
Diseño colección y cubierta de Hans Romberg (foto Joe McNally/Wheeler Pictures y realización de Jordi Royo)
Primera edición: febrero de 1987
Depósito legal: B. 533-1987
ISBN: 84-320-4389-3
ISBN: 0-7167-1781-6 editor W. H. Freeman and Company, Nueva York, edición original
Printed in Spain - Impreso en España
Talleres Gráficos «Duplex, S. A.», Ciudad de la Asunción, 26-D, 08030 Barcelona

Índice

Índice

A Arthur M. Sackler

INTRODUCCIÓN

En este libro se exponen algunas medidas sencillas y poco costosas que usted puede adoptar para disfrutar de una vida mejor y más larga, con mayor placer y menos enfermedades. Recomiendo encarecidamente que se tomen a diario vitaminas para suplir las que absorbe con sus alimentos. En los próximos capítulos veremos cuáles son las cantidades más adecuadas de vitaminas suplementarias y el mejor modo de ingerirlas, y explicaremos por qué son necesarias.

Soy un científico, un químico, un físico, un cristalógrafo, un biólogo molecular y un investigador médico. Hace veinte años comencé a interesarme por las vitaminas. Descubrí que la ciencia de la nutrición se había estancado. Los viejos profesores de nutrición, que habían ayudado a desarrollar esta ciencia hace cincuenta años, parecían tan satisfechos con sus logros que pasaban por alto los descubrimientos que se estaban produciendo en bioquímica, biología molecular y medicina, incluyendo las vitaminas y otros nutrientes. Aunque se estaba desarrollando una nueva ciencia de la nutrición, estos profesores seguían enseñando a sus alumnos las viejas ideas, muchas de ellas incorrectas; por ejemplo, que gozando de una salud normal nadie necesita tomar vitaminas suplementarias y que, para una buena nutrición, basta con comer a diario un poco de cada uno de los «cuatro alimentos».

Como resultado de esta enseñanza mediocre, muchos nutriólogos y dietéticos aún practican hoy día la antigua nutrición, y el resultado es que la gran mayoría de la gente no está tan sana como debería. Los médicos también contribuyen al problema. Lo que casi todos ellos han aprendido en las facultades de medicina, en materia de nutrición, ha sido poco (y en gran parte anticuado), y desde entonces han estado tan ocupados con el cuidado de sus pacientes que no han tenido tiempo de mantenerse al corriente sobre los avances acerca de las vitaminas y otros nutrientes.

Como descubrí que se estaba haciendo caso omiso de los nuevos descubrimientos en el campo de la nutrición, mi interés se despertó de tal manera que durante veinte años he dedicado casi todos mis esfuerzos a la investigación y a la educación en este campo. En esta labor tuve –y sigo teniendo– la suerte de contar con la colaboración de muchos competentes investigadores científicos y médicos de la Universidad de Stanford y del Linus Pauling Institute of Science and Medicine (Instituto Linus Pauling de ciencias y medicina).

Hace quince años, mucha gente ya estaba convencida, basándose en su propia experiencia, que un aumento en el consumo de vitamina C proporcionaba alguna protección contra el resfriado, aunque la mayoría de los médicos y expertos en ese campo seguían diciendo que la vitamina C no servía en absoluto para combatir el resfriado, o cualquier otra enfermedad, salvo el escorbuto, la enfermedad carencial específica de esta vitamina. Cuando examiné lo publicado sobre el tema, observé que se habían llevado a cabo ciertos excelentes estudios médicos y que la mayoría demostraban que la vitamina C sí *era útil para luchar contra el resfriado. Me preocupaba que las autoridades médicas no prestaran la debida atención a las pruebas existentes y eso me llevó a escribir mi libro* Vitamin C and the Common Cold *(«La vitamina C y el resfriado»).*

Cuando dicho libro se publicó, me valió comentarios favorables por parte de algunos críticos, pero otros lo atacaron muy duramente. La controversia así generada estimuló a algunos investigadores, incluyendo al profesor George Beaton, jefe del Departamento de Nutrición en la Facultad de higiene de la Universidad de Toronto, a emprender experimentos controlados. Todos estos experimentos demostraron que la vitamina C es válida para luchar contra el resfriado. A la vista de estos resultados, las autoridades médicas y de la nutrición dejaron de pretender que la vitamina C no es útil contra el resfriado, aunque pueden argumentar que el alcance de la protección que aporta no es suficiente para justificar el fastidio y el costo de tomarla.

En el transcurso de mis continuos estudios sobre la vitamina C, aprendí que esta vitamina ejerce una acción antiviral generalizada y que protege en parte no sólo contra el resfriado, sino también contra otras enfermedades virales, incluyendo la gripe, la mononucleosis, la hepatitis y el herpes. El resfriado es un fastidio, pero no es muy peligroso. Rara vez acarrea complicaciones que causen la muerte. En cambio, la gripe (influenza), es una enfermedad muy grave y peligrosa. En la gran pandemia de gripe de 1918-1919, alrededor del 85 % de la población de todos los países contrajo la gripe y ésta mató alrededor del 1 %, incluyendo muchos jóvenes adultos sanos; el total de muertes se estima en unos veinte millones. En 1976, un brote de gripe, con un virus similar al de la pandemia de 1918-1919, también causó gran preocupación. Es importante que sepa que un consumo adecuado de vitamina C puede mejorar su estado de salud general, hasta el punto de proporcionarle una notable protección contra estas enfermedades. Además, el consumo adecuado de vitamina C y otras vitaminas puede mejorar su estado de salud en general tanto que aumentará su goce de la vida; puede también ayudar a luchar contra enfermedades del corazón, contra el cáncer y otras enfermedades, y ayudar a retardar el proceso de envejecimiento. Trataremos todas estas cuestiones en este libro.

Espero que éste ayudará a mucha gente a evitar enfermedades graves, y que les permitirá tener una vida más sana y más larga y gozar de ella.

Agradezco la ayuda a las señoras Dorothy Munro, Corrine Gor-

ham, Ruth Reynolds, de los doctores Ewan Cameron, Zelek Harman, Linus Pauling, Jr., Crellin Pauling, Kay Pauling, Armand Hammer, del señor Ryoichi Sasakawa y del doctor Emile Zuckerkandl. También quedo agradecido a los doctores Abram Hoffer, Humphry Osmond e Irwin Stone por haber despertado mi interés por las vitaminas hace unos veinte años, y a Linda Chaput y sus colegas en W. H. Freeman and Company por su ayuda en la publicación de este libro. Le estoy especialmente agradecido a mi amigo Gerard Piel por su constante apoyo y por sus aportaciones a este libro.

LINUS PAULING
Linus Pauling Institute of Science and Medicine
440 Page Mill Road
Palo Alto, California 94306

Septiembre, 1985.

I. El régimen

1. UNA BUENA NUTRICIÓN PARA UNA BUENA VIDA

Yo creo que, adoptando algunas medidas sencillas y poco costosas se puede alargar la vida y prolongar los años de bienestar. Yo le recomiendo muy encarecidamente que tome vitaminas a diario, en cantidades óptimas, para suplir las que elimina con sus alimentos. Esas cantidades óptimas son mucho mayores que la ingestión mínima diaria generalmente recomendada por los médicos y los nutriólogos de la vieja escuela. La ingestión de vitamina C que sugieren, por ejemplo, no es mucho mayor que la cantidad mínima diaria necesaria para evitar el escorbuto, enfermedad carencial específica de la vitamina C. Mi consejo de que tome mayores cantidades de vitamina C y otras vitaminas se basa en una nueva y mejor comprensión de la función de estos nutrientes –no son medicamentos– en las reacciones químicas de la vida. La utilidad de la mayor ingestión suplementaria que esta comprensión sugiere se ha visto invariablemente confirmada por todos los experimentos clínicos que se han llevado a cabo y por los primeros estudios pioneros sobre la nueva epidemiología de la salud.

Con la ingestión adecuada de vitaminas y otros alimentos, y estableciendo algunas prácticas sanas a partir de la juventud o de la madurez, puede usted prolongar su vida y los años de bienestar en unos veinticinco, y hasta treinta y cinco, años. Una de las ventajas de alargar el período de bienestar es que, así, es mayor la fracción de la vida en que uno es feliz. La juventud es una época de desdicha; los jóvenes, que luchan por encontrar su lugar en la vida, viven bajo una gran tensión. El deterioro de la salud, a causa de la edad, hace generalmente que el período previo a la muerte sea de desdicha. Hay pruebas de que la desdicha, asociada con la muerte, es menor a una edad avanzada que en la plenitud de la vida.

Por las razones mencionadas, es sensato tomar medidas preventivas para prolongar no sólo el período de bienestar, sino la vida misma. Si ya es usted viejo cuando empieza a tomar las vitaminas suplementarias, en las cantidades adecuadas, y si adquiere otros hábitos para mejorar su salud, no puede esperar que el proceso de envejecimiento sea tan lento, pero aún podría añadir quince o veinte años a su esperanza de vida.

Para la mayoría de las afirmaciones que figuran en los próximos capítulos, doy como referencia los informes publicados acerca de las observaciones en las cuales se fundan estas afirmaciones. Sin embargo, no me es posible corroborar de la misma manera las afirmaciones anteriores en cuanto a mis convicciones sobre la prolongación del período de bienestar y de la vida misma. He llegado a estas convicciones partiendo del conocimiento que adquirí sobre muchas observaciones en cuanto a los efectos de las vitaminas en cantidades variadas, en animales y seres humanos, bajo distintas condiciones de buena y mala salud, incluyendo algunos importantes estudios epidemiológicos. Sin embargo, no existe ningún estudio específico al cual me pueda referir para demostrar con significado estadístico que el beneficio es tan importante como creo yo. Una de las complicaciones, que examino en un capítulo posterior, es que los seres humanos difieren los unos de los otros; que muestran una individualidad bioquímica pronunciada. Es mucho más fácil obtener una información fiable sobre los factores que determinan la salud de los cobayos o los monos que la de los seres humanos, y me he apoyado, hasta cierto punto, en estudios realizados sobre éstas y otras especies animales.

Me causa impresión, por ejemplo, que el Committee on the Feeding of Laboratory Animals of the U.S. National Academy of Sciences-National Research Council (Comité para la alimentación de animales de laboratorio de la Academia nacional de ciencias-Consejo nacional de investigación de los Estados Unidos) recomienda una cantidad de vitamina C mucho mayor para los monos que la recomendada para los seres humanos por el Food and Nutrition Board (Consejo para alimentos y nutrición) de este mismo organismo. Estoy seguro de que el primer comité ha trabajado duro para descubrir cuál era la ingestión óptima para los monos, la cantidad que les proporcionase una mejor salud. El segundo comité no ha hecho el menor esfuerzo por descubrir cuál es la ingestión óptima de vitamina C o de cualquier otra vitamina para el pueblo norteamericano. En sus *Recommended Daily Allowances* («Raciones diarias recomendadas»), tan bien anunciadas que en las cajas de cereales se refieren a ellas como RDA,[1] el comité raciona la ingestión mínima diaria a poco más del consumo mínimo necesario para evitar las enfermedades asociadas con la carencia de cada una de las vitaminas.

No hay ninguna prueba que imponga la conclusión de que el consumo mínimo requerido de cualquier vitamina se acerque siquiera al consumo óptimo que mantiene la buena salud. Las mejores cantidades suplementarias de las vitaminas y la mejor forma de tomarlas las expongo en los primeros capítulos de este libro, y las razones para tomarlas en los capítulos siguientes. Como verá, creo que la vitamina C es la más importante, en el sentido de que el beneficio, al incrementar su ingestión por encima de la que proporciona una dieta normal, es mayor que en el caso de otras vitaminas, aunque las otras sean también importantes.

1. En adelante, usaremos las siglas RDA cada vez que se hable de *Recommended Daily Allowance* (Ración diaria recomendada). *(N. de la t.)*

Cuando se trata de cuestiones de salud, es necesario preguntarse hasta qué punto una persona en los Estados Unidos debe depender de su médico. Actualmente, la tarea principal de un médico es intentar curar al paciente cuando él o ella entra en su consultorio con una enfermedad específica. Habitualmente, el médico no se esfuerza mucho en prevenir enfermedades o en conseguir que la persona que lo consulta goce de un estado de salud óptimo.

Recientemente (1984), el doctor Eugene D. Robin, profesor de medicina y fisiología en la Facultad de Medicina de la Universidad de Stanford, publicó un libro extraordinario, bajo el título de: *Matters of Life and Death: Risks vs. Benefits of Medical Care* («Cuestión de vida o muerte: riesgos y beneficios de la atención médica»). En él, el autor analiza los inconvenientes de la medicina moderna, así como sus puntos fuertes. Según él, existen «serios fallos en los procesos fundamentales por medio de los cuales se introducen y utilizan en medicina los diagnósticos y terapias» y «los pacientes potenciales o actuales pueden reducir los riesgos e incrementar los beneficios de la atención médica si conocen los fallos de la medicina». Robin escribe que si usted se preocupa de su propia salud y no ve al «médico como Dios», puede evitar graves errores en la atención recibida.

«Sería aconsejable –dice Robin– que consulte al médico sólo cuando crea estar realmente enfermo. Si restringe sus encuentros con los médicos a aquellos que sean absolutamente necesarios, evitará los riesgos inherentes a la mayoría de los procedimientos por los cuales se llega a los diagnósticos y a las terapias.

»Este consejo tiende a despreciar una función primordial que los doctores se han atribuido en nuestra sociedad: tratar a pacientes cuyo mayor problema es una vida desgraciada. Si quiere usted consultar a un médico para eso, está en su derecho, pero debería saber que pocos facultativos tienen altas tasas de curación para vidas infelices y que, por tanto, son pocas las posibilidades de obtener una ayuda real. Además, su visita podría desencadenar una serie de pruebas y tratamientos médicos potencialmente peligrosos. Si después de leer este libro, usted considera que *hasta la decisión de consultar a un médico* es seria y potencialmente arriesgada, que requiere un análisis de los riesgos así como de los beneficios potenciales, habrá utilizado bien su tiempo. Sería prudente que *evite la hospitalización*, a menos de estar gravemente enfermo y sólo si un hospital dispone de las instalaciones necesarias para su tratamiento. Muchas hospitalizaciones son innecesarias. Los hospitales pueden ser lugares peligrosos.»

El doctor Robin no habla de las vitaminas en su libro. Esta omisión se debe probablemente a que no sabe más acerca de las vitaminas que la mayoría de los médicos. Si supiera más sobre el tema, podría haber aconsejado a sus lectores que tuvieran cuidado al aceptar el consejo de su médico en cuanto a vitaminas y a otros aspectos de la nutrición se refiere, porque la mayoría de los médicos y los cirujanos recibieron poca información en este campo en la facultad, y la que han acumulado desde su graduación es bastante incorrecta.

Es especialmente importante que no deje que su médico suspenda su suplemento vitamínico cuando esté usted hospitalizado. Ése es el momento en que más lo necesita.

En abril de 1970 escribí al doctor Albert Szent-Györgyi, el que separó por primera vez el ácido ascórbico, otro nombre de la vitamina C, de los tejidos de plantas y animales en que se encuentra. Pregunté su opinión sobre la vitamina C, especialmente en cuanto a la tasa óptima de consumo. Me autorizó a citar una parte de su respuesta, como sigue: «En cuanto al ácido ascórbico, desde el principio tuve la impresión de que la profesión médica engañaba al público. Si no tomas ácido ascórbico con tu comida, te enfermas de escorbuto, y lo que la profesión médica dijo es que, si no tienes escorbuto, es que estás bien. El escorbuto no es la primera señal de carencia, sino un síndrome premortal, y para estar en plena forma, se necesita más, realmente mucho más. Yo mismo tomo más o menos 1 g por día. Esto no significa que sea realmente la dosis óptima porque no sabemos lo que quiere decir tener una salud perfecta, ni cuánto ácido ascórbico se necesita para ello. Lo que sí le puedo decir es que se pueden inge-

«Quisiera un poco de esa medicina preventiva de la cual tanto he oído hablar.»

rir grandes cantidades de ácido ascórbico sin el menor riesgo.»

A la profesión médica y a las poderosas instituciones y empresas médicas de este país les ha dado por llamarse: la profesión de la salud, centros de salud, y empresas de salud, respectivamente. Éste es un nombre equivocado para lo que es realmente la industria de la enfermedad. Me gusta la definición que de la salud hace la constitución de la Organización Mundial de la Salud, al declarar que «La salud es un estado de total bienestar físico, mental y social, y no sólo la ausencia de enfermedad o invalidez».

La constitución de la Organización Mundial de la Salud sigue con «El goce de la más alta norma de salud que se pueda alcanzar es uno de los derechos fundamentales de todo ser humano, sin distinción de raza, religión, ideología política y condición económica y social». Éste es un derecho del que sólo una minoría de la población mundial puede gozar incluso ahora. En Estados Unidos, es un derecho al alcance de la gente con suerte, la que tiene la riqueza material para hacerlo real. Es un derecho al alcance de usted. Lo único que necesita hacer es afirmarlo con un comportamiento sensato. Es más, gracias a la nueva ciencia de la nutrición, hoy día puede multiplicar los beneficios adquiridos con hábitos sanos, al consumir, a diario, las cantidades óptimas de las vitaminas esenciales.

Nadie conoce mejor el estado de salud de una persona que esa persona misma. Es importante pensar en nuestra salud y actuar de modo que podamos mejorarla.

2. UN RÉGIMEN PARA UNA MEJOR SALUD

Las medidas que toma para mejorar su salud y prolongar su vida no deberían ser tan pesadas y desagradables que interfieran seriamente con la calidad de su vida y le impidan seguir su régimen día tras día, año tras año. La observancia del régimen es muy importante. El que se describe en los siguientes párrafos es tal que debería poder seguirlo rigurosamente, día tras día, durante el resto de su vida.

El régimen no incluye todas las medidas de salud que conozco. Es más, no toma en cuenta las necesidades alimenticias individuales especiales. Por ejemplo, quienes tienden a padecer de artritis podrían beneficiarse ingiriendo mayor cantidad de vitamina C, niacinamida, y vitamina B_6. En cambio, el régimen contemplado es, más bien, regular o básico, y debería beneficiar a casi todos los individuos.

Se podrían obtener beneficios adicionales al hacer cambios que respondan a la individualidad bioquímica. Los pasos a seguir son:

1. Tome vitamina C a diario, de 6 a 18 g (de 6000 a 18000 mg) o más. No deje de hacerlo ni un solo día.
2. Tome vitamina E a diario, 400 UI, 800 UI o 1600 UI.[1]

1. UI significa Unidad internacional, la cantidad de una vitamina (o de cualquier otra sustancia) especificada según una convención internacional adoptada por la Organización Mundial de la Salud.

3. Tome uno o dos comprimidos de complejo B a diario, para proveerse de una buena cantidad de vitaminas B.

4. Tome un comprimido de 25 000 UI de vitamina A a diario.

5. Tome un suplemento mineral a diario, por ejemplo, un comprimido de la fórmula Bronson de vitaminas y minerales, que proporciona 100 mg de calcio, 18 mg de hierro, 0,15 mg de yodo, 1 mg de cobre, 25 mg de magnesio, 3 mg de manganeso, 15 mg de zinc, 0,015 mg de molibdeno, 0,015 mg de cromo, y 0,015 mg de selenio.

6. Mantenga el consumo de azúcar ordinaria (sucrosa, azúcar no refinada, azúcar morena, miel) en 23 kg por año, que es la mitad del promedio actual en Estados Unidos. No añada azúcar al té o al café. No coma alimentos con alto contenido de azúcar. Evite los postres dulces. No beba refrescos.

7. Salvo el azúcar, coma lo que le guste, pero no demasiado de un solo alimento. Los huevos y las carnes son buenos alimentos. También debería comer algunas verduras y frutas. No coma tanto como para estar obeso.

8. Tome mucha agua a diario.

9. Manténgase activo. Haga ejercicio, pero en ningún momento haga esfuerzos más allá de lo acostumbrado.

10. Tome bebidas alcohólicas sólo con moderación.

11. NO FUME CIGARRILLOS.

12. Evite tensiones. Trabaje en lo que le gusta. Sea feliz con su familia.

La característica principal de este régimen se refiere a los suplementos vitamínicos. Tomarlos no tiene por qué pesarle. Es fácil acostumbrarse a hacerlo a diario, y es importante.

La gran ventaja de este régimen sobre otros métodos propuestos para prolongar la vida, es que se basa en la nueva ciencia de la nutrición que ha ido desarrollándose sólo en los últimos años. La mayor diferencia entre esta nueva ciencia y la antigua nutrición es el reconocimiento de que las vitaminas ingeridas en cantidades óptimas tienen un valor mucho más elevado que cuando se ingieren en las pequeñas cantidades habitualmente recomendadas, según se ve en la ilustración de la página siguiente. Además, con el consumo óptimo de vitaminas suplementarias no hay ya tanta necesidad de insistir en otras medidas dietéticas, tales como reducir el consumo de grasa animal y no comer huevos. El régimen que recomiendo se puede cumplir día tras día, año tras año. No hay mucha gente dispuesta a seguir un régimen pesado o desagradable. La calidad de la vida se ve incrementada cuando uno se libera de estas restricciones dietéticas.

El descubrimiento de las vitaminas, hace tres cuartos de siglo, y el reconocimiento de que son unos elementos esenciales para una dieta sana representó una de las contribuciones de mayor importancia para la salud. De igual importancia fue el reconocimiento, hace unos veinte años, de que el consumo óptimo de ciertas vitaminas, consumo mucho mayor al habitualmente recomendado, acentúa la mejoría de la salud, incrementa la protección contra muchas enfermedades, y es de gran valor para coadyuvar a la terapia convencional

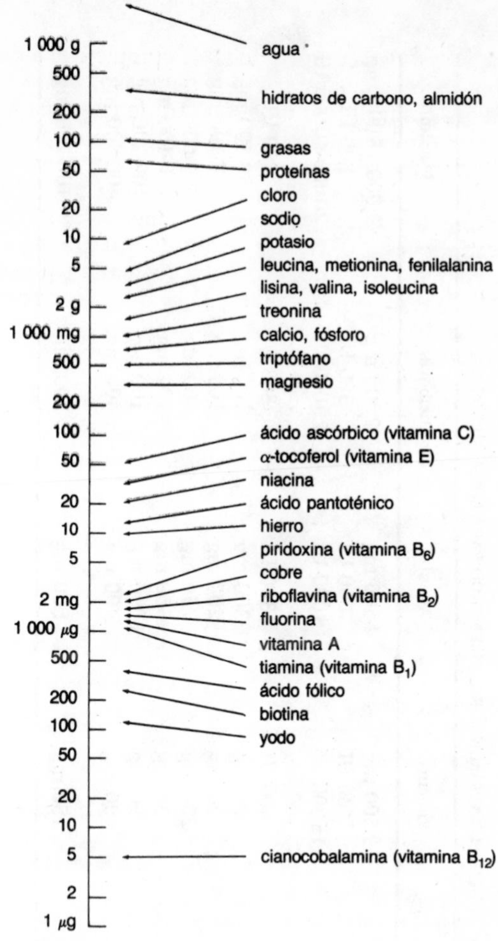

Daily Recomended Allowances (RDA) (Raciones diarias recomendadas). *Estas raciones, establecidas por el Food and Nutrition Board of the U.S. National Academy of Sciences-National Research Council (Comité de Alimentos y Nutrición de la Academia Nacional de Ciencias-Consejo Nacional de Investigación de los Estados Unidos), especifican, para hombres adultos, las cantidades necesarias de treinta y tres nutrientes necesarios para prevenir la manifestación evidente de una enfermedad carencial en la mayoría de las personas. La lista incluye cuatro macronutrientes –agua, carbohidratos, grasas y proteínas– y veintinueve micronutrientes, a tomar diariamente en alimentos y suplementos. En cuanto a las vitaminas, estas raciones están típicamente por debajo del consumo óptimo necesario para la buena salud. Otros nutrientes, probable o posiblemente necesarios, que no figuran en esta lista, son los ácidos grasos esenciales, el ácido paraaminobenzoico (PABA), la colina, la vitamina D, la vitamina K, el selenio, el cromo, el manganeso, el cobalto, el níquel, el zinc, el molibdeno, el vanadio, el estaño y el silicio.*

CONSUMO DIARIO DE VITAMINAS RECOMENDADO PARA LOS ADULTOS

	RDA	Williams	Allen[1]	Leibovitz[2]	Este libro
Vitamina C	60 mg	2500 mg	1500 mg	2500 mg	1000-18000 mg
Vitamina E	10 UI	400 UI	600 UI	300 UI	800 UI
Vitamina A	5000 UI	15000 UI	15000 UI	20000 UI	20000-40000 UI
Vitamina K	–	100 mg	–	–	–
Vitamina D	400 UI	400 UI	300 UI	800 UI	800 UI
Tiamina B_1	1,5 mg	20 mg	300 mg	100 mg	50-100 mg
Riboflavina B_2	1,7 mg	20 mg	200 mg	100 mg	50-100 mg
Niacinamida B_3	18 mg	200 mg	750 mg	300 mg	300-600 mg
Piridoxina B_6	2,2 mg	30 mg	350 mg	100 mg	50-100 mg
Cobalamina B_{12}	3 mg	90 mg	1000 mg	100 mg	100-200 mg
Folacina	400 mg	400 mg	400 mg	400 mg	400-800 mg
Ácido pantoténico	–	150 mg	500 mg	200 mg	100-200 mg

1. Harrell et al. 1981
2. Leibovitz, 1984

apropiada en el tratamiento de las enfermedades. La vitamina C, y las otras vitaminas, actúan principalmente como refuerzo de los mecanismos de protección naturales del cuerpo humano, particularmente el sistema de inmunidad, para incrementar la efectividad de las enzimas al catalizar las reacciones químicas.

Las cantidades óptimas de consumo diario de vitaminas son mucho mayores que las que proporcionan los alimentos, aun escogiendo los que tienen un alto contenido vitamínico. La única forma de conseguir las cantidades de vitaminas necesarias para que goce usted de la mejor salud, es ingerir suplementos vitamínicos. Por ejemplo, para obtener los 18 000 mg de vitamina C que tomo a diario, necesitaría beber 200 vasos grandes de zumo de naranja.

Para asegurar la ingestión diaria de los suplementos vitamínicos y minerales que recomiendo, sólo tomo cuatro comprimidos al día. Éstos son: una cápsula de 800 UI de vitamina E, un comprimido de complejo B, un comprimido de vitaminas y minerales, y una cápsula de 25 000 UI de vitamina A. Los tomo por la noche. En cambio, ingiero por la mañana gran parte de la vitamina C, antes del desayuno: 12 g (tres cucharaditas rasas) de ácido ascórbico cristalino puro, disuelto, ya sea en zumo de naranja para neutralizarlo, ya sea en agua, con una pequeña cantidad de bicarbonato de sodio para tener una bebida efervescente. La vitamina C puede tomarse también en su forma de ascorbato de sodio o ascorbato de calcio. Si me siento cansado durante el día, o siento que he sido expuesto al virus del resfriado, tomo algunos comprimidos de 1 g o una cucharada más de ácido ascórbico.

Al escribir esto, en el año 1985, los cuatro comprimidos que tomo a diario, más los 18 g de vitamina C (L-ácido ascórbico, cristales finos) me cuestan, pedidos por correo, porte pagado (de Bronson Pharmaceuticals, 4526 Rinetti Lane, La Cañada, California, 91011, Estados Unidos), un total de 41 centavos diarios. Si tomara, en su lugar, los seis comprimidos de la Fortified Insurance Formula del profesor Roger J. Williams, ofrecida en el catálogo Bronson, que contiene cantidades levemente menores de estos nutrientes, más algunos otros, el costo sería de 37 centavos por día. Estos suplementos de vitaminas y minerales, que pueden significar para usted la diferencia entre la mala salud habitual y una buena salud verdadera, sólo le supondrán lo que cuesta una tableta de chocolate.

Aun en el caso de que, padeciendo usted de cáncer, tomara 50 g de vitamina C al día, le costaría sólo 78 centavos y, con las otras vitaminas y minerales, no más de un dólar en total, un costo insignificante comparado con los otros gastos que requiere la atención médica a un paciente.

Las cifras de RDA que figuran en la tabla de la página anterior son las de la edición de 1980 de *Recommended Daily Allowances* para hombres adultos; las cantidades para mujeres y niños son algo diferentes. Las cantidades Williams son las de la Fortified Insurance Formula del profesor Roger J. Williams; los comprimidos Williams incluyen además ácido paraaminobenzoico, biotina, colina, inositol, rutina y once minerales (calcio, magnesio, fósforo, hierro, zinc, cobre, manganeso, cromo, molibdeno, yodo y selenio). La fórmula Allen contiene también ocho minerales. Brian Leibovitz (en su libro *Carnitine*) también recomienda biotina, colina, inositol, bioflavonoides y diez minerales.

Los minerales esenciales difieren de las vitaminas en que una sobredosis de minerales puede ser dañina. No aumente su consumo de vitaminas tomando mayores cantidades de comprimidos de vitaminas y minerales. Limite su consumo de minerales a las cantidades recomendadas.

Es importante no dejar de tomar los suplementos vitamínicos, ni siquiera un solo día. Sabemos que se produce un efecto de rebote al dejar de tomar la vitamina C, de manera que, temporalmente, aumenta el riesgo de enfermarse (capítulos 13 y 19). Pueden existir efectos de rebote similares en el caso de las otras vitaminas hidrosolubles, aunque ninguno haya sido señalado.

Generalmente, lo sensato, al comprar vitaminas, es comparar precios y adquirir las más baratas. La Food and Drug Administration (FDA, Departamento encargado del control de alimentos y medicinas en Estados Unidos) exige que el contenido aparezca en la etiqueta. Es probable que algunas compañías tengan pocos escrúpulos pero, en conjunto, puede uno fiarse de las etiquetas.

La gama de precios para productos que son prácticamente iguales es mucho mayor en el caso de las vitaminas que en la mayoría de los bienes de consumo, tales como el filete de res o un televisor. Cuando empecé a analizar los precios de las vitaminas, hace quince años, descubrí que una compañía vendía una solución de vitamina C, supuestamente preparada para personas de la tercera edad, a un precio mil veces mayor que el de la vitamina C normal. Otra compañía vendía comprimidos de vitamina C cien veces más caros que el precio habitual. Ya no veo precios tan exorbitantes, pero, si no se entera usted, puede llegar a pagar hasta cinco o diez veces el precio adecuado.

Sería útil consultar el catálogo de una compañía de confianza como referencia, o ver los anuncios en la revista *Prevention* de Estados Unidos.

A veces se intenta cobrar un precio más alto usando nombres que no dicen gran cosa, como por ejemplo vitamina C «*Rose Hips*» (vitamina C normal con un poquito de polvo de escaramujo), vitaminas y minerales quelados, vitaminas «naturales», etc. Las marcas recetadas por los médicos pueden, también, costar cuatro veces el precio normal.

La mayoría de los preparados vitamínicos son estables. El ácido ascórbico, en forma de cristales finos o de polvo cristalino y conservado en una botella marrón o blanco opaco, es indefinidamente estable y puede ser guardado durante años. Los comprimidos son también bastante estables y pueden conservarse en botellas de color marrón o blanco opaco. Las soluciones de ácido ascórbico se pueden oxidar al ser expuestas al aire y a la luz. Sin embargo, una solución acuosa de ácido ascórbico puede conservarse en el refrigerador durante unos días, sin oxidación sustancial.

Quizá tenga que vigilar que no le engañen algunas compañías sin escrúpulos. Después de haber recomendado los cristales puros o el polvo de vitamina C en mi libro *Vitamin C and the Common Cold* («La vitamina C y el resfriado»), vi un anuncio de «polvo de vitamina C» a un precio que no llegaba a los 10 dólares por kg. Encargué un frasco del producto a esta compañía, ubicada en Kansas City, Missouri, Estados Unidos, y observé que sobre la etiqueta decía, en pequeños caracteres, «cada cucharada rasa contiene 500 mg de ácido ascórbico». Una cucharada rasa representa unos 14 g. Por tanto, el preparado contenía únicamente 36 g de ácido ascórbico por 1 000 g de polvo; sólo una vigesimaoctava parte del polvo era ácido ascórbico, y el precio era de 280 dólares por kg de vitamina C y no de 10 dólares. Comuniqué este fraude a la FDA y me respondieron que la FDA no podía hacer nada al respecto. Entonces escribí a la Federal Trade Commission (Comisión federal de comercio), que emitió una orden para que esa compañía suspendiera la comercialización del producto.

La parte más importante del régimen que recomiendo consiste en tomar a diario las cantidades óptimas de vitaminas. Esto, como ya se vio, no implica necesariamente ingerir más de media docena de comprimidos por día. La otra recomendación esencial que hago en relación a la dieta (véase el capítulo 6) es que disminuya su consumo de sucrosa (azúcar ordinaria, incluyendo azúcar no refinada, azúcar morena, jarabe y miel). Puede mejorar notablemente su salud al reducir su consumo a la mitad del promedio anual de los Estados Unidos, que es de 46 kg, y lo puede conseguir dejando de endulzar el café o el té, no tomando refrescos, y no comiendo postres dulces y caramelos más que de vez en cuando.

En cuanto a los otros aspectos de su dieta, creo que debería comer lo que le guste, en vez de intentar seguir una dieta restrictiva a la que le cueste someterse y que no añade placer a su vida. Coma los alimentos que le gusten (salvo los de alto contenido de azúcar), pero no en cantidades tan grandes que se vuelva obeso.

Es buena idea no comer grandes cantidades de carne. Unos 110 g de carne le proporcionan 25 g de proteínas, más o menos la cantidad diaria recomendada. Si su gran consumo diario de vitamina C mantiene el nivel de colesterol por debajo de los 200 mg por decilitro (dl) no necesita esforzarse en eliminar la grasa animal de su dieta o evitar beber leche y comer huevos, ambos buenos alimentos.

Un 10 % de los europeos adultos y la mayoría de los asiáticos y africanos tienen problemas digestivos cuando beben leche. Al final de la infancia, dejan de producir lactasa, una enzima que interviene en la digestión del azúcar de la leche (lactosa). La leche es un buen alimento, especialmente como fuente de calcio (unos 500 mg cada medio litro). Sin embargo, las personas con carencia de lactasa pueden comer queso, que también contiene mucho calcio.

Pese a que la razón principal para comer frutas y verduras es proveerse de vitaminas, y que esta necesidad se puede satisfacer tomando suplementos vitamínicos, es buena idea incluir frutas y verduras en la dieta.

Hacer ejercicio diariamente, y con moderación, es saludable; lo es también dormir siete u ocho horas diarias, evitar situaciones de tensión, tener una ocupación que le guste y, en general, gozar de la vida.

Es prudente no contar únicamente con los suplementos dietéticos para los otros nutrientes esenciales, aunque aquéllos se pueden obtener como tales en comprimidos y otras formas. «Esencial» en esta acepción, se refiere a las sustancias no producidas en el cuerpo: algunos aminoácidos y grasas, y muchas de las vitaminas. Los aminoácidos esenciales no son necesarios como suplemento dietético si se ingiere una cantidad adecuada de proteínas. Además, aunque se piensa que ya se conocen los nutrientes esenciales más importantes para el ser humano, cabe la posibilidad de que todavía queden algunos por descubrir. Por esta razón, estoy de acuerdo con la primera recomendación de los especialistas en nutrición, en el sentido de que todos debemos tener una dieta equilibrada, con una buena cantidad de verduras, bien preparadas, y fruta fresca, como naranjas y pomelos.

Ya que los seres humanos muestran una individualidad bioquímica, siempre cabe la posibilidad de que alguien responda de manera extraña a un aumento en el consumo de vitamina C. Considerando que la vitamina C es necesaria como nutriente esencial, y que todos nuestros antepasados la han tolerado por millones de años, es muy poco probable que provoque en alguien una reacción alérgica grave. Sin embargo, existe una leve posibilidad de alergia al relleno, si optó por los comprimidos de preferencia al polvo, que es ácido ascórbico cristalino puro. Es prudente, claro está, aumentar o disminuir gradualmente el consumo diario de este nutriente.

Unos meses de experimentación deberían bastar para que usted sepa si la cantidad de ácido ascórbico que está ingiriendo se aproxima a la cantidad deseable, la cantidad que le da protección contra el resfriado. Esa misma cantidad, en la nutrición de las personas de edad avanzada puede también disminuir las molestias de la artritis, del síndrome del túnel carpiano y de muchos otros padecimientos. Si usted toma 1 g diario y observa que ha tenido dos o tres resfriados durante el invierno, sería aconsejable intentar incrementar la dosis diaria.

También, si está expuesto al resfriado, por haber estado en contacto con gente que lo padece, o si se ha enfriado o se ha cansado por exceso de trabajo o por falta de sueño, sería bueno incrementar la cantidad de vitamina C ingerida.

Es aconsejable llevar siempre consigo unos comprimidos de 1 000 mg de ácido ascórbico. A la primera señal de un resfriado, a la primera sensación de escozor en la garganta, a la aparición de mucosidad en la nariz, de dolor muscular o de malestar general, empiece el tratamiento ingiriendo dos o más comprimidos de

1 000 mg. Prosiga con el tratamiento durante varias horas, tomando dos comprimidos, o más, cada hora.

Si los síntomas desaparecen rápidamente después de la primera o la segunda dosis de ácido ascórbico, puede confiadamente regresar a su régimen normal. Sin embargo, si los síntomas persisten, el tratamiento deberá seguir con una ingestión de 10 a 20 g de ácido ascórbico diarios. El facultativo Edmé Régnier señaló, en 1968 que, según sus observaciones, cuando con el uso adecuado de vitamina C, se suprime o previene la infección viral, ésta no desaparece inmediatamente, sino que permanece suprimida o prevenida y que, por tanto, es importante seguir con el régimen de vitamina C durante el período de tiempo adecuado.

Para ayudar a contener un resfriado, sería útil aplicar localmente una solución de ascorbato de sodio, que se obtiene al disolver 3,1 g de ascorbato de sodio en 100 ml de agua. Braenden (1973), que ha informado del éxito obtenido al tratar la mayoría de los resfriados por este método, recomienda introducir 20 gotas de esta solución en cada orificio de la nariz, con un cuentagotas. Señaló que así se puede lograr una concentración local de ascorbato mil veces superior en valor al de una ingestión por vía oral.

El ácido ascórbico es poco costoso e inocuo, aun cuando se lo ingiera en grandes cantidades. Un resfriado, cuando se desarrolla, puede provocar un grave malestar, molestias, reducir la eficiencia e, incluso, incapacitar al paciente por unos días. Además, puede acarrear complicaciones con infecciones más graves. Por lo tanto, es mejor sobreestimar que subestimar la cantidad necesaria de ácido ascórbico para contener el resfriado. Puede, incluso, ser conveniente aumentar el consumo hasta el límite de tolerancia intestinal, según se verá en el capítulo 14. No olvide estar atento a los primeros síntomas del resfriado y esté preparado para actuar inmediatamente. Si espera un día, o tan sólo unas horas, y si toma una cantidad demasiado pequeña de vitamina C, el resfriado puede llegar al punto en que no se pueda atajar.

Es una suerte que las vitaminas sean tan baratas que incluso los suplementos de alta potencia estén al alcance de casi todo el mundo en los Estados Unidos. Mi propio consumo, bastante elevado, cuesta menos que una lata de refresco cada día.

Debería usted establecer un régimen sencillo en cuanto a sus vitaminas suplementarias, para no olvidar ingerirlas. También debería adquirir buenos hábitos, como hacer ejercicio moderadamente, comer alimentos sanos que le gusten, evitar la sucrosa, no fumar, tomar grandes cantidades de agua, y tomar bebidas alcohólicas sólo con moderación, de manera que no le sean una carga, sino un placer, para que no tenga dificultad en cumplir con el régimen. El objetivo es llevar una buena vida, grata, libre, dentro de lo posible, del sufrimiento causado por la mala salud.

A medida que se va conociendo el valor de los consumos óptimos de las vitaminas suplementarias, es muy posible que se reconozca que tanto en la última parte como en la primera parte del siglo XX ha habido descubrimientos acerca de las vitaminas, que no sólo han logrado una gran mejoría en la salud y el bienestar humanos, sino que pueden lograr una mejoría aún mayor en el futuro.

3. LA NUTRICIÓN ANTIGUA Y LA NUEVA

El mundo de hoy es distinto al de hace cien años. Ahora entendemos la naturaleza mucho mejor que nuestros abuelos. Hemos entrado en la época atómica, la época electrónica, la época nuclear, la época de los aviones a reacción, de la televisión, de la medicina moderna y de sus fármacos milagrosos. Por el bien de nuestra salud, deberíamos reconocer que también es la época de las vitaminas.

Los descubrimientos de los científicos han hecho cambiar al mundo. A veces los cambios han ocurrido rápidamente. Por ejemplo, la fisión de los núcleos de los átomos del uranio se descubrió en 1938; y ya en 1945, tras un programa intensivo, las bombas nucleares habían sido concebidas, fabricadas y utilizadas en la guerra. La insulina fue descubierta en 1922, por sir F. G. Banting, C. H. Best, J. J. R. McLeod y J. B. Collip y, al cabo de un par de años, miles de pacientes diabéticos vivían en un estado de salud razonablemente bueno gracias a inyecciones de dicha hormona. Sin embargo, a veces hay un retraso sorprendente. Uno de los ejemplos mejor conocidos es el de la penicilina. Esta importante sustancia fue descubierta en 1929 por sir Alexander Fleming, quien mostró que ejercía una acción antibacteriana, pero no fue sino hasta 1941 cuando W. H. Florey y E. B. Chain la utilizaron en terapia.

Un ejemplo más antiguo es el retraso para aceptar la idea de que la fiebre puerperal podía evitarse si el doctor se lavaba las manos tras un parto, antes de pasar al siguiente. El escritor y médico norteamericano, Oliver Wendell Holmes publicó, en 1843, un artículo sobre la contagiosidad de la enfermedad. Esto le valió encarnizados insultos personales. En 1847, el médico húngaro Ignaz Philipp Senmelweiss recomendó que entre partos los médicos se lavaran las manos con agua clorinada. En su clínica de Viena, y luego en Budapest, él mismo pudo reducir la tasa de mortandad puerperal de un terrible 16% a un 1%. Sin embargo, los médicos reaccionarios rechazaron sus ideas durante años. Amargado, enloqueció antes de su muerte, en 1865.

El descubrimiento de las vitaminas durante el primer tercio del siglo XX –sin contar con el reconocimiento de que son elementos esenciales en una dieta sana– fue una de las contribuciones de mayor importancia para la salud. De igual importancia fue el reconocimiento, hace unos veinte años, de que el consumo óptimo de varias de las vitaminas –mucho mayor que el generalmente recomendado– conduce a una franca mejoría de la salud, a una mayor protección contra muchas enfermedades, y a una mayor efectividad en la terapia de enfermedades. La potencia de la vitamina C, y de otras vitaminas, se explica por la nueva comprensión de cómo actúan, sobre todo reforzando los mecanismos de protección del cuerpo, especialmente del sistema de inmunidad. El *establishment* de la nutrición se ha mostrado, sin embargo, tan reacio en reconocer este descubrimiento como lo fue el *establishment* médico en su reacción a Holmes y Senmelweiss.

Ya en 1937, Albert Szent-Györgyi, el científico que aisló la vitamina C, había dicho que las vitaminas, usadas adecuadamente, podrían lograr resultados fantásticos en la mejoría de la salud humana. Sin embargo, todavía ahora, medio siglo después, los nutriólogos anticuados, hablando con la autoridad del Food and Nutrition Board of the U.S. National Academy of Sciences-National Research Council, siguen pasando por alto la evidencia relativa al valor del consumo óptimo de estas importantes sustancias. Insisten en no recomendar más que los consumos mínimos diarios, los que fueron establecidos por experimentos clínicos, hace más de medio siglo, y necesarios para prevenir las enfermedades causadas por las carencias vitamínicas en la dieta. Sus recomendaciones constituyen un obstáculo para que la nueva nutrición sea mejor entendida y practicada por la gente.

Los consumos óptimos de vitaminas que figuran en la tabla del capítulo 2, y por los cuales aboga este libro, también se basan en pruebas obtenidas en tests clínicos y en la experiencia. Esas pruebas adquieren más relieve con la comprensión adquirida a través de los poderosos nuevos métodos de la biología molecular; conocemos, y estamos aprendiendo a conocer mejor, qué función específica tiene la molécula de vitamina en la química del cuerpo. Así, por medio de la interacción clásica de la clínica y del laboratorio, la biología molecular explica lo que se observa en la clínica, y la clínica confirma los consumos óptimos recomendados por la biología molecular.

Mi interés en cuanto a la naturaleza de la vida y a la estructura de las moléculas características del cuerpo humano y otros organismos vivientes empezó en 1929. Eso fue cuando Thomas Hunt, y la mayoría de los hombres más jóvenes que habían colaborado con él en localizar el gene de Mendel –la base de la herencia–, en los cromosomas del núcleo de la célula, vinieron de la Universidad de Columbia al Instituto de Tecnología de California, para organizar la nueva división de ciencias biológicas. Yo tenía una formación universitaria en química y en física. Como, a la sazón, me atraía la genética, formulé una teoría sobre el fenómeno del entrecruzamiento *(crossingover)* de los cromosomas, que presenté en un simposio sobre biología, pero que no publiqué en ninguna revista científica. Luego, en 1935, con mis alumnos y otros colaboradores, empecé a estudiar la estructura y las propiedades de la hemoglobina y otras proteínas, la estructura de los anticuerpos y la naturaleza de algunas reacciones inmunológicas, y las estructuras anormales de las moléculas de proteínas que aparecen en la anemia falciforme, o *drepanocitosis*, y otras enfermedades moleculares.

En 1953, decidí investigar las bases moleculares de las enfermedades mentales. En el curso de los diez años siguientes, mis asociados y yo, con subvenciones de la Fundación Ford y del National Institute of Mental Health (Instituto Nacional de Salud mental de Estados Unidos), llevamos a cabo unos estudios sobre la bioquímica y la base molecular del retraso mental y de la esquizofrenia, así como del fenómeno de la anestesia general (Pauling, 1961). Éste fue el trabajo que orientó mi interés hacia las vitaminas.

En 1964, leí los informes de dos psiquiatras, doctores Humphry Osmond y Abram Hoffer, que trabajaban en Saskatoon, Saskatchewan, Canadá. Leí con sorpresa que estaban dando hasta 50 g por día de una vitamina (B_3, niacina o niacinamida) a unos enfermos que padecían esquizofrenia aguda. Sabía que 5 mg diarios de esta vitamina eran necesarios para evitar la pelagra, enfermedad carencial, que hace setenta años causaba en cientos de miles de personas diarrea, dermatitis y demencia, y luego la muerte.

Lo que me asombró fue la tan baja toxicidad de una sustancia con tan gran poder fisiológico. Una pizca, 5 mg diarios, es suficiente para evitar que una persona muera de pelagra, pero es tan carente de toxicidad que se puede ingerir diez mil veces esa cantidad sin peligro. La vitamina C es igualmente carente de toxicidad. La diferencia entre estas sustancias y los fármacos me llevó a acuñar la palabra «ortomolecular» para describirlas (véase el capítulo 11).

El hecho de que un consumo insuficiente de vitamina B_3 conduzca a la enfermedad mental relacionada con la pelagra, me hizo examinar los estudios médicos sobre la cuestión. Descubrí que los individuos que padecen carencia de vitamina B_{12} suelen volverse psicóticos, aun antes de sufrir de anemia. También observé que las perturbaciones mentales se asocian a la insuficiencia de vitamina C (depresión), vitamina B_1 (depresión), vitamina B_6 (convulsiones), ácido fólico y biotina. Además, existen pruebas de que la función mental y el comportamiento son afectados, también, por las variaciones que pueden ocurrir en las cantidades de cualquiera de una serie de otras sustancias generalmente presentes en el cerebro (capítulo 20).

El interés que las vitaminas suscitaban en mí se concentró sobre la vitamina C, hace unos veinte años, debido a una carta que recibí de un bioquímico llamado Irwin Stone. Nos habíamos conocido hacía un mes, en ocasión de una charla que di en una cena-reunión en Nueva York. Su carta empezaba recordándome que yo había expresado el deseo de vivir durante los siguientes quince o veinte años. Diciendo que le agradaría verme gozar de buena salud durante los siguientes cincuenta años, me enviaba una descripción de su régimen de consumo elevado de vitamina C, régimen que había desarrollado durante las tres décadas anteriores. Mi esposa y yo empezamos a seguir el régimen recomendado por Stone. Notamos una sensación de mayor bienestar, y, especialmente, una sorprendente disminución del número y la virulencia de los resfriados que contraíamos.

En la introducción a mi libro *Vitamin C and the Common Cold* («La vitamina C y el resfriado») (1970) escribí: «El doctor Stone, claro está, exageraba. Estimo que el control completo del resfriado y de las perturbaciones que lo acompañan incrementaría la esperanza de vida en dos o tres años. La mejoría en el estado general de salud, resultado de la ingestión de la cantidad óptima de ácido ascórbico, podría conducir a otro incremento de igual duración en la esperanza de vida.»

Hoy día, tras quince años más de estudio en este campo, opino que, para la mayoría de la gente, la mejoría de la salud y el incremento de la longevidad, relacionados con la ingestión de la cantidad óptima de vitamina C, representa probablemente del orden de unos veinte o veinticinco años de bienestar, con un incremento adicional debido a la ingestión óptima de otras vitaminas. Como ya he confesado, no puedo citar referencias para esta estimación, pero algunas de las razones que sostienen mi convicción aparecen en los siguientes capítulos de este libro.

En el período comprendido entre 1966 y 1970 tomé gradualmente conciencia de que existía una insólita contradicción entre las opiniones de distintas personas en cuanto a la importancia de la vitamina C en la prevención y el alivio del resfriado. Mucha gente cree que la vitamina ayuda a prevenir los resfriados. Por otro lado, la mayoría de los médicos negaban entonces que esta vitamina tuviera gran importancia con respecto a esto. Por ejemplo, al analizar el tratamiento del resfriado en su excelente libro *Health* («Salud») (1970), el doctor Benjamin A. Kogan afirmaba lo siguiente: «Las investigaciones han demostrado que la vitamina C, en forma de zumo de fruta, por más placentera que sea, no sirve para prevenir o acortar los resfriados.» El doctor John M. Adams no menciona la vitamina C en su libro *Virus and Colds: The Modern Plague* («Los virus y los resfriados: la plaga moderna») (1967). Algunos libros de medicina, más recientes, contienen afirmaciones como la siguiente, en *What You Should Know about Health Care Before You Call a Doctor* («Lo que usted debería saber sobre la atención médica antes de llamar al médico») por G. T. Johnson (1975): «Quisiera, sin embargo, insistir nuevamente en que la afirmación según la cual la vitamina C previene el resfriado no se fundamenta en ninguna prueba, y sólo existen indicios dudosos de que podría disminuir los efectos del resfriado.»

En *The Book of Health* de la American Health Foundation («El libro de la salud» de la Fundación Americana para la Salud) (1981), compilado por el doctor Ernst L. Wynder, se aconseja a los lectores no ingerir dosis masivas de cualquier vitamina, y se les dice que «es tenue la evidencia de que el tomar una fuerte cantidad [de vitamina C] –1 000 mg por día o más– evitará el resfriado». Sin embargo, hay indicios de ligero progreso en lo que se dice en la página 578: «Algunos estudios sugieren que dosis relativamente altas de vitamina C pueden reducir la duración de los síntomas, aunque los resultados son todavía discutibles.»

Me vi envuelto en una controversia sobre este punto por un artículo sobre la vitamina C publicado en la revista *Mademoiselle*, en noviembre de 1969. Se me citaba como apoyando el uso de grandes cantidades de vitamina C. El doctor Frederick J. Stare, entonces jefe del departamento de nutrición de la Facultad de salud pública de la Universidad de Harvard, descrito por *Mademoiselle* como uno «de los grandes nombres en nutrición», fue utilizado para refutar mi opinión. Se le citaba diciendo que «la vitamina C y los resfriados; eso fue refutado hace veinte años. Sólo les hablaré de un estudio muy minucioso. A la mitad de cinco mil estudiantes de la Universidad de Minnesota se les administraron fuertes dosis de vitamina C; a la otra mitad, un placebo. Se llevó a cabo un seguimiento de su historial médico durante dos años y no se halló diferencia alguna en la frecuencia, la intensidad o la duración de sus resfriados. Y sí, las reservas de vitamina C disminuyen con una infección masiva duradera, no con resfriados de una semana».

El estudio al cual se refería el doctor Stare, lo llevaron a cabo Cowan, Diehl y Baker; el artículo describiendo los resultados se publicó en 1942 (véase el capítulo 13). Cuando leí el artículo comprobé que se trataba sólo de unos cuatrocientos estudiantes, y no cinco mil; que el seguimiento fue de seis meses, no de dos años; que la dosis fue de 200 mg de vitamina C por día, que no es una fuerte dosis. Además, los investigadores informaron que los días de enfermedad de los estudiantes que ingirieron vitamina C se redujeron en un 31 % por sujeto, comparado con los que no la ingirieron.

El hecho de que ni Stare ni los investigadores mismos consideraran significativa una disminución del 31 % de los días de enfermedad me hizo pensar que un examen de los estudios médicos publicados podía proporcionarme mayor información sobre el asunto. En *Nutrition Reviews* de agosto de 1967, encontré un breve artículo, no firmado, en que se mencionaban diversos estudios sobre la vitamina C y el resfriado. La conclusión era que «no hay pruebas concluyentes de que el ácido ascórbico tenga un efecto protector contra el resfriado, ni un efecto terapéutico sobre el desarrollo del resfriado, en el caso de gente sana no carente de vitamina C. Tampoco hay indicios de un efecto general antiviral o profiláctico sintomático del ácido ascórbico». No es una coincidencia que el doctor Frederick J. Stare fuera el director de *Nutrition Reviews* en esa época.

Examiné los informes, y comprobé que mis conclusiones, basadas en los mismos, eran casi radicalmente opuestas a las expresadas en el artículo. Como en el caso del estudio de Cowan, Diehl y Baker, entre los sujetos a quienes se les diera vitamina C y los sujetos de control, se notaba una diferencia que concordaba con mi argumento a favor de la vitamina C; esta diferencia tendía a aumentar con el incremento de la dosis de vitamina C ingerida.

Nos podemos preguntar por qué los médicos y los expertos en nutrición se han mostrado tan faltos de entusiasmo a propósito de una sustancia que, según se informó hace cuatro décadas, disminuía el tiempo de enfermedad por resfriado en un 31 % al ser tomada regularmente en pequeñas dosis diarias. Supongo que varios factores han contribuido a esta falta de entusiasmo. En la búsqueda de un fármaco que combata una enfermedad, el esfuerzo está generalmente dirigido hacia uno que sea 100% efectivo. (Sin embargo, debo decir que no entiendo por qué Cowan, Diehl y Baker no repitieron su estudio con mayores cantidades de vitamina C por día.) También parece que prevalecía el sentimiento de que el consumo de vitamina debía mantenerse al mínimo, pese al hecho reconocido que esta vitamina tiene una toxicidad extremadamente baja. Esta actitud es, claro está, adecuada en el caso de los fármacos, sustancias que no están normalmente presentes en el cuerpo humano y que casi siempre son altamente tóxicas, pero no es aplicable a la vitamina C. Otro probable factor ha sido la falta de interés por parte de las compañías farmacéuticas en una sustancia natural de bajo costo y que no se puede patentar. Es una lástima, pues ahí tenemos una sustancia que ofrece la posibilidad de eliminar el resfriado de la experiencia humana.

Un viejo amigo mío, René Dubos, indicó en uno de sus libros que no son ni las bacterias ni los virus a los que estamos expuestos los que nos matan; ¡nos mata algo más! Cuando hay una epidemia, unos mueren y otros no. ¿Cuál es la diferencia entre ellos? Es esta diferencia la que mata. Yo creo que a menudo es una escasez de vitamina C la que permite que la gente muera.

El resfriado, y también la gripe, son enfermedades contagiosas, causadas por unos virus que circulan, a veces como epidemias, por todo el mundo. Pero mueren rápidamente en una población pequeña y aislada. Si la frecuencia de resfriados y gripes pudiera disminuir suficientemente en el mundo –como podría ocurrir con el uso de la vitamina C como prevención y terapia– estas enfermedades desaparecerían. Preveo que en algunas partes del mundo, y quizá de aquí a una década o dos, este objetivo será logrado. Probablemente será necesario un período de cuarentena para los viajeros, mientras la mayor parte de la población mundial sea, como ahora, tan pobre y particularmente expuesta a enfermedades contagiosas, debido a la malnutrición, incluyendo la falta de las cantidades adecuadas de ácido ascórbico.

Para lograr este objetivo se necesitará un cambio de actitudes, tanto en los pacientes como en la población en general. Un individuo con resfriado o gripe debería sentirse obligado a aislarse, para no contagiar el virus a otra gente, y la presión social debería ayudar a actuar de forma que no se perjudicara a los otros. Recientemente, se ha producido un cambio de actitud en cuanto al «derecho» que tienen los fumadores de cigarrillos de contaminar el ambiente y molestar a los no fumadores. Un cambio similar acerca del «derecho» de la gente a contagiar a otras personas con sus virus, mientras puedan todavía andar, tambaleándose, beneficiaría al mundo.

Tras veinte años de investigación y educación pública en cuanto a la nutrición, creo poder detectar algún cambio en la actitud de la profesión médica hacia los nuevos descubrimientos y recomendaciones sobre la nutrición. Pese a la intransigencia de la opinión oficial, veo que la actitud de los médicos, acerca del ácido ascórbico y de otras vitaminas, está experimentando un cambio significativo. Están reaccionando a las nuevas pruebas que se han acumulado, algunas de las cuales examino en este libro. Se va extendiendo el reconocimiento que el consumo de vitaminas, y también de otros elementos nutritivos esenciales, pueden variarse de manera que produzca una mejoría notable en la salud general, y una disminución de la frecuencia y de la gravedad de las enfermedades.

A la larga, todo el mundo sabrá que los consumos diarios óptimos de vitaminas son mucho mayores que los que se pueden obtener en los alimentos, aun escogiendo éstos por su alto contenido vitamínico. La razón principal aducida para comer frutas y verduras es la de proveerse de vitaminas.

El hecho de que las vitaminas sean fácilmente accesibles no significa que usted pueda prescindir de frutas y verduras en su dieta. Es cierto que, durante más de ochenta años, los autores de ciencia ficción se han referido a un mundo futuro en que la gente, en lugar de alimentos normales, ingeriría uno o dos comprimidos diarios. Hemos recorrido parte del camino hacia este objetivo, en el sentido de que se ha eliminado la necesidad de comer grandes cantidades de frutas y verduras, como fuentes de vitaminas suficientes para mantenernos con vida. Al tomar unos cuantos comprimidos vitamínicos, podemos alcanzar no sólo el mínimo exigido –que no pueden proporcionar los alimentos naturales ingeridos en cantidad suficiente–, sino también la ingestión óptima, gracias a la cual gozaremos –y nos mantendremos– en un estado de salud óptimo. Podemos preguntarnos hasta dónde pueden llevarnos aún la ciencia de la nutrición y la biología molecular modernas. La respuesta es que unos comprimidos diarios nunca podrán llenar nuestras necesidades en nutrición. Se requiere una cantidad bastante grande de combustible para proveernos de la energía que nos mantiene calientes, y para llevar a cabo, en nuestros cuerpos, los procesos bioquímicos que nos permiten funcionar y trabajar. Ese requisito se cifra en unas 2 500 kcal diarias de energía alimentaria. Para obtener tanta energía se necesitaría ingerir más o menos medio kg neto de almidón o de glucosa de azúcar. Es más, el cuerpo necesita ciertas grasas que no fabrica, y se le deben proporcionar proteínas para reponer las que se van desgastando durante el día en sus principales partes activas. Una dieta de este tipo es accesible, como se verá en el capítulo siguiente, y comporta mucho más que unos cuantos comprimidos.

4. PROTEÍNAS, GRASAS, HIDRATOS DE CARBONO Y AGUA

Cada día, los organismos vivientes necesitan nutrientes, es decir, sustancias exteriores al cuerpo que, una vez ingeridas y asimiladas en los tejidos, permiten el crecimiento y mantienen la buena salud, proporcionan energía y reponen las pérdidas. Se requieren grandes cantidades de ciertas sustancias. Éstas son los macronutrientes, que son cuatro: proteínas, grasas, hidratos de carbono y agua. Otras sustancias, los micronutrientes, son necesarias en pequeñas cantidades: ciertos minerales, las vitaminas, las grasas esenciales y los aminoácidos esenciales (que concentran bloques de proteína). A estos últimos se los llama esenciales porque el cuerpo no los produce, aunque sí otras grasas y otros aminoácidos.

En este capítulo, en un libro por lo demás dedicado a una clase de micronutrientes, nos interesaremos por los macronutrientes, en el orden arriba mencionado.

El cuerpo humano contiene decenas de miles de proteínas distintas, que tienen diversos fines. El cabello y las uñas están formados por fibras de una proteína llamada queratina; los músculos están formados por fibras de miocina y actina. Otra proteína fibrosa, el colágeno, refuerza la piel, los vasos sanguíneos, los huesos, los dientes y el cemento intercelular que mantiene unidas las células de varios órganos y tejidos. Las proteínas globulares, en solución en los líquidos corporales, actúan como enzimas para acelerar las reacciones químicas esenciales para la vida. Ciertas proteínas tienen otras funciones. La hemoglobina, por ejemplo, la proteína roja en las células rojas de la sangre, transporta moléculas de oxígeno de los pulmones a otras partes del cuerpo, donde se utilizan para quemar moléculas de alimentos para proporcionar energía.

Las proteínas son largas cadenas de residuos de aminoácidos. Hay más de veinte aminoácidos distintos y su secuencia en la cadena determina la naturaleza de la proteína. Los aminoácidos son moléculas bastante pequeñas, formadas por diez a veintiséis átomos de hidrógeno, carbono, nitrógeno, oxígeno y sulfuro; al menos uno de los átomos es de nitrógeno, según se ve en la ilustración del capítulo 9.

La mayoría de las cadenas de proteínas contiene unos centenares de residuos de aminoácidos. La molécula de la hemoglobina de un adulto contiene cuatro cadenas, dos con 140 residuos y dos con 146 residuos, respectivamente. Como era de esperarse, en el caso de las moléculas estructurales, las proteínas se caracterizan por el orden de los aminoácidos que las componen en las tres dimensiones espaciales, así como por la secuencia de los residuos en la cadena. La estructura natural tridimensional más sencilla de una cadena de aminoácidos asimétricos idénticos, unidos pie con cabeza al mismo ángulo, es la llamada hélice alfa (véase la ilustración del capítulo 9). En el cabello, las cadenas de queratina están enroscadas en la hélice alfa, como un resorte. En una proteína globular, como la hemoglobina o la enzima digestiva, tripsina, se encuentran segmentos rectos, espirales de hélices alfa, pero la cadena se encorva sobre sí misma y se torna esférica. En la seda, las cadenas se estiran casi hasta su longitud máxima.

La secuencia aminoácida en distintos animales es diferente para la misma proteína. Todo mamífero tiene hemoglobina en las células rojas de la sangre, pero las moléculas de hemoglobina son distintas en la secuencia de sus aminoácidos. Debido a la diferencia en las proteínas de la sangre (y también en los hidratos de carbono de la sangre) de los distintos animales, no podemos, sin peligro, hacer una transfusión de sangre de otra especie animal a un ser humano. Como descubrió el doctor Karl Landsteiner, en 1900, la sangre de distintos seres humanos también puede ser diferente, pudiendo ser peligrosa la transfusión de sangre de un donante para el paciente, a menos que las pruebas hayan demostrado que las dos personas tienen el mismo tipo de sangre.

Cuando los alimentos que comemos se digieren en el estómago y en los intestinos, las enzimas digestivas reducen las moléculas proteínicas a sus componentes aminoácidos. Las moléculas proteínicas en los alimentos (carne, pescado, cereales, queso y leche) son tan grandes que no pueden pasar a través de las paredes intestinales para añadirse al flujo sanguíneo, pero las pequeñas moléculas de los aminoácidos y de la glucosa, que resultan de la ruptura de las largas cadenas de hidratos de carbono de almidón, sí pueden pasar. La sangre transporta estas pequeñas moléculas a los tejidos de todo el cuerpo. Entran en las células y los aminoácidos se vuelven a unir en largas cadenas, con las secuencias características de las proteínas humanas, bajo la guía de las moléculas del ácido desoxirribonucleico (ADN) en los núcleos de las células de los tejidos, que determinan nuestra naturaleza.

Nuestro cuerpo se desgasta y se renueva continuamente. Por ejemplo, nuestras células rojas sólo viven más o menos un mes. Después se descomponen, y las moléculas de hemoglobina se dividen en aminoácidos. Algunos de éstos sirven para formar nuevas moléculas de proteínas, pero otros, por oxidación, se convierten en agua, bióxido de carbono, y urea con nitrógeno, que se expelen con la orina. Debido a que así algunos aminoácidos se utilizan como combustible, nuestro cuerpo puede mantener un equilibrio aminoácido (generalmente llamado equilibrio de nitrógeno) sólo con la adición de algunos aminoácidos; o sea, consumiendo proteínas. Con escaso aporte de proteínas, un niño dejará de crecer, y un niño o un adulto pueden morir por carencia de proteínas, aun cuando el consumo de grasas e hidratos de carbono sea suficiente. La carencia de proteínas se llama síndrome de Kwashiorkor (de una palabra africana de una región donde la dieta comporta un alto contenido de maíz). El marasmo es la carencia de energía, y el marasmo kwashiorkor abarca ambas carencias en la dieta. Estas enfermedades causan muchas muertes en los países superpoblados y subdesarrollados, y también algunas en los países ricos.

La cantidad de proteína necesaria para el equilibrio aminoácido en un adulto es proporcional al peso del cuerpo. Es de unos 0,45 g por kg. El Food and Nutrition Board recomienda aumentar esta cantidad en un 30 %, o sea, 0,58 g por kg para los adultos. Los bebés necesitan más o menos 2,25 g por kg; los niños 1,35 g por kg; los niños mayores y los adolescentes más o menos 1,12 o 0,90 g por kg.

La mayoría de los adultos norteamericanos ingiere dos o tres veces la cantidad de proteínas recomendada. El exceso no necesario para formar nuevas moléculas de proteínas se quema, para proporcionar energía, con las grasas y los hidratos de carbono, y probablemente el consumo excesivo no cause daño a la gente con una salud razonablemente buena. Un consumo elevado de proteínas requiere una abundante eliminación de urea en la orina. Esta eliminación requiere un incremento de trabajo para el riñón, y un incremento en el consumo de proteínas significa una carga para el riñón. Las personas cuyos riñones funcionan mal, como aquellas que tienen sólo un riñón, o cuyos riñones han sido dañados por una nefritis, pueden evitar mayor daño a sus riñones limitando su consumo de proteínas al equilibrio aminoácido. Deben esforzarse por no bajar de ese nivel.

Aunque todos los aminoácidos se encuentran en las proteínas del cuerpo humano, no es necesario que todos se encuentren en los alimentos, pues el cuerpo produce la mayoría de ellos. Los que sí deben obtenerse de los alimentos, los aminoácidos esenciales, son histidina, leucina, isoleucina, lisina, metionina, fenilalanina, treonina, triptófano y valina. Las cantidades necesarias para un hombre joven oscilan desde 0,50 g por día en el caso del triptófano, hasta 2,20 g por día en el caso de la leucina, la metionina y la fenilalanina. Estas candidades son suministradas por una dieta mixta, que incluya proteína animal (carne, pescado, huevos), pero no por una dieta vegetariana, que puede ser particularmente escasa en lisina y metionina.

Todos saben lo que es la grasa; manteca de cerdo y sebo de res y de carnero. Es grasosa al tacto, no es hidrosoluble, y es una parte importante de los alimentos del cuerpo humano. Su naturaleza química fue descubierta por el químico francés, Michel Eugène Chevreul, que murió en 1889, a los ciento dos años de edad. (Supongo que no era obeso, si no no hubiera vivido tanto tiempo.) El escritor romano Plinio el Viejo, menciona en su obra sobre la historia natural que los germanos fabricaban una solución de jabón, hirviendo grasa con cenizas de plantas (potasa). En 1779, el químico sueco, K. W. Scheele, descubrió que una solución detergente contenía no sólo jabón, la sal potásica de un ácido graso, sino también un líquido grasoso, de sabor dulce, hidrosoluble, que hoy día llamamos glicerol o glicerina.

Chevreul descubrió que las grasas comunes constan de glicerol, con tres moléculas de ácido graso agregadas. La palmitina (o tripalmitina, glicérido del ácido palmítico) es una grasa representativa; su composición atómica se esquematiza así:

$$\begin{array}{l} H_2C{-}OOC(CH_2)_{14}CH_3 \\ \quad | \\ HC{-}OOC(CH_2)_{14}CH_3 \\ \quad | \\ H_2C{-}OOC(CH_2)_{14}CH_3 \end{array}$$

Se dice que esta grasa es «saturada» por el hidrógeno (H), porque los átomos de hidrógeno ocupan los cuatro enlaces de cada átomo de carbono (C) que no están unidos a otros átomos de carbono o al oxígeno (O). Otras grasas saturadas tienen mayor o menor cantidad de grupos CH_2 en las cadenas laterales de hidratos de carbono. Las grasas no saturadas tienen menos átomos de hidrógeno; o sea, no están saturadas con hidrógeno. Existen más cadenas laterales no saturadas en las grasas líquidas (aceites) que en las sólidas.

Estas moléculas de grasa se llaman triglicéridos. Cuando usted recibe el resultado de un análisis de su sangre, es posible que le den valores por el total de: colesterol, HDL, LDL, y triglicéridos. La cantidad de triglicéridos no es más que la cantidad de grasa en el plasma sanguíneo. El colesterol, HDL, y LDL, son las moléculas que resultan de la transformación de las grasas.

Las grasas son una parte importante de la dieta como fuente de energía metabólica. También tienen importancia en ayudar a transportar las vitaminas liposolubles a través de la pared intestinal, al flujo sanguíneo.

En 1929, descubrieron en ratas jóvenes un crecimiento lento, deterioro de los riñones, y esterilidad; a estas ratas se les había administrado una dieta que sólo contenía grasas saturadas. Entre 1930 y 1956, distintos investigadores descubrieron siete ácidos grasos, no saturados, que son esenciales, en pequeñas cantidades, para un crecimiento y una vida normales en ratas y otros animales. Probablemente, los seres humanos también necesitan un consumo de estos ácidos grasos esenciales. Se han hecho observaciones sobre casos de seres humanos sometidos a una dieta muy baja en grasas; y las que hay, dan una tasa de metabolismo anormal, una mayor frecuencia de infecciones y una tendencia a padecer dermatitis. Se cree que una dieta provista de la cantidad normal de grasas proporciona cantidades suficientes de los ácidos grasos esenciales. Sin embargo, existe la evidencia de que un aumento en el consumo de dos de ellos, el ácido linoleico y el ácido gamma-linoleico, pueden influir positivamente en la protección contra la aterogénesis en la arteriosclerosis y el cáncer.

Estas sustancias distintas fueron llamadas hidratos de carbono (azúcares, almidón, glicógeno y celulosa), porque los químicos observaron que tienen fórmulas del tipo C + H_2O, o sea carbono hidratado. Por ejemplo, la glucosa y la fructosa son $C_6H_{12}O_6$, la sucrosa, $C_{12}H_{22}O_{12}$. De hecho, no existen moléculas de agua en estas sustancias, lo que hay son átomos de carbono y uno o dos átomos de hidrógeno unidos a los primeros, junto con los átomos de oxígeno y los grupos hidróxilos (OH).

El almidón es el principal alimento a base de hidratos de carbono. Se encuentra en todas las frutas y verduras. Un consumo de 50 g proporcionaría el 50% del promedio diario necesario de energía. Muchas frutas y verduras también contienen cantidades importantes de azúcares simples, glucosa y fructosa, así como de sucrosa disacárida, azúcar común, que contiene glucosa y fructosa.

Cuando las enzimas en la saliva y en los jugos gástricos digieren el almidón, éste se combina con agua y se descompone para formar pequeñas moléculas de glucosa, que pasan, a través de las paredes intestinales, a la red sanguínea, y son transportadas a las células de todo el cuerpo. Allí se queman para proporcionar la energía que necesitamos para hacer funcionar nuestros mecanismos bioquímicos, para trabajar y para mantenernos calientes. La glucosa, presente en los alimentos, también entra en la red sanguínea y es tratada de la misma manera. Los seres humanos y sus antecesores han metabolizado unos 300 g diarios de glucosa (mayormente de alimentos con almidón), durante millones de años.

El caso de la fructosa es distinto. Los seres humanos siempre han ingerido algo de fructosa, en la fruta y la miel que constituían parte de su dieta. Hasta hace unos doscientos años el promedio del consumo diario de fructosa era relativamente pequeño, sólo unos 8 g. Luego, a medida que se hacía más asequible el azúcar común (sucrosa) de la remolacha y de la caña de azúcar, el consumo diario de fructosa aumentó unas diez veces, hasta unos 75 g por día.

¿Por qué este gran incremento en el consumo de fructosa? Porque, cuando se ingiere sucrosa, ésta reacciona con el agua y forma cantidades iguales de glucosa y de fructosa. Cada 100 g de sucrosa rinde 53 g de glucosa y 53 g de fructosa; por eso se le denomina disacárido. En los Estados Unidos, comemos unos 45,63 kg de azúcar (sucrosa) por año. Esto representa 125 g diarios, que corresponden, una vez digeridos, a 66 g de fructosa por día. Con unos 8 g de fruta y miel, el consumo diario promedio se convierte en 74 g por día.

Nuestro cuerpo está acostumbrado a metabolizar sólo unos 8 g de fructosa por día. Por tanto, no puede sorprender que un consumo casi diez veces mayor cause problemas. No cabe mucha duda de que esta elevada ingestión de fructosa, a la cual han sido sujetos los seres humanos sólo en los últimos cien años, es la causa de muchos de nuestros males, como se verá en el capítulo 6.

El agua es el cuarto nutriente principal. La vida requiere de más o menos un litro diario, parcialmente, para producir la orina que elimina las sustancias dañinas extraídas de la sangre a través de los procesos de filtración de unos dos millones de unidades filtradoras (nefrones) en los riñones. Es necesario beber mucha agua, preferentemente unos 3 l diarios, para gozar de una buena salud. Una sana costumbre consiste en tomar un vaso de agua cada hora. Los refrescos proporcionan agua, pero no son deseables por el azúcar o los sucedáneos de azúcar que contienen. El agua gaseosa, el zumo de naranja y de otras frutas, son buenas fuentes de agua, como lo es también la cerveza, en cantidad limitada.

Es bueno beber gran cantidad de agua, porque produce un alto volumen de orina; esto reduce el esfuerzo de los riñones, que tienen menos dificultad en eliminar orina diluida que orina concentrada. Esto es de particular importancia para las personas cuyos riñones funcionan mal.

También es bueno beber mucha agua, porque disminuye el riesgo de que se formen cristales de cualquier tipo a partir de los fluidos corporales. La gota se debe a la formación de cristales de urato de sodio en las articulaciones y los tendones, y la seudogota, a una cristalización similar del dehidrato pirofosfato de calcio. Los cálculos renales (piedras en los riñones) implican la formación de masas de cristales retenidas en una matriz proteínica. Los cristales se componen de fosfatos y uratos de calcio y de magnesio, o bien, con menor frecuencia, de cistina. La tendencia a formar estas piedras se manifiesta en más o menos el 1 % de las personas, y se puede evitar absorbiendo gran cantidad de agua, sin dejar que el volumen de orina disminuya.

Las diferentes clases de alimentos –carne, pescado, frutas y verduras, cereales, frutos secos y productos lácteos– son todas importantes para proporcionar proteínas, grasas, hidratos de carbono, minerales, vitaminas y otros micronutrientes valiosos, como el ácido gamma-aminobenzoico, la colina, la lecitina, y las ubiquinonas. Las cantidades de estos importantes componentes difieren en los distintos alimentos, y es prudente ingerir una dieta variada, una que le guste, y suplementarla con valiosos minerales y vitaminas, en cantidades óptimas.

Las porciones de carne y pescado deben ser pequeñas, para mantener la ingestión de proteínas al nivel recomendado de 0,8 g por kg de peso del consumidor.

Los vegetarianos, que consumen huevos y leche, pero no carne ni pescado, pueden mantener su buena salud tomando vitaminas y minerales suplementarios. Los vegetarianos estrictos deben seleccionar sus alimentos vegetales con cuidado, para estar seguros de tomar aquellas verduras que les proporcionen aminoácidos esenciales, presentes sólo en pequeñas cantidades en la mayoría de los alimentos vegetales.

El consumo de grasas debería ser limitado, pero suficiente para proporcionar las grasas esenciales.

Se debería diversificar el consumo de frutas, verduras, cereales y frutos secos e ingerirlos en cantidades satisfactorias. Las frutas y las verduras proporcionan algunas proteínas y grasas, grandes cantidades de hidratos de carbono y también vitaminas, minerales y otros micronutrientes. En siglos pasados era necesario consumir grandes cantidades de frutas y verduras, para asegurar las cantidades mínimas de estos micronutrientes, así como de hidratos de carbono para proporcionarse la energía necesaria. En la nueva era de la nutrición moderna, los consumos óptimos de vitaminas, mayores de los que pueden proporcionar cómodamente las frutas y verduras, están disponibles en suplementos, como se va exponiendo a lo largo de este libro. Sin embargo, es prudente sustituir los suplementos vitamínicos con un consumo adecuado de frutas y verduras.

Las semillas y los frutos secos tienen pocas vitaminas, pero muchas proteínas y grasas, así como hidratos de carbono y energía total. Por ejemplo, un tentempié compuesto de 30 g de almendras proporciona 180 kilocalorías (kcal) de energía alimenticia, 5 g de proteína, 16 g de grasas y 6 g de hidratos de carbono. Un tentempié similar de cacahuetes proporciona 170 kcal de energía, 7 g de proteína, 14 g de grasas y 5 g de hidratos de carbono.

La cantidad de hidratos de carbono ingerida debería mantenerse en un nivel que permita que la grasa ingerida sea quemada y no depositada en el cuerpo. Quizá tenga usted que limitar la ingestión de alcohol, frutos secos y otros tentempiés, así como el volumen de sus comidas. El consumo de sucrosa (azúcar blanca, morena y no refinada, miel, caramelos, postres dulces) debe también mantenerse bajo. El jarabe de maíz se compone de glucosa y es un edulcorante aceptable, a menos que se le haya añadido sucrosa para endulzarlo –comprobar el contenido en la etiqueta–. En el capítulo 6, nos ocuparemos de la obesidad y de la arteriosclerosis, los dos padecimientos más comunes de la nutrición, que derivan de malos hábitos con relación a los macronutrientes, y son el resultado de la violación de estas sencillas reglas.

5. LOS ALIMENTOS COMO FUENTE DE CALOR Y ENERGÍA

Una de las características de los seres humanos es la de que son capaces de trabajar. Lo son también de mantenerse calientes en un medio ambiente frío. Se necesita una fuente de energía para trabajar y mantenerse caliente.

Muchas de las sustancias de nuestros alimentos que entran en la red sanguínea –las grasas y los aminoácidos, así como los hidratos de carbono– se queman en las células de nuestros tejidos y órganos para proporcionar la energía necesaria a las reacciones bioquímicas, incluyendo las de los músculos que nos permiten realizar trabajos manuales y las que generan la energía calorífica que nos mantiene calientes. Este proceso de combustión es la combinación catalizada por las enzimas de las moléculas de combustible con moléculas de oxígeno, distribuidas por la sangre a través del cuerpo. Al quemarse, los átomos de hidrógeno se convierten en agua, H_2O, y los átomos de carbono, en bióxido de carbono, CO_2, que es transportado a los pulmones y exhalado. Los átomos de nitrógeno forman la urea, H_4N_2CO, eliminada en la orina.

La cantidad media de energía alimenticia que necesitan los hombres es de entre 2 000 y 3 500 kcal por día, y las mujeres entre 1 600 y 2 400 kcal. Los jóvenes necesitan más y los viejos menos. 2 500 kcal es la cantidad media.

Esta cantidad de energía podría calentar una bañera llena de agua (elevando la temperatura de 100 l de agua de 10 °C a 37,77 °C). Si toda esta energía pudiera aprovecharse, se podría levantar un peso de 635 kg hasta la cima de una montaña de 1 609 metros de altitud. Con estos cálculos en mente, se puede entender por qué necesitamos más alimentos en invierno que en verano, en climas fríos que en climas cálidos, y por qué el trabajo físico pesado o el ejercicio agotador incrementan las necesidades alimenticias.

El concepto de energía alimenticia fue descubierto en 1842 por un joven médico alemán, Julius Robert Meyer (1814-1878). Era el cirujano a bordo de un barco holandés que viajaba hacia Java, cuando se preguntó por qué los marinos, que trabajaban igual cada día, comían mucho menos en el océano Índico que en el mar del Norte, y por qué los marinos, que trabajaban duro, comían más que los oficiales. Concluyó que la comida que ingiere una persona proporciona cierta cantidad de energía, que puede usarse, ya sea para proporcionar calor, ya sea para trabajar. En la misma época, el físico inglés, John Prescott Joule realizaba experimentos (cuyos informes aparecieron en 1843) para determinar la relación entre el trabajo y el calor. Estas dos personas tan perspicaces descubrieron esa ley física, sumamente importante, llamada conservación de energía.

Los valores energéticos de un alimento se pueden determinar al quemar una cantidad, previamente pesada, del alimento y midiendo la cantidad de calor generada. Conviene dar los valores para una cantidad tipo, 100 g de alimento: los valores energéticos son: 900 kcal por 100 g de grasa, 415 kcal por 100 g de almidón, y unas 430 kcal por 100 g de proteína. Los valores para los azúcares son levemente menores que para el almidón: 395 kcal por 100 g de sucrosa, lactosa (azúcar de la leche) y maltosa (azúcar de malta, un disacárido obtenido a partir del almidón por la acción de una enzima), y 375 kcal por 200 g de glucosa y fructosa.

En la tabla siguiente se dan los valores de las fracciones de la energía proporcionada por las grasas, las proteínas y los hidratos de carbono en varias dietas -la dieta promedio norteamericana, la dieta recomendada por la U.S. Senate Select Committee on Nutrition and Human Needs (Comité del Senado dedicado a la nutrición y a las necesidades humanas de Estados Unidos) y una dieta intermedia-. Esta última contiene más grasas y menos hidratos de carbono que la del U.S. Senate Select Committee on Nutrition and Human Needs.

DISTRIBUCIÓN ENERGÉTICA DE ALGUNAS DIETAS

	dieta actual de EE. UU.	objetivo dietético[1]	dieta intermedia
Grasas	42%	30%	40% (1 000 kcal/día)
Proteína	12%	12%	10% (250 kcal/día)
Hidratos de carbono	46%	58%	50% (1 250 kcal/día)
Almidón	20%	38%	30%
Azúcares naturales	6%	10%	10%
Sucrosa	20%	10%	10%
TOTAL	100%	100%	100% (2 500 kcal/día)

1. Objetivos dietéticos para los Estados Unidos. Senate Select Committee on Nutrition and Human Needs. U.S. Government Printing Office, Washington, D.C. (1976).

Si se recomienda la cantidad intermedia de grasa es, en parte, porque necesitamos las grasas esenciales, y éstas las obtenemos casi totalmente de los alimentos que comemos.

Una dieta que proporcione 2 500 kcal, y en la cual el 10% de la energía es proporcionada por proteínas, necesita de 58 g de proteína.

Para mantener el consumo de proteínas en un nivel bajo, se necesita limitar el consumo de carne y pescado. 225 g de filete proporcionan más de 58 g de proteína, y no permite el consumo de otros alimentos proteínicos. Un huevo proporciona 6 g; un vaso de leche, 8 g; una rebanada de pan, 3 g; una ración de alubias, 8 g; judías u otras verduras, de 2 a 6 g; una ración de cereales, 4 a 8 g. El cordero, el cerdo y el pescado contienen de un 15 a un 20% de proteínas; la carne de res, un 30% más o menos. El consumo de carne y pescado debería mantenerse en unos 100 g diarios. El mayor beneficio de la dieta recomendada está, probablemente, en la disminución del consumo de sucrosa, azúcar común, según se verá en el próximo capítulo.

Las observaciones del explorador ártico Vilhjalmur Stefansson, hace un siglo, despertaron mucho interés sobre la importancia que tiene la carne en la dieta. Stefansson nació en 1879, en Manitoba, Canadá, de padres islandeses y, cuando no tenía más de uno o dos años, sus padres y él vivieron principalmente de pescado, durante un año, debido al hambre que se padecía en la región. Tras su graduación en la Universidad de Iowa, estudios antropológicos durante tres años en Harvard, y dos viajes arqueológicos a Islandia, empezó su investigación ártica en 1905. Vivió con los esquimales durante un año, aprendiendo su idioma y cultura, y concluyó que era posible mantenerse en relativo buen estado de salud con la dieta esquimal compuesta únicamente de carne consumida como la comen los esquimales.

En 1926, había vivido un total de nueve años con una dieta compuesta exclusivamente de carne, de los once años y medio que pasó en el ártico. El período más largo en que sólo comió carne, fue de nueve meses. En 1922, cuando tenía cuarenta y tres años, se le hizo un estudio. Éste mostró que el estado de su salud era el normal para su edad (Lieb, 1926); por ejemplo, su presión arterial era de 115/55. Murió a los ochenta y dos años de edad.

Ya que Stefansson afirmaba que era posible estar sano con una dieta exclusivamente cárnica, se decidió iniciar, a partir de 1927, un experimento, cuidadosamente planeado, con Stefansson y con otro explorador ártico. Durante un año, los dos hombres comieron sólo carne de res, cordero, ternera, cerdo, pollo, en porciones grasas o magras, y a veces también hígado, riñones, sesos, tocino y tuétano. Stefansson comía también huevos, mantequilla y pescado, cuando le costaba conseguir carne durante sus viajes. La carne era generalmente hervida o estofada, pero comían algo de tuétano crudo. No bebían leche. Estuvieron en un hospital, bajo observación, durante los primeros seis meses y, luego, regresaron a sus actividades, pero cumplieron con su dieta. Informaron que no les apetecían otros alimentos. Sin embargo, se lamentaban de que el carnero hervido no fuera tan sabroso como el buey almizclado, el caribú o el cabrito de montaña descrito en la autobiografía de Stefansson, *Discover* (1962). Los mantuvieron bajo cuidadosa observación a lo largo del año, concluyéndose que estaban tan sanos al final de ese período como al principio.

Su dieta contenía unos 230 g de grasa, 120 g de proteína y sólo de

5 a 10 g de hidratos de carbono, diarios. El elevado consumo de grasa animal no parecía causarles daño (Torry y Montu, 1931).

Su tolerancia a la glucosa era baja al finalizar el año, pero se normalizó al cabo de dos semanas de dieta mixta.

Es extraordinario que no hayan desarrollado enfermedades por carencia de vitaminas con una dieta exclusivamente cárnica. Hay que suponer que la carne fresca contiene una provisión mínima de vitamina C y otras vitaminas. Stefansson (1918) informó que tres de los miembros de la expedición ártica padecieron de escorbuto durante el invierno de 1916-1917. Esos tres habían ido comiendo víveres que una expedición anterior había dejado escondidos. Enfermaron de escorbuto mientras que a los otros, que sólo consumían carne fresca, no les pasó nada.

No concluyo que una dieta a base de carne sea la mejor, aunque la carne fresca pueda suministrar las cantidades mínimas de todos los nutrientes, con la grasa proporcionando la mayor parte de la energía. Los suplementos vitamínicos y una dieta mixta, con un consumo limitado de azúcar, conducen a gozar de una salud óptima.

La experiencia de Stefansson es pertinente, dada la inquietud general acerca de las grasas en la dieta. Esta inquietud surgió en 1955, cuando el presidente Dwight David Eisenhower sufrió una oclusión coronaria. El cardiólogo del presidente, Paul Dudley White, de la Facultad de Medicina de Harvard, aprovechó la ocasión para instruir al público sobre el papel del colesterol en la arteriosclerosis y para aconsejarle reducir el consumo de alimentos conteniendo grasas. Stefansson no pudo sino recusar a White, dando en ejemplo su propia buena salud a base de una dieta de alto contenido graso y sus observaciones sobre la salud de los esquimales que tan bien conocía. Concluyó con esta pregunta retórica: «Ingerimos hidratos de carbono, grasas y proteínas. Fabricamos la pólvora con salitre, azufre y carbón de leña. ¿Podemos decir cuál de estos elementos produce la explosión?» White retiró su advertencia doctrinaria y escribió una introducción muy sosegada para una nueva edición del relato de Stefansson sobre sus aventuras dietéticas, publicado bajo el título de *The Fat of the Land.*

El contenido energético del alcohol será el objeto del siguiente capítulo.

6. DOS PROBLEMAS DE ALIMENTACIÓN

Fue a causa de las numerosas enfermedades carenciales, provocadas por la falta de elementos esenciales en la dieta, por lo que los estudiosos de la nutrición descubrieron los micronutrientes y las distintas maneras en que éstos sirven al organismo sano. Hoy día, en los países industriales ricos y bien alimentados, la ciencia de la nutrición está aprendiendo a luchar contra las dolencias que resultan de la superabundancia, no de la carencia, de los macronutrientes. Los esfuerzos por controlar los dos padecimientos más comunes de este tipo, la *obesidad* y la *arteriosclerosis*, suscitan más discusiones, de ser posible, que las que atañen a los micronutrientes, particularmente las vitaminas.

La obesidad es el resultado de tener un enorme exceso de peso, de estar excesivamente grueso, muy por encima del peso normal para el tamaño y la complexión de la persona. Constituye un serio problema para muchas personas.

El peso normal para las mujeres que miden entre 1,50 y 1,80 m es de 52 a 70 kg, con un margen de 5 a 7 kg, según la complexión. Para los hombres que miden entre 1,60 y 1,90 m, el peso es de 60 a 85 kg, con un margen de 5 a 7 kg. Un sobrepeso del 25 % va acompañado de molestias; uno del 40 % de una mayor frecuencia de enfermedades y de una esperanza de vida menor en unos cuatro años. Un sobrepeso del 50 % causa muchas molestias, incremento al 100 % en la frecuencia de enfermedades, y acarrea una disminución de diez años de esperanza de vida (Pauling, 1958).

En los siglos y milenios pasados, el depósito de grasa en el cuerpo humano respondía a un objetivo importante. El suministro de alimentos era a menudo irregular. Cuando era suficiente, como, por ejemplo, cuando se mataba a un mastodonte, la gente comía tanto como podía ingerir. Las proteínas (aminoácidos en exceso) y los hidratos de carbono (glucosa) se quemaban en las células del cuerpo, para proporcionar la energía necesaria, y las grasas eran almacenadas en depósitos, bajo la piel y en otras partes del cuerpo, con el fin de que pudieran quemarse posteriormente y, así, prevenir la muerte por hambre, al escasear el alimento.

Podríamos concluir que la forma de prevenir el depósito excesivo de grasas es restringir el consumo de todos los alimentos –proteínicos, hidratos de carbono y grasas– a la cantidad diaria necesaria para el trabajo y el calor. Poco se puede lograr al restringir sólo un tipo de alimento. Aun si se restringen las grasas, la dieta no deja de proporcionar cierta cantidad de ellas, y si hay suficientes hidratos de carbono para cubrir las necesidades de energía, estas grasas se depositarán y provocarán la obesidad.

Ninguna dieta intensiva o de moda puede resolver el problema de la obesidad, porque estas dietas son desagradables y causan molestias tan continuas que la persona obesa pronto las abandona. Para que un tratamiento tenga éxito, debe ser posible aplicarlo año tras año; y para lograr que se siga de un modo continuo, la dieta debería estimular el apetito. No se trata del tipo de alimentos que controlan el peso del cuerpo, sino más bien de la energía total alimenticia con relación al tamaño, la complexión y la cantidad de ejercicio. Los alimentos deberían ser de los que gusten a la persona, pero ingeridos en cantidad limitada.

Brian Leibovitz, en el libro que publicó en 1984, y en donde critica varias dietas de moda para el control de peso y la mejoría de la salud, subraya este punto. Sus observaciones sobre la dieta de Pritikin son un buen ejemplo de sus comentarios. En la sobrecubierta del libro de Nathan Pritikin *The Pritikin Promise: 28 Days to a Longer, Healthier Life* («La promesa de Pritikin: 28 días hacia una vida más larga, más saludable»), se halla la siguiente exhortación:

> «Siga mi dieta y mi programa de ejercicio seguros, de 28 días, y le prometo que:
> – se sentirá vivir verdaderamente todos los días;
> – reducirá el riesgo de enfermedades del corazón, de diabetes, de alta tensión arterial, de cáncer mamario y del colon;
> – perderá peso sin padecer hambre.»

Leibovitz comenta:

> «El programa de Pritikin es un régimen bajo en proteínas y en grasas, y alto en carbohidratos, y –punto a su favor– subraya la importancia de los alimentos no refinados. En el plan de Pritikin se prohíben el aceite, la mantequilla, el azúcar y la carne roja. Como no se permiten ni la mantequilla ni los aceites, los alimentos deben asarse o cocerse al vapor. Con todo y ser básicamente sana, la dieta Pritikin presenta dos inconvenientes considerables. Para comenzar, es innecesariamente espartana. Pese a que hay algunas muy buenas razones para limitar el consumo excesivo de carne, productos lácteos, aceite, mantequilla, sal y azúcar... no hay por qué eliminarlos totalmente de la dieta. Yo creo que, entre los que intentan seguir la dieta de Pritikin, muchos tienen dificultad para cumplirla, porque es demasiado estricta.»

Moraleja: no vaya a los extremos, no sea radical; por ejemplo, no siga una dieta basada en un solo alimento, como la dieta microbiótica Zen, que supone la eliminación de todos los alimentos, hasta quedar reducida a arroz moreno (sin descorticar). El seguir una dieta así puede causar la muerte. En vez de eso, adquiera hábitos sensatos y que le satisfagan, para poder seguir con ellos año tras año.

El resultado trágico, y muy corriente, de seguir las dietas en boga, y de padecer ansiedad porque es difícil atenerse a ellas, es la anorexia mental (o nerviosa) que se apodera de los adolescentes. Se estima que del 5 al 20% de los adolescentes (el 95% son muchachas) aquejados de anorexia nerviosa, mueren por carencia de proteínas, energía y vitaminas. A menudo los jóvenes (chicos o chicas) tienen un apetito voraz (llamado *bulimia*), pero una comida abundante es seguida de un vómito inducido. Esta enfermedad, que no está asociada con la pobreza o la escasez de alimentos, parece ser psicológica, y resulta del temor al sobrepeso. La anorexia nerviosa es una grave enfermedad. El paciente necesita un tratamiento especializado, incluyendo la psicoterapia.

Se pueden llevar a cabo muchas acciones para mejorar la salud, sin interferir seriamente con el goce de la vida; por ejemplo, practicar un control sensato de la dieta, o usar regularmente unos suplementos dietéticos, lo que constituye el tema de este libro.

Algo que no debe olvidarse, con relación al control de peso, es que el alcohol es un alimento. El alcohol potable, o sea el alcohol etílico (C_2H_5OH), tiene un calor de combustión bastante elevado, 700 kcal por 100 g, más cercano al de las grasas (900) que al de los carbohidratos (400). Unos 44 ml de una bebida alcohólica fuerte (80 a 100 G. L.) proporciona de 100 a 120 kcal; medio litro de cerveza, 160 kcal; un vaso de vino, 150 kcal. Por tanto, un bebedor moderado, que ingiere de dos a tres tragos diarios, obtendrá de 300 a 400 kcal de energía alimenticia del alcohol; y una persona que bebe en exceso puede obtener de 1 000 a 1 500 kcal, es decir, la mitad del requisitio diario de energía.

Resultado: los que beben en exceso engordan, y los bebedores moderados tienen, ellos también, una tendencia hacia la obesidad. Para perder peso, debe usted limitar no sólo su consumo de proteínas, hidratos de carbono y grasas, sino también de alcohol.

Otro efecto de un consumo elevado de alcohol es que el bebedor no come mucho y puede empezar a padecer una carencia de vitaminas y minerales, si no ingiere suplementos de vitaminas y minerales. En un estudio que se llevó a cabo entre residentes –escogidos al azar– de San Mateo County, California, Estados Unidos, H. D. Chope y L. Breslow observaron que los bebedores moderados son más sanos que los abstemios, pero que los bebedores en exceso, los que consumen más de cuatro tragos por día, son menos sanos. Una parte de su mala salud puede venir de la malnutrición en cuanto a vitaminas y minerales.

En Estados Unidos, es rara la gente que no ha oído hablar de la relación entre las enfermedades del corazón y del sistema circulatorio (causa principal de muerte) y las grasas en la red sanguínea. Sabiendo eso, casi todos aceptan la sugerencia, expuesta por muchos médicos y por la mayoría de los nutriólogos, de que una elevada concentración de grasas en la red sanguínea es causada por un elevado consumo de grasas en la dieta.

John Yudkin, profesor de fisiología en el Queen Elizabeth College, de la Universidad de Londres (1945-1954), profesor de nutrición y dietética (1954-1971), y ahora profesor emérito de nutrición, tiene un punto de vista distinto sobre esta materia. Lo ha presentado en varias comunicaciones científicas y en el libro *Sugar: Chemical, Biological and Nutritional Aspects of Sucrose* («El azúcar: aspectos químicos, biológicos y nutricionales de la sucrosa»), compilado por Yudkin, Edelman y Hough (1971). Ha reunido sus observaciones para el público en general, en su libro *Sweet and Dangerous* («Dulce y peligroso») (1972).

Yudkin siguió la pista de la teoría sobre las grasas, tan extensamente aceptada, y esto lo llevó hacia una comunicación de Ancel Keys, de la Universidad de Minnesota. «En 1953 –escribió Yudkin– Keys llamó la atención sobre el hecho de que en seis países distintos existía una relación altamente sugestiva entre el consumo de grasas y las tasas de mortalidad por enfermedades coronarias. Ésta era una de las contribuciones más importantes al estudio de las enfermedades del corazón. Ha provocado una avalancha de informes realizados por otros investigadores en todo el mundo; ha cambiado la dieta de cientos de miles de personas; y ha canalizado grandes sumas de dinero hacia los productores de los alimentos que forman parte de estas dietas.»

En contra de la aceptación generalizada de la tesis, según la cual las enfermedades coronarias son causadas por un consumo elevado de grasas animales (grasas saturadas) y de alimentos que contienen colesterol, el mismo Yudkin ha demostrado que, para los mismos países citados, la correlación de las enfermedades coronarias con el consumo de azúcar es mayor que la que se refiere al consumo de grasas. Observó que las personas que padecen enfermedades coronarias han estado ingiriendo más sucrosa (azúcar común) que las que no las padecen, e hizo notar que «nadie ha demostrado una diferencia en el consumo de grasas entre personas con y personas sin enfermedades coronarias, pero esto de ninguna manera ha disuadido al doctor Keys y a sus seguidores». La observación de Yudkin se ha visto confirmada por un estudio epidemiológico, a gran escala y a largo plazo, de la población de Framingham, Massachusetts, Estados Unidos, llevado a cabo bajo los auspicios del National Institute of Health (Instituto Nacional de la Salud), que no mostró ninguna correlación entre el consumo de grasas y la frecuencia de enfermedades del corazón. Sin embargo, los ahora enormes intereses económicos, que se benefician con la relación entre grasas en los alimentos y colesterol en la sangre, son quizá parcialmente responsables de que la ingenua relación directa persista en los consejos de los médicos, y en la mente de la población en general. La idea se resiste a morir, como veremos en el capítulo 16.

Las enfermedades coronarias, que rara vez ocurrían hace setenta y cinco años, son, hoy día, una de las principales causas de muerte. En 1957, Yudkin informó acerca de un estudio sobre la tasa de mortalidad por enfermedades coronarias en quince países, en relación con el consumo medio de azúcar. La tasa anual de muerte por afección coronaria y por 100 000 personas aumenta, en progresión constante, pasando de 60, para un consumo de 9 kg de azúcar por año, a 300, para 54 kg por año, elevándose luego más bruscamente a unos 750, para 67,5 kg por año. En 1964 y 1967, Yudkin y sus colegas reseñaron dos estudios realizados en Londres. El primero se refería a 65 hombres, que padecían de infarto de miocardio o de enfermedad arterial periférica, en cuanto a su consumo medio de sucrosa. Como referencia, se estudió también el consumo de sucrosa de 58 hombres, algunos sanos, otros hospitalizados por otras enfermedades. Tanto los pacientes con enfermedades cardíacas como los otros tenían entre 45 y 65 años de edad, con un promedio de 56,1 para los primeros y de 55,1 para los segundos.

El consumo medio de azúcar, en el caso de los hombres que padecían de enfermedades cardiovasculares, fue de 63,5 kg por año; el de los otros fue de 36,5 kg por año. Esta diferencia tiene un significado estadístico muy elevado, siendo el nivel de confianza calculado de más de 99,999 %. Esto nos lleva a la conclusión de que los hombres que consumen grandes cantidades de sucrosa tienen mayores probabilidades de contraer enfermedades cardiovasculares, entre los 45 y 65 años de edad, que aquellos cuyo consumo es bajo. El segundo estudio dio fundamentalmente los mismos resultados.

A Yudkin se le ha criticado, alegando que su método para determinar el consumo de sucrosa, interrogando a los pacientes, antes de transcurrir las tres semanas de hospitalización, sobre sus hábitos normales de alimentación, no era fiable. Llevó a cabo una investigación para verificar lo criticado, y concluyó que dicho método era tan fiable como el método, mucho más elaborado, generalmente utilizado por los nutriólogos.

Las enfermedades coronarias, incluyendo la angina de pecho, que, dados sus extraordinarios síntomas, seguramente no hubiera escapado a la atención de los médicos del pasado, parecen ser enfermedades modernas. No hace más de un siglo que se habla de ellas en las

revistas médicas. La creciente frecuencia de estas enfermedades corre pareja con el aumento del consumo de azúcar; en cambio, no tiene ninguna correlación con el consumo de grasas animales (grasas saturadas) o de grasas en general.

Yudkin cita varios estudios que indican bastante claramente que la sucrosa, y no la grasa animal, es el villano del cuento de las enfermedades del corazón. En Jerusalén, el doctor A. M. Cohen observó que, entre los judíos yemeníes que llevaban sólo diez años o menos en Israel, había pocas enfermedades coronarias, mientras que entre los que llevaban veinticinco años en el país, estas enfermedades eran muy frecuentes. En el Yemen, su dieta comportaba un alto contenido de grasa animal y poca azúcar; en Israel, habían adoptado la dieta acostumbrada, con alto contenido de azúcar. Esta observación muestra claramente que una dieta con un alto contenido de grasa saturada no conduce necesariamente a una alta frecuencia de enfermedades coronarias, y apoya la conclusión de Yudkin de que una dieta con un elevado contenido de sucrosa, sí conduce a las enfermedades coronarias.

Además, en el este de África, las tribus masai y sumburu se alimentan principalmente de leche y carne y, por tanto, consumen mucha grasa animal; sin embargo, se dan muy pocos casos de enfermedades del corazón; en los últimos diez años, su consumo de azúcar ha aumentado considerablemente, y la frecuencia de enfermedades coronarias va creciendo rápidamente.

Existen pruebas convincentes de que hay una correlación entre la cantidad de colesterol en la sangre, si no en la dieta, y la frecuencia de enfermedades coronarias. Cuando se reduce el nivel del colesterol, la frecuencia de dichas enfermedades decrece. Para alcanzar esta reducción se ha recomendado disminuir la ingestión de huevos, carne y demás alimentos que contienen colesterol. Sin embargo, el colesterol que se ingiere en los alimentos, no va directamente a la red sanguínea. Quizá otro procedimiento sea mejor que reducir el consumo de colesterol. Este procedimiento consiste en cambiar nuestro consumo de los nutrientes conocidos por su acción en la síntesis y la destrucción del colesterol en nuestro cuerpo. Yudkin ha puesto, de manera convincente, la sucrosa del azúcar en esta categoría.

Como se explicó en el capítulo 4, el metabolismo de la sucrosa produce, en su primera fase, cantidades iguales de glucosa y fructosa. La glucosa pasa directamente a las fases metabólicas, que llevan su energía al mecanismo bioquímico de las células del cuerpo. El metabolismo de la fructosa toma parcialmente otro camino de manera que pasa a formar el acetato, un precursor del colesterol que sintetizamos en las células del hígado.

Un estudio clínico fidedigno ha mostrado que la ingestión de sucrosa conduce a un aumento del colesterol en la sangre. Milton Winitz y sus colegas reseñaron este estudio tan importante, en 1964 y 1970. Estos investigadores estudiaron dieciocho personas, mantenidas en una institución cerrada, sin tener acceso a otros alimentos,

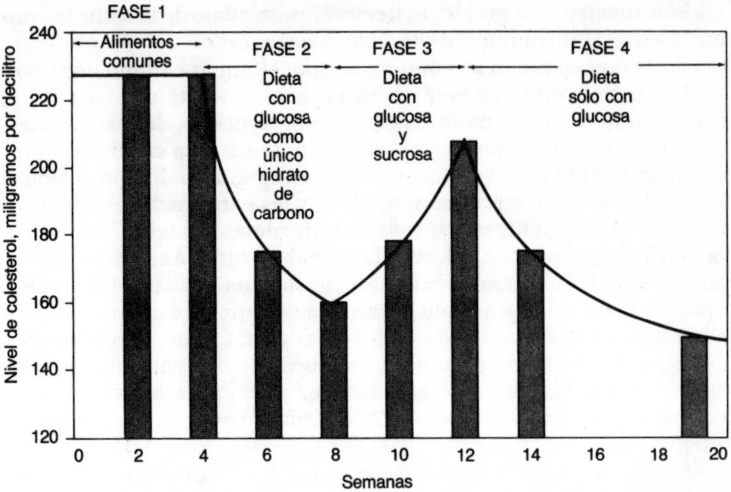

Colesterol en la sangre. *En una sala cerrada, dieciocho hombres sometidos a un experimento recibieron, primero, alimentos comunes, y luego una dieta rigurosamente especificada, en la cual los aminoácidos proporcionaron las proteínas necesarias; las grasas, el requisito general, y la glucosa, los hidratos de carbono. Aquí están trazadas cuatro fases del experimento. FASE 1: Durante las primeras cuatro semanas, los sujetos comieron alimentos normales. FASE 2: De la cuarta a la octava semana, en su dieta el único hidrato de carbono fue la glucosa. FASE 3: De la octava a la duodécima semana, la fuente de hidratos de carbono fue una mezcla de un 75 % de glucosa y un 25 % de sucrosa. FASE 4: Tras la duodécima semana, su dieta volvió a la glucosa (como en la fase 2). Obsérvese que el colesterol de la sangre disminuyó significativamente, cada vez que se eliminaba la sucrosa.*

durante el período completo del estudio (unos seis meses). Tras un período preliminar con alimentos comunes, se les fijó una dieta, bien definida químicamente, de pequeñas moléculas (diecisiete aminoácidos, un poco de grasa, vitaminas, los minerales esenciales y, como único hidrato de carbono, glucosa). La concentración de colesterol en el suero sanguíneo fue el único cambio fisiológico significativo observado, y se redujo rápidamente en cada uno de los dieciocho sujetos. La concentración promedio durante el período inicial, con alimentos comunes, era de 227 mg por dl. Tras dos semanas de dieta a base de glucosa, había bajado a 173 mg y, tras otras dos semanas, a 160 mg. Entonces, cambiaron la dieta, reemplazando un cuarto de la glucosa por sucrosa, sin modificar ningún otro componente dietético. Al cabo de una semana, la concentración de colesterol había aumentado de 160 a 178, y tras dos semanas más, a 208. La sucrosa fue sustituida de nuevo por glucosa. Al cabo de una semana, la concentración de colesterol había disminuido a 175, y siguió decreciendo, nivelándose en 150, es decir, 77 por debajo de la cantidad inicial (véase la ilustración de la página anterior).

Este importante experimento, en que el único cambio consistió en la sustitución de parte de la glucosa en la dieta por sucrosa y, luego, en la vuelta a una dieta sin sucrosa, muestra, de manera concluyente, que un aumento del consumo de sucrosa conlleva un incremento del nivel de colesterol en la sangre. Debido a la relación entre el colesterol en la red sanguínea y las enfermedades del corazón, este experimento vincula el consumo de sucrosa directamente a la mayor frecuencia de enfermedades del corazón. Además, se ha establecido la base bioquímica del efecto sucrosa-colesterol por el hecho que la fructosa, formada durante la digestión de la sucrosa, está sometida a reacciones que conducen al acetato que, luego, es parcialmente convertido en colesterol. Este experimento clínico, llevado a cabo por Winitz y sus colaboradores, apoya fuertemente la conclusión a la que llegó Yudkin: el azúcar (sucrosa) es peligrosa, además de dulce.

La dieta normal, con un 20 % de la energía obtenida de la sucrosa, corresponde a un consumo promedio de 125 g diarios, 45 kg por año. Si se reduce esta cantidad a la mitad, mejora mucho la salud, disminuyendo las posibilidades de contraer tanto enfermedades del corazón como otras diversas, reduciendo el colesterol de la sangre, y reforzando los mecanismos naturales de defensa del cuerpo.

Puede usted disminuir su consumo de sucrosa a la mitad, adoptando algunos buenos hábitos:

1. No se acerque a la azucarera. No añada azúcar a su té o café. Una cucharadita llena pesa 9 g. Cada vez que evita añadir azúcar a su taza de café o té, disminuye su consumo de sucrosa en esa misma cantidad.

2. No coma cereales preparados recubiertos de azúcar. Algunos de estos cereales contienen un 50 % de azúcar. Cuando come usted una porción de 56 g ingiere 28 g de sucrosa. Coma cereales no azucarados, y añada sólo un poco de azúcar.

3. No coma regularmente postres dulces. Como dijo Yudkin, si le invitan a cenar, esto no quiere decir que deba rechazar el postre que preparó su anfitriona.

4. No tome refrescos (bebidas gaseosas), salvo agua mineral gaseosa. Una botella o lata de 177 ml de una bebida a base de cola contiene 17 g de sucrosa. Si tomara usted cuatro botellas diarias e ingiriera la dieta normal norteamericana, su consumo de sucrosa anual sería de 70 kg y, según Yudkin, tendría quince veces más posibilidades de morir por una enfermedad del corazón que si redujera su consumo a 23 kg por año, siguiendo estas reglas.

Un vaso de *ginger ale* contiene 14 g de sucrosa, un vaso de soda con sabor a frutas (cítricos, cereza, uva, fresa y otras), 20 g, un vaso de *root beer* 18 g, y un vaso de tónica 14 g.

No recomiendo los refrescos dietéticos, en los que la sucrosa es sustituida por edulcorantes artificiales, porque me preocupa la posible toxicidad de esas sustancias no ortomoleculares. El refresco que recomiendo para toda persona, salvo aquellas que estén siguiendo una dieta con bajo contenido de sodio, es el agua mineral gaseosa. También recomiendo el agua.

Si usted mantiene bajo su consumo de azúcar, la vitamina C puede proporcionar el resto de su seguro contra una elevada concentración de colesterol en la red sanguínea. Según explico en el capítulo 18, donde regresamos al tema de las enfermedades del corazón, la vitamina C participa en la bioquímica de la síntesis y destrucción del colesterol en nuestro cuerpo.

II. La nueva nutrición

7. CÓMO FUERON DESCUBIERTAS LAS VITAMINAS

El escorbuto, el beriberi, la pelagra, la anemia perniciosa y el raquitismo son enfermedades que, en los milenios pasados, causaron tremendo sufrimiento y millones de muertes. Hoy sabemos que cada una de estas enfermedades es causada por una carencia de un importante tipo de molécula en los órganos y tejidos del cuerpo. El escorbuto proviene de un insuficiente suministro de vitamina C; el beriberi, de la carencia de vitamina B_1 (tiamina); la pelagra, de la carencia de vitamina B_3 (niacina). La anemia perniciosa es el resultado de la escasez de vitamina B_{12} (cobalamina) en la sangre, carencia causada por la incapacidad del paciente para sintetizar una sustancia que transporta la vitamina a través de las paredes intestinales. El raquitismo (crecimiento defectuoso de los huesos) se debe a la falta de vitamina D en la dieta o a la insuficiente exposición de la piel al sol. Este conocimiento, adquirido sólo en los últimos cien años, ha permitido controlar casi totalmente dichas enfermedades en los países desarrollados y conseguir una gran mejoría en la salud general de sus poblaciones.

Hace siglos que conocemos el escorbuto, pero no fue sino hasta 1911 que se identificó claramente como una carencia dietética. Hasta los años ochenta del siglo XIX, la enfermedad era común entre los marineros de barcos que hacían largos viajes. Aparecía también con frecuencia entre los soldados de un ejército en campaña, en las comunidades en las que había escasez de alimentos, en ciudades sitiadas y en las prisiones y asilos. El escorbuto atormentó a los buscadores de oro de California, hace 140 años, y a los de Alaska, hace 90 años.

Al principio, el escorbuto se caracteriza por pérdida de fuerza, depresión, inquietud, y un rápido agotamiento después de cualquier esfuerzo. La piel se vuelve amarillenta o morena. El paciente se queja de dolores musculares. Está mentalmente deprimido. Más tarde, su cara se vuelve macilenta; sus encías se ulceran; se le caen los dientes, y su aliento es fétido. Grandes hemorragias penetran los músculos y otros tejidos, dando al paciente la apariencia de estar excesivamente magullado. Las últimas etapas de la enfermedad se manifiestan por un profundo agotamiento, por diarrea y enfermedades pulmonares y renales, que conducen a la muerte.

Los estragos causados por el escorbuto entre los marineros eran terribles. En viajes largos, los marineros se alimentaban básicamente de galletas, carnes de vaca y de cerdo saladas, que contienen muy poca vitamina C. Entre el 9 de julio de 1497 y el 30 de mayo de 1498, el navegante portugués Vasco da Gama emprendió un viaje, para descubrir la ruta marítima hacia la India, alrededor de África. Salió de Lisboa hacia Calcuta. Durante este viaje, 100 de los 160 miembros de la tripulación murieron de escorbuto. En 1577, un galeón español a la deriva fue encontrado en el mar de los Sargazos; todos los miembros de la tripulación habían muerto de escorbuto. A finales de 1740, el almirante británico, George Anson, se hizo a la mar con una escuadra de seis barcos y 961 marineros. Ya en junio de 1741, al llegar a la isla de Juan Fernández, las tripulaciones se habían reducido a 335, con más de la mitad de los marineros muertos de escorbuto. El conquistador de México, Hernán Cortés, descubrió la Baja California en 1536, pero tuvo que regresar antes de descubrir la propia California, porque sus marineros se morían de escorbuto.

La idea de que el escorbuto podía evitarse con una dieta adecuada se formó muy lentamente. En 1536, el explorador francés Jacques Cartier descubrió el río San Lorenzo y navegó río arriba hacia el lugar en donde en la actualidad se levanta la ciudad de Quebec, donde él y sus hombres pasaron el invierno. Veinticinco de ellos murieron de escorbuto y muchos más estuvieron muy enfermos. Un indio amistoso les aconsejó una infusión de hojas y corteza del *árbol de la vida*, el *Thuja occidentalis*, o tuya. El tratamiento resultó benéfico. Más tarde, se comprobó que las hojas, o agujas, de este árbol contienen 50 mg de vitamina C por cada 100 g.

En el siglo XVI, el almirante inglés sir John Hawkins observó que en un viaje muy largo los miembros de la tripulación padecían escorbuto, en intensidad y cantidad proporcionales al tiempo en que sólo comían alimentos secos. Se curaban rápidamente al tener acceso a algunas plantas suculentas, incluyendo los cítricos.

Ya que las frutas y verduras frescas son, obviamente, alimentos de los más difíciles de conservar a bordo, se hicieron esfuerzos por encontrar sustitutos transportables por barco.

En 1747, cumpliendo su servicio en la marina británica, el médico escocés James Lind, llevó a cabo un experimento, ahora muy célebre, con doce pacientes que padecían severos ataques de escorbuto. A todos, les recetó la misma dieta, salvo una cosa, uno u otro de los supuestos remedios que estaba probando. A dos de los pacientes les dio dos naranjas y un limón por día; a otros dos, cidra; a los otros, ácido sulfúrico diluido, o vinagre, o agua de mar, o una mezcla de fármacos. Al cabo de seis días, los dos que habían ingerido los cítricos estaban bien, mientras que los diez restantes seguían enfermos. Lind llevó a cabo más experimentos, que luego describió en su libro *A Treatise on Scurvy* («Tratado sobre el escorbuto») (1753).

Las experiencias del gran explorador inglés, el capitán James

Cook, en la lucha contra el escorbuto, son particularmente notables. Cook era hijo de un jornalero, empleado en una finca de Yorkshire. De niño mostró una capacidad fuera de lo común y, a los dieciocho años, sirvió como aprendiz de un naviero, que le alentó en sus estudios de matemáticas y navegación. Tras alistarse en la marina, ascendió rápidamente y se convirtió en uno de los exploradores más importantes del mundo.

Kodicek y Young, en sus *Notes and Records of the Royal Society of London* («Notas y archivos de la Real Sociedad de Londres») (1969), cuentan cómo se enfrentó al escorbuto entre los miembros de su tripulación, durante sus viajes en el Pacífico, de 1768 a 1780. Estos autores citan la canción siguiente, compuesta por el marinero T. Perry, miembro de la tripulación del buque insignia de Cook, *H. M. S. Resolution.*

Éramos todos marinos robustos, no temíamos a ningún resfriado.
Y todos, de enfermedades nos hemos mantenido alejados
gracias al capitán Cook; ha probado ser tan bueno
en darnos comida fresca, en medio de todas las islas.

Esta canción, escrita hace doscientos años, indica que los marineros de Cook creían que algo en la comida fresca los protegía contra los resfriados, así como contra otras enfermedades.

El capitán Cook utilizó muchos agentes antiescorbúticos. Cuando los barcos llegaban a tierra, ordenaba a sus marineros reunir frutas, verduras, bayas y plantas verdes. En América del Sur, Australia y Alaska recogían las hojas de piceas o abetos, y hacían una infusión llamada cerveza de picea. Hervían flores de ortigas y puerros silvestres con trigo, y los servían en el desayuno. Cook emprendió uno de sus viajes con una provisión de 3500 kg de col fermentada, suficiente para proporcionar alrededor de 1 kg por semana, durante un año, a cada uno de los setenta hombres de la tripulación de su primer buque insignia *Endeavour.* (La col fermentada contiene una buena cantidad de vitamina C [unos 30 mg por 100 g].) El resultado de sus cuidados fue que, a pesar de algunas enfermedades, ningún miembro de su tripulación murió de escorbuto, durante sus tres viajes por el Pacífico, en un tiempo en que el escorbuto aún hacía estragos en la tripulación de la mayoría de los buques, en expediciones tan largas. En reconocimiento de sus aportaciones científicas fue elegido como miembro de la Royal Society of London, que le otorgó la medalla Copley por su trabajo en la prevención del escorbuto.

Aunque los viajeros más inteligentes, desde los tiempos de Hawkins, expresaban la opinión de que el zumo de los cítricos –primordialmente naranjas, limones y limas– era un buen sustituto de las frutas y verduras frescas en la prevención del escorbuto, la aceptación general fue muy lenta. Dichos zumos eran costosos y era molesto almacenarlos; por tanto, a los capitanes y propietarios de barcos les convenía mostrarse escépticos. En la controversia, hubo algunos intentos por encontrar una solución, consistente en hacer hervir el zumo de naranja, limón y lima, hasta reducirlo a una consistencia de jarabe. Pero no tuvieron éxito. Hoy sabemos que este proceso destruye la mayor parte del ácido ascórbico. La controversia sobre el valor del zumo de cítricos frescos continuó. Finalmente, sin embargo, en 1795, cuarenta y ocho años después del extraordinario experimento de Lind, el almirantazgo británico ordenó que se les diera a los marineros una ración diaria de zumo de limas frescas (no un jarabe hervido). El escorbuto pronto desapareció de la armada británica. Fue por esta sana práctica que al marinero británico se le conocía como *Lime-juicer* (bebedor de zumo de lima) o *Limey*.

Sin embargo, el espíritu de la libre empresa siguió dominando en el Ministerio de comercio británico y el escorbuto siguió destruyendo la marina mercante británica durante setenta años más. No fue sino hasta 1865 cuando el Ministerio de comercio dictó un reglamento similar en cuanto al zumo de lima para la marina mercante.

Actualmente, encontramos el escorbuto, complicado por otras enfermedades carenciales, en poblaciones asoladas por el hambre y la grave malnutrición, generalmente como consecuencia de la pobreza. En Estados Unidos se observan ocasionalmente casos de escorbuto, no entre los pobres, sino en bebés de seis a dieciocho meses de edad, a quienes se les dan fórmulas lácteas carentes de suplementos vitamínicos, y en gente como los solteros y viudos de mediana edad, que, por cuestión de conveniencia y de ignorancia, ingieren dietas carentes de los nutrientes esenciales.

E. Cheraskin, W. M. Ringsdorf, Jr., y E. L. Sisley, en su libro *The Vitamin C Connection* («La conexión de la vitamina C») (1983), cuentan la historia de una mujer de 48 años, en California, que ingresó en un hospital quejándose de dolores, indigestión e inflamación del abdomen. En el transcurso de cuatro años se sometió a seis intervenciones quirúrgicas. Cada vez se observó que el abdomen estaba lleno de sangre. En un intento de evitar que se repitieran las hemorragias, le sacaron los ovarios, el útero, el apéndice, el bazo, y una parte del intestino delgado. Finalmente, al cabo de cuatro años, un médico le preguntó qué comía y observó que su dieta no contenía prácticamente verduras o frutas, y que no tomaba suplementos vitamínicos. En sus alimentos ingería un poco de vitamina C, lo suficiente para no morir de escorbuto, pero no para que sus vasos sanguíneos fueran lo bastante fuertes como para evitar la hemorragia interna. La proporción de vitamina C en su sangre era de sólo 0,06 mg por dl. Cuando se le recetaron 1 000 mg diarios de vitamina C, recuperó su salud normal; normal si se hacía caso omiso de las intervenciones quirúrgicas que sufrió.

Poca gente en los Estados Unidos padece de este tipo de escorbuto incipiente. Sin embargo, creo, por razones que planteo a lo largo de este libro, que la mayoría del pueblo norteamericano padece de un estado preescorbútico leve o incluso grave, y también de carencia de otros nutrientes esenciales. La ingestión regular de suplementos de vitamina C y de otras vitaminas y minerales, además de una buena dieta y otras prácticas sanas, puede conducir a una vida mejor para casi todo el mundo.

En el artículo sobre el escorbuto en la undécima edición de la *Encyclopedia Britannica* (1911) se dice que la frecuencia del escorbuto depende de la naturaleza de los alimentos ingeridos y que hay duda en cuanto a determinar si la causa es la ausencia de ciertos elementos en los alimentos o la presencia de algún veneno.

El estudio de otra enfermedad carencial, el beriberi, estaba, por aquel tiempo, en la misma etapa. El beriberi era corriente en el este de Asia, donde el arroz es el alimento básico, y también en las islas del Pacífico y en Sudamérica. Se manifiesta por parálisis y entumecimiento, empezando por las piernas, pasando por trastornos cardíacos y respiratorios, y acabando con la muerte. En las Indias Orientales Holandesas, hace unos cien años, millares de soldados, marineros, prisioneros, mineros, jornaleros de plantaciones, y personas admitidas en los hospitales por dolencias menores, morían a causa de esta enfermedad. Jóvenes, en aparente buena salud, morían de repente, con terribles dolores, por incapacidad de respirar.

En 1886, el gobierno holandés pidió a un joven médico holandés, Christiaan Eijkman, que hiciera un estudio de dicha enfermedad. Durante tres años casi no progresó y, entonces, observó que los pollos del laboratorio morían de una enfermedad paralizante muy parecida al beriberi. Su estudio de la enfermedad de los pollos se terminó bruscamente, cuando los pollos que no habían muerto se curaron y no hubo nuevos casos. Al investigar las circunstancias del caso, descubrió que el hombre encargado de los pollos entre el 17 de junio y el 27 de noviembre les había dado arroz refinado (descascarado) preparado en la cocina del hospital militar para los pacientes del hospital. Luego, un nuevo cocinero se encargó de la cocina, y se rehusó «a permitir que se usara arroz militar para pollos civiles», como relató Eijkman en su discurso, al aceptar el premio Nobel de fisiología y medicina en 1929. La enfermedad de los pollos había brotado el 10 de julio y desaparecido en los últimos días de noviembre.

Inmediatamente se confirmó que una dieta de arroz refinado causa la muerte de los pollos en un lapso de tres a cuatro semanas, mientras que se mantienen sanos cuando se les proporciona arroz completo. Entonces, se llevó a cabo un estudio con 300 000 prisioneros en 101 prisiones de las Indias Orientales Holandesas, y se observó que la frecuencia del beriberi era trescientas veces mayor en las prisiones donde el arroz refinado era el alimento básico que en aquellas en que se utilizaba el arroz no descascarado.

Eijkman descubrió que podía aislar un extracto del salvado del arroz que tiene un poder protector contra el beriberi. Al principio pensó que una sustancia del salvado actuaba como antídoto para una toxina que se suponía presente en el arroz refinado, pero ya en 1907, él y su colaborador, Gerrit Grijns, concluyeron que el salvado contiene una sustancia nutritiva necesaria para la buena salud.

Entretanto, varios investigadores estudiaban el valor nutritivo de los alimentos. Se demostró que, para tener una buena salud, se necesitan algunos minerales (compuestos de sodio, potasio, hierro, cobre, y otros metales), así como proteínas, hidratos de carbono y grasas. El bioquímico suizo Lunin observó, en 1881, que morían los ratones que ingerían una mezcla de proteínas, hidratos de carbono, grasas y minerales purificados, mientras que aquellos con la misma dieta, pero con leche, sobrevivían. Concluyó que «un alimento natural como la leche debe, pues, contener, aparte de las principales sustancias conocidas, pequeñas cantidades de ciertas sustancias desconocidas que son básicas para la vida». Otro bioquímico suizo, Socin, hizo observaciones parecidas en el mismo laboratorio en Basilea, diez años más tarde; éste observó que pequeñas cantidades, ya sea de yema de huevo, ya sea de leche, además de la dieta purificada, bastaban para que los ratones se mantuvieran con buena salud. En 1905, el médico holandés Peckelharing observó que cantidades muy pequeñas de unas sustancias esenciales de la leche, que eran todavía desconocidas, bastaban para mantener a los animales con buena salud. De 1905 a 1912, el bioquímico inglés F. Gowland Hopkins llevó a cabo ciertos experimentos parecidos con ratas. Sus resultados se dieron a conocer en 1911, y se publicaron con todo detalle en 1912. Hopkins compartió el premio Nobel con Eijkman en 1929.

En 1911, Casimir Funk, un bioquímico polaco que trabajaba en el Instituto Lister de Londres, publicó su teoría sobre las «vitaminas», basada en su revisión del conocimiento existente sobre las enfermedades relacionadas con la malnutrición. Sugirió que cuatro sustancias de ese tipo están presentes en los alimentos naturales y que sirven para proporcionar protección contra cuatro enfermedades –el beriberi, el escorbuto, la pelagra y el raquitismo–. Fue Funk quien acuñó la palabra *vitamine*, de la palabra latina *vita* («vida») y el término químico *amine*, miembro de un tipo de compuesto de nitrógeno, que incluye, claro está, los aminoácidos. Más tarde, cuando se descubrió que algunas de estas sustancias esenciales no contienen nitrógeno, se cambió la palabra a *vitamin*.[1]

Entretanto, el investigador norteamericano E. U. McCollum estudiaba los factores nutritivos en la Universidad de Wisconsin. Él y sus colegas señalaron, en 1913, la importancia de los factores alimenticios «necesarios», uno liposoluble y el otro hidrosoluble. En 1915, los nombró «Soluble A en grasa» y «Soluble B en agua». Con esto empezó la nomenclatura moderna de las vitaminas. La vitamina que evita el escorbuto se llamó, pues, «Soluble C en agua», y la que evita el raquitismo, «Soluble D en grasa». Cuando se observó que «Soluble B en agua» contenía no sólo el agente protector contra el beriberi, sino también varios agentes más, se les llamó B_1, B_2, y así sucesivamente, hasta llegar al B_{17}. Se ha descubierto que algunas de estas sustancias no son vitaminas, y que su necesidad para la vida y la salud es dudosa, pero los nombres B_1, B_2, B_3, B_6 y B_{12} todavía se usan.

1. Para poder comprender el sentido de esta aclaración sobre el origen del término, he dejado las palabras *vitamine, amine* y *vitamin* en inglés, pues en castellano no se ve la diferencia, ya que la palabra fue siempre *vitamina. (N. de la t.)*

En el curso de los años siguientes, hubo varios intentos por aislar la vitamina C pura del zumo de limón y de otros alimentos. La vitamina pura fue finalmente obtenida, en 1928, por Albert Szent-Györgyi. Él estaba estudiando otro problema, y al principio no se dio cuenta de que su nueva sustancia era la vitamina C. La llamó «ácido hexurónico». Szent-Györgyi recibió el premio Nobel de fisiología y medicina en 1937, en reconocimiento de sus descubrimientos relativos a los procesos de oxidación biológica, con referencia especial a la vitamina C y al papel que juega el ácido fumárico en estos procesos.

Szent-Györgyi nació en Budapest en 1893. Estudió medicina en Budapest e inmediatamente empezó su carrera como investigador en los campos de la fisiología y la bioquímica. Al trabajar en Holanda, en 1922, empezó a estudiar las reacciones de oxidación causantes de la pigmentación parda que aparece en ciertas frutas, como las manzanas y los plátanos, al pudrirse. En el transcurso de estos estudios encontró que la col contiene un agente reductor (un agente que puede combinarse con el oxígeno) que evita la formación del pigmento pardo, y que las glándulas suprarrenales de los animales contienen el mismo agente, o uno similar. Como le interesaban las reacciones fisiológicas de oxidación-reducción, intentó aislar este agente reductor, extrayéndolo de los tejidos de las plantas y de las glándulas suprarrenales.

En 1927, Szent-Györgyi recibió una beca de la Fundación Rockefeller, lo que le permitió trabajar durante un año en el laboratorio de F. Gowland Hopkins, en Cambridge, Inglaterra. Allí, logró aislar esta sustancia y extraerla de los tejidos de las plantas y de las glándulas suprarrenales. Luego, pasó un año en la clínica Mayo en Rochester, Minnesota, Estados Unidos, donde logró extraer 25 g de esta sustancia, que él había llamado «ácido hexurónico». En 1930, regresó a Hungría, donde observó que el *paprika* contiene grandes cantidades de este ácido. En 1932, Szent-Györgyi, sus colaboradores y los investigadores norteamericanos Waugh y King demostraron que la sustancia aislada por Szent-Györgyi era la vitamina C. Él mismo había descubierto que la fórmula química de la sustancia era $C_6H_8O_6$. Dio un poco de la materia cristalina al químico del azúcar, el inglés W. M. Haworth, quien determinó su fórmula estructural, estableciendo las conexiones, átomo con átomo, de la molécula (estas conexiones se examinan más a fondo en el capítulo 9). Szent-Györgyi y Haworth cambiaron, entonces, el nombre de esta sustancia, llamándola ácido ascórbico, es decir, «sustancia ácida que previene y cura el escorbuto».

Haworth demostró las dos reacciones químicas por medio de las cuales la dextrosa, o glucosa, del azúcar –un hidrato de carbono, cuya fórmula es $C_6H_{12}O_6$– libera cuatro átomos de hidrógeno, para transformarse en $C_6H_8O_6$, con dos moléculas de agua como derivados. Prácticamente, las mismas reacciones son llevadas a cabo por las células vivas que producen la vitamina C, y por los reactores químicos que fabrican la idéntica vitamina C «sintética». La sencillez misma de la molécula y su elaboración a partir de la glucosa, principal combustible que mantiene la vida en las células de los tejidos, sugieren la importancia de la vitamina C, y explican su ubicuidad en los tejidos del cuerpo.

Dos químicos norteamericanos del siglo XX, Robert R. Williams y Roger J. Williams, nos han permitido conocer mucho mejor las vitaminas B. Nacieron en la India, de padres misioneros, R. R. Williams trabajó muchos años como director de investigaciones químicas en los laboratorios de la Bell Telephone Company, en la ciudad de Nueva York, ocupándose, entre otros problemas, de perfeccionar el aislamiento eléctrico de los cables submarinos. Instaló un laboratorio en su casa, y dedicó su tiempo libre al intento de aislar la sustancia del salvado del arroz que protege contra el beriberi. Tras años de trabajo, él y sus colaboradores, R. R. Waterman (su yerno) y E. R. Buchman, lograron aislar la sustancia –que llamaron tiamina–; también consiguieron determinar su composición química y encontrar los medios de sintetizarla, de manera que fuera disponible a bajo precio para mejorar la salud de la gente en todo el mundo.

R. J. Williams, siendo profesor de química en la Universidad del Estado de Oregón, Estados Unidos, descubrió en 1933 otra vitamina B, que llamó ácido pantoténico. Más tarde, en la Universidad de Texas, estudió un factor presente en extractos de levadura y de hígado que, según los informes de otros investigadores, en 1931 y 1938, era efectiva para controlar la anemia en los animales. En 1941, él y sus estudiantes decidieron que se trataba de una vitamina, y la llamaron ácido fólico.

En 1916, el médico norteamericano J. Goldberger declaró que la pelagra, que causaba grandes sufrimientos y muchas muertes en el sur de los Estados Unidos, sólo podía evitarse con una mejor nutrición (leche y huevos). Luego, en 1937, el bioquímico norteamericano C. A. Elvehjem y sus estudiantes de la Universidad de Wisconsin demostraron que la niacina, o la niacinamida, cura una enfermedad parecida, la «lengua negra», en los perros y, ese mismo año, se demostró que esta sustancia, la vitamina B_3, cura la pelagra en los seres humanos.

Se podrían contar interesantes anécdotas sobre las otras vitaminas. Por ejemplo, después de que se aislaron algunos cristales rojos de un compuesto de cobalto que tiene un asombroso efecto protector contra la anemia perniciosa, ninguno de los especialistas más importantes del mundo en química orgánica pudo determinar su composición química. Hoy llamada vitamina B_{12}, es una molécula compleja que contiene 183 átomos de carbono, hidrógeno, nitrógeno, oxígeno, fósforo y cobalto. Dorothy Dodgkin, una cristalógrafa de rayos X de la Universidad de Oxford, pudo, finalmente, determinar su estructura. Por este trabajo se le concedió el premio Nobel de química en 1964. Aunque se puede decir más sobre la historia del descubrimiento de las vitaminas, veamos ahora el papel que juegan en la fisiología de la salud.

8. LAS VITAMINAS Y LA EVOLUCIÓN

Solemos creer que los seres humanos son la especie más importante entre los organismos vivos. En un sentido, lo son: han logrado controlar efectivamente gran parte de la Tierra, y han empezado a extender su dominio hasta la Luna y Marte. Pero, en cuanto a sus capacidades bioquímicas, son inferiores a muchos otros organismos, incluyendo algunos organismos unicelulares, como las bacterias, la levadura y los hongos.

El hongo –o moho– *Neurospora*, por ejemplo, puede llevar a cabo en sus células muchas de las reacciones químicas que quedan fuera de la capacidad de los seres humanos. La Neurospora puede vivir en un medio muy sencillo, compuesto de agua, sales inorgánicas, una fuente inorgánica de nitrógeno –como el nitrato de amonio–, una fuente adecuada de carbono –como la sucrosa– y una sola vitamina –la biotina–. El hongo sintetiza él mismo todas las otras sustancias que necesita, utilizando sus mecanismos bioquímicos internos. No necesita aminoácidos en su dieta, porque los puede sintetizar todos, así como todas las vitaminas, salvo la biotina.

Debe su supervivencia, a través de cientos de millones de años, a sus grandes capacidades bioquímicas. Si, como en el caso de los seres humanos, no hubiera podido sintetizar los distintos aminoácidos y vitaminas, no hubiese sobrevivido, por no poder resolver el problema de la obtención de una dieta adecuada.

De vez en cuando, un gen en la Neurospora sufre una mutación; por consiguiente, la célula pierde su habilidad para fabricar uno de los aminoácidos, o sustancias de tipo vitamínico de primordial importancia para su vida. Esta espora mutante da lugar a una cepa deficiente, que sólo se puede mantener sana añadiendo una sustancia a una dieta que, para el tipo de hongo original, era suficiente. A partir de 1938, cuando trabajaban en la Universidad de Stanford, los científicos G. W. Beadle y E. L. Tatum llevaron a cabo una serie de extensos estudios sobre las cepas mutantes de la Neurospora. Pudieron mantener vivas las cepas mutantes en el laboratorio, proporcionando a cada una el alimento necesario para su buena salud, manifestada por un índice normal de crecimiento.

En el capítulo 7 mencionamos que la sustancia tiamina (la vitamina B_1) es necesaria para que los seres humanos no se mueran de beriberi, y que los pollos con una dieta carente de este alimento también mueren de una enfermedad neurológica parecida al beriberi. Se ha observado que la tiamina es necesaria como alimento esencial para todas las otras especies animales estudiadas, incluyendo la paloma doméstica, la rata de laboratorio, el cobayo, el cerdo, la vaca, el gato doméstico y el mono. Podríamos suponer que, hace más de quinientos millones de años, en todas estas especies animales, un acontecimiento causó la necesidad de la tiamina como alimento esencial a ser ingerido, para no padecer una enfermedad similar al beriberi de los seres humanos.

Consideremos la época, a principios de la historia de la vida sobre la Tierra, cuando la primera especie animal –a partir de la cual evolucionaron los actuales pájaros y mamíferos– pobló una parte de la tierra. Suponemos que los animales de esa especie se alimentaban comiendo plantas, posiblemente acompañadas de otros alimentos. Todas las plantas contienen tiamina. Por tanto, en los cuerpos de los animales se hallaría la tiamina ingerida con los alimentos consumidos, así como la que ellos mismos sintetizaban a través de su propio mecanismo sintético. Ahora imaginemos que apareció en la población un animal mutante que –como resultado del impacto de un rayo cósmico en un gen o de la acción de algún otro agente mutagénico– perdió el mecanismo bioquímico con el cual los otros miembros de la especie todavía fabricaban la tiamina a partir de otras sustancias. La cantidad de tiamina ingerida con los alimentos bastaría para que el mutante estuviera bien alimentado, básicamente tan bien como los no mutantes. El mutante tendría, sobre los no mutantes, la ventaja de verse liberado de la carga del mecanismo que producía su propia tiamina. Como resultado, el mutante podría tener más progenitura que los otros animales de la población. Al reproducirse, el mutante transmitiría el gen ventajosamente «mutado» a parte de su descendencia, y ésta también tendría más descendencia de la acostumbrada. Así, con el tiempo, esta ventaja –la ventaja de no tener que producir la tiamina, o cargar con el mecanismo interno que la fabrica– permitiría al tipo mutante sustituir progresivamente al tipo original.

Recapitulemos: una gran variedad de tipos de moléculas debe estar presente en el cuerpo de un animal para que éste tenga buena salud. El animal puede sintetizar algunas de estas moléculas; otras deben ser ingeridas con los alimentos. Si la sustancia está disponible en forma de alimento, le conviene a la especie animal deshacerse de la carga del mecanismo que la sintetiza.

Se cree que durante millares de años los antepasados de los seres humanos pudieron, una y otra vez, simplificar su propia vida bioquímica, simplemente con apartar el mecanismo que sus progenitores necesitaban para sintetizar estas sustancias, gracias a la disponibilidad de ciertas sustancias en forma de alimentos, incluyendo los aminoácidos y las vitaminas esenciales. Gradualmente, en el curso de millones de años, los procesos evolutivos de este tipo condujeron a la aparición de nuevas especies, incluyendo el hombre.

Algunos interesantes experimentos se refieren a la competencia entre una estirpe de organismos que necesitan una sustancia específica como alimento, y otras que no, por tener la capacidad de sintetizarla ellos mismos. Zamenhof y Eichhorn llevaron a cabo estos experimentos en la Universidad de California en Los Ángeles, Estados Unidos, y publicaron sus observaciones en 1967. Estudiaron una bacteria, *Bacillus subtilis*, comparando una estirpe que podía fabricar el aminoácido triptófano con una estirpe mutante que había perdido su capacidad para producirlo. Si se colocaba la misma cantidad de células de ambas estirpes en un medio carente de triptófano, la estirpe capaz de fabricar el triptófano sobrevivía, mientras que la otra moría. Sin embargo, si se unían unas células de ambas estirpes en un medio con una buena cantidad de triptófano, sucedía lo contrario. La estirpe mutante, que había perdido la capacidad de fabricar el aminoácido, sobrevivía, y la estirpe original, con capacidad para fabricar el aminoácido, moría. La única diferencia entre ambas estirpes de bacteria era una mutación, la pérdida de su capacidad para producir el triptófano. Por tanto, podemos concluir que la carga que implica el uso del mecanismo para la síntesis del triptófano era desventajosa para la estirpe que poseía esa capacidad, y la obstaculizaba, en su competencia contra la estirpe mutante, al grado de hacerle perder la competencia. Fueron necesarias unas cincuenta generaciones (divisiones celulares) para lograr una sustitución en esta serie de experimentos (empezando con un número igual de células, hasta alcanzar un millón de veces más células de la estirpe victoriosa); esto correspondería a unos mil quinientos años, en el caso de los seres humanos (treinta años por generación).

Podríamos decir que Zamenhof y Eichhorn llevaron a cabo un experimento en pequeña escala sobre el proceso de la evolución de las especies. Este experimento, así como otros que realizaron, mostró que puede ser ventajoso liberarse de la maquinaria interna que sintetiza una sustancia vital, si ésta puede obtenerse del medio ambiente circundante en forma de alimento.

La mayoría de las vitaminas que los seres humanos necesitan para su salud, son también necesarias para los animales de otras especies. La vitamina A es un nutriente esencial para la vista, la conservación de los tejidos de la piel y el desarrollo normal de los huesos de todos los vertebrados. La vaca, el cerdo, la rata, el pollo, y otros animales, necesitan, para su salud, riboflavina (vitamina B_2), ácido pantoténico, piridoxina (vitamina B_6), ácido nicotínico (niacina) y cianocobalamina (vitamina B_{12}). Es probable que la capacidad de sintetizar estas sustancias esenciales, y la de sintetizar tiamina, se perdieron bastante temprano en la historia de la vida animal en la tierra, cuando los animales primitivos empezaron a alimentarse sobre todo de plantas, que contienen cierta cantidad de estos nutrientes.

En 1965, Irwin Stone señaló que, mientras la mayoría de las especies animales pueden sintetizar el ácido ascórbico, los humanos y otros primates estudiados, incluyendo el macaco de la India, el mono cola larga de Formosa y el mono cai capuchino pardo, no pueden sintetizar dicha sustancia, y la necesitan como vitamina suplementaria. Concluyó que la pérdida de la capacidad para sintetizar el ácido ascórbico ocurrió probablemente en el antepasado común de los primates. Se estima que este cambio «mutacional» se produjo hace unos veinticinco millones de años (Zuckerkandl y Pauling, 1962).

Que se sepa, el cobayo y un murciélago indio que come frutas son, además del hombre, los únicos mamíferos que necesitan ácido ascórbico como vitamina. El bulbul con manchas rojas y otros pájaros indios (del tipo paseriforme) también necesitan ácido ascórbico.

La inmensa mayoría de los mamíferos, de los pájaros, de los anfibios y de los reptiles tienen la capacidad de sintetizar la sustancia en sus tejidos, generalmente en el hígado o en los riñones. La pérdida de dicha capacidad en el caso del cobayo, del murciélago que come frutas, del bulbul con manchas rojas y de otros pájaros paseriformes resultó probablemente de mutaciones independientes en poblaciones de dichas especies, que vivían en un medio que les proporcionaba gran cantidad de ácido ascórbico en los alimentos disponibles.

Podríamos preguntarnos por qué el ácido ascórbico no es necesario como vitamina en los alimentos de la vaca, del cerdo, del caballo, de la rata, del pollo y de muchas otras especies animales que sí necesitan las demás vitaminas que requiere el hombre. El ácido ascórbico está presente en las plantas verdes, junto con las otras vitaminas. Cuando las plantas verdes se convirtieron en la dieta constante del antepasado común del ser humano y de otros mamíferos, hace cientos de millones de años, ¿por qué este antepasado no experimentó la mutación que eliminaba el mecanismo para sintetizar el ácido ascórbico, así como los que sintetizan la tiamina, el ácido pantoténico, la piridoxina y otras vitaminas?

Creo que la respuesta se encuentra en el hecho de que para lograr una salud óptima se necesitaba más ácido ascórbico del que las plantas verdes generalmente disponibles podían proporcionar. Una parte de la cantidad adicional necesaria para los animales se debe a que el ácido ascórbico interviene necesariamente en la síntesis del colágeno, según se explicará en el capítulo 9. Esta proteína existe en grandes cantidades en los cuerpos de los animales, pero no en las plantas.

Consideremos el antepasado común de los primates, hace unos veinticinco millones de años. Durante millones de años, este animal y sus antepasados habían sintetizado el ácido ascórbico a partir de la glucosa existente en los alimentos que ingerían. Supongamos que una población de esta especie animal vivía, en esos tiempos, en un área que proporcionaba amplias cantidades de alimentos, con un contenido extraordinariamente elevado de ácido ascórbico, permitiendo a los animales obtener de su dieta más o menos la cantidad de ácido ascórbico necesaria para una salud óptima. Un rayo cósmico o algún otro agente mutagénico causó entonces una mutación tal que la enzima que cataliza la conversión de L-gulonolactona en ácido ascórbico en el hígado ya no existió. Una parte de la descendencia de este mutante heredaría la pérdida de la capacidad de sintetizar el ácido ascórbico. Estos animales mutantes tendrían, en el medio que proporcionaba gran cantidad de ácido ascórbico, una ventaja sobre el animal que producía ácido ascórbico, ya que quedaban libres de la carga de fabricar y operar el mecanismo que produce el ácido ascórbico. Bajo estas condiciones, el mutante sustituiría gradualmente a la estirpe anterior.

Ocurren a menudo las mutaciones que implican una pérdida de la capacidad de sintetizar una enzima. Sólo es necesario que un gen sea dañado de alguna manera, o que desaparezca. (Sería difícil que ocurriera la mutación inversa, conduciendo a la capacidad de producir una enzima.) Una vez que una especie animal ha perdido la capacidad de sintetizar el ácido ascórbico, pasa a depender, para existir, de la disponibilidad del mismo en forma de alimento.

El hecho de que la mayoría de las especies animales no hayan perdido su capacidad para producir su propio ácido ascórbico, muestra que la cantidad del mismo, habitualmente presente en los alimentos, no es suficiente para proporcionar la cantidad óptima de esta importante sustancia. Es sólo en un medio ambiente extraordinario o, al menos, poco común, en donde los alimentos disponibles eran sumamente ricos en ácido ascórbico, que las circunstancias permitieron que unas especies animales abandonaran el poder de sintetizar esta importante sustancia. En el caso de los precursores de los seres humanos y otros primates, en el del cobayo, del murciélago indio que come fruta, del bulbul con manchas rojas, y otras especies de pájaros paseriformes, se presentaron estas circunstancias extraordinarias; pero en el curso de cientos de millones de años de evolución no se presentaron para la mayoría de los otros animales. Así, al considerar los procesos evolutivos, tal como se presentan en el análisis anterior, se observa que los alimentos comunes, generalmente disponibles, podrían proporcionar casi todas las cantidades óptimas de tiamina, riboflavina, niacina, vitamina A y otras vitaminas, que todas las especies mamíferas necesitan como nutrientes esenciales y, sin embargo, podrían carecer del suficiente ácido ascórbico. Para este alimento –que es esencial para los humanos y que muchas otras especies animales sintetizan–, la tasa óptima a ingerir es mayor que la cantidad proporcionada por la dieta generalmente disponible.

Así pues, mientras la pérdida de su capacidad para sintetizar la vitamina C confirió a los primates y a otras especies una ventaja evolutiva, esta desaparición genética también los expuso a algunos riesgos. El doctor Claus W. Jungeblut, quien, ya en los años treinta fue pionero en cuanto al uso de la vitamina C para la terapia de las enfermedades infecciosas, presentó un argumento interesante, y nuevo para mí, en una carta que me escribió el 10 de febrero de 1971: «... Podríamos dar un paso más y preguntarnos si el cobayo, entre todos los animales comunes de laboratorio, comparte con el hombre ciertas características biológicas –que incluyen la propensión a padecer no sólo el escorbuto, sino también el choque anafiláctico, la intoxicación diftérica, la tuberculosis pulmonar, una infección viral neurotrópica similar a la poliomielitis y, finalmente, pero no por ello menos importante, una forma de leucemia viral que no se diferencia de su equivalente humano–, ¿por qué en ninguno de los otros animales de laboratorio que sintetizan la vitamina C (conejo, rata, ratón, hámster, etcétera) se dan esas mismas características?»

Hice un repaso de las cantidades de varias vitaminas contenidas en 110 plantas comestibles, alimentos naturales crudos, pues, según se dan en las tablas del manual de metabolismo publicado por la Federation of American Societies for Experimental Biology (Federación de sociedades norteamericanas de biología experimental) (Altman y Dittmer, 1958). Al calcular las cantidades de vitaminas correspondientes a la alimentación de un día para un adulto (la cantidad que proporciona 2 500 kcal de energía) se observa que esta cantidad equivale a tres veces la ración diaria recomendada por el Food and Nutrition Board de Estados Unidos. Sin embargo, en el caso del ácido ascórbico, la cantidad promedio de la ración diaria de esos 110 alimentos es de 2,3 g, equivalente a unas cuarenta veces la ración diaria recomendada para una persona que requiere 2 500 kcal por día (véase la tabla de la página siguiente).

Es casi seguro que ciertas eficientes mutaciones evolutivas ocurrieron en el ser humano y sus predecesores inmediatos en un pasado relativamente reciente (en el curso de los últimos millones de años), permitiendo que la vida continuara con un consumo de ácido ascórbico menor que el que proporcionan las plantas crudas con un alto contenido de ácido ascórbico. Es posible que estas mutaciones originaran una mayor capacidad de los túbulos renales para devolver a la sangre, bombeándolo, el ácido ascórbico del líquido filtrado en los glomérulos (orina diluida, concentrándose al pasar por los túbulos), y una mayor capacidad de ciertas células para extraer el ácido ascórbico del plasma sanguíneo. Se ha observado que las glándulas suprarrenales disponen de una buena provisión de ácido ascórbico, que extraen de la sangre y utilizan en la síntesis de la adrenalina, ese importantísimo movilizador del cuerpo para responder a la tensión. El resto del cuerpo puede disponer de la provisión de ácido ascórbico de las suprarrenales, devolviéndolo a la red sanguínea, cuando decae el suministro ingerido con los alimentos. Sin embargo, como principio general, podemos concluir que estos mecanismos requieren un gasto energético y son una carga para el organismo. El consumo óptimo de ácido ascórbico podría ser del orden antes mencionado, o sea de 2,3 g o más, o podría ser ligeramente inferior; y, claro está, siempre tenemos que contar con el factor de la individualidad bioquímica que examinaremos en el capítulo 10.

Sería lógico imaginar que, durante los últimos millones de años, el cuerpo humano se ha adaptado a los alimentos disponibles e ingeridos, de manera que las cantidades de varios nutrientes en los alimentos podrían ser una indicación del consumo óptimo de éstos. En el curso de los últimos años, los paleontólogos, antropólogos y otros científicos, han acumulado mucha información sobre los alimentos ingeridos por los seres humanos primitivos, durante el período que empezó hace cuarenta mil años, hasta el desarrollo de la agricultura, hace unos diez mil años. También se han llevado a cabo estudios sobre las sociedades de caza y recolecta que sobrevivieron hasta hace poco, o que sobreviven en la actualidad. Un análisis de la nutrición paleolítica fue publicado en 1985 por los doctores S. Boy Eaton y Melvin Konner de las Facultades de Medicina y de Antropología de la Universidad de Emory, en Atlanta, Georgia, Estados Unidos. Los siguientes párrafos se basan, en gran parte, en dicho artículo.

Hace cinco millones de años, las frutas y otros alimentos vegetales formaban la dieta principal de los primates. Fue más o menos en

CONTENIDO EN SUSTANCIAS SOLUBLES EN AGUA (en mg) DE 110 ALIMENTOS NATURALES -CRUDOS-, ES DECIR, PLANTAS COMESTIBLES (se refiere a la cantidad que proporciona 2 500 kcal de energía alimentaria)

	tiamina	riboflavina	ácido nicotínico	ácido ascórbico
Frutos secos y cereales (11)	3,2	1,5	27	0
Fruta, con bajo contenido en vitamina C (21)	1,9	2,0	19	600
Habichuelas y guisantes (15)	7,5	4,7	34	1 000
Bayas, con bajo contenido en vitamina C (8)	1,7	2,0	15	1 200
Verduras, con bajo contenido en vitamina C (25)	5,0	5,9	39	1 200
Promedio para los 110 alimentos	5,0	5,4	41	2 300
Alimentos con contenido medio en vitamina C (16)	7,8	9,8	77	3 400
Col rizada	10,8	17	92	5 000
Cebolleta o cebollino	7,1	11,6	45	5 000
Col	6,2	5,0	32	5 100
Col de Bruselas	5,6	8,9	50	5 700
Coliflor	10,0	9,3	65	7 200
Col arrugada	...	...	...	8 200
Brócoli	7,8	18	70	8 800
Grosella negra	2,3	2,3	14	9 300
Perejil	6,8	15	68	9 800
Pimientos rojos picantes	3,8	7,7	112	14 200
Pimientos verdes dulces	9,1	9,1	57	14 600
Pimientos verdes picantes	6,1	4,1	115	15 900
Pimiento morrón	6,5	6,5	40	16 500

Frutos secos y cereales: almendras, avellanas, almendras de macadamia, cacahuetes, cebada, arroz no refinado, arroz no descascarillado, semillas de ajonjolí, semillas de girasol, arroz silvestre, trigo.

Frutas (bajo contenido en vitamina C, menos de 2 500 mg): manzanas, albaricoques, aguacates, plátanos, cerezas (rojas, ácidas y dulces), cocos, dátiles, higos, pomelos, uvas, naranjillas chinas, mangos, nectarinas, melocotones, peras, piñas, ciruelas, manzanas silvestres, melón, sandía.

Habichuelas y guisantes: guisantes anchos (semillas precoces y maduras), judías careta (semillas precoces y maduras), habichuelas de Lima (semillas precoces y maduras), judías (verdes y amarillas), frijoles de soya (semillas precoces y maduras, brotes).

Bayas (bajo contenido en vitamina C, menos de 2 500 mg): zarzamoras, arándanos, arándanos agrios, frambuesas norteamericanas, frambuesas, grosellas (distintas especies), mandarinas.

Vegetales (bajo contenido en vitamina C, menos de 2 500 mg): pimpollos de bambú, remolacha, zanahorias, apio-rábano, apio, maíz, pepino, diente de león, berenjena, ajo, rábano picante, lechuga, quimbombó, cebollas (nuevas y maduras), chirivías, patatas, calabazas, ruibarbo, colinabos, boniato, tomates verdes, ñame, calabacines (de invierno y verano, verdes o amarillos).

Alimentos con contenido medio en vitamina C (2 500 a 4 900 mg): alcachofas, espárragos, hojas de remolacha, melón redondo, escarola, col china, hinojo, limones, limas, naranjas, rábanos, espinacas, calabacín, fresas, cardos, tomates maduros.

esos tiempos cuando tomaron vías divergentes los que llegaron a ser los humanos y los monos actuales. Los antepasados de los seres humanos empezaron a comer carne en creciente cantidad. El hombre moderno *(homo sapiens)* se desarrolló hace unos cuarenta y cinco mil años. Su dieta consistía, por partes más o menos iguales, en alimentos vegetales y carnes, incluyendo pescado, mariscos y pequeños y grandes animales de caza.

A medida que se fue desarrollando la agricultura, hace unos diez mil años, aumentándose bastante el uso de cereales como alimento, la cantidad de materias vegetales en la dieta alcanzó el 90 %, con una baja drástica en la proporción de carne. Los humanos europeos de hace unos treinta mil años, que consumían mucha carne, medían unas seis pulgadas más que sus descendientes, tras el desarrollo de la agricultura. Eaton y Konner afirman que «el mismo patrón se repitió más tarde en el Nuevo mundo: los indios paleolíticos eran cazadores de animales mayores, hace diez mil años, pero sus descendientes, en los años inmediatamente anteriores al contacto europeo, practicaban la agricultura intensiva, comían poca carne, eran mucho más pequeños, y sus esqueletos presentaban indicios de nutrición subóptima, lo cual aparentemente refleja tanto los efectos directos de una carencia de proteínas y calorías, como la interacción sinérgica entre la malnutrición y la infección. Desde la revolución industrial, el contenido en proteínas animales de la dieta occidental se acerca más a la adecuada, según se observa en una mayor estatura media: ahora somos casi tan altos como los primeros seres humanos, biológicamente modernos. Sin embargo, nuestras dietas son bastante distintas de las suyas, y estas diferencias son la base de lo que se ha llamado «la malnutrición de la prosperidad».

Eaton y Konner señalan que la calidad de la carne hoy día es distinta de la carne paleolítica. Los animales domesticados son más gruesos que los animales salvajes. La carne actual a menudo contiene entre un 25 y un 30 % de grasa, mientras que la carne de caza sólo contiene un 4 % de grasa. Las materias vegetales también son distintas. Los cazadores-recolectores comen raíces, habichuelas, frutos secos, tubérculos, frutas, flores y resinas comestibles, pero sólo poca cantidad de cereales, como el trigo, la avena y el arroz, que constituyen gran parte de nuestra dieta moderna.

Eaton y Konner señalan también que, si comparamos la dieta del alto paleolítico con la dieta media norteamericana, se observan los siguientes resultados: más proteína, menos grasa; la misma cantidad de hidratos de carbono (pero con más almidón y menos sucrosa); la misma cantidad de colesterol (unos 600 mg por día); más fibras (36 g contra 20 g, por día); mucho menos sodio; más potasio y más calcio; mucha más vitamina C (400 mg por día contra 88 mg). Concluyen que «la dieta de nuestros remotos antepasados podría ser una referencia para la nutrición moderna, y un modelo para la defensa contra ciertas "enfermedades de la civilización"».

9. LAS VITAMINAS EN EL CUERPO

Fueron las enfermedades carenciales las que condujeron al descubrimiento de las vitaminas, como vimos en el capítulo 7. La clara definición, y la gravedad de los síntomas de dichas enfermedades prueban que cada una de las vitaminas juega un papel decisivo en uno o varios procesos vitales de las células y los tejidos del cuerpo. La eficacia de cualquier vitamina, al actuar contra la enfermedad carencial con la cual se identifica, es tan específica e inmediata que fácilmente se la podría considerar como «droga milagrosa». Pero, recordemos que las vitaminas son alimentos. Catalizaron la evolución de nuestra especie. Todavía son esenciales para nuestra existencia y para nuestra salud.

Una característica extraordinaria de los seres humanos, y de otros organismos vivientes, es que llevan a cabo miles de reacciones químicas distintas entre sustancias que no reaccionarían una con otra, bajo circunstancias normales. A diario quemamos más o menos 473 g de combustible: hidrato de carbono (principalmente glucosa) y grasa, para proveernos de calor corporal y energía. Esto ocurre a la temperatura normal del cuerpo, 37 °C. Pero sabemos que estas sustancias –almidón, azúcar, mantequilla, etc.– no se queman a temperaturas ordinarias. Incluso sería difícil quemarlas a temperaturas mucho más altas. Por ejemplo, al poner la llama de una cerilla prendida bajo uno de los ángulos de un terrón de azúcar (sucrosa), observará que parte del azúcar se derrite, pero no se enciende.

¿Cómo es posible que los organismos vivientes logren que los hidratos de carbono y las grasas reaccionen con oxígeno (se quemen), a la temperatura del cuerpo?

Si coloca usted una pizca de ceniza de cigarrillo (admitiendo que conozca a alguien que todavía fume...) sobre uno de los ángulos de un terrón de azúcar y lo toca con la llama de una cerilla, el azúcar se abrasará y quedará encendido hasta que el terrón se consuma. La combustión ocurre en la superficie de las partículas de ceniza –que no cambian–; así, tan sólo un poquito de ceniza puede catalizar la combustión de gran cantidad de azúcar.

En el cuerpo humano, los catalizadores se llaman enzimas (proviene de la palabra griega para levadura); la levadura contiene unas enzimas que aceleran el proceso de fermentación, eso es, la transformación de glucosa en alcohol, al reaccionar con el oxígeno. Las enzimas son proteínas, con grandes moléculas, que a menudo contienen diez mil o veinte mil átomos. Su actividad es altamente específica, pues a menudo sólo pueden acelerar una sola reacción bioquímica, o unas cuantas muy parecidas. En el cuerpo de un ser humano podría haber hasta cincuenta mil especies distintas de enzimas.

Algunas enzimas son pura proteína, sólo una cadena doblada de residuos de aminoácidos. Otras se componen de una molécula de proteína y de algo más, un algo que se necesita para poder catalizar la reacción química específica. Este algo se llama coenzima.

Tanto los metales como las vitaminas (o unas sustancias producidas a partir de las vitaminas, como el bifosfato de tiamina, que se obtiene al combinar tiamina, vitamina B_1, con ácido fosfórico) sirven como coenzimas en muchos sistemas enzimáticos del cuerpo humano. Por ejemplo, la molécula de deshidrogenasa alcohólica, que cataliza la oxidación del alcohol para formar acetato en el hígado, contiene dos átomos de zinc, necesarios para su actividad enzimática. Una enzima, la oxidasa de cisteamina, contiene un átomo de hierro, un átomo de cobre y un átomo de zinc. Si un micronutriente, como el molibdeno, es necesario en cantidades mínimas, es porque sirve de coenzima, permitiendo a la enzima activa actuar, una y otra vez, en la catálisis de una reacción química esencial para la salud. Así pues, se puede necesitar sólo una pequeña cantidad diaria de una vitamina (unas cuantas millonésimas de gramo de B_{12}), pero, a través de su actividad catalítica, ésta produce una cantidad muchas veces mayor de una sustancia vital.

Se sabe que la mayoría de las vitaminas fungen como coenzimas en varios sistemas enzimáticos. El ácido pantoténico, por ejemplo, forma parte de la coenzima A, que se combina con las proteínas apoenzimas (enzimas pasivas), para formar las enzimas activas necesarias en varias reacciones. Una de estas reacciones es la transformación, en el cerebro, de colina en acetilcolina, uno de los mensajeros de la actividad cerebral. La nicotinamida, una forma de vitamina B_3, es una parte esencial de dos importantes coenzimas, el nucleótido difosfopiridina y el nucleótido trifosfopiridina. Existen indicios de que estas coenzimas forman parte de doscientos sistemas enzimáticos y, de hecho, este número podría ser mucho mayor. La vitamina B_6, que está presente generalmente como fosfato piridoxal, es necesaria como coenzima para más de cien sistemas enzimáticos conocidos, y las otras vitaminas, excepción hecha de la vitamina C, también fungen como coenzimas.

A menudo, la apoenzima disponible en el cuerpo se convierte sólo parcialmente en enzima activa. El número de enzimas activas puede incrementarse con un mayor consumo de la vitamina que funge como coenzima. Ese efecto explica en gran parte por qué la ciencia moderna de la nutrición pone tanto énfasis sobre los consumos óptimos.

Los devastadores síntomas del escorbuto, que se manifiestan por el desgaste y la desintegración de los tejidos del cuerpo, apuntaban a la presencia en el cuerpo, extensa y ubicua, del factor nutritivo que hoy conocemos como vitamina C. Afortunadamente, la enfermedad cedía con una sencilla terapia, consistente en una pequeña ración de alimentos que contienen esta vitamina. El efecto curativo de la terapia se vio mucho antes de ser identificada la vitamina, y aún muchísimo antes de que pudiéramos entender, tan bien como hoy lo entendemos, el papel bioquímico que juega. Aunque todavía tenemos mucho por aprender, sabemos mucho más sobre la función de la vitamina C que sobre la de las otras vitaminas. Por ello, así como por su ya probada suprema importancia, nos detendremos a examinar, más de cerca, qué es la vitamina C –también llamada ácido ascórbico–, qué hace en el cuerpo y cómo funciona.

El ácido ascórbico es un polvo blanco, cristalino, que se disuelve fácilmente en agua. La solución obtenida tiene un sabor ácido, parecido al del zumo de naranja. Es un ácido un poco más fuerte que el ácido acético del vinagre, pero menos que el ácido cítrico (en limones y pomelos), el ácido láctico (en la leche agria y la col fermentada) y el ácido tartárico (en las uvas). En los fluidos del cuerpo, que normalmente no son ni ácidos ni básicos, el ácido ascórbico se disocia completamente, para formar un ion de ascorbato y un ion de hidrógeno. El ion de hidrógeno se une a unos grupos primordiales de proteínas o a un ion de bicarbonato (HCO_3). El ion de ascorbato es el que participa en las diversas reacciones fisiológicas que necesitan vitamina C, particularmente en la síntesis del colágeno, ésta tan importante proteína, que evita el escorbuto.

La vitamina C también se puede ingerir en forma de sales de ácido ascórbico, particularmente ascorbato de sodio y ascorbato de calcio. Estas moléculas se disuelven en los fluidos del cuerpo para formar iones de ascorbato, que tienen las mismas propiedades y acción fisiológica que el ion de ascorbato del ácido ascórbico. Así pues, se puede ingerir la vitamina C por vía oral, en solución o en comprimido, como ácido ascórbico, como ascorbato de sodio, o como ascorbato de calcio. Pero sólo los dos últimos, las sales, pueden inyectarse por vía intravenosa, pues la solución ácida daña las venas y los tejidos.

Las formas en que el ácido ascórbico funciona en el cuerpo humano se relacionan primeramente al hecho de que participa en ambas partes de la reacción universal oxidación-reducción, que sustrae o añade átomos de hidrógeno a una molécula. Se oxida fácilmente para formar ácido dehidroascórbico, al ceder a los agentes oxidantes los dos átomos de hidrógeno (designados con el símbolo H) que están unidos a los átomos de oxígeno (O), según se ve en la parte superior de los diagramas estructurales de las dos moléculas que se dan a continuación:

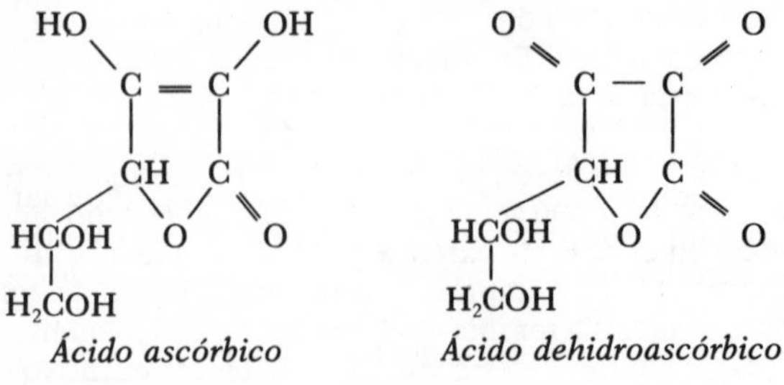

Ácido ascórbico *Ácido dehidroascórbico*

(Para ver la estructura del ácido ascórbico en el espacio tridimensional, véase la ilustración de la página 72).

Esta acción es fácilmente reversible, pues el ácido dehidroascórbico actúa como un fuerte agente oxidante y, al ganar dos átomos de hidrógeno, se reduce a ácido ascórbico. Es probable que el poder reductor del ácido ascórbico y el poder oxidante del ácido dehidroascórbico sean responsables de algunas de las propiedades fisiológicas de la sustancia. Uno de los mayores cometidos del cuerpo es la síntesis de colágeno, para lo cual es esencial la vitamina C. Una persona muriéndose de escorbuto deja de fabricar esta sustancia, y su cuerpo se desintegra: sus articulaciones fallan, porque ya no puede mantener la fuerza de cartílagos y tendones, sus vías sanguíneas se rompen, sus encías se ulceran y sus dientes caen, su sistema inmunológico se deteriora y muere (Cameron, 1976).

El colágeno es una proteína, una de millares de especies distintas en el cuerpo humano. La mayoría de las proteínas sólo están presentes en pequeñas cantidades; las diferentes enzimas, por ejemplo, son tan potentes en su capacidad de acelerar las reacciones químicas específicas que sólo uno o dos gramos, o sólo unos miligramos, en el cuerpo bastan. Hay unas cuantas excepciones. En las células rojas de la sangre, la cantidad de hemoglobina alcanza el 1 % del peso de la persona. Sin embargo, la hemoglobina no gana el premio. Existe todavía más colágeno en la piel, los huesos, los dientes, las vías sanguíneas, los ojos, el corazón; bueno, digamos que en todas las partes del cuerpo. El colágeno –en forma de fuertes fibras blancas, más fuertes que un alambre de acero del mismo peso, y de redes amarillas elásticas (llamadas elastina), generalmente unidas a los macropolisacáridos– conforma el tejido conjuntivo –o conectivo–, que une todo nuestro cuerpo.

Cuando los huesos, la piel, los cartílagos y otras partes del cuerpo animal se hacen hervir en agua por mucho tiempo, las moléculas se hidrolizan (es decir, que reaccionan con las moléculas del agua), para formar moléculas más pequeñas, llamadas gelatina. La gelatina es un alimento razonablemente bueno, pero carece de fenilalanina y triptófano, es decir, de los aminoácidos esenciales. El consomé es una solución de gelatina; el *aspic*[1] y los postres de gelatina tienen, claro está, una base gelatinosa.

Como otras proteínas, el colágeno se compone de cadenas polipéptidas; las largas cadenas de esta molécula fibrosa contienen unos mil residuos de aminoácido, o sea unos dieciséis mil átomos. Difiere de casi todas las otras proteínas en que sólo contiene dos aminoácidos, glicina e hidroxiprolina. Sin embargo, en cuanto a su arquitectura tridimensional, el colágeno es una especie de supermolécula. Las cadenas polipéptidas de los dos aminoácidos –alternando la una con la otra e interrumpidas por la presencia de ciertos otros aminoácidos– se enrollan por la izquierda en una hélice. Tres de estas hebras helicoidales se trenzan, como en una cuerda, en una superhélice hacia la derecha, para formar la molécula completa (véanse los dibujos en las páginas 74 y 76 y la fotografía en la página 77).

Se comprende que la síntesis de esta estructura se lleve a cabo por etapas. Aunque hace ya medio siglo que sabemos que la vitamina C es

1. Plato frío de carne o pescado, envuelto en gelatina espesada en un molde. *(N. de la t.)*

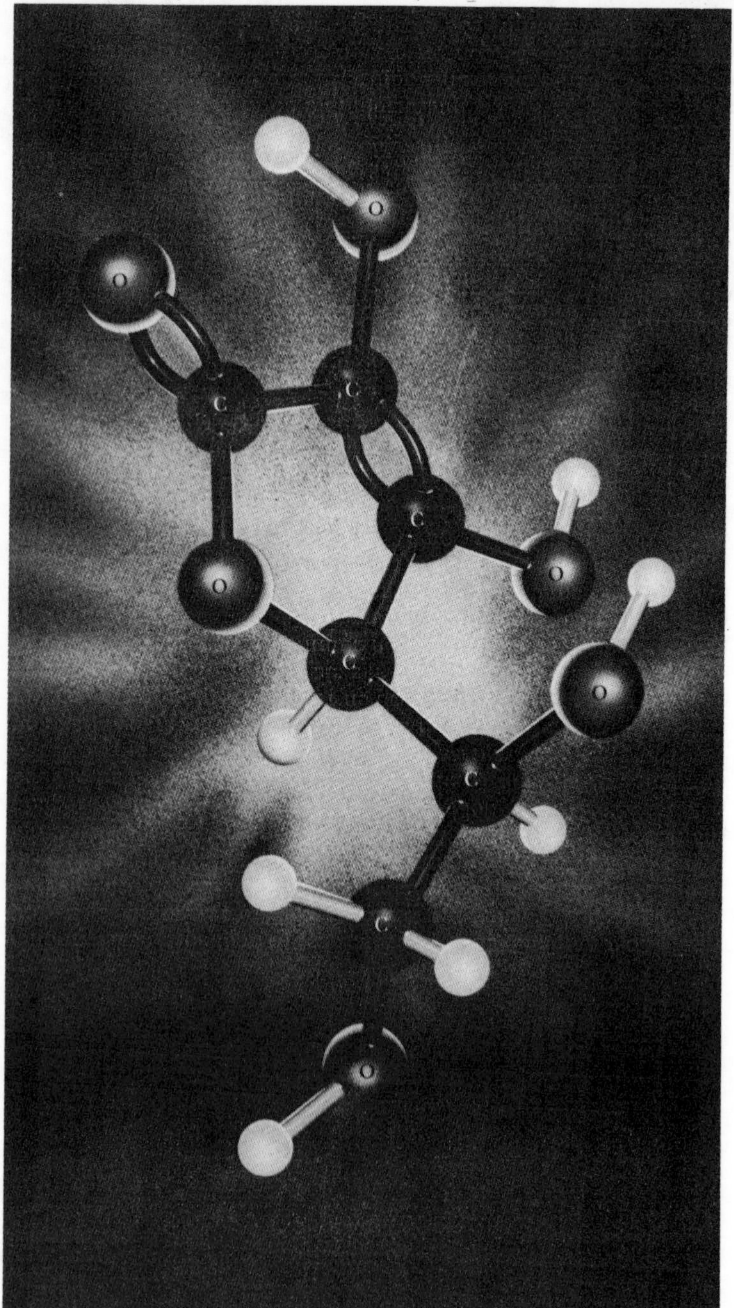

fundamental para la fabricación de colágeno, sólo ahora, por medio de la investigación, estamos descubriendo el proceso. Parece ser que la vitamina C participa en cada fase.

Primero, se monta una estructura de tres hebras, cuyos principales componentes son los aminoácidos glicina y prolina. Ésta no es todavía el colágeno, sino su precursor, el procolágeno. Un estudio reciente muestra que la vitamina C debe participar de manera significativa en su síntesis. La exposición prolongada al ascorbato de cultivos de células de tejidos conjuntivos humanos indujo un incremento ocho veces mayor en la síntesis de colágeno, sin incremento de la tasa de síntesis de otras proteínas (Murad et al., 1981). Ya que la producción de procolágeno debe preceder a la de colágeno, la vitamina C debe participar en esta etapa –la formación de las cadenas polipéptidas de procolágeno– junto con su función en la transformación de procolágeno en colágeno, que entendemos mejor.

Esta transformación consiste en una reacción que sustituye un grupo hidróxilo, OH, por un átomo de hidrógeno, H, en los residuos de prolina, en ciertos puntos de las cadenas polipéptidas, convirtiendo estos residuos en hidroxiprolina. Esta reacción de hidroxilación asegura las cadenas en la triple hélice de colágeno. Luego es necesaria la hidroxilación de los residuos del aminoácido lisina, transformándolos en hidroxilisina, para permitir la interconexión de las hélices triples en las fibras y redes de los tejidos.

Estas reacciones de hidroxilación son catalizadas por dos enzimas distintas: prolil-4-hidroxilasa y lisil-hidroxilasa. La vitamina C también actúa con ellas, induciendo estas reacciones. Recientemente, Myllylä y sus colegas demostraron que, en esta acción, una

La estructura molecular de la vitamina C. *El ácido ascórbico tiene una forma, o configuración, característica, en el espacio tridimensional, que es la base de su función en la bioquímica del cuerpo, según se muestra aquí en el modelo convencional de bolas (átomos) y palos (enlaces atómicos). Cuatro átomos de carbono (indicados con la letra C) y un átomo de oxígeno (O) forman un anillo central pentagonal, inclinado en ángulo con el plano de la página. Los cuatro enlaces en cada átomo de carbono –que dan a las moléculas orgánicas su infinita diversidad estructural– unen cada uno de ellos a cuatro átomos más, o a tres, con un enlace doble uniendo uno de los tres. El carbono inferior del anillo sostiene un gran grupo lateral, que se alza sobre el plano de la página. Unidos a los dos carbonos en este grupo lateral, se hallan dos grupos hidróxilos, un átomo de oxígeno con uno de hidrógeno que se le une. La vitamina C es necesaria para las reacciones de hidroxilación vitales que introducen grupos de hidróxilo en muchas otras moléculas, particularmente la adrenalina, hormona producida por las glándulas suprarrenales, y la molécula de colágeno que conforma el tejido conjuntivo (véase la ilustración en la página 77). La forma de la molécula de vitamina C coincide como un guante en la de las enzimas, con las cuales actúa en estas reacciones.*

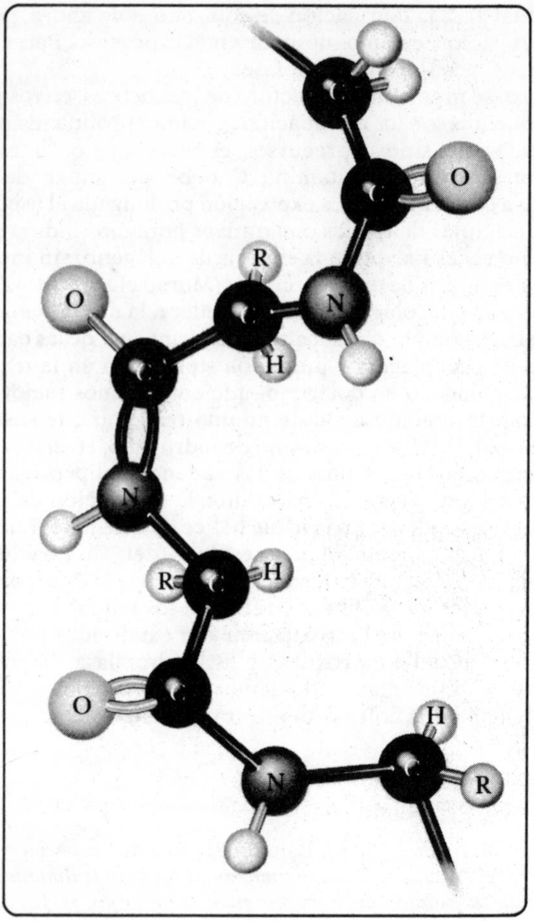

La estructura del colágeno. *La molécula de colágeno es más fuerte que un alambre de acero del mismo peso. Es una de las proteínas más abundantes, y conforma el tejido conjuntivo del cuerpo, ese plástico natural del cual se compone mayormente el cuerpo. La participación de la vitamina C es determinante en su síntesis, aparentemente a cada fase (véase la página 72).*

El colágeno debe sus propiedades no sólo a su composición química, sino también a la disposición física de sus átomos componentes, en el espacio tridimensional. Los átomos –de carbono, hidrógeno, oxígeno y nitrógeno– están organizados en tres cadenas polipéptidas. Cada una de estas cadenas se enrolla, hacia la izquierda, en tres hélices, y las tres cadenas se trenzan entre sí, como las hebras de una cuerda, para formar una superhélice hacia la derecha, una vuelta completa de la cual se muestra esquemáticamente en la parte izquierda de la página 76.

La ilustración de esta página muestra la disposición de los átomos en molécula de vitamina C es destruida por cada H reemplazado por un OH (Myllylä et al., 1984).

Hemos visto dos razones muy buenas por las cuales, para la buena salud, necesitamos cantidades mucho mayores de vitamina C de las que se hallan en las plantas con que nos alimentamos. Primero, está la necesidad continua del cuerpo para la síntesis de grandes cantidades de colágeno para el crecimiento y para sustituir el colágeno desgastado por el uso diario. Segundo, la vitamina C, en las reacciones críticas que unen el colágeno en los tejidos, no sólo actúa como catalizadora, sino que es destruida.

La función de la vitamina C involucra otro aspecto de la molécula: su arquitectura en las tres dimensiones espaciales. La vitamina C es una sustancia quiral: sus moléculas tienen predilección sea por el lado izquierdo, sea por el lado derecho. (La palabra *quiral* proviene de la palabra griega *cheir*, que significa «mano».) El ácido ascórbico es a menudo llamado ácido ascórbico-L, para identificar las moléculas «zurdas», que van hacia la izquierda (L para *levo*, «izquierda»), y no derechas, que van hacia la derecha (D para *dextro*,

---

una vuelta completa de la hélice zurda de la cadena polipéptida (que se muestra en el pequeño recuadro de la página 76), en un modelo convencional de bolas (átomos) y palos (enlaces atómicos). Una cadena polipéptida se forma por medio de la unión de aminoácidos por medio de enlaces péptidos, de arriba abajo. Estos enlaces unen el átomo de nitrógeno (N) en un aminoácido con un átomo de carbono (C) en otro.

En los tres grupos de péptidos, en la vuelta completa de la hélice mostrada aquí, observe el enlace doble que une el carbono al nitrógeno en el grupo péptido del medio. Éste es el enlace péptido; se puede observar también cómo une el carbono al oxígeno (O) en los grupos de péptidos superiores e inferiores de la vuelta. La resonancia del enlace entre estas dos alineaciones mantiene los seis átomos del grupo péptido tendidos en un plano. (Los seis átomos, empezando por arriba, son, un carbono festoneado con dos hidrógenos [H] o con un hidrógeno y un grupo lateral [R] que están fuera del plano; el carbono, el oxígeno unido al carbono; el nitrógeno, el hidrógeno unido al nitrógeno y un segundo carbono festoneado.) En cambio, el enlace único que une el nitrógeno al carbono festoneado, compartido con el grupo péptido vecino, permite a los grupos péptidos tendidos en un plano girar alrededor de un eje común y formar la hélice.

Unos 1 000 grupos péptidos, que incluyen 16 000 átomos, conforman la delgada fibra de la molécula de colágeno, con una longitud de 2 800 angstrom (1 Å equivale a una cienmillonésima de centímetro) y sólo 72 Å de ancho. Las largas moléculas de colágeno se unen para formar hebras todavía más resistentes. Éstas, con las moléculas de colágeno traslapando más o menos en una cuarta parte de su longitud (700 Å), se alinean y se trenzan para formar la fibrilla (que se ve en el extremo derecho de la página 76. Las estriaciones periódicas de la fibrilla de colágeno (véase el electromicrógrafo en la página 77) reflejan la unión y el trenzado de las moléculas de colágeno, traslapando en la fibrilla.

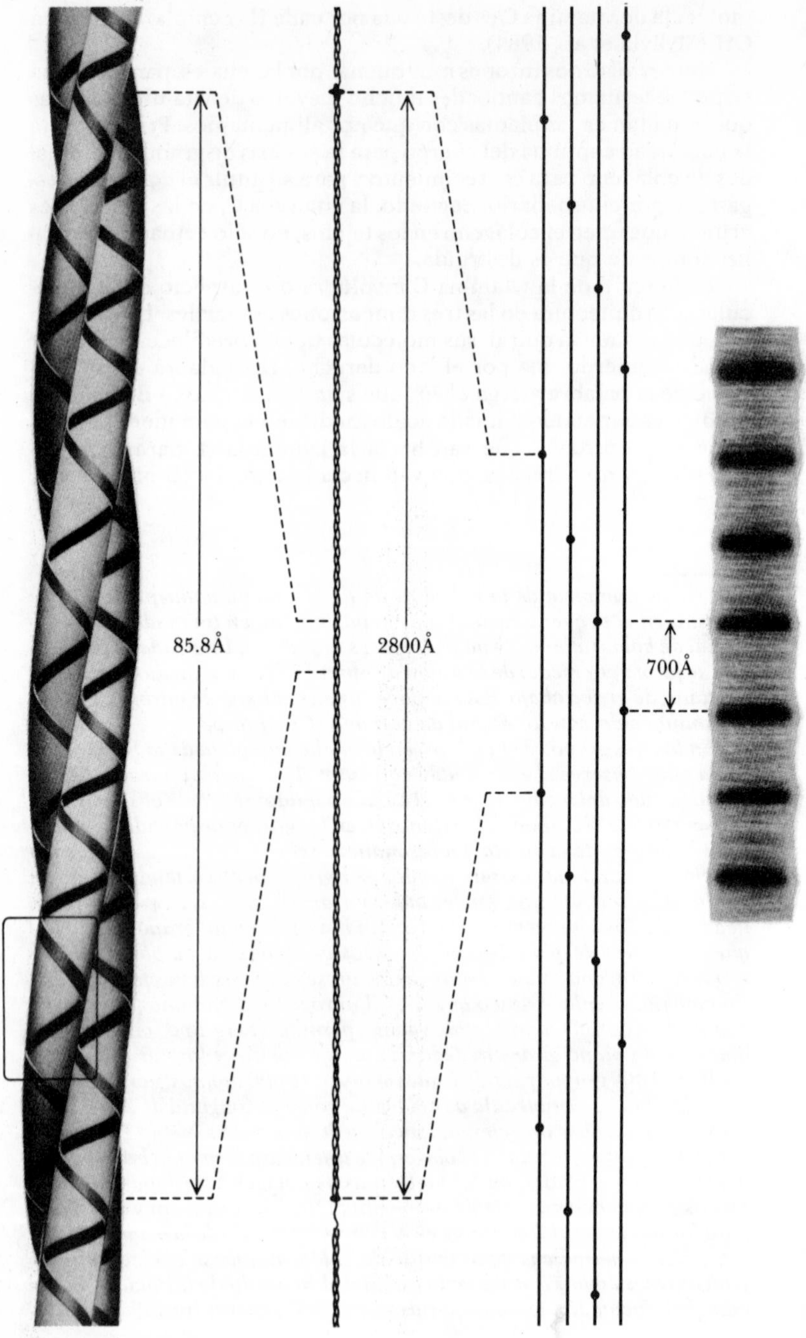
85.8Å
2800Å
700Å

Fibrillas de colágeno. *Bandas oscuras, a una distancia aproximada de unos 700 angstrom (Å) las unas de las otras, aparecen donde se traslapan las finas e intrincadas estructuras de las moléculas de colágeno (longitud total de unos 2 800 Å) (véase la ilustración en la página anterior). (Con permiso del doctor Jerome Gross, Massachusetts General Hospital.)*

«derecha»). Como una mano, la molécula de ácido ascórbico-L no es idéntica a su reflejo en el espejo (véase la ilustración de la página 72.)

Casi se podría decir que la quiralidad es característica de la vida. Es cierto que algunas sustancias inorgánicas son quirales: el mineral de cuarzo, por ejemplo, forma cristales izquierdos y cristales derechos, al igual que algunos otros minerales, pero los organismos vivientes han usado mucho más la quiralidad que la parte inorgánica de la naturaleza. Las moléculas orgánicas que los procesos de la vida forman alrededor del átomo de carbono sacan su quiralidad de una propiedad de los átomos de carbono. Sobre sus cuatro enlaces, el carbono puede juntar cuatro tipos diferentes de átomos o grupos; estas moléculas deben ser derechas o izquierdas y, como las manos, difieren de su reflejo en el espejo.

Nuestros principales macronutrientes son hidratos de carbono, grasas y proteínas. Todos los hidratos de carbono son quirales. Su nombre mismo ilustra a veces este hecho: la glucosa también se llama dextrosa; sus moléculas pueden considerarse como derechas. Nuestro principal almidón alimenticio, que es un tipo de polímero (una condensación de glucosa, con eliminación de agua), también puede considerarse derecho. El almidón se digiere para formar glucosa por medio de enzimas que también son quirales –estas enzimas pueden digerir almidón común derecho (almidón-D), pero no almidón izquierdo–. La fructosa (azúcar de las frutas) también se llama levulosa; puede considerarse un azúcar zurdo. Esta condición explica el hecho de que no sea enteramente quemado por su contenido energético, sino que, además, sirve parcialmente como materia prima para la síntesis del colesterol.

La mayoría de las grasas no son quirales, pero algunas sustancias afines (los lípidos) lo son, como, por ejemplo, la vitamina E: el tocoferol-alfa-D y el tocoferol-alfa-L actúan de distintos modos en la vitamina E.

Las proteínas son quirales. Estas tan importantes macromoléculas (un ser humano puede sintetizar cincuenta mil especies distintas de moléculas de proteína para distintas tareas en el cuerpo) se componen de largas cadenas de residuos de aminoácidos, todas quirales, excepto la del aminoácido más simple, la glicina. Es un hecho notable que, de los veinte aminoácidos que forman las proteínas en los seres humanos, en otros animales y en las plantas, todos siguen la misma dirección: son todos aminoácidos-L, salvo la glicina, que es idéntica a su reflejo.

Ahora podemos entender por qué los organismos vivientes están formados de un solo tipo de aminoácido. Conocemos los principales medios por los cuales las cadenas de residuos de aminoácidos se doblan en proteínas estables; observamos que estas estructuras son estables cuando son de un tipo, ya sea del tipo D, ya sea del tipo L; no pueden ser de ambos tipos mezclados.

La tierra podría estar poblada por organismos vivientes formados por aminoácidos D o por aminoácidos L. Un hombre que de pronto se convirtiera en reflejo exacto de sí mismo, al principio no notaría nada fuera de lo común; podría tomar agua, inhalar aire y utilizar las moléculas de oxígeno del mismo para su combustión, exhalar bióxido de carbono, y llevar a cabo otras funciones del cuerpo tan bien como siempre... mientras no comiera alimentos ordinarios. Si comiera alimentos vegetales o animales ordinarios se encontraría con que no los podría digerir. (En *A través del espejo*, de Lewis Carroll, Alicia dice: «Es posible que la leche del espejo no sea buena leche.» Ahora sabemos que tenía razón en suponerlo.)

Este hombre, reflejo de sí mismo, podría mantenerse vivo sólo con una dieta que incluyera aminoácidos-D sintéticos, fabricados en un laboratorio químico. No podría tener hijos, a menos que encontrara una mujer que hubiera pasado por el mismo proceso y fuera también un reflejo de su ser original. También moriría de escorbuto, aun teniendo mucha vitamina C ordinaria, porque la vitamina C es en sí una molécula quiral, ácido ascórbico-L.

La quiralidad del ácido ascórbico-L puede observarse claramente en el diagrama de su estructura tridimensional de la página 72. Al átomo de carbono (C), en la parte inferior del anillo pentagonal, se une un átomo de carbono en un lado del anillo y uno de oxígeno (O) en el otro lado, un átomo de hidrógeno (H) y un grupo lateral de nueve átomos. Estas cuatro entidades juntas hacen que este átomo y los que le están unidos difieran, así como el reflejo de una mano difiere de la mano misma.

El primer átomo de la cadena lateral, un carbono, también es quiral. Asimismo tiene cuatro entidades distintas unidas a él: el anillo pentagonal, un grupo hidróxilo (un átomo de oxígeno con uno de hidrógeno que se le une), un átomo de hidrógeno, y uno de carbono (con dos de hidrógeno y un grupo hidróxilo que se les une).

Por tanto, el ácido ascórbico tiene cuatro estereoisómeros –cuatro moléculas con componentes idénticos–, unidos unos a otros en el mismo orden, pero organizados de forma distinta en el espacio tridimensional. Por tanto, podríamos llamar LL a la molécula mostrada en la ilustración y LD, DL y DD a las otras. LL es la vitamina C común, ácido ascórbico-L. DD es su reflejo exacto, con propiedades exactamente iguales a las del ácido ascórbico-L (a menos que intervenga la quiralidad) –el mismo punto de fusión y la misma solubilidad en agua–, pero, en uno, el plano de luz polarizada gira en el sentido de las agujas del reloj, y en el otro, a la inversa (pero exactamente en el mismo ángulo). Sin embargo, la sustancia DD, que se llama ácido xiloascórbico-D, no actúa como vitamina C. Las sustancias LD y DL, que son reflejos la una de la otra, tampoco protegen contra el escorbuto.

Este hecho prueba que la acción de la vitamina C no depende sencillamente de su actividad como agente reductor u oxidante, actividad que comparte con sus estereoisómeros. Más bien, depende de la forma de sus moléculas, que, se supone, caben en una cavidad complementaria en las enzimas de hidroxilación, con las cuales actúa en la síntesis de colágeno y que forman, así, un complejo reactivo. Hace falta investigar más a fondo para determinar la estructura de estas enzimas y de otras que pudieran formar complejos similares con la vitamina C. Probablemente, existen gran número de especies distintas, porque la vitamina C lleva a cabo muchas funciones en nuestro cuerpo.

La reacción de hidroxilación, que la vitamina C promueve en la síntesis de colágeno, interviene en muchos otros procesos fisiológicos. Una sustancia llamada carnitina, por ejemplo, ayuda a proporcionar el combustible que activa la contracción de la fibra muscular. Su síntesis, a partir del aminoácido lisina, consiste en cinco reacciones sucesivas, cada una catalizada por una enzima específica. La segunda y la quinta reacciones son de hidroxilación, para las cuales es necesaria la vitamina C. En las glándulas suprarrenales producen una hormona importantísima, la adrenalina –que inunda el cuerpo en momentos de tensión y energiza los músculos para la huida o la lucha–; esta fabricación pasa por las reacciones de hidroxilación, por medio de vitamina C –presente en grandes cantidades– que transforman el aminoácido tirosina en dopa y luego en dopamina y finalmente en noradrenalina. En este ciclo crítico, el ácido ascórbico se reconstituye a partir del semidehidroascorbato, por medio de un mecanismo especial de transporte de electrones, y así la vitamina no es destruida.

Este examen de la función de la vitamina C en la bioquímica del cuerpo explica por qué necesitamos ingerir tanta vitamina C, más que las otras vitaminas y más que la que ingerimos, con la cantidad normal de verduras y frutas, en nuestra dieta. Dejando a un lado, de momento, el factor de la individualidad bioquímica, que trataremos en el próximo capítulo, podríamos preguntarnos cuál es el óptimo consumo diario suplementario de vitamina C.

Las plantas sólo necesitan poca cantidad de esta vitamina. No fabrican colágeno para fortalecer sus estructuras; para ello utilizan un hidrato de carbono, la celulosa. He comprobado la cantidad de varias vitaminas presentes en 110 verduras y frutas crudas, según las tablas del manual del metabolismo, publicado por la Federation of American Societies for Experimental Biology (Altman y Dittmer, 1968). Al calcular las cantidades de las vitaminas que corresponden a la alimentación de un día para un adulto (la cantidad que proporciona 2 500 kcal de energía) se observa que para la mayoría de dichas vitaminas la cantidad es tres veces mayor que la RDA del Food and Nutrition Board. Sin embargo, en el caso del ácido ascórbico, la cantidad media en la ración diaria de los 110 alimentos en cuestión es de 2 300 mg, o sea unas cuarenta veces mayor que la RDA para una persona que requiere 2 500 kcal por día (véase la tabla del capítulo 8). Este cálculo sugiere que la RDA debería ser al menos cuarenta veces mayor que sus miserables 60 mg de vitamina C.

El promedio de ácido ascórbico presente en las catorce plantas alimentarias con mayor contenido de dicha vitamina es 9,4 g por 2 500 kcal. Los pimientos (picantes o dulces, verdes o rojos) y las grosellas negras son las de mayor contenido entre todos los alimentos, con 15 g por 2 500 kcal.

El argumento anterior representa una extensión y un refinamiento del que adelantaron los bioquímicos G. H. Bourne e Irwin Stone. En 1949, Bourne señaló que los alimentos ingeridos por los gorilas consisten principalmente en vegetación fresca, en cantidades que les proporcionan unos 4500 mg de ácido ascórbico por día, y que, antes del desarrollo de la agricultura, el hombre se alimentaba principalmente con plantas verdes, suplementadas con algo de carne. Concluyó que «es posible, por tanto, que estemos muy lejos de la realidad cuando discutimos para determinar si 10 mg o 20 mg de vitamina C por día constituyen un consumo adecuado. Quizá deberíamos determinar si la cantidad correcta sería de 1000 o 2000 mg por día». Stone (1966a) citó este argumento y lo complementó con consideraciones sobre la cantidad de ácido ascórbico fabricada por las ratas. Bajo condiciones normales, se supone que la rata sintetiza unos 26 mg de ácido ascórbico por kg de su peso corporal (Burns, Mosbach y Schulenberg, 1964) o 58 mg diarios por kg de su peso corporal (Salomon y Stubbs, 1961). Si se asume que la misma cantidad sería adecuada para un ser humano, una persona pesando 70 kg, debería ingerir entre 1800 y 4100 mg diarios bajo circunstancias normales.

Otros animales, incluyendo la cabra, la vaca, el borrego, el ratón, la ardilla, el gerbo, el conejo, el gato y el perro, también producen grandes cantidades de ácido ascórbico, con una media de unos 10000 mg por día por 70 kg de peso (Chatterjee et al., 1975). Es difícil creer que estos animales produjeran tal cantidad de ácido ascórbico si no les beneficiara, y también cuesta creer que los seres humanos sean tan distintos de los otros animales que podrían mantenerse en el mejor estado de salud con sólo una duocentésima de la cantidad utilizada por los animales. Si la necesidad de ácido ascórbico en nuestra dieta fuera tan pequeña como la RDA, publicada por el Food and Nutrition Board, entonces la mutación que privó a los primates de su capacidad de sintetizar su propia vitamina C, seguramente hubiera ocurrido hace seiscientos millones de años, y los perros, vacas, cerdos, caballos y otros animales obtendrían el ácido ascórbico de sus alimentos, en vez de elaborarlo en las células del hígado. Concluyo, por tanto, que 2300 mg por día está por debajo del consumo óptimo de ácido ascórbico para un humano adulto.

En general, se ha visto que los requisitos dietéticos de los humanos son muy similares a los de los otros primates, y la experimentación con vitamina C en estos primates debería servir de valiosa información sobre la óptima ingestión humana de esta vitamina. También se utilizan mucho los monos en la investigación médica. Como mencioné en el capítulo 1, el Subcommittee on Laboratory Animal Nutrition ha dedicado mucho esfuerzo para hallar cuáles son las cantidades de varios nutrientes que proporcionan el mejor estado de salud. Estos cuidadosos estudios les han conducido a recomendar, para los monos de laboratorio, varias dietas bastante similares. La cantidad de ácido ascórbico, en estas dietas, oscila entre 1,75 g y 3,50 g por día, aumentados proporcionalmente a un peso de 70 kg; 1,75 g por día es la prescripción proporcionalmente aumentada para los macacos de la India (Rinehart y Greenberg, 1956) y 3,50 g por día la de los monos ardilla (Portman et al., 1967). Estos monos pesan sólo unos pocos kg, pero no cabe duda de que la necesidad de ácido ascórbico es proporcional al peso del cuerpo, pues las cantidades fabricadas por los animales que tienen la capacidad de producir esta sustancia parecen seguir de bastante cerca la relación con el peso del cuerpo, según se trate de un ratón de 20 g o de una cabra de 70 kg. De estos estudios con los monos, podríamos concluir que la necesidad de vitamina C para los seres humanos oscila entre 1,75 g y 3,5 g por día.

Un estudio sobre la ingestión óptima de ácido ascórbico en el caso del cobayo ha proporcionado resultados, si cabe, aún más contundentes. Yew (1973) descubrió que las observaciones acerca del índice de crecimiento, antes y después de la tensión debida a la cirugía, del tiempo de recuperación después de la anestesia, y del tiempo necesario para la formación de costras, para la cicatrización de heridas y la producción de hidroxiprolina e hidroxilisina en el proceso de cicatrización, apoyan todas la conclusión de que, en general, los cobayos jóvenes necesitan unos 5 mg diarios por 100 g de peso y que, bajo tensión, las necesidades son todavía mayores. Para los humanos, la ingestión correspondiente es de 3,5 g por día bajo condiciones normales, y una mayor cantidad, bajo tensión.

¿Por qué no se han llevado a cabo pruebas similares con los seres humanos? Un factor parcial es que es más difícil estudiar a los humanos que a los animales. También muchos médicos y especialistas en nutrición parecen haber aceptado la idea de que la vitamina C sólo es eficaz, en el caso de los seres humanos, para prevenir el escorbuto, y que intentar determinar la ingestión óptima sería un esfuerzo inútil. Finalmente, estas autoridades persisten en pasar por alto todos los experimentos que se han llevado a cabo, y que demuestran que una ingestión de varios gramos por día conduce a un mejor estado de salud.

Concluyo que la ingestión diaria óptima de ácido ascórbico para la mayoría de los humanos adultos oscila entre los 2,3 y los 10 g. La variabilidad bioquímica individual (capítulo 10) es tal que para una población muy grande podría oscilar entre los 250 mg y los 20 g, o más, por día.

Estas cantidades son mucho mayores que las RDA de vitamina C publicadas por el Food and Nutrition Board, como ya se ha señalado. La recomendación de este consejo, que fue organizado supuestamente para mantener una buena nutrición en casi todos los humanos saludables de Estados Unidos, es de 35 mg por día para los bebés, 45 mg para los niños, aumentando a 60 mg para los adultos (80 mg para las mujeres embarazadas, y 100 para las mujeres en período de lactancia). Al hacer esta recomendación el consejo manifestó que la ingestión mínima diaria para prevenir el escorbuto es de 10 mg, y que las cantidades levemente mayores proporcionarían un incremento generoso para tomar en cuenta la variabilidad individual, y un excedente, para compensar las pérdidas potenciales en los alimentos.

El rechazo de la idea de que se obtendrían efectos benéficos con una mayor ingestión de ácido ascórbico se basó en informes que manifestaban que la actuación física y psicomotriz de los hombres no había mejorado con suplementos de 70 mg a 300 mg de ácido ascórbico por día, y que el sangrado de encías entre el personal militar no había disminuido con suplementos de 100 mg a 200 mg por día, durante períodos de tres semanas. Sin embargo, se han publicado muchos informes sobre los efectos benéficos de la vitamina C ingerida en mayores cantidades.

El ácido ascórbico no es una sustancia peligrosa. En la literatura médica se lo describe como «virtualmente no tóxico». A los cobayos a quienes se les administró -por vía oral o intravenosa (ascorbato de sodio, la sal sódica del ácido ascórbico)- un 0,5 % de su peso corporal por día, durante un cierto período, no mostraron señales de toxicidad (Demole, 1934). Esta cantidad corresponde, en el ser humano, a unos 350 g por día. A muchos perros y gatos se les han administrado grandes dosis para controlar el moquillo, la gripe (influenza), la rhinotraqueítis, la cistitis y otras enfermedades, con resultados positivos, y sin ninguna señal de toxicidad (Belfiel y Stone, 1975; Belfiel, 1978, 1982). La cantidad utilizada fue de 2,25 g por kg de peso corporal por día, inyectado por vía intravenosa (en dos dosis, mañana y tarde), que corresponde a unos 150 g por día para un humano adulto. Es más, algunos humanos han ingerido de 10 a 20 g de vitamina C por día, durante veinticinco años, sin padecer de cálculos renales u otros efectos secundarios (Klenner, 1971; Stone, 1967). Unos pacientes con glaucoma han sido tratados con unos 25 g de vitamina C (0,5 % de su peso) cada día, por más de siete meses (Virno et al., 1967; Bietti, 1967). El único efecto secundario reportado fue un relajamiento intestinal durante los tres o cuatro primeros días. Los pacientes con enfermedades virales o esquizofrenia han recibido hasta 100 g por día, sin síntomas de toxicidad (Klenner, 1971; Herjanic y Moss-Herjanic, 1967). Un paciente canceroso ha ingerido 130 g por día, durante nueve años, con resultados positivos. Una gran cantidad (varios gramos) de ácido ascórbico ingerida sin ser acompañada de otros alimentos puede causar dolor estomacal y diarrea en algunas personas, pero no se han registrado efectos secundarios más graves.

Podría decirse del ácido ascórbico que no es más tóxico que el azúcar ordinaria (sucrosa), y mucho menos tóxico que la sal ordinaria (cloruro de sodio). No se ha registrado ninguna muerte por exceso de ácido ascórbico, ni, por cierto, ninguna enfermedad seria por esta causa.

Sería posible ingerir la cantidad de vitamina C que recomiendo como óptima en los alimentos que comemos. Sin embargo, esto requeriría una comida llena de pimientos (picantes o dulces, verdes o rojos) y grosellas negras. Las otras verduras y frutas suministran menos de 350 mg de vitamina C por 100 g de estos alimentos. Los zumos de naranjas, limones, pomelos, limas, tomates, las espinacas y las coles de Bruselas contienen una buena cantidad de ácido ascórbico, de 25 mg a 100 mg por 100 g. Los guisantes y las judías, el maíz, los espárragos, las piñas, los tomates, las uvas espinas, los arándanos agrios, los pepinos y la lechuga contienen de 10 mg a 25 mg por 100 g. En los huevos, la leche, las zanahorias, la remolacha y la carne cocida se encuentran cantidades levemente inferiores, menos de 10 mg por 100 g. (Véase la tabla en el capítulo 8.)

El ácido ascórbico en los alimentos es fácilmente destruido si se cocina a temperaturas demasiado altas, especialmente en presencia del cobre y, hasta cierto punto, de otros metales. En general, los alimentos cocidos retienen más o menos la mitad del ácido ascórbico presente en los alimentos crudos. La pérdida de la vitamina se puede minimizar al cocinar los alimentos por poco tiempo, con un mínimo de agua y sin desechar el agua, pues ésta ha extraído algo de la vitamina del alimento.

Una buena dieta ordinaria, incluyendo verduras y zumo de naranja o de tomate, podría proporcionar unos 100 mg de ácido ascórbico por día. Sin embargo, mucha gente no obtiene siquiera esta pequeña cantidad. En 1971-1972, la Health Resources Administration of the U.S. Department of Health, Education and Welfare (Departamento de recursos de sanidad del Ministerio de Salubridad, Educación y Bienestar de los Estados Unidos), llevó a cabo un estudio con 10 116 personas, de entre uno y setenta y cuatro años de edad, en diez zonas geográficas representativas del país; el resultado fue que la mitad de los adultos ingería menos de 57,9 mg por día de ácido ascórbico (Abraham et al., 1976). Sólo el 30 % ingería más de 100 mg y sólo el 17 %, más de 150 mg. La ingestión media de la gente que está por debajo del nivel de pobreza es del 78 % de lo ingerido por el resto de la población, y el 57 % de esta gente ni siquiera ingiere la RDA.

Afortunadamente, se puede cumplir con el requisito óptimo en cualquier cantidad deseada –desde la ingestión óptima diaria hasta las mayores cantidades terapéuticas que examinaremos más adelante– ingiriendo dosis suplementarias de la sustancia pura, ácido ascórbico cristalino, o una de sus sales.

10. LA INDIVIDUALIDAD BIOQUÍMICA

La mutación genética que suprimió en los descendientes del primate la capacidad de producir la vitamina C constituye un vívido ejemplo de las incontables variaciones biológicas, a través de las cuales la selección natural produjo la diversidad de organismos biológicos que hoy conocemos. Esta percepción bioquímica nos permite «ver» la evolución, tal como ocurrió, «desde dentro». Nos proporciona una medida cuantitativa sobre la profusión de diferencias que existen entre individuos de una misma especie, sobre las cuales la selección natural actúa, para seleccionar «los más aptos». Nos muestra que cada ser humano posee una individualidad bioquímica que casi no se manifiesta en las diferencias que observamos entre nosotros (pero que sólo parcialmente las explica).

Consideremos una de las características genéticas, como el peso del hígado en relación con el peso total del cuerpo del ser humano, o la concentración de cierta enzima en las células rojas de la sangre. Al estudiar un muestreo de cien seres humanos, se observa que tal característica presenta amplias variaciones. A menudo la función de probabilidad en forma de campana representa aproximadamente esta variación. Se acostumbra a decir que la escala «normal» de valores de cierta característica es aquella en que está comprendido el 95 % de los valores, y que el 5 % restante –los extremos– es anormal. Si suponemos que se heredan independientemente quinientas características, podríamos calcular que hay poca probabilidad –3 %– de que una persona en la población mundial sea normal con respecto a cada una de estas quinientas características.

Sin embargo, se estima que el ser humano tiene un complemento de cien mil genes, cada uno de los cuales cumple una función, como, por ejemplo, el control de la síntesis de una enzima. El número de características que podrían variar –debido a una diferencia en la naturaleza de un gen específico– es probablemente de unos cien mil y no de quinientos; por tanto, concluimos que ningún ser humano en el mundo podría ser normal (en el rango que incluye el 95 % de todos los seres humanos) con respecto a todas las características. Este cálculo, claro está, está excesivamente simplificado. Pero ayuda a destacar el hecho de que los seres humanos difieren los unos de los otros, y que cada uno debe ser tratado individualmente, tanto biológica como moralmente.

Con respecto a las características genéticas la especie *homo sapiens* es más heterogénea que la mayoría de las otras especies animales. Sin embargo, también se ha observado heterogeneidad en unos animales de laboratorio, como los cobayos. Se sabe, hace ya mucho tiempo, que en estos pequeños animales, a quienes se les administraba la misma dieta provocadora de escorbuto, con menos de 5 mg diarios de ácido ascórbico por kg de su peso, diferían tanto la gravedad del escorbuto que padecían, como la rapidez del desarrollo de la enfermedad. En 1967, Williams y Deanson llevaron a cabo un extraordinario experimento. Estos investigadores compraron unos cobayos machos destetados a un proveedor de animales. Tras una semana de observación, durante la cual se les administró una buena dieta, incluyendo verduras frescas, se les administró una dieta carente de ácido ascórbico o con determinadas cantidades añadidas del mismo. Dividieron a los cobayos en ocho grupos, cada uno con diez a quince animales; a uno de los grupos no se le dio ácido ascórbico y a los otros se les administraron distintas dosis con una pipeta, por la boca. Alrededor del 80 % de los animales que no había recibido ácido ascórbico, o sólo 0,5 mg diarios por kg, mostraron crecientes síntomas de escorbuto, mientras que sólo se vieron afectados el 25 % de aquellos a quienes se les había administrado de 1 a 4 mg diarios por kg, y ninguno de aquellos a quienes se les había administrado 8 mg o más presentaron estos síntomas. Los resultados concuerdan con la afirmación acostumbrada de que unos 5 mg de ácido ascórbico por kg y por día son necesarios para prevenir el escorbuto en los cobayos.

Sin embargo, se observó, por un lado, que dos de los animales que habían ingerido sólo 1 mg por kg y por día se mantuvieron sanos y engordaron durante todo el período del experimento (ocho semanas). Uno de ellos engordó más que cualquier otro de los animales que habían ingerido dos, cuatro, ocho o dieciséis veces esa cantidad de ácido ascórbico.

Por otro lado, siete de los cobayos que habían ingerido 8, 16 o 32 mg por kg y por día estuvieron enfermizos y crecieron poco durante los primeros diez días de la dieta. Entonces, se les proporcionó una dosis mayor de vitamina: a cinco de ellos se les administraron 64 mg por kg y por día, y a dos, 128 mg por kg y por día. Estos animales respondieron de manera maravillosa: mientras habían ganado sólo 12 g, en término medio, durante un período de diez días, con cantidades menores de ácido ascórbico, durante el período de diez días, tras el comienzo de la dieta con mayor cantidad de vitamina, engordaron 72 g de promedio. La conclusión indicada es que estos animales, siete de los treinta que ingirieron entre 8 y 32 mg por kg y por día, necesitaron, para su buena salud, más vitamina C que los otros. Williams y Deason (1967) llegaron a la conclusión de que hay una escala del 2 000 %, como mínimo, en las necesidades de vitamina C para una población de cien cobayos. Señalaron que la población humana no es probablemente más uniforme que la de los cobayos utilizados en su experimento y que, por tanto, la variación individual en las necesidades de vitamina C para los seres humanos es igual de grande.

He aceptado sus conclusiones; y las conclusiones parecidas a las que llegaron otros investigadores: sugieren que el consumo óptimo de ácido ascórbico en los seres humanos podría variar mucho, multiplicándose quizá por ochenta, es decir, yendo de 250 mg a 20 g por día, o incluso más.

Desde que descubrieron la vitamina C, hace cincuenta años, se han publicado miles de informes científicos sobre las investigaciones acerca de este nutriente. El lector de este libro podría, con razón, preguntar: primero, por qué la escala de valores del consumo óptimo de esta importante sustancia no se determinó en forma fiable hace mucho y, segundo, por qué nadie le puede decir qué dosis óptima debe ingerir para estar en el estado de salud idóneo. Una parte de la respuesta a la primera pregunta es que sólo una muy pequeña cantidad de la vitamina, posiblemente 10 mg diarios, es suficiente para evitar que la mayoría de la gente desarrolle el escorbuto, y que los médicos y nutriólogos han aceptado la idea que no se necesita más. Aunque algunos médicos hayan observado, hace cuarenta y cincuenta años, que unas dosis cien o mil veces mayores son válidas en el control de varias enfermedades, como se describe en otra parte de este libro, la profesión médica y la mayoría de los científicos no hicieron caso de esas pruebas.

Otra parte de la respuesta a esta primera pregunta es que los estudios que proporcionarían la respuesta sólo se pueden llevar a cabo con gran esfuerzo y considerable gasto. Es mucho más fácil investigar un potente fármaco que tiene un efecto benéfico inmediato en el paciente (aunque sea más difícil averiguar el posible daño que, a largo plazo, podría causar ese poderoso fármaco a una fracción de la gente a quien se le prescribe). Se han llevado a cabo varios estudios epidemiológicos, planificados y ejecutados de manera excelente, con respecto a unos factores, nutricionales y otros, con relación a la frecuencia de las enfermedades y las posibilidades de muerte a diferentes edades. En algunos de estos estudios, la naturaleza de los alimentos ingeridos se ha dado en tablas, y las cantidades de vitamina C y otras vitaminas en la dieta se han calculado con tablas que proporcionan los contenidos de vitaminas en distintos alimentos. Algunos de estos estudios muestran que la frecuencia de las enfermedades y el riesgo de muerte a cada edad son menores en el caso de gente que ingiere más vitamina C (y otras vitaminas, también), que en el caso de aquellos que ingieren dosis menores. Sin embargo, en estos estudios, las dosis de vitamina C son pequeñas; por ejemplo, de 0 mg a 50 mg por día para los grupos que ingieren dosis pequeñas, y de 50 mg a 100 mg para los que ingieren grandes dosis.

En su estudio en el condado de San Mateo, en California, Estados Unidos, en 1948, Lester Breslow y sus colegas entrevistaron a 577 residentes, seleccionados al azar, de cincuenta años de edad, o más. Obtuvieron mucha información acerca de su estado de salud y de factores ambientales, de comportamiento y de nutrición que podrían afectarlo. Siete años más tarde, examinaron los registros de defunción y compararon el índice de mortalidad, por edades, con relación a los distintos factores en las subpoblaciones. Entre todos estos factores se observó que el consumo de vitamina C tenía la mayor correlación con el índice de mortalidad por edades; aún más que el fumar cigarrillos (Chope y Breslow, 1955).

Mientras a cada edad los fumadores de cigarrillos corren dos veces más riesgos de morir que un no fumador, las personas que consumían menos vitamina C (calculándola por el contenido de la sustancia en los alimentos que ingerían) tenían 2,5 veces más probabilidades de morir que aquellas que ingerían mayor cantidad. La gravedad de la enfermedad correspondiente era, también, mayor. Esta diferencia significa que las personas que ingerían más vitamina C gozaban de diez años más de mejor salud que aquellas que ingerían menos vitamina. La línea divisoria se encontraba en los 50 mg por día, aproximadamente igual a la ración dietética recomendada. El consumo medio del grupo de baja ingestión era de 24 mg por día, y el del grupo de mayor consumo era de 127 mg por día.[1] Es interesante observar

1. Al calcular estos promedios, se asume que la distribución de los consumos de los dos grupos es la misma que la de los grupos correspondientes (de más de se-

que beber un vaso grande de zumo de naranja cada día (unos 90 mg de ácido ascórbico en 177,3 ml de zumo), o ingerir un comprimido de 100 mg cada día colocaba a la gente en el grupo de alto consumo.

Una parte de la mejoría en la salud del grupo de alto consumo se puede atribuir a otras sustancias contenidas en los alimentos que proporcionaban la vitamina C adicional. No hay duda de que el zumo de naranja, la lechuga y otras verduras, y las frutas contienen importantes nutrientes, además de la vitamina C. Pero el estudio de San Mateo mostró que el efecto de un mayor consumo de vitamina A en la mejoría de la salud era un 50 % menor que el de la vitamina C, y el efecto de la niacina, una de las vitaminas B, era un 75 % menor. Aunque los alimentos con un alto contenido de vitamina A y de niacina tienen gran valor en la mejoría de la salud, no son tan benéficos como los que tienen un alto contenido de vitamina C.

Cuando se ingiere la vitamina C por vía oral, la mayor parte es absorbida en la sangre, a través de las membranas mucosas de la boca y de la parte superior del intestino delgado. Si la cantidad ingerida es pequeña, hasta 250 mg, más o menos el 80 % es absorbido en la sangre. En el caso de dosis mayores, la cantidad absorbida es menor, más o menos el 50 %, para una dosis de 2 g, y todavía menor para dosis mayores (Kulber y Gehler, 1970). Por tanto, es más económico ingerir la vitamina C en dosis pequeñas, por ejemplo 1 g cada tres horas, que tomarla en una sola dosis mayor una vez al día. Igualmente, una dosis de ascorbato de sodio, inyectado en la red sanguínea, es más efectiva en el tratamiento de las enfermedades que la pequeña cantidad ingerida oralmente.

En el caso de una pequeña dosis diaria de ácido ascórbico, hasta de 150 mg, la concentración en el plasma sanguíneo es casi proporcional a la dosis: esta concentración es de unos 5 mg por litro, para una dosis diaria de 50 mg, 10 mg por litro, para 100 mg, y 15 mg por litro, para 150 mg. Con dosis superiores a los 150 mg por día, la concentración en la sangre aumenta menos, proporcionalmente, en relación al incremento de la dosis ingerida, alcanzando unos 30 mg por litro, para una dosis de 10 g por día (ácido ascórbico más ácido dehidroascórbico; Harris, Robinson y Pauling, 1973).

La razón de este cambio, cuando la dosis excede unos 150 mg por día, es que una mayor cantidad de la vitamina se elimina por la orina. Una de las funciones de los riñones es eliminar de la sangre las moléculas no deseadas y dañinas, las moléculas de sustancias tóxicas que han penetrado en la sangre por medio de alimentos o del aire impuro, o de desechos, como la urea –el compuesto de nitrógeno formado cuando las moléculas de viejas proteínas del cuerpo se degradan–. Cada veinte minutos, el volumen total de la sangre pasa a través de una serie de filtros moleculares en los dos millones de glomérulos del riñón. En los glomérulos, los capilares a través de los cuales fluye la sangre están perforados por pequeños agujeros. Éstos, los poros

---

senta años de edad) de la primera encuesta sobre salud y nutrición de 1971-1972 (Abraham, Lowenstein y Johnson, 1976).

del filtro glomerular, son suficientemente pequeños para que las moléculas de proteína de la sangre –como los anticuerpos (globulinas) que nos protegen contra las enfermedades– puedan pasar; pero las moléculas de agua y otras pequeñas moléculas, como las del azúcar de la sangre (glucosa) y el ácido ascórbico, sí pueden pasar. La tensión arterial opera de manera que empuja parte del agua de la sangre, junto con sus cargas de pequeñas moléculas, a través de estos poros, hacia una cápsula circundante.[1] El cuerpo produce unos 180 l por día de filtrado glomerular, con su orina diluida, que representan treinta y seis veces el volumen de la sangre misma. No podríamos soportar la pérdida de tanta agua y, afortunadamente, existe un mecanismo para concentrar la orina al volumen habitual de uno o dos litros por día. A medida que el filtrado glomerular pasa a través de los túbulos, hacia las vías que transportan la orina a la vejiga, unas bombas moleculares en las paredes de los túbulos devuelven la mayor parte del agua a la red sanguínea.[2] El azúcar de la sangre es importante como combustible para el cuerpo, y no sería bueno perderla. Por tanto, existen bombas tubulares especiales que bombean las moléculas de glucosa nuevamente hacia la sangre. También existen bombas especiales para otras moléculas importantes, incluyendo la vitamina C.

Afortunadamente es así, pues si el proceso de reabsorción tubular de la vitamina C no operara, se podría perder, por excreción, hasta una gran dosis de vitamina C, en una o dos horas. De hecho, una persona que ingiere 100 mg por día elimina sólo unos 10 mg por la orina. Como se vio en el capítulo 7, la necesidad de conservar nuestra provisión de ácido ascórbico se presentó cuando nuestros antepasados perdieron su capacidad para sintetizarla, y tuvimos que depender de la que obtenemos en nuestros alimentos. Hemos desarrollado el mecanismo de reabsorción tubular a tal grado, que funciona casi perfectamente (bombeando un 99,5 % del ascorbato contenido en el filtrado glomerular para devolverlo a la red sanguínea), hasta que llega al límite de su capacidad de bombeo. Este límite se alcanza cuando la concentración en el plasma sanguíneo es igual a unos 14 mg por litro, lo que corresponde a un consumo diario de unos 140 mg.

Por otro lado, cuando se descubrió que un consumo superior a los 140 mg por día produce una mayor excreción de vitamina C por la orina, se pensó que, con 140 mg por día, los tejidos del cuerpo se saturan de vitamina, y empiezan a rechazar cualquier cantidad adicional. Aunque esta idea es incorrecta, la literatura médica y de la nutrición aún la sostiene, y un consumo de 140 mg por día, que co-

1. Una persona gravemente enferma o en estado de choque puede tener la tensión arterial tan baja que no sea capaz de producir orina.

2. El proceso de concentración de la orina es regulado por la hormona antidiurética, que segrega la glándula pituitaria. Unas personas pueden desarrollar una enfermedad poco común, diabetes insipidus, que se manifiesta por una secreción insuficiente de esta hormona; el volumen de su orina puede alcanzar 40 l por día, y necesitan, pues, beber igual cantidad de agua.

rresponde a la llamada saturación de los tejidos, es considerado como el límite superior de la cantidad de vitamina C necesaria para «una buena salud normal».

Sin embargo, un argumento parecido al del capítulo 9 nos conduce a la conclusión que este consumo, con el cual las bombas tubulares alcanzan su capacidad límite, es un consumo *por debajo* del consumo óptimo (Pauling, 1974). Comparemos una bomba tubular para el ácido ascórbico, que bombea hasta que la concentración de ácido ascórbico en la sangre alcance 14 mg por litro, con una bomba que opera hasta que la concentración alcance 13 mg por litro. La segunda bomba es un 7 % menor que la primera, y para funcionar, necesita un 7 % menos energía, proporcionada ésta por los alimentos que quemamos como combustible. La bomba más pequeña, por tanto, sería una carga menor que la mayor. Entonces, ¿por qué la bomba mayor? La respuesta seguramente es que necesitamos la bomba mayor para conservar ese 7 % extra de vitamina C. Así pues, el límite para el cual se ha desarrollado la reabsorción tubular representa un límite inferior del consumo óptimo de vitamina C. Este límite inferior representa más de dos veces la RDA del Food and Nutrition Board.

Si se ingiere una fuerte dosis de vitamina C, el 62 % de esa dosis, que entra en la circulación sanguínea, es excretado con la orina, de manera que sólo un 38 % se queda en el cuerpo para cumplir con sus valiosas funciones. Sin embargo, es bueno tener vitamina C en la orina. Protege contra las infecciones urinarias y contra el cáncer de la vejiga, como veremos en el capítulo 20.

Además, esa fracción de una dosis grande de vitamina C ingerida por vía oral, y que queda retenida en los intestinos, tiene su valor. DeCosse y sus colegas estudiaron el efecto de 3 g diarios de ácido ascórbico en el control del crecimiento de pólipos adenomatosos del recto, en aquellas personas que han heredado la tendencia a padecer de ellos (1975). Esta poliposis es grave, porque los pólipos generalmente se convierten en cáncer maligno. De un grupo de ocho pacientes, los pólipos desaparecieron totalmente en dos, y parcialmente en tres.

Las autoridades en nutrición han utilizado la presencia de vitamina C en la orina como un argumento contra un consumo elevado de la misma. El doctor Frederick J. Stare, en su libro *Eating for Good Health* («Comer para tener una buena salud») (1969), afirma que 60 mg o 70 mg diarios son suficientes: «Una cantidad adicional de la vitamina no puede almacenarse en el cuerpo y simplemente se excreta. En circunstancias normales, no necesita usted tomar comprimidos de vitamina C.» Repite lo mismo en su último libro *Panic in the Pantry* («Pánico en la despensa») (Whelan y Stare, 1975). Estas afirmaciones no son correctas.

Las observaciones hechas sobre la concentración de ascorbato en el plasma sanguíneo, correspondiendo a la capacidad del mecanismo de reabsorción tubular en diversas personas, nos proporcionan alguna información sobre la individualidad bioquímica en lo que respecta a la vitamina C. En un estudio, llevado a cabo con diecinueve sujetos, la capacidad varió de 10 a 20 mg por litro (Friedman, Sherry y Ralli, 1940). Otros investigadores han encontrado variaciones similares.

El ácido ascórbico está presente en los diversos fluidos y órganos del cuerpo, en particular en los leucocitos y en la sangre. También es elevada su concentración en el cerebro. Cuando una persona con insuficiencia de ácido ascórbico ingiere una cierta cantidad, éste se transporta rápidamente del suero sanguíneo a los leucocitos, a otras células, y a ciertos órganos, como el bazo. La cantidad que permanece en el suero sanguíneo puede ser tan pequeña –menor que la capacidad del mecanismo de reabsorción tubular– que ésta se eliminará en la orina.

Hace mucho se formuló una prueba (Harris y Ray, 1935) para determinar la avidez con la cual los tejidos absorben el ácido ascórbico del suero sanguíneo. Esta prueba, llamada la «prueba de carga», consiste en administrar a un individuo cierta cantidad de vitamina C, por vía oral, o por inyección, en recoger la orina de las seis horas siguientes, y analizarla para calcular su contenido en ácido ascórbico. Si se administra una dosis oral de más o menos 1 g, la mayoría de la gente cuyo suero sanguíneo no carece de la vitamina, elimina más o menos de un 20 a un 25 % de ésta en la orina en seis horas.

Si una persona elimina un porcentaje menor del ácido ascórbico ingerido, puede ser porque ha vivido a base de una dieta con insuficiencia de la vitamina, de manera que hay carencia de ella en los tejidos, o porque alguna anomalía bioquímica en su cuerpo extrae el ascorbato del suero sanguíneo muy rápidamente, quizá convirtiéndolo velozmente en otras sustancias. VanderKamp informó, en 1966, que los pacientes que padecían de esquizofrenia crónica necesitaban «una dosis de carga» de ácido ascórbico diez veces superior a la que precisaban otras personas, para que una cierta cantidad de la sustancia aparezca en la orina. Herjanic y Moss-Herjanic (1967) estuvieron de acuerdo con esta observación.

Los resultados de otra «prueba de carga» se pueden ver en la ilustración de la página 92 (Pauling y otros, capítulo 2 en Hawkins y Pauling, 1973). En este estudio, a cuarenta y cuatro pacientes, recientemente hospitalizados por padecer esquizofrenia aguda, y a cuarenta y cuatro sujetos más, se les administró 1,76 g de ácido ascórbico, por vía oral, y se midió el porcentaje excretado por la orina, durante seis horas. Las variaciones individuales iban desde el 2 hasta el 40 %, los pacientes esquizofrénicos excretaron sólo el 60 % que los otros. Probablemente, estas variaciones tienen un origen parcialmente nutritivo y parcialmente genético. Las funciones de distribución sugieren que existen tres tipos de seres humanos, en cuanto a la absorción del ácido ascórbico, los de baja excreción, los de excreción media y los de excreción elevada. Sin embargo, esta idea todavía no se ha puesto realmente a prueba.

A algunos de los sujetos del estudio se les administró 1,76 g de ácido ascórbico cada día, durante ocho días, y se midió la proporción excretada durante las seis horas posteriores a la última dosis. De los dieciséis con baja excreción (menos del 17 % de la sustancia excretada), ocho ya no estaban en la clase de baja excreción, mientras que los ocho restantes se mantenían bajos. Esta observación sugiere que el organismo de estas personas tiene una forma anormal de utilizar la vitamina C ingerida. Podrían necesitar un consumo mucho mayor para estar en forma.

En el capítulo 11 se examinan varias enfermedades genéticas graves, como la fenilcetonuria, la galactosemina y la metilmalonicaciduria. Algunas de estas numerosas enfermedades conocidas responden a un tratamiento de fuertes dosis de la vitamina apropiada. Es más difícil reconocer una enfermedad genética benigna que una grave, pero las enfermedades benignas podrían, en conjunto, causar más sufrimiento que las enfermedades graves, porque afectan a muchas más personas. Es posible que los individuos que forman parte del tipo de baja excreción de ácido ascórbico, mostrados en la ilustración, tengan una anomalía genética tal que un bajo consumo de vitamina C les sea más perjudicial que a otras personas. En su caso, una mayor ingestión de la vitamina podría ser esencial, si han de evitar vivir una existencia corta y miserable. Actualmente, es muy difícil de-

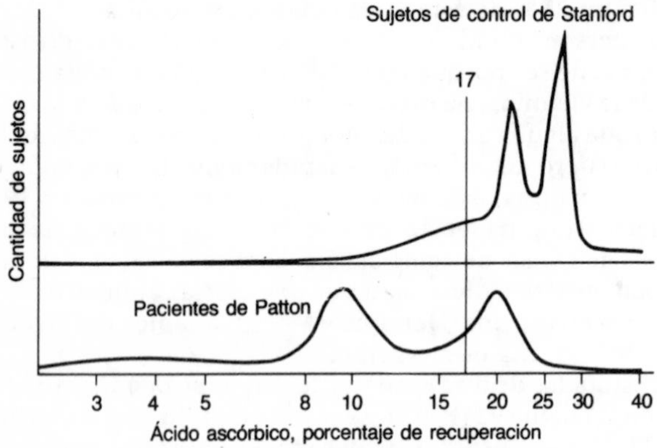

La vitamina C y la esquizofrenia. *En un estudio de 1973, cuarenta y cuatro pacientes hospitalizados por esquizofrenia aguda, y cuarenta y cuatro estudiantes de la Universidad de Stanford, ingirieron una dosis de 1,76 g de ácido ascórbico (vitamina C), por vía oral. Los investigadores midieron la fracción de la dosis excretada en la orina durante las seis horas siguientes. Muchos de los estudiantes (curva superior) eliminaron más o menos el 25 % del ácido ascórbico; un grupo levemente menor eliminó más o menos el 20 %, y algunos estudiantes eliminaron una cantidad aún menor. La curva inferior, la de los pacientes esquizofrénicos, parece indicar tres grupos similares, con los dos picos más hacia la izquierda, que indican una menor eliminación de ácido ascórbico, y un mayor número de pacientes eliminando sólo un pequeño porcentaje de vitamina. La línea del 17 % divide los de baja excreción y los de excreción elevada.*

terminar las necesidades nutritivas de una persona, tomada individualmente, salvo a través de pruebas con varias dosis, pero hay esperanzas de que se formularán algunas pruebas clínicas fiables que mostrarán las necesidades individuales.

III. La medicina ortomolecular

11. DEFINICIÓN DE LA MEDICINA ORTOMOLECULAR

Considero que, generalmente, es preferible tratar las enfermedades utilizando sustancias, como el ácido ascórbico, normalmente presentes en el cuerpo humano, y necesarias para la vida, que tratarlas con poderosas sustancias sintéticas o productos derivados de las plantas, que podrían tener efectos secundarios desagradables, como ocurre con frecuencia. La vitamina C y la mayoría de las otras vitaminas son notorias por su baja toxicidad, y la ausencia de efectos secundarios, incluso cuando se ingieren en cantidades mayores de las que normalmente están presentes en nuestra dieta. He acuñado el término de *medicina ortomolecular* para referirme a la conservación de la buena salud y al tratamiento de las enfermedades, variando las concentraciones en el cuerpo humano de unas sustancias que normalmente están presentes en él, y que son necesarias para la buena salud (Pauling, 1968b). El doctor Bernard Rimland (1979) recalcó mi punto de vista, al sugerir que la medicina convencional, que utiliza fármacos, debería llamarse medicina «toximolecular».

La muerte por inanición, el kwashiorkor, el beriberi, el escorbuto, o cualquier otra enfermedad carencial, pueden evitarse con un consumo adecuado de hidratos de carbono, grasas esenciales, proteínas (incluyendo los aminoácidos esenciales), minerales esenciales, tiamina, ácido ascórbico y otras vitaminas. Para alcanzar el estado de salud idóneo, la tasa de consumo de los alimentos esenciales debería ser tal que establezca y mantenga las concentraciones óptimas de las moléculas esenciales, como las del ácido ascórbico.

Un ejemplo de medicina ortomolecular es el tratamiento de la diabetes mellitus por medio de la inyección de insulina. La diabetes mellitus es una enfermedad hereditaria, generalmente causada por un gen recesivo. El defecto hereditario tiene como resultado que el páncreas no produzca suficiente cantidad de insulina, una hormona. La acción principal de la insulina es incrementar el índice de extracción de glucosa de la sangre, para que aquélla migre hacia las células, donde puede metabolizarse. La carencia de insulina acarrea una concentración de glucosa en la sangre del paciente muy superior a la normal, resultando en manifestaciones de la enfermedad.

La insulina extraída del páncreas de vacas o de cerdos sólo difiere ligeramente, en su estructura molecular, de la insulina humana, y tiene fundamentalmente la misma actividad fisiológica. La inyección de insulina de vacas o de cerdos en el cuerpo de un ser humano consiste principalmente en restablecer la concentración normal de insulina; permite que se lleve a cabo con normalidad el ritmo de metabolismo de la glucosa y, por tanto, sirve para contraatacar la anomalía que resulta del defecto genético. Por esta razón, la terapia por insulina es un ejemplo de terapia ortomolecular. Su principal desventaja es que la insulina sólo se puede introducir en la red sanguínea mediante inyecciones.

Otro ejemplo del tratamiento ortomolecular de esta enfermedad, cuando no es grave, consiste en ajustar la dieta, regulando sobre todo la ingestión de azúcar, con el fin de que la concentración de glucosa en la sangre se mantenga dentro de los límites normales. Un tercer ejemplo consiste en incrementar la ingestión de vitamina C, con el fin de reducir la necesidad de insulina. Como resultado del estudio de un sujeto diabético, Dice y Daniel (1973) informaron que, por cada gramo de ácido ascórbico-L ingerido por vía oral, la cantidad de insulina necesaria se podría reducir en dos unidades.

Hay un cuarto medio para controlar la diabetes, utilizando la llamada insulina oral, un fármaco ingerido por vía oral; pero no constituye un ejemplo de medicina ortomolecular, ya que la insulina oral es un fármaco sintético, extraño al cuerpo humano y que podría tener efectos secundarios negativos.

La fenilcetonuria es otra enfermedad que se trata por métodos ortomoleculares. Es consecuencia de una anomalía genética que se manifiesta por una reducción de la cantidad o de la eficacia de una enzima en el hígado, enzima que, en personas normales, cataliza la oxidación de un aminoácido, la fenilalanina, para producir otro, la tirosina. Las proteínas ordinarias contienen un cierto porcentaje de fenilalanina, lo que suministra una cantidad de este aminoácido muy superior al necesario. Si el paciente tiene una dieta normal, la concentración de fenilalanina en su sangre y otros fluidos alcanza niveles anormalmente altos, causando deficiencia mental, eccema severo y otros efectos. La enfermedad puede controlarse, desde los primeros años del paciente, con una dieta que contenga menos fenilalanina que la que está presente en los alimentos comunes. Así, la concentración de fenilalanina en la sangre y otros fluidos del cuerpo se puede mantener a un nivel más o menos normal, y los efectos de la enfermedad no aparecen.

Una enfermedad más o menos parecida, que también se puede controlar con métodos ortomoleculares, es la galactosemia. Ésta implica la incapacidad de manufacturar una enzima que lleva a cabo el metabolismo de la galactosa –una parte del azúcar de la leche (lactosa)–. La enfermedad se manifiesta con atraso mental, cataratas, cirrosis del hígado y del bazo, e incapacidad nutritiva. Estos efectos se pueden evitar administrando al bebé una dieta sin lactosa; así, la concentración de galactosa en la sangre no excederá el límite normal.

Para la fenilcetonuria y otras enfermedades hereditarias, relacionadas con un gen defectuoso, podríamos concebir una terapia ortomolecular que consistiría en injertar el gen (moléculas de ácido desoxirribonucleico, o ADN), separado de los tejidos de otra persona, en las células de la persona que padece la enfermedad. Por ejemplo, unas moléculas del gen que preside a la síntesis de la enzima catalizadora de la oxidación de la fenilalanina en tirosina, podrían extraerse de unas células del hígado de un ser humano normal, y ser introducidas en las células del hígado de una persona que padece de fenilcetonuria. Este tipo de cambio, en el carácter genético de un organismo, ya se ha llevado a cabo en el caso de microorganismos, pero todavía no en el de seres humanos, y lo más probable es que pasarán muchas décadas antes de que constituya un método importante para contrarrestar los defectos genéticos.

El control de la fenilcetonuria es alcanzable por otro método de terapia ortomolecular, parecido al uso de insulina en la diabetes, o sea, inyectando la enzima activa. Este tratamiento no se ha desarrollado por dos razones. Primero, aunque se sabe que la enzima está presente en el hígado de los animales, incluso del hombre, aún no se ha aislado en su forma pura. Segundo, el mecanismo natural de inmunidad, que implica la acción de anticuerpos contra las proteínas extrañas a la especie, destruiría la enzima preparada en el hígado de animales de otra especie. Este mecanismo impide generalmente la utilización de enzimas, u otras proteínas, de animales distintos a los seres humanos, en el tratamiento de las enfermedades del hombre.

Aún hay otra posible terapia ortomolecular. Las moléculas de muchas enzimas se componen de dos partes: la de pura proteína, llamada apoenzima, y la no proteínica, llamada coenzima. La enzima activa, llamada holoenzima, es la combinación de la apoenzima y de la coenzima unida a ella. A menudo, la coenzima es una molécula de vitamina o una molécula estrechamente relacionada. Por ejemplo, se sabe que en el cuerpo humano varias enzimas diferentes, que catalizan distintas reacciones químicas, contienen difosfato de tiamina, un derivado de la tiamina (vitamina B_1) como coenzima.

En algunos casos de enfermedades genéticas, la enzima no está ausente, sino que su actividad disminuye. Uno de los medios usados por el gen defectuoso para funcionar, consiste en producir una apoenzima con una estructura anormal que no puede combinarse fácilmente con la coenzima, para formar la enzima activa. En condiciones fisiológicas normales, y con la concentración normal de coenzima, puede decirse que sólo un 1 % de la apoenzima normal se ha combinado con la coenzima. Según los principios del equilibrio químico, se podría lograr que una mayor cantidad de la apoenzima normal combinara con la coenzima incrementando la concentración de coenzima en los fluidos del cuerpo. Si esta concentración se multiplicara por cien, la mayor parte de las moléculas de apoenzima podrían combinarse con la coenzima para proporcionar básicamente la cantidad normal de enzima activa.

Por tanto, existe la posibilidad de poder controlar la enfermedad si el paciente ingiere una dosis muy fuerte de la vitamina que funciona como coenzima. Este tipo de terapia ortomolecular, implicando sólo una sustancia normalmente presente en el cuerpo humano (la vitamina), es, en mi opinión, la terapia preferible.

Un ejemplo de enfermedad que a veces se controla de esta manera es la enfermedad «metilmalonicaciduria». Los pacientes que la padecen carecen de la enzima activa que cataliza la transformación de una sustancia simple, el ácido metilmalónico, en ácido succínico. Se sabe que la cianocobalamina (vitamina B_{12}) actúa como coenzima en esta reacción. Se ha observado que dosis muy fuertes de vitamina B_{12}, que proporcionan concentraciones unas mil veces mayores que las normales, hacen que la reacción proceda con normalidad, en el caso de muchos pacientes.

El uso de grandes dosis de vitaminas en el control de las enfermedades, llamado terapia «megavitamínica», es un procedimiento importante en la medicina ortomolecular. En mi opinión, a la larga será posible controlar cientos de enfermedades por medio de la terapia megavitamínica. Por ejemplo, Abram Hoffer y Humphry Osmond mostraron, como se mencionó en el capítulo 3, que muchos pacientes con esquizofrenia se benefician con la terapia megavitamínica (Hoffer, 1962; Hoffer y Osmond, 1966). Su tratamiento incluye la administración de ácido nicotínico (niacina) o de nicotinamida (niacinamida) en dosis de 3 g a 18 g por día, junto con 3 g a 18 g por día de ácido ascórbico, y fuertes dosis de otras vitaminas (Hawkins y Pauling, 1973; Pauling, 1974b).

Generalmente, se piensa que un fármaco que pretende curar muchas enfermedades distintas, no puede ser eficaz contra ninguna de ellas. Sin embargo, existe evidencia, resumida en este libro, que un gran consumo de vitamina C ayuda a controlar muchas enfermedades: no sólo el resfriado y la gripe, sino otras enfermedades virales y bacteriales, como la hepatitis, y también algunas enfermedades que no tienen ninguna relación entre sí, incluyendo la esquizofrenia, las enfermedades cardiovasculares y el cáncer. Hay una razón para esta diferencia entre la vitamina C y los fármacos normales. Por un lado, la mayoría de éstos son sustancias poderosas, que, con un tipo de molécula, o tejido, o agente de enfermedad en el cuerpo, actúan en una forma específica, para ayudar a controlar una determinada enfermedad. Sin embargo, la sustancia podría actuar en forma dañina con otras partes del cuerpo, produciendo así los efectos secundarios que hacen peligrosos la mayoría de los fármacos.

Por otro lado, la vitamina C es un componente normal del cuerpo, necesario para la vida. Está involucrada prácticamente en todas las reacciones bioquímicas que se llevan a cabo en el cuerpo, y en todos los mecanismos protectores de éste. Con una ingestión normal de vitamina C, estas reacciones y mecanismos no funcionan eficazmente; una persona que ingiere sólo los 60 mg de la RDA, padece de lo que se podría llamar «mala salud normal» –lo que los médicos y nutriólogos llaman «buena salud normal»–. El consumo óptimo de vitamina C, junto con otras medidas sanas, puede realmente proporcionar una buena salud, con mayor protección contra las enfermedades. Como veremos en el capítulo 12, ese incremento en la protección se asegura fortaleciendo el sistema de inmunidad, un proceso en el que la vitamina C juega un papel determinante. El consumo óptimo es, por necesidad, fuerte. Cuando se haya aprendido esa lección y se ponga en práctica, la protección proporcionada por la vitamina C podría muy bien ser el método más importante de la medicina ortomolecular. Aunque se sabe menos sobre las otras vitaminas, no cabe duda de que, ingeridas en dosis adecuadas, también pueden ser muy útiles.

En los siguientes capítulos examinaremos las formas en que el consumo suplementario de vitaminas puede prevenir muchas enfermedades, reforzar la resistencia del cuerpo a la tensión y al daño causados por las enfermedades, y proporcionar una terapia eficaz de forma preferible a los fármacos y, de ser necesario, conjuntamente con fármacos y otros métodos convencionales de tratamiento.

Si no se menciona alguna enfermedad, el lector no deberá concluir que una mejor nutrición no le es útil. Para muchas enfermedades y problemas médicos existen informes sobre la aparente eficacia de un fuerte consumo de una vitamina, o del uso de alguna otra sustancia ortomolecular. Los informes de este tipo generalmente no se publican en las revistas médicas normales, pero se pueden encontrar, por ejemplo, en la revista norteamericana *Prevention*. Es posible que los informes no sean de fiar; el autor puede haber concluido, injustificadamente, que la mejoría en la salud ocurrida cuando incrementó la ingestión de una vitamina fue resultado de ese incremento, tratándose solamente de una coincidencia. Sin embargo, cuando el mismo informe aparece muchas veces, se le podría otorgar algún mérito, aunque algunos investigadores médicos, debido a su falta de interés en cuanto a las vitaminas, no hayan llevado a cabo serios estudios.

Es particularmente importante procurar tener una mejor nutrición al intentar controlar las enfermedades «incurables», como señalaron Cheraskin y Ringdorf (1971), quienes presentaron la esclerosis múltiple como uno de sus ejemplos. Claro está que no se debe recomendar un fármaco cuando no hay una fuerte evidencia sobre su probable eficacia, pues los fármacos son peligrosos. Afortunadamente, las vitaminas son tan carentes de toxicidad y de efectos secundarios dañinos que esta advertencia no es aplicable en su caso.

Recuerdo a un joven médico que vino a mi casa, hace unos trece años, diciéndome: «Doctor Pauling, usted me salvó la vida. Me estaba muriendo de hepatitis crónica, pero oí hablar de la vitamina C en dosis elevadas, y eso me ha curado.»

Desde entonces se han llevado a cabo algunos buenos estudios sobre la prevención y el tratamiento de la hepatitis con vitamina C (capítulo 14), pero no para otras enfermedades. Una de éstas es la esclerosis amiotrófica lateral (EAL), que se dio a conocer, por ser la enfermedad de la cual murió el famoso jugador de béisbol de los Yankees norteamericanos Lou Gehrig. En agosto de 1985 recibí una carta de un médico que se autodescribía así: «Soy un "milagro" médico. Hace más de ocho años que padezco de EAL, con una pérdida de funciones bastante bien localizada, y que no se extiende. Ingiero entre 12 y 20 g diarios de ácido ascórbico, evito las grasas, e ingiero al menos 200 mg de un complejo de vitamina B cada día.»

La aceptación de la medicina ortomolecular seguramente ayudaría un poco a resolver uno de los problemas actuales, el costo elevado de la atención sanitaria. En 1965, el gasto total público y privado, para la atención sanitaria, en los Estados Unidos, fue de cuarenta mil millones de dólares; en veinte años se ha multiplicado por diez, alcanzando los cuatrocientos mil millones de dólares (informe del Department of Health and Human Services [Ministerio de Salud y Servicios Humanos], 1985). El aumento en el costo de la atención médica, aunado a la inflación, explica el 76% de este aumento y la tasa de crecimiento de la población explica el 11%. El costo de la atención sanitaria representó el 6% del Producto nacional bruto (PNB) en 1965, y el 11% en 1985. Este incremento refleja tanto el rápido aumento en el costo de la atención médica (tomando en cuenta la inflación), como la cada vez mayor disponibilidad de métodos de alta tecnología para el diagnóstico y el tratamiento de enfermedades. Un análisis reciente (Atkins et al., 1985) sobre la cardiología de alta tecnología, menciona algunas de estas nuevas tecnologías actualmente utilizadas: las unidades de telemetría para comprobar la arritmia, la cateterización cardíaca para el diagnóstico, las valoraciones invasoras electrofisiológicas, los marcapasos artificiales permanentes, la electrocardiografía y los estudios de Doppler acerca de la valoración de la función cardíaca, las representaciones nucleares, la cirugía a corazón abierto y los trasplantes de corazón; el análisis sigue con las nuevas tecnologías que pronto se aplicarán: representación de resonancia magnética; tomografías axiales del corazón computarizadas de alta velocidad; y «cardiovérteros» implantables, que automáticamente corrigen las arritmias potencialmente mortales. Otras tecnologías incluyen desfibrilladores implantables, para los pacientes de alto riesgo, con el fin de restablecer los latidos una vez se ha detenido el corazón, implantación de corazones artificiales, y la angioscopia con láser, para visualizar directamente las placas coronarias arterioscleróticas y para guiar la «recanalización» del estrechamiento por obstrucción.

Entre los problemas relacionados con estos avances, están los costos extremadamente elevados y las presiones, tanto por parte de los pacientes como de los médicos, para utilizar las técnicas, a veces inadecuadamente. El doctor George A. Beller, de la Universidad de Virginia, señaló diez fuerzas que actúan en contra de la limitación de costos en cardiología. Primero, los médicos están motivados para proporcionar la atención de mejor calidad posible, sin tomar en cuenta el costo. Segundo, la mayoría de los médicos aún trabajan por honorarios. Tercero, a los médicos se les pagan mayores honorarios si utilizan procedimientos de tecnología sofisticada. Cuarto, los médicos tienden a tratar de convencer a los administradores de los hospitales para que adquieran las últimas innovaciones. Quinto, los administradores están bajo presión para incrementar el número de pacientes del hospital frente a la competencia y por tanto consideran que es deseable adquirir estas tecnologías. Sexto, los pacientes se sienten atraídos hacia los hospitales que ofrecen los últimos equipos, servicios y tecnologías. Séptimo, los proveedores de los bienes de alta tecnología tienen interés en un crecimiento continuo. Octavo, algunos médicos se sienten presionados para solicitar pruebas que saben innecesarias, porque un consultor las ha sugerido en el expediente del paciente. Si éste no mejora, el no haber seguido las sugerencias del consultor puede considerarse como negligencia por un tribunal. El temor a los pleitos por negligencia en la práctica de la medicina seguramente es un factor inhibidor, en cuanto a la limitación de costos. Noveno, a menudo es difícil distinguir los tests efectuados para la investigación clínica de los que se efectúan para el manejo clínico. Décimo, la necesidad de un diagnóstico definitivo ha sido un factor prevaleciente en la práctica cardiológica.

Beller también señaló que la solidaridad de nuestra sociedad hacia los que sufren es otra fuerza. Citó a Gregory Pence, de la Universidad de Alabama, para quien «los costos médicos son incontrolables porque carecemos del acuerdo moral sobre cómo negar los servicios médicos. El decidir cómo decir "no", y decirlo con honestidad e integridad, será probablemente la cuestión moral más profunda, más difícil, a la cual se enfrentará nuestra sociedad, en los próximos años».

Éstos son problemas difíciles. Creo que la medicina ortomolecular puede contribuir a su solución. Las vitaminas son mucho menos costosas que los fármacos. El sufrimiento causado al paciente con el tratamiento debería tomarse en cuenta; un fuerte consumo de vitaminas aumenta el bienestar del paciente y ayuda a controlar los desagradables efectos secundarios de algunas terapias convencionales. Finalmente, si el objetivo de la atención médica no es sólo curar enfermedades, sino también promover la buena salud, entonces el médico debería recordar, ante todo, que una mejor nutrición puede ayudar significativamente al paciente a alcanzar el objetivo de una vida buena y satisfactoria.

12. EL SISTEMA DE INMUNIDAD

Nuestro cuerpo se protege de los ataques internos y externos por medio de mecanismos protectores naturales. De éstos, el más importante es el sistema de inmunidad. Si procuramos que este sistema funcione lo más eficazmente posible, contribuimos de manera significativa a nuestra buena salud.

Cuando hace medio siglo las vitaminas fueron aisladas por primera vez, se observó que la carencia de una cualquiera de determinadas vitaminas provocaba un deterioro del sistema de inmunidad, como, por ejemplo, una disminución de los leucocitos en la sangre y una menor resistencia a la infección. Las vitaminas que se necesitan para que el sistema de inmunidad funcione correctamente son la vitamina A, la vitamina B_{12}, el ácido pantoténico, la folacina y la vitamina C. Éstas son también las vitaminas que parecen reforzar la inmunidad cuando se ingieren en cantidades mayores que las habitualmente recomendadas. El efecto sobre el sistema de inmunidad es mayor en el caso de la vitamina C. Voy a examinar las pruebas de ello en este capítulo.

Al tratar del sistema de inmunidad con relación al cáncer, en nuestro libro *Cancer and Vitamin C* (Cameron y Pauling, 1979), el doctor Ewan Cameron y yo escribimos que al sistema defensivo de inmunidad le es difícil distinguir el amigo del enemigo, pues primero tiene que identificar lo «extraño», lo «no propio» (los vectores invasores de la enfermedad, como bacterias o células malignas), distinguiéndolo de lo «propio» (las células normales). La identificación depende de la valoración de las diferencias en la estructura molecular. En el caso de los vectores virales y bacterianos, las diferencias son notables, y es relativamente fácil reconocerlos, mientras que, en el caso de las células del cáncer, las diferencias son pequeñas y los mecanismos de inmunidad deben ser altamente precisos para ser eficaces. Según la imagen de Lewis Thomas, ex presidente del Memorial Sloan-Kettering Cancer Center, el sistema de inmunidad actúa como una fuerza policíaca, patrullando constantemente en el cuerpo e inspeccionando las células, siempre listo para detectar células que se hayan vuelto malignas y, una vez reconocidas, destruirlas.

Existen muchas pruebas de que la vitamina C es esencial para el buen funcionamiento del sistema de inmunidad. En los mecanismos de éste intervienen ciertas moléculas, principalmente moléculas de proteínas que se encuentran en solución en los fluidos del cuerpo, así como ciertas células. La vitamina C actúa, tanto en la síntesis de muchas de estas moléculas, como en la producción y el funcionamiento adecuado de las células.

Los anticuerpos (también llamados inmunoglobulinas) son moléculas de proteínas bastante grandes, cada una de las cuales contiene entre unos quince mil o veinticinco mil átomos. El ser humano tiene la capacidad de fabricar más o menos un millón de distintas especies de moléculas anticuerpos. Cada especie puede reconocer un grupo particular de átomos, llamado grupo hapténico, o hapteno, transportado a su antígeno, una molécula externa. La mayoría de las personas no producen anticuerpos que puedan combinarse con los haptenos. Aquellas que desafortunadamente sí los fabrican, padecen una enfermedad de tipo especial, una enfermedad «autoinmune»; el lupus eritematoso y la glomerulonefritis podrían ser enfermedades de este tipo.

Los grupos hapténicos en un antígeno activan las células que fabrican los anticuerpos específicos correspondientes, estimulándolas a dividirse y formar un clon con numerosas células idénticas. Estas nuevas células liberan los anticuerpos específicos en la sangre, donde pueden combinarse con las moléculas o células antigénicas y señalarlas para su destrucción.

Se ha observado que, con un mayor consumo de vitamina C, se producen más moléculas anticuerpo. Vallance informó acerca del aumento de anticuerpos de tipo IgG e IgM (1977). Había experimentado con sujetos aislados, durante casi un año, en un puesto de investigación en la Antártida, sin contacto con fuente alguna de nuevas infecciones que pudieran introducir un factor perturbador, al estimular la producción de la inmunoglobulina.

Prinz y sus colegas administraron 1 g de vitamina C a veinticinco estudiantes universitarios masculinos, sanos, y un placebo a otros veinte. Tras setenta y cinco días, observaron que los primeros presentaron un incremento significativo en los niveles de inmunoglobulinas IgA, IgG, e IgM en el suero (Prinz et al., 1977, 1980). Se ha observado que para producir anticuerpos, los cobayos dependen igualmente de la vitamina C, y que comparten nuestra dependencia de fuentes externas para proveerse de dicha vitamina.

IgA es el tipo de anticuerpo presente en mayor cantidad (junto con algo de IgM) en las secreciones nasales; es en gran parte responsable de la acción antiviral de estas secreciones. Los tres tipos mencionados, con preponderancia de IgM, aparecen en la sangre y en el fluido intersticial.

Las células bacterianas y las células malignas, identificadas como extrañas por las moléculas de los anticuerpos específicos que se adhieren a ellas, tienen que ser preparadas para su destrucción, en combinación con otras moléculas de proteínas, los componentes de complemento, en las vías sanguíneas. Existen indicios de que la vitamina C actúa en la síntesis del componente de complemento Cl-esterasa, y que la cantidad de esta importante sustancia aumenta, al incrementar la ingestión de vitamina C. Sin este importante componente de complemento, la cascada de complemento entera es inoperante y las células extrañas no pueden destruirse. No cabe duda de que la vitamina C es también necesaria en los seres humanos para efectuar la síntesis de la Cl-esterasa, porque este componente de complemento contiene moléculas de proteína similares a las moléculas de colágeno, y éstas, lo sabemos, necesitan de la vitamina C para su síntesis.

Una vez identificadas y señaladas para su destrucción, las células extrañas o malignas son atacadas y destruidas por las células fagocíticas (que comen células) que patrullan en el cuerpo. Estas células fagocíticas son células blancas, leucocitos, presentes en la sangre y otros fluidos del cuerpo. Los leucocitos se hallan en gran cantidad en el pus que se forma en los abscesos o las llagas supurantes, donde han estado luchando contra una infección.

Los leucocitos fabricados en las glándulas linfáticas se llaman linfocitos. Son transportados en la linfa (células en suspensión en un fluido transparente, amarillento, parecido al plasma sanguíneo) a través de los vasos linfáticos hacia la sangre. Parece que los linfocitos constituyen la parte más importante de las células fagocíticas en la lucha contra el cáncer y otras enfermedades. A menudo se observa que un tumor maligno es infiltrado por linfocitos, y un elevado índice de infiltración linfática ya se considera como un indicador fiable del resultado favorable en una enfermedad. Es más, se ha demostrado que, con muy pequeñas dosis de vitamina C, los cobayos toleran injertos de piel de otros cobayos, y que esta tolerancia se debe a los niveles anormalmente bajos de ascorbato en los linfocitos (Kalden y Guthy, 1972). Cuando a los cobayos se les administran mayores cantidades de vitamina C, los injertos de piel son rápidamente rechazados, lo cual demuestra que los sistemas de inmunidad vuelven a funcionar.

Debido a estas observaciones y al hecho conocido de que los leucocitos sólo son efectivos como fagocitos si contienen una cantidad considerable de ascorbato, el doctor Ewan Cameron y yo sugerimos, en 1974, que una elevada ingestión de vitamina C permitiría a la parte linfocítica de los mecanismos de defensa funcionar con gran eficacia en la lucha contra el cáncer. Esto ya ha sido confirmado. Yonemoto y sus colegas (Yonemoto, Chrétien y Fehniger, 1976; Yonemoto, 1979) del National Cancer Institute (Instituto nacional de cáncer de Estados Unidos) experimentaron con cinco jóvenes, hombres y mujeres sanos, entre los dieciocho y los treinta años de edad, que inicialmente ingirieron la dosis baja normal de vitamina C. Tomaron muestras de su sangre, separaron los linfocitos, y midieron la tasa de blastogénesis (la producción de nuevas células de linfocitos por reproducción asexual) cuando se estimulaban con una sustancia antigénica extraña, la fitohemaglutinina. Después se administró a cada sujeto 5 g de vitamina C por día, durante los tres días siguientes. El índice de formación de nuevos linfocitos, medido con la misma prueba que la empleada para las células separadas, casi se había duplicado (un incremento del 83 %) en unos cuantos días, y se mantuvo alto durante una semana más. Una dosis de 10 g diarios triplicó el índice, y una dosis de 18 g diarios la cuadruplicó. Este estudio deja poca duda de que una ingestión elevada de vitamina C, por parte de los pacientes cancerosos, incrementa la eficacia de los mecanismos protectores del cuerpo, que incluyen los linfocitos, y conduce a una prognosis más favorable para el paciente que padece de cáncer o de una enfermedad infecciosa. Son necesarios más estudios de este tipo para determinar qué dosis de vitamina C, por vía oral e intravenosa, alcanza el mayor índice de blastogénesis de los linfocitos. El estudio de Yonemoto y sus colegas indica que el consumo óptimo, por vía oral, podría ser superior a los 18 g diarios.

Muchos investigadores han señalado que un incremento en la ingestión de vitamina C, por parte de sujetos normales o de pacientes con ciertas enfermedades, conduce a una mayor motilidad de los leucocitos e incrementa la rapidez con la cual se transportan al lugar de una infección (Anderson, 1981, 1982; Panush et al., 1982). Hay todavía más indicios de que, cuando los leucocitos ya están atacando, la vitamina C incrementa su capacidad para la fagocitosis. Éste es el proceso en el cual los leucocitos rodean y destruyen las células bacterianas o malignas identificadas como extrañas y señaladas para su destrucción; el leucocito individual rodea y se traga la célula extraña. La vitamina C es necesaria en este proceso. Hace mucho se descubrió que los leucocitos no son eficaces como fagocitos, si no contienen suficiente ascorbato (Cottingham y Mills, 1943). Un estudio reciente (Hume y Weyers, 1973) mostró que las personas sanas que ingerían una dieta escocesa normal, tenían algunos leucocitos más de los necesarios para la actividad fagocítica, pero que, después de haber contraído un resfriado, la cantidad se reducía a la mitad en el primer día, y se mantenía baja durante varios días, volviéndolos vulnerables frente a una infección bacteriana secundaria. Un consumo de 250 mg diarios de ácido ascórbico no fue suficiente para mantener en los leucocitos la cantidad de ascorbato en el nivel necesario para una fagocitosis eficaz; pero, con 1 g diario, más 6 g diarios al atacar el resfriado, este importante mecanismo protector operaba eficazmente.

Este estudio me lleva a concluir –y estar casi seguro– que el consumo profiláctico de ácido ascórbico, la dosis ingerida habitualmente para gozar de buena salud, y dar protección contra las enfermedades, debería ser mayor que los 250 mg diarios, para la mayoría de la gente. Otras consideraciones me han hecho sugerir una escala que va desde 250 mg a 4000 mg, y hasta 10000 mg, como consumo diario recomendado para la mayoría de las personas (Pauling, 1974c). Tal consumo debería disminuir los riesgos de contraer resfriados o gripe (influenza), y, de contraerse una infección viral, prevenir una infección bacteriana secundaria.

A propósito de las enfermedades bacterianas, Irwin Stone (1972) describió la vitamina C de la siguiente manera:

1. Es bactericida o bacteriostática y mata o previene el crecimiento de organismos patógenos.[1]
2. Elimina el carácter tóxico de las toxinas y venenos bacterianos y los torna inofensivos.
3. Controla y mantiene la fagocitosis.
4. Es inofensiva y no tóxica y puede administrarse en las elevadas dosis necesarias para cumplir los objetivos antes mencionados, sin peligro para el paciente.

Los interferones constituyen otro agente del sistema de inmunidad, más recientemente reconocido. Se trata de proteínas con actividad antiviral, que producen las células infectadas por un virus y, posiblemente también, las células malignas. Extendiéndose hacia las células vecinas, los interferones transforman éstas, de manera que puedan resistir a la infección. Existe algún indicio de que los interferones colaboran en el esfuerzo hecho por el cuerpo humano para controlar un resfriado en desarrollo u otra infección, o el cáncer. Las distintas especies animales sintetizan distintos tipos de interferones. Los seres humanos fabrican unos veinte tipos distintos de moléculas de interferones, con actividades algo distintas, en diversas células del

1. En el capítulo 14 se presentarán los indicios que apoyan esta afirmación.

cuerpo. El interferón ha atraído mucho interés, pues son muy pocos los fármacos eficaces contra las infecciones virales y el cáncer.

Como los interferones son proteínas, los interferones animales actúan como antígenos en los seres humanos, y no se pueden inyectar sin sensibilizar a la persona, causando una reacción alérgica grave si se repiten las inyecciones. Ya están disponibles los interferones humanos, fabricados a partir de leucocitos humanos en cultivos de células, pero son bastante costosos. Por medio de diversos estudios, se ha mostrado que la inyección de estas sustancias tiene alguna validez en el tratamiento del cáncer y enfermedades infecciosas (Borden, 1984).

La sugerencia de que un aumento del consumo de vitamina C podría llevar a la producción de mayor cantidad de interferones (Pauling, 1970) se ha confirmado. Hasta no tener más evidencia sobre la validez de las inyecciones de interferones humanos, sería recomendable seguir el consejo de Cameron: «Tome más vitamina C y fabrique su propio interferón.»

Las prostaglandinas son pequeñas moléculas (lípidos afines a las

«Tome un poco de interferón y llámeme por la mañana.»

grasas) que juegan un papel poderoso, central, en el funcionamiento del cuerpo humano. Actúan como hormonas e intervienen en la regulación del latido del corazón, en el flujo de la sangre, en el daño causado a las células por los fármacos y en las reacciones del sistema inmunológico. Han sido aisladas y caracterizadas, principalmente desde 1960, y muchos descubrimientos han ocurrido desde 1970. La fórmula de la prostaglandina PGE1 es $C_{20}H_{34}O_5$, y las otras prostaglandinas tienen la misma fórmula o una muy parecida.

Cuando algún tejido está alterado o dañado, suelta prostaglandinas (Vane, 1971). Las prostaglandinas, especialmente PGE2 y PGF2-alfa, intervienen, con otras sustancias, en la inflamación del tejido –color rojo, hinchazón, dolor, sensibilidad y calor– resultado de un incremento en el flujo de sangre y el movimiento de los leucocitos, y otras células y sustancias, hacia la zona, en respuesta a las hormonas. Como veremos, al comparar los fármacos con las vitaminas en el capítulo 26, la función de las prostaglandinas en la inflamación es controlada, hasta cierto punto, por la aspirina. En 1978, Horrobin informó que la vitamina C inhibe la síntesis de PGE2 y PGF2-alfa, y así la vitamina también ejerce una considerable acción antiinflamatoria (Horrobin, 1978). Sin embargo, informó que mientras la aspirina inhibe la síntesis de PGE1, la vitamina C incrementa la cantidad sintetizada de ésta (Horrobin, Oka y Manku, 1979). La prostaglandina PGE1 interviene en la formación de linfocitos y juega un papel de gran importancia en la regulación de las respuestas de inmunidad. Por tanto, el efecto de la vitamina C en la estimulación de la producción de PGE1 es una forma adicional en que el consumo óptimo de vitamina C refuerza el sistema inmunológico y contribuye a mantener un mejor estado de salud.

13. EL RESFRIADO

La mayoría de la gente se resfría varias veces al año, generalmente en otoño, invierno y primavera. Cuando esto ocurre, por estar expuesto a los virus del resfriado, propagados por otras personas, los síntomas pueden ser: estornudos, escalofríos, irritación de la garganta, nariz fluyente o tapada, además de otros síntomas de la infección viral. Luego, a medida que se desarrolla el resfriado, el malestar puede durar dos o tres días. En este caso, es aconsejable permanecer en casa y descansar en cama; para su propio bienestar, y para evitar a su familia y colegas el riesgo de resfriarse. Tras una semana o diez días, generalmente, estará usted recuperado.

El tener uno o dos catarros por año no es agradable. Y, peor aún, el resfriado puede ir acompañado de graves complicaciones: bronquitis, sinusitis, otitis media, mastoiditis, meningitis, bronconeumonía o neumonía lobar, o bien la agravación de alguna otra enfermedad como, por ejemplo, la artritis, las enfermedades del riñón o del corazón.

El resfriado (coriza agudo) consiste en una inflamación del sistema respiratorio superior, causada por una infección con un virus.[1] Esta infección altera la fisiología de la membrana mucosa de la nariz, de los senos perinasales y de la garganta. El resfriado es más frecuente que todas las otras enfermedades juntas. Sin embargo, esta infección no se presenta en pequeñas comunidades aisladas; para ello, se necesita el contacto con portadores del virus venidos de fuera. Así, anteriormente, la isla noruega de Spitsbergen estaba aislada durante siete meses al año. Los 507 residentes del pueblo principal de la isla, Longyear, casi no padecían catarros durante el frío invierno; se consignaban sólo cuatro casos en tres meses. Luego, a las dos semanas de la llegada del primer barco, unos 200 residentes contraían un resfriado (Paul y Freese, 1933).

El estado de salud de una persona, y los factores ambientales, determinan, hasta cierto punto, si un catarro se desarrolla o no, tras la exposición al virus. El cansancio, el enfriamiento del cuerpo, el llevar ropa y zapatos mojados, y la presencia de sustancias irritantes en el aire, son tradicionalmente citados como preludios del resfriado. Sin embargo, algunos estudios experimentales indican que estos factores no tienen la importancia que se les atribuye (Andrewes, 1965; Debre y Celers, 1970, p. 539).

El período de incubación, entre la exposición y la aparición de los síntomas, es generalmente de dos o tres días. Los familiares primeros síntomas ya han sido enumerados en el primer párrafo de este capítulo. Dolor de cabeza, malestar general (una sensación indefinida de incomodidad o molestia), escalofríos (una sensación de frío, con un temblor convulsivo del cuerpo, cara cansada, piel pálida y labios morados), se manifiestan generalmente al progresar el resfriado. La temperatura puede subir ligeramente, pero no acostumbra a sobrepasar los 38,3 °C. Las membranas mucosas de la nariz y de la faringe se inflaman. Es posible que una de las fosas nasales, o ambas, estén tapadas por espesas secreciones, que la piel alrededor de la nariz se inflame y que se formen vesículas en los labios (causadas por el virus *Herpes simple*).

El tratamiento habitual del resfriado consiste en descansar en cama, beber zumos de fruta, o agua, ingerir una dieta sencilla y nutritiva, evitar que los irritantes –como el humo del tabaco– entren en el sistema respiratorio y, hasta cierto punto, aliviar los síntomas con aspirinas, fenacetina, antihistamínicos, y otros fármacos (véase el capítulo 26). A menudo, al cabo de unos días, unas bacterias invaden los tejidos de la nariz y de la garganta, debilitados ya por la infección viral. Esta infección secundaria puede producir secreciones purulentas. Además, la infección secundaria puede extenderse a los senos pe-

1. En el libro *The Common Cold* («El resfriado») (1965) sir Christopher Andrewes señala los numerosos virus que pueden causar un resfriado.

rinasales, al oído medio, a las amígdalas, a la faringe, a la laringe, a la tráquea, a los bronquios y a los pulmones, e incluso, como dijimos anteriormente, producir otras infecciones graves, como la mastoiditisis, la pulmonía y la meningitis. Así pues, el control del resfriado podría llegar a reducir la frecuencia de enfermedades más graves.

No todo el mundo corre el riesgo de contraer un resfriado. La mayoría de los investigadores han observado que una apreciable proporción de la población –del 6 al 10%– nunca se resfría. Este hecho justifica la esperanza de poder reducir significativamente el número de catarros, incrementando la resistencia individual a la infección viral. Es probable que la capacidad de dicho 6 a 10% de la población para evitar los resfriados resulte de su poder natural de resistencia. Como otras propiedades fisiológicas, la resistencia de los individuos ante una infección viral se puede probablemente representar con una curva distributiva más o menos en forma de campana. Este 6 a 10% de la población que resiste a los catarros corresponde, probablemente, a la parte inferior de la curva, a aquellas personas con mayor capacidad para resistir las infecciones virales. Si, de algún modo, se pudiese aumentar la resistencia natural de toda la población, un mayor porcentaje de ésta figuraría en la escala que corresponde a la resistencia completa a la infección, y nunca se resfriaría. Este argumento indica que un estudio de los factores que intervienen en la resistencia natural a las infecciones virales –como los factores nutricionales–, podría lograr una disminución significativa de la susceptibilidad al catarro de la población en su conjunto. Tomando en cuenta, además de esta posibilidad, que el resfriado desaparece en comunidades aisladas, como Spitsbergen, me siento nuevamente obligado a declarar que el fastidio y la amenaza del resfriado podrían extirparse por completo.

He hecho un cálculo aproximado de la importancia del resfriado, en términos monetarios. Supongamos que, debido a un fuerte ataque de catarro, la pérdida media de tiempo sea de siete días por persona y por año. Una persona que padece uno o varios resfriados al año, no iría a trabajar, quizá, o si lo hiciera, su eficacia disminuiría, o bien estaría tan enferma y a disgusto como para sentir que los siete días han sido desperdiciados. En todo caso, la pérdida de productividad y de ingresos para esta persona, durante los siete días del año en que está gravemente enferma, podría proporcionar una medida del daño causado por el resfriado. El ingreso personal del pueblo norteamericano es de unos tres billones de dólares por año (1985). Esta cantidad, dividida por cincuenta y dos, representa el ingreso semanal. Por tanto, se podría decir, justificadamente, que el daño causado por el catarro al pueblo de los Estados Unidos sería de unos sesenta mil millones de dólares anuales.[1]

Esto corresponde a una pérdida de ingresos, o su equivalente en

1. Fabricant y Conklin, en su libro *The Dangerous Cold*, 1965 («El resfriado peligroso»), presentaron una estimación menor, de unos cinco mil millones por año. El incremento es el resultado del crecimiento de la población y de la inflación.

bienestar, de 250 dólares por año y por persona. Podemos fácilmente comprender por qué la gente de Estados Unidos gasta cientos de dólares por año en medicamentos contra el resfriado, pese a su limitada eficacia.

Hace unos veinte años que sabemos que se puede evitar el catarro, o si se contrae, suprimir la mayoría de los síntomas desagradables con una ingestión adecuada de vitamina C. No hay por qué sentirse mal debido a un resfriado.

Sin embargo, en la literatura médica aún se declara que todavía no se ha encontrado un método eficaz para tratar el resfriado. Los diversos fármacos recetados o recomendados pueden lograr que el paciente se sienta más a gusto, aliviando los síntomas más desagradables, pero no tienen mucha influencia sobre la duración del catarro. El que los médicos no hayan encontrado una manera eficaz de evitar o tratar el catarro ha dado lugar a muchas bromas. El doctor dice al paciente: «Tiene usted un resfriado. No sé cómo tratarlo, pero si se convierte en pulmonía, venga a verme, porque la pulmonía sí la puedo curar.» Otra broma apareció en la primera edición de mi libro *Vitamin C and the Common Cold*, publicada en 1970. El doctor dice a su paciente: «Padece usted una sobredosis de vitamina C. Por tanto, le inyectaremos unos virus de resfriado para contrarrestarla.»

Muchísima gente me ha informado que su vida ha cambiado por haber leído mi libro. Mientras en años anteriores habían padecido muchos resfriados, la ingestión acrecentada de vitamina C les había proporcionado una completa protección contra esta enfermedad. Sin embargo, otra gente me informó que, a pesar de seguir mis recomendaciones, padecieron unos catarros casi tan graves como los anteriores. La investigación continua de este problema me llevó a concluir que los seres humanos, con su individualidad bioquímica, difieren bastante en cuanto a la cantidad de vitamina C que necesitan para protegerse contra el resfriado. Para algunos, alcanzar una realmente buena salud y protegerse contra los virus del catarro, requiere de dosis de vitamina C mucho mayores que las que recomendé en mi libro. Estoy convencido de que todo el mundo puede protegerse contra el resfriado o, si éste comienza a manifestarse, lograr que los síntomas no tengan la gravedad que alcanzarían de otra manera, ingiriendo la cantidad de vitamina C adecuada en su caso.

Una vez que haya usted determinado cuál es el consumo nutricional óptimo de vitamina C, observará que pasa la temporada de los resfriados sin contraer ninguno. De hecho, esta afirmación puede presentarse al revés. Si pasa usted la estación sin catarros, es probable que haya encontrado el consumo nutricional de vitamina C óptimo para usted.

Sin embargo, su mayor resistencia puede verse desbordada. Al sentir los primeros síntomas de un resfriado, debe incrementar inmediatamente su ingestión de vitamina C al nivel terapéutico. En mi caso, esto implica ingerir 1 g mínimo de vitamina C por hora, durante el día. Los síntomas del catarro desaparecen generalmente en seguida, y no reaparecen si se mantiene la dosis terapéutica durante todo el tiempo que hubiera durado el resfriado. El único malestar de este régimen podría ser algo de diarrea durante los primeros días.

Mi sencilla receta sigue siendo, claro está, una herejía para los nutriólogos ortodoxos y para la mayoría de los facultativos. Hace unos años, participé en el programa de televisión de David Frost, junto con un experto en nutrición, el doctor Frederick J. Stare, el «Gran nombre en la nutrición» de *Mademoiselle*. Stare y yo hicimos declaraciones bastante diferentes con relación a la vitamina C y su validez, y el programa de una hora ya llegaba al final. Finalmente, Stare dijo: «Yo sé que el método del doctor Pauling para prevenir el resfriado no sirve, porque lo probé y no funcionó.» Empecé a preguntarle cómo lo había probado, pero Frost intervino: «Caballeros, lo siento, pero se nos acabó el tiempo, y les agradezco su participación en mi programa.» Luego, cuando nos íbamos, Stare, volviéndose hacia mí, me dijo: «Claro, no usé las cantidades astronómicas que *usted* recomienda.»

Esta anécdota tiene relación con la razón por la cual, en conjunto, los médicos no han recomendado el uso de vitamina C a sus pacientes, para intentar prevenir el catarro y otras enfermedades. Como parte de su formación médica, los médicos aprenden que la dosificación de un fármaco recetado para un paciente debe determinarse y controlarse cuidadosamente; sin embargo, parece que les cuesta recordar que el mismo principio se aplica a las vitaminas. Probablemente, Stare hubiera evitado que progresara su catarro si hubiese ingerido la dosis «astronómica» que recomiendo.

Creo que, hasta cierto punto, todo catarro, toda enfermedad que padece una persona, daña su cuerpo permanentemente y disminuye su esperanza de vida. Con el consumo de vitamina C para evitar el resfriado, el proceso de envejecimiento podría ser más lento. Si se sigue el régimen que recomiendo en este libro, ésta es parte de la contribución para prolongar la vida y sobre todo los años de bienestar, en que verdaderamente se puede gozar de la vida.

Explicar la aparente contradicción entre las opiniones de los expertos en nutrición y mi propia experiencia, es sencillo. La vitamina C no protege mucho contra el catarro si se ingieren pequeñas dosis, pero es muy eficaz si se toman fuertes dosis. La mayoría de los estudios a los que se refiere el artículo de fondo del número de agosto de 1967 de la revista *Nutritional Reviews*, mencionado en el capítulo 3, implicaban la administración de pequeñas dosis de ácido ascórbico, generalmente 200 mg por día. Pero incluso dichos estudios indican que unas dosis tan pequeñas tienen cierto valor protector, no muy grande, contra el resfriado. La protección aumenta al incrementar la cantidad de vitamina C ingerida, y es casi total con 10 a 40 g por día, a partir del momento en que ataca el catarro.

La investigación sobre la vitamina C, en lo que se refiere al resfriado, empezó pocos años después de que ésta fuera identificada como ácido ascórbico. El doctor Roger Korbsch, del hospital St. Elisabeth en Oberhausen, Alemania, fue uno de los primeros en publicar un informe sobre ese tipo de estudios, en 1938. Debido a que, según unos informes, el ácido ascórbico se mostraba efectivo contra varias enfermedades, incluyendo la gastritis y las úlceras estomacales, él decidió probarlo en el tratamiento de la rinitis aguda y el resfriado. En 1936, observó que dosis orales de hasta 1 g por día sí eran útiles contra la rinorrea, la rinitis aguda, y la rinitis secundaria, así como contra las manifestaciones secundarias de dichas enfermedades, por ejemplo el dolor de cabeza. Entonces, observó que, con la inyección de 250 o 500 mg de ácido ascórbico, en el primer día de un resfriado, casi siempre desaparecía inmediatamente toda señal y todo síntoma del mismo, siendo a veces necesaria una inyección en el segundo día. Declaró que el ácido ascórbico era muy superior a los otros medicamentos antirresfriado, como el piramidón, y no era peligroso, ya que no se detectaban efectos secundarios de consideración, aun con dosis masivas.

Entonces, se efectuó un experimento en Alemania (Ertel, 1941), en el que 357 millones de dosis diarias de vitamina C se distribuyeron entre 3700000 mujeres embarazadas, madres lactantes, bebés lactantes y escolares. Ertel informó que en varios aspectos, los que habían tomado vitamina C gozaban de mejor salud que las poblaciones de control correspondientes. La única información cuantitativa que presentó fue que, en el caso de un grupo de escolares, para los cuales se tenían datos estadísticos válidos, las enfermedades por infecciones respiratorias disminuyeron en un 20% respecto al año anterior.

En 1942, Glazebrook y Thomson informaron sobre los resultados de un estudio, llevado a cabo en una institución que albergaba unos 1500 alumnos, cuya edad oscilaba entre los quince y los veinte años. La comida estaba mal preparada; se mantenía caliente durante un mínimo de dos horas antes de servirse. Se calculó que el consumo total de ácido ascórbico era de sólo 5 a 15 mg por estudiante y día. A algunos de los alumnos (335), se les administró más ácido ascórbico, 200 mg por día, durante seis meses; los alumnos restantes (1100) sirvieron de control. Los accesos de resfriados y amigdalitis entre los alumnos a quienes se administró ácido ascórbico fueron inferiores en el 14% a los que contrajeron los alumnos de control. La reducción en los casos graves de catarros o amigdalitis requiriendo admisión a la enfermería fue del 25% entre los alumnos que habían ingerido ácido ascórbico, comparado con los controles. Esta diferencia tiene un gran significado estadístico (probabilidad de sólo un 1% en una población uniforme). El promedio de días de hospitalización por infecciones (catarro, amigdalitis, reumatismo agudo, pulmonía) fue de 2,5 días entre los que recibían ácido ascórbico y de 5 días en el caso de los controles. Hubo 17 casos de pulmonía y 16 de reumatismo agudo entre los 1100 controles, y ninguno entre los 335 alumnos tratados con ácido ascórbico. La probabilidad de una gran diferencia, en dos muestras tomadas en una población uniforme, es tan pequeña (menos de 0,3%) que hay una clara indicación de la eficacia de la vitamina C para proteger contra estas graves enfermedades infecciosas, así como contra el catarro y la amigdalitis.

Un estudio que los detractores de mi receta de vitamina C hicieron famoso es el de Cowan, Diehl y Baker, citado en el capítulo 3. El principal resultado del estudio es que los alumnos que habían tomado el placebo perdieron un promedio de 1,6 días de escuela a causa de un resfriado, y los que habían tomado vitamina C en pequeñas dosis, 200 mg por día, sólo perdieron un promedio de 1,1 días, o sea 31 % menos. La probabilidad de que esta diferencia ocurriera en una población uniforme es sólo de 0,1 %, por tanto es muy posible que esta disminución en la cantidad de enfermedad se deba al ácido ascórbico.

En experimentos de este tipo, los mejores son aquellos en que los sujetos se dividen en dos grupos, al azar, administrándose la sustancia por experimentar (el ácido ascórbico) a los sujetos de un grupo, y un placebo (un material inactivo parecido a la sustancia estudiada: por ejemplo, se podría usar una cápsula con ácido cítrico como placebo) a los del otro grupo. En un experimento «ciego», los sujetos no saben si están o no recibiendo el placebo. A veces, se lleva a cabo un experimento «doblemente ciego», en que los investigadores que evalúan los efectos de la preparación y del placebo no saben qué sujetos recibieron la preparación y cuáles el placebo, hasta la conclusión del estudio, encargándose otra persona de esta información.

El doctor Ritzel, un médico a cargo del servicio médico del distrito escolar de Basilea, Suiza, informó en 1961 sobre los resultados del primer experimento doblemente ciego, cuidadosamente controlado, con una dosis mayor de ácido ascórbico, 1 000 mg. Llevó a cabo el estudio en un centro de esquí, con 279 muchachos, durante dos períodos de cinco a siete días. Las condiciones eran tales que la frecuencia de resfriados era suficientemente elevada (más o menos 20 %) para que los resultados obtenidos tuvieran un significado estadístico. Los sujetos tenían la misma edad (quince a diecisiete años) y su nutrición era similar durante la época escolar. De acuerdo con las reglas de este experimento, ni los participantes ni los médicos sabían quién recibía los comprimidos de 1 000 mg de ácido ascórbico y quién los comprimidos de placebo. Los comprimidos se distribuían cada mañana y eran ingeridos por los sujetos, bajo observación, de tal manera que no hubiera posibilidad de intercambio. Diariamente se examinaba a los sujetos para descubrir síntomas de resfriado y otras infecciones. Las verificaciones se basaban principalmente en síntomas subjetivos, apoyados parcialmente por observaciones objetivas (medición de la temperatura del cuerpo, inspección de los órganos respiratorios, auscultación de los pulmones, etc.). Aquellos sujetos que el primer día mostraban síntomas de catarro fueron excluidos de la investigación.

Al terminarse ésta, un grupo totalmente independiente de profesionales llevó a cabo la evaluación estadística de las observaciones; la identidad de quiénes habían ingerido ácido ascórbico y quiénes el placebo se mantuvo oculta, detrás de números de identificación. Los días de enfermedad por persona en el primer grupo representaron sólo un 39 % de los del segundo grupo; la cantidad de síntomas individuales por persona en el primer grupo llegó sólo a un 36 % de la del segundo. La evaluación estadística mostró que estas diferencias son significativas a un nivel de confianza de más del 99 %. Vemos que, en el estudio de Ritzel, los sujetos que tomaron vitamina C sólo tuvieron una tercera parte de las enfermedades padecidas por los sujetos de control.

En otro estudio realizado en una pista de esquí, con cuarenta y seis alumnos como sujetos, Bessel-Lorck (1959) observó que los que ingerían 1 g de vitamina C por día sólo padecían la mitad de las enfermedades del grupo que no ingería vitamina C.

Después de la publicación de mi *Vitamin C and the Common Cold*, se llevaron a cabo varios excelentes estudios doblemente ciegos. El primero, en Toronto, Canadá (Anderson, Reid y Beaton, 1972), abarcó a 407 sujetos que ingirieron ácido ascórbico (1 g por día, durante tres días, tan pronto como atacaba cualquier enfermedad) y otros 411 que recibieron un placebo muy parecido. El estudio duró cuatro meses. El número de días en que, individualmente, los sujetos del grupo con ácido ascórbico tenían que guardar cama fue inferior en un 30 % al del grupo que tomó el placebo, y los días no trabajados, por sujeto, fue inferior en un 33 %. Los autores mencionan que estas diferencias tienen un gran significado estadístico (nivel de confianza del 99,9 %).

En otro estudio, realizado bajo circunstancias bastante diferentes, participaron 112 soldados en entrenamiento en el norte del Canadá (Sabiston y Radomski, 1974). A la mitad de los sujetos se les administró 1 g de ácido ascórbico por día, durante las cuatro semanas que duró el estudio, y a la otra mitad se les administró un placebo. El promedio de días de enfermedad del primer grupo fue inferior en un 68 % al del segundo grupo.

La tasa de protección media alcanzada contra el resfriado que se observó en estos cuatro estudios, en los cuales se administró 1 o 2 g por día, fue del 48 %; o sea que los sujetos que ingirieron vitamina C enfermaron un 50 % menos, en promedio, que aquellos que ingirieron el comprimido inactivo.

Ya que los mellizos idénticos poseen, en principio, sistemas de inmunidad idénticos, son buenos sujetos para estudios de este tipo. Se conocen dos estudios, desafortunadamente imperfectos, donde se compara un mellizo que recibe un placebo con el otro que recibe vitamina C. Carr y sus colegas llevaron a cabo, en Australia, un estudio doblemente ciego de cien días, con noventa y cinco pares de mellizos idénticos, de edades comprendidas entre los catorce y los sesenta y cuatro años, con una media de veinticinco años, en el que uno del par ingirió un comprimido de 1 000 mg de vitamina C cada día y el otro un placebo muy parecido, todos los sujetos ingiriendo, además, un comprimido de 70 mg de vitamina C. Los resultados de este estudio se publicaron en tres artículos separados (Carr, Einstein et al., 1981a, 1981b; Martin, Carr et al., 1982). De los noventa y cinco pares, sin embargo, cincuenta y uno vivían juntos. En el caso de estos pares, hubo poca diferencia en el número de enfermedades entre el mellizo que ingería una elevada dosis de vitamina C y el otro. Creo que la explicación probable es que los mellizos que vivían juntos no se cuidaban de tomar sus propios comprimidos. Además, el estar expuesto de cerca al catarro del otro podía anular la protección que tuviera el mellizo que ingería la vitamina C. En el caso de los cuarenta y cuatro pares que vivían separados, el promedio de días de enfermedad fue de 6,32 para los mellizos con consumo elevado, y de 12,08 para los mellizos con bajo consumo, lo que corresponde a una tasa de protección del 48 % proporcionada por los 1 000 mg diarios de vitamina C adicionales.

En el otro estudio de mellizos, llevado a cabo por Miller et al. (1977, 1978), a cuarenta y cuatro pares de mellizos idénticos se les administraron 500, 750 y 1 000 mg de vitamina C por día, según la edad, o un placebo de almidón. Hubo poca diferencia en la frecuencia de enfermedades entre los mellizos que tomaban vitamina C y los otros. Todos estos pares de mellizos vivían juntos, con su familia, y también aquí pudo suceder que mezclaran sus comprimidos e intercambiaran sus infecciones.

Muchos otros médicos han informado que, según sus observaciones, la vitamina C parece ayudar a controlar el resfriado, así como otras enfermedades. En 1949, Scheunert llevó a cabo un estudio con 2 600 obreros en Leipzig. Informó que un consumo de 100 mg o 300 mg de vitamina C disminuía en un 75 % la frecuencia de enfermedades respiratorias y otras enfermedades. En 1953, Bartley, Kreb y O'Brien observaron que la duración media de los catarros en sujetos que carecían de ácido ascórbico era dos veces mayor que en los otros. En 1951, Fletcher y Fletcher declararon que unos suplementos de 50 mg y 100 mg de ácido ascórbico por día incrementaban la resistencia de los niños a las infecciones. Barnes (1961), Macon (1956) y Banks (1965) también dieron alguna importancia a la ingestión de pequeñas cantidades de ácido ascórbico. Marckwell (1947) declaró que había una posibilidad sobre dos de evitar el catarro si se ingería suficiente ácido ascórbico: 0,75 g de un golpe, y después 0,5 g cada tres o cuatro horas, continuando durante varios días, de ser necesario.

En el número de julio-agosto de 1967, de la revista *Facts*, apareció un artículo titulado «Why Organized Medicine Sneezes at the Common Cold» («Por qué la medicina organizada desprecia el catarro»)[1] escrito por el doctor Douglas Gildersleeve, aparentemente el seudónimo de un médico que temía las consecuencias de escribir herejías en una revista popular. El autor informó que él podría suprimir los síntomas del resfriado ingiriendo veinte o veinticinco veces más ácido ascórbico que los 200 mg por día utilizados por los investigadores, cuyos informes había leído. En estudios llevados a cabo sobre más de cuatrocientos casos de catarro en veinticinco personas, sobre todo pacientes suyos, observó que el tratamiento con grandes dosis de ácido ascórbico era eficaz en el 95 % de sus pacientes. El síntoma

1. Literalmente: «Por qué la medicina organizada estornuda ante el resfriado.» El término estornudar se utiliza aquí en el sentido de despreciar. *(N. de la t.)*

más fuerte del resfriado, la secreción nasal excesiva, desapareció totalmente con la ingestión del ácido ascórbico, y los otros síntomas –estornudos, tos, dolor de garganta, ronquera y dolor de cabeza–, si los había, casi no se notaban. Informó que ninguno de los sujetos padeció complicaciones bacterianas secundarias.

En este artículo, Gildersleeve relató que, en 1964, redactó un informe en que describía sus observaciones. Presentó este informe a once revistas profesionales distintas, y todas lo rechazaron. Uno de los redactores jefe le dijo que el publicar un tratamiento útil para el resfriado dañaría la revista. Señaló que, para existir, las revistas médicas dependen del apoyo de sus anunciantes, y que más del 25 % de los anuncios se referían a fármacos patentados para el alivio de los síntomas del resfriado, o para el tratamiento de las complicaciones de los resfriados.

Otro redactor le dijo que había rechazado el informe porque era incorrecto. Cuando Gildersleeve le pidió aclaraciones sobre esta afirmación, contestó: «Hace veinticinco años formé parte de un equipo de investigadores que estudiaba la vitamina C. Determinamos que el fármaco no era útil en el tratamiento del resfriado.» No se inmutó cuando Gildersleeve le dijo que la cantidad de ácido ascórbico utilizada en los primeros ensayos sólo representaba una vigésima parte del mínimo necesario para lograr resultados significativos.

Al explicar «por qué la medicina organizada desprecia el catarro», Gildersleeve concluyó: «... después de trabajar como investigador en este campo, opino que un tratamiento efectivo, una cura para el resfriado, está a nuestro alcance, que se le omite por el quebranto económico que causaría a los fabricantes farmacéuticos, a las revistas profesionales, y a los mismos médicos.»

Otros estudios se han referido al valor terapéutico de la vitamina C, no en la prevención, sino en el tratamiento del resfriado. Confirman la experiencia del seudónimo doctor Gildersleeve. En 1938, Ruskin informó sobre sus observaciones en el caso de más de mil pacientes a quienes había administrado una sola inyección, a veces dos, de 450 mg de ascorbato de calcio, de ser posible tan pronto como empezaba el resfriado. Observó que el 42 % de los pacientes se aliviaban completamente y el 48 % experimentaba una notable mejoría. Concluyó que «el ascorbato de calcio parece ser prácticamente un abortivo en el tratamiento del resfriado». Irwin Stone, en su libro *The Healing Factor: Vitamin C against Disease* («El factor curativo: la vitamina C contra las enfermedades») (1972), menciona otros informes bastante parecidos. Stone mismo recomendó ingerir de 1,5 a 2 g de ácido ascórbico, al aparecer los primeros síntomas de un resfriado, repitiendo la dosis a intervalos de veinte o treinta minutos, hasta la desaparición de los síntomas, lo que generalmente ocurre con la tercera dosis.

El médico Edmé Régnier, de Salem, Massachusetts, Estados Unidos, informó en 1968 que había descubierto la utilidad de administrar dosis elevadas de ácido ascórbico para la prevención y el tratamiento del catarro. Durante muchos años, desde los siete años de edad, había padecido ataques repetidos de inflamación del oído medio. Había intentado distintas maneras de controlar las infecciones, y, después de veinte años, había probado los bioflavonoides (de las frutas cítricas) y el ácido ascórbico. Este tratamiento le sirvió de algo, pero no de mucho. Decidió probar con mayor cantidad. Tras varios ensayos, observó que las manifestaciones graves y desagradables del resfriado y de la inflamación del oído medio que le acompañaba, podían evitarse con un consumo elevado de ácido ascórbico, y que éste solo era tan eficaz como la misma cantidad de ácido ascórbico más bioflavonoides. Entonces empezó un experimento con veintiún sujetos, utilizando ácido ascórbico solo, ácido ascórbico más bioflavonoides, bioflavonoides solos, o un placebo. El experimento duró cinco años. Al principio no se informó a los sujetos qué preparaciones ingerían, pero más tarde (durante el último año) fue imposible continuar con el estudio ciego, porque un paciente que padecía un resfriado en pleno desarrollo, se dio cuenta de que no se le administraba la vitamina C que lo hubiera podido evitar.

El tratamiento recomendado por Régnier consiste en administrar 600 mg de ácido ascórbico al aparecer los primeros síntomas de un resfriado (escozor en la garganta, secreción nasal, estornudos, escalofríos), siguiendo con 600 mg adicionales cada tres horas, o 200 mg cada hora, de ácido ascórbico. Al acostarse, la ingestión se incrementa a 750 mg. Esta dosis, que suma unos 4 g de ácido ascórbico por día, debe continuarse durante tres o cuatro días, reducirse a 400 mg cada tres horas durante varios días, y luego a 200 mg cada tres horas. Régnier señaló que de treinta y seis resfriados tratados con ácido ascórbico más bioflovonoides, treinta y uno abortaron y de cincuenta y cinco resfriados tratados sólo con ácido ascórbico, según la descripción anterior, cuarenta y cinco se cortaron. No tuvo éxito en el tratamiento del resfriado sólo con bioflavonoides o con un placebo.

Señaló –importante observación– que un resfriado aparentemente abortado con elevadas dosis de ácido ascórbico, podría reaparecer aun después de una semana o más, si la ingestión de ácido ascórbico se corta de golpe.

Cowan y Diehl comunicaron (1950) que incluso unos 3 g diarios durante tres días (2,66 g el primer y segundo días; 1,33 g el tercer día) no serían eficaces si se aplazaba el tratamiento hasta que el resfriado hubiera empezado. Un grupo de setenta y ocho médicos (Abbott et al., 1968) comunicó una ineficacia similar, con 3 g por día, una vez desarrollado el resfriado.

En un estudio llevado a cabo por el British Common Cold Research Unit en Gran Bretaña (Unidad Británica de Investigación sobre el resfriado) (Tyrrell et al., 1977), con 1 524 voluntarios escogidos entre trabajadores de plantas industriales en distintas partes de Inglaterra, cada sujeto recibió un frasco con diez comprimidos efervescentes. Algunos de los frascos contenían comprimidos de 1 000 mg de vitamina C, y otros contenían placebos. Se les dio instrucciones de tomar los comprimidos durante dos días y medio, al presentarse los primeros síntomas de un resfriado. La fracción que desarrolló un primer resfriado fue casi igual, 31,1 % para el grupo provisto de vitamina C y 33,2 % para el grupo provisto de placebo. No se esperaba ninguna diferencia, ya que los dos grupos seguían el mismo régimen hasta el desarrollo del primer resfriado.

No hubo diferencia en la duración de los resfriados. La ausencia de efecto, al tomar 10 g de vitamina C durante los primeros dos días y medio, indica que se deben ingerir dosis elevadas de vitamina C hasta que el resfriado haya sido controlado. Este resultado confirma la opinión de Régnier sobre la probable reaparición de los catarros abortados. Si no se corta totalmente el resfriado, el efecto de rebote que acarrea el dejar de tomar la vitamina C puede resultar en que el resfriado siga su curso completo.

En el estudio del Common Cold Research Unit se hizo una observación significativa. De los 101 sujetos masculinos que ingerían dosis de vitamina C y que contrajeron un primer resfriado durante los cuatro primeros meses del estudio, 23 tuvieron un segundo resfriado más tarde, mientras que de los 98 sujetos masculinos provistos de placebo, casi el doble, 43, desarrolló un segundo resfriado. Esta diferencia, casi del 100 %, tiene un alto significado estadístico. Los 10 g de vitamina C ingeridos para el primer resfriado pudieron tener un efecto de refuerzo del sistema de inmunidad, con una duración de un mes o dos. La diferencia en la frecuencia del segundo resfriado no se observó en las mujeres que participaron en el estudio, quizá porque la merma de vitamina C no es tan fuerte en las mujeres británicas como en los hombres.

En un segundo estudio llevado a cabo en Toronto, Canadá (Anderson et al., 1974), en el cual 2 349 voluntarios fueron divididos en ocho grupos, un grupo de 275 sujetos ingirió 4 g y un segundo, 8 g de vitamina C el primer día de un resfriado, sin ingestión regular en ninguno de los dos grupos. No hubo mejoría evidente en el primer grupo, pero los autores señalaron que la dosis terapéutica de 8 g se asoció a una enfermedad más benigna que la dosis terapéutica de 4 g. El efecto protector, medido en términos de disminución del número de días en que se registraron síntomas individuales, fue de más o menos 5 % en el caso de la dosis única de 4 g y de 20 % en el de la dosis de 8 g.

Asfora (1977) llevó a cabo el mejor estudio sobre los efectos terapéuticos de la vitamina C. Administró 30 g de vitamina C o un placebo a 133 sujetos (estudiantes de medicina, médicos y pacientes externos, en Pernambuco, Brasil), que declaraban tener un resfriado. La vitamina C fue administrada en forma de comprimidos efervescentes y se les dio instrucciones de tomar seis cada día (dos simultáneamente, tres veces al día) durante cinco días; el placebo consistía en comprimidos efervescentes similares. Algunos pacientes empezaron el tratamiento el primer día, otros el segundo y otros el tercer día del resfriado, según se indica en la tabla de la página siguiente.

El porcentaje de sujetos en cuyo caso se puede decir que el tratamiento falló completamente, pues desarrollaron infecciones bacterianas secundarias y estuvieron enfermos unos quince días, fue, en

RESULTADOS DE UN EXPERIMENTO CONTROLADO SOBRE EL VALOR TERAPÉUTICO DE 30 G DE VITAMINA C (6 G POR DÍA DURANTE CINCO DÍAS) EMPEZANDO EL PRIMER, SEGUNDO O TERCER DÍA DE UN RESFRIADO

	grupos			
	I	II	III	IV
Número de sujetos	45	30	17	41
Hombre / mujer	25/20	17/43	11/6	25/16
Día en que se empieza con la vitamina C	1	2	3	placebo
Proporción con complicaciones bacterianas	13 %	20 %	41 %	39 %
Promedio de días de enfermedad	3,6	5,4	9,0	> 5[1]
Con complicaciones	15,2	16,0	14,6	> 5[1]
Sin complicaciones	1,82	2,71	5,10	> 5[1]

1. No registrado.

promedio, del 13 % para los sujetos del primer día, 20 % para los del segundo día, y 41 % para los del tercer día (también 39 % para el grupo con placebo). Los demás sujetos de cada grupo, cuyos resfriados no se complicaron, presentaron un promedio de días de enfermedad de 1,82; 2,71 y 5,1 para los sujetos del primer, segundo y tercer día, respectivamente. Como vemos, una dosis de 6 g de vitamina C por día, empezando el primer o segundo día del resfriado, suprimió el resfriado de la mayoría de los sujetos de la investigación.

Ya hemos analizado unos treinta estudios publicados sobre la eficacia de la vitamina C ingerida en dosis diarias, para la prevención del desarrollo de un resfriado, o para la reducción de su gravedad. Algunos investigadores han comunicado que tanto la frecuencia como la gravedad de los resfriados disminuyen con vitamina C. Así, Ritzel, en su estudio sobre escolares que ingirieron 1 g de vitamina C por día, notó una disminución en la frecuencia (cantidad de resfriados por sujeto) de un 15 % y también una disminución del 19 % en la gravedad de los resfriados individuales (la cantidad de días de enfermedad por resfriado). Otros han observado sólo una pequeña disminución en la frecuencia. Anderson señaló que si hay pocos síntomas observables al principio de un resfriado es difícil decidir si el sujeto tiene o no un resfriado.

En la tabla de la página siguiente he señalado los resultados de dieciséis experimentos, que incluyen todos los que conozco y que cumplen con ciertas especificaciones. Una de ellas es que el ácido ascórbico se administre regularmente durante cierto período a unos sujetos no enfermos al principio del experimento, siendo éstos seleccionados al azar, en una población mayor. El estudio de Masek et al. (1972) no se incluye, porque los sujetos que ingirieron vitamina C eran trabajadores de una mina y los que tomaron un placebo trabajaban en otra mina, en donde las condiciones que afectaban la salud de

RESUMEN DE LOS RESULTADOS DE EXPERIMENTOS CONTROLADOS, SOBRE LA CANTIDAD DE ENFERMEDAD POR SUJETO, EN EL CASO DE SUJETOS QUE INGIEREN VITAMINA C EN RELACIÓN CON SUJETOS QUE TOMAN UN PLACEBO

estudio	cantidad de disminución de enfermedad, por persona (porcentaje)
Glazebrook & Thomson (1942)[1]	50
Cowan, Diehl, Baker (1942)[1]	31
Dahlberg, Engel, Rydin (1944)[1]	14
Franz, Sands, Heyl (1954)[1]	36
Anderson et al. (1975)[1]	25
Ritzel (1961)	63
Anderson, Reid, Beaton (1972)	32
Charleston, Clegg (1972)	58
Elliott (1973)	44
Anderson, Suranyi, Beaton (1974)	9
Coulehan et al. (1974)	30
Sabiston & Radomski (1974)	68
Karlowski et al. (1975)	21
Clegg & Macdonald (1975)	8
Pitt & Costrini (1979)	0
Carr et al. (1981)	48
Promedio	34

1. 70 a 200 mg por día, promedio 31 %: otros, mayor consumo, promedio 40 %.

los trabajadores podían ser mejores o peores. En todos los estudios –salvo uno–, a los sujetos de control se les administró un placebo, en comprimido o cápsula muy parecidos al comprimido o cápsula de vitamina C. La única excepción es la del estudio bien manejado y completo de Glazebrook y Thomson (1942), en el que el ácido ascórbico se añadió a la comida (cacao o leche) de una de las siete clases –o más– de niños, servidos en siete lugares distintos del comedor.

La suma de enfermedad observada en estos dieciséis experimentos controlados varía del 1 al 68 %, y no hay ninguna indicación clara de que un consumo de 1 000 o 2 000 mg por día proporcione mayor protección que 70 o 200 mg por día. Los estudios con las menores dosis y los mayores efectos protectores se llevaron a cabo entre soldados. En el estudio de Pitt y Costrini, los reclutas navales estaban en un cuartel en Carolina del Sur, Estados Unidos. No hubo ningún efecto protector contra el resfriado, pero sí un efecto protector significativo contra la pulmonía. El estudio de Sabiston y Radomski se llevó a cabo bajo condiciones más severas, con los soldados viviendo en tiendas en el norte del Canadá, y los resfriados por sujeto fueron tres veces más numerosos que en el caso del experimento de Carolina del Sur. Una posible explicación es que la dosis de vitamina C en las raciones de los reclutas navales en Carolina del Sur fue mucho mayor que la de las raciones de los soldados canadienses, proporcionando mayor protección a los primeros. Podría considerarse pertinente que en el estudio llevado a cabo en 1975 por Anderson, Beaton, Corey y Spero, con sujetos canadienses, el grado de protección fue del 25 %, aunque la ingestión de vitamina C suplementaria fue de sólo un comprimido de 500 mg por semana, igual a 70 mg por día. Se sabe que, en promedio, la ingestión de vitamina C con alimentos en Canadá es menor que en Estados Unidos.

Una de las razones principales por las cuales la mayoría de los experimentos controlados no surten mayor efecto profiláctico o terapéutico es que las dosis de vitamina C ingeridas son demasiado pequeñas. Es como si los médicos y nutriólogos siguieran el razonamiento, incorrecto, siguiente: si una pequeñísima dosis de vitamina C cura el escorbuto, ¿por qué se necesitan dosis astronómicas para curar el resfriado? Aun así, la media de los dieciséis valores de disminución de enfermedad por persona es del 34 %. En el caso de los cinco estudios en que sólo se administraron de 70 a 200 mg de ácido ascórbico por día, la media es del 31 %, y en el caso de los once en que se administró 1 g por día o más, es del 40 %. Podemos concluir que hasta una pequeña dosis adicional de vitamina C, 100 o 200 mg por día, vale mucho, y que un consumo mayor vale probablemente mucho más.[1]

Los experimentos que he revisado aquí no alcanzan las normas a que me refiero, no sólo porque se administró demasiado poca vitamina C, sino también porque no se ingirió la vitamina durante un período bastante largo, y porque no se tuvo en cuenta la individualidad bioquímica, distintas necesidades para distintas personas. El factor de la individualidad bioquímica se muestra claramente en la ilustración titulada «La vitamina C y la esquizofrenia» en el capítulo 10. La proporción de una cantidad estándar, o sea 1,76 g de vitamina C, ingerida, que es excretada en la orina en el curso de las seis horas siguientes, varía entre un 3 y un 30 %. La gente que representa esos extremos bien podría reaccionar de manera distinta a la vitamina C para controlar el resfriado.

El doctor Robert F. Cathcart, sobre cuyos trabajos hablaré más detenidamente en el próximo capítulo, tiene una larga experiencia en la administración de vitamina C a los pacientes con resfriados. Debido a sus observaciones sobre muchos miles de pacientes, ha concluido que las dosis de vitamina C necesarias para controlar una enfermedad viral dependen de la naturaleza de la enfermedad y de la naturaleza del paciente. En su informe de 1981, sugiere que no se

1. Aparte de los experimentos citados en este capítulo, se señalan otros en mi libro de 1976, *Vitamin C, the Common Cold, and the Flu* («La vitamina C, el resfriado y la gripe»). Aquí cito algunos: Anderson, Reid y Beaton, 1972; Anderson, Surayne y Beaton, 1974; Anderson, Beaton, Corey y Spero, 1975; Charleston y Clegg, 1972; Masek, Neradilova y Hejda, 1972; Elliott, 1973; Coulehan et al., 1974; Wilson, Loh y Foster, 1973; Karlowski et al., 1975; Franz, Sands y Heyl, 1956); Clegg y Macdonald, 1975; Carr et al., 1981, 1982; Miller et al., 1977, 1978. En el próximo capítulo se hace un resumen de los resultados.

puede curar un «resfriado de 100 g» tomando unos cuantos gramos de vitamina C.

La dosis adecuada de vitamina C necesaria para controlar una infección viral, según observó Cathcart, es aquella que está justo por debajo de la que causa diarrea.Un incremento en el consumo de vitamina C hasta alcanzar una dosis suficientemente elevada tiene, al principio, un efecto laxante. El margen de tolerancia intestinal varía, según el doctor Cathcart, de 4 a 15 g por veinticuatro horas, para la gente que goza de «ordinariamente buena salud», y mucho más, hasta más de 200 g por veinticuatro horas, cuando esta misma gente padece una enfermedad viral. El doctor Ewan Cameron hizo una observación parecida en el caso de pacientes cancerosos.

Ahora vemos cuán difícil es llevar a cabo un experimento adecuado sobre la vitamina C y el resfriado. La dosis debería determinarse en cada caso por el nivel de tolerancia intestinal. Es posible que se pudiera formular un placebo adecuado con un nivel límite de tolerancia intestinal, pero es evidente que no sería fácil llevar a cabo un experimento controlado con las elevadas dosis necesarias para una eficacia del 100%.

He recibido cientos de cartas de gente que declara que durante años no ha padecido resfriados tras empezar a ingerir 500 mg, 1 g, 3 g, 6 g o más de vitamina C por día. Sabemos que de un 6 a un 10% de la gente que nunca se resfría probablemente ingiere suficiente vitamina C en sus alimentos. Sería razonable pensar que otros 6 a 10% están suficientemente cercanos a esta resistencia, de manera que un suplemento de 500 mg por día los protegería; otro grupo podría requerir 1 000 mg por día, y otros aún más.

Creo que todo el mundo se puede proteger del resfriado. El contraer un resfriado y dejarlo seguir su curso es una señal de que no se está ingiriendo suficiente vitamina C.

Las pruebas actualmente disponibles me han convencido de que la vitamina C es preferible a los analgésicos, antihistamínicos, y otros fármacos peligrosos, que los proveedores de medicamentos contra el resfriado recomiendan como tratamiento. Cada día, cada hora incluso, los anuncios de radio y televisión alaban varias curas para el resfriado. Espero que, a medida que estén disponibles los resultados de nuevos experimentos, se llevará a cabo un amplio esfuerzo educativo sobre la vitamina C y el resfriado, por radio y televisión, incluyendo advertencias contra el uso de fármacos peligrosos, como los que ahora promueven el United States Public Health Service (Servicio de Sanidad Pública de los Estados Unidos), la American Cancer Society (Sociedad Norteamericana contra el Cáncer), la Heart Association (Asociación para el Corazón) y otras entidades, sobre el peligro de fumar.

14. LA GRIPE Y OTRAS ENFERMEDADES INFECCIOSAS

Pese a que a menudo la gente se autodiagnostica la gripe (influenza), ésta no es la misma enfermedad que el resfriado. Se parecen algunos de los síntomas y señales; por ejemplo, una mayor secreción nasal, pero la gripe es altamente contagiosa y potencialmente mortal. Como el resfriado, es causada por un virus. Sin embargo, los virus de la gripe no pertenecen a la misma familia que los del resfriado, y las manifestaciones de las dos enfermedades se diferencian en algunos aspectos importantes.

El período de incubación, en el caso de la gripe (el lapso entre la exposición al virus y la aparición de los síntomas), es corto, o sea de unos dos días. El ataque es generalmente repentino. Se manifiesta con escalofríos, fiebre, dolor de cabeza, lasitud y malestar general, pérdida del apetito, dolores musculares y, a veces, náusea, ocasionalmente con vómito. Se pueden presentar unos síntomas respiratorios, como el estornudo y la secreción nasal, pero, generalmente, son menos pronunciados que en el caso del resfriado. Puede haber tos, sin esputo, y ocasionalmente, ronquera. La fiebre dura habitualmente de dos a cuatro días. En los casos poco severos, la temperatura oscila entre 38,3 °C y 39,4 °C, y en los casos severos puede llegar hasta 40,6 °C.

El tratamiento consiste en reposo en la cama, incluso veinticuatro o cuarenta y ocho horas después de que la temperatura vuelve a ser normal. Se pueden administrar antibióticos para controlar las infecciones bacterianas. La dieta tiene que ser ligera y se deben beber unos tres, o tres litros y medio, diarios de agua y zumos de fruta. Casi todos los pacientes se recuperan, salvo en el caso de una pandemia, cuando una cepa particularmente virulenta contamina casi toda la población de uno o varios países.

La gripe es una vieja enfermedad. Hipócrates, en su libro *Epidemias*, describió una enfermedad que atacó Perintos, en Creta, alrededor de 400 a. de C., y esta descripción nos permite identificarla como gripe. Hay constancia de una epidemia de gripe en 1557-1558, y en 1580-1581 una pandemia se propagó por Europa. Hubo otras epidemias y pandemias en 1658, 1676, 1732-1733, 1837, 1889-1890, 1918-1919, 1933 y 1957, y otra, poco severa, en 1977-1978.

La pandemia más grave fue la de 1918-1919. Invadió el mundo entero, en tres oleadas sucesivas, de mayo a julio de 1918, de setiembre a diciembre de 1918, y de marzo a mayo de 1919. Se cree que se originó en España, y su nombre popular es gripe española (Collier, 1974). Estalló casi simultáneamente en todas las naciones europeas y si se extendió tan rápidamente se debió a los movimientos de tropas y a las condiciones de guerra. La primera ola no llegó a ciertas partes del mundo, como América del Sur, Australia y muchas islas del Atlántico y del Pacífico. La segunda ola, que fue la que causó el mayor número de muertes, se extendió sobre todo el mundo, salvo las islas de Santa Elena y Mauricio. Entre el 80 y el 90% de la población en la mayoría de los países contrajo la enfermedad y murieron unos veinte millones. Evidentemente, no se trataba de una gripe ordinaria, pues en 1918-1919 la mayoría de los muertos fueron jóvenes, mientras que, en los años anteriores y posteriores, la mayoría de los muertos por gripe eran ancianos.

Entre 1892 y 1918 se pensaba que la gripe era causada por un bacilo, llamado bacilo de Pfeiffer, que había sido aislado en el esputo y la sangre de los enfermos de gripe. Entonces, en 1918, el investigador francés Debré observó una similitud entre la reacción de inmunidad de unos pacientes que padecían gripe y la de unos aquejados de sarampión, una enfermedad viral, y concluyó que la gripe probablemente también era causada por un virus. Selter (1918), en Alemania; Nicolle y Lebailly (1918), en Túnez; y Durarric de la Rivière (1918), en Francia, señalaron inmediatamente que tenían pruebas de que esta sugerencia era correcta. La comprobación se logró haciendo pasar el esputo y la sangre infectada por un filtro, con poros tan finos que ninguna bacteria podría atravesarlos. Se observó que al introducir el líquido filtrado en las vías nasales de unos monos y de unos voluntarios humanos, éstos contraían la enfermedad y, por tanto, ésta fue imputada a un virus «filtrable», cuyas partículas son más pequeñas que las bacterias.

En 1933, los investigadores británicos Wilson Smith, Christopher Andrewes y Patrick Laidlaw lograron aislar cepas de virus de gripe, pudiendo así estudiar sus propiedades. En 1965, Andrewes publicó un informe sobre el procedimiento que habían seguido. Durante la epidemia de gripe de 1933, Andrewes y Smith, ambos del British National Institute for Medical Research (Instituto Nacional Británico para la Investigación Médica), estaban investigando dicha enfermedad, cuando Andrewes la contrajo. Smith le hizo gargarizar con agua salada y, con la solución de las gárgaras, intentó infectar conejos, cobayos, ratones, erizos, hámsters y monos, pero sin éxito. En ese mismo instituto, Laidlaw había logrado contagiar el moquillo de perro a hurones; observó que, después de introducir el agua de las gárgaras de Andrewes en la nariz de los hurones, éstos enfermaban de gripe. Más tarde, se logró contaminar la gripe a ratones.

De hecho, desde hacía tiempo existían pruebas que ciertas cepas de virus de gripe contagiaban a algunos animales, tanto como a los seres humanos. Algunas personas habían observado que, durante la epidemia de 1732, los caballos parecían padecer de la misma enfermedad que los humanos. Se ha demostrado que el virus que causó la pandemia de 1918-1919 es antigénicamente idéntico al de la gripe porcina. No se estudió el virus durante la pandemia misma, pues los métodos para hacerlo sólo se desarrollaron quince años más tarde. Sin embargo, en 1935 Andrewes demostró que, después de veinte años, la gente tenía, en la sangre, una alta concentración de anticuerpos contra el virus de la gripe porcina, mientras que los niños menores de doce años no los tenían. La conclusión evidente es que el virus de la gripe porcina se contagió a los niños en algún momento entre 1915 y 1923, probablemente en 1918-1919.

El resultado de algunos minuciosos estudios ha sido la clasificación de los virus de la gripe en varios tipos, cada uno con varias cepas. Los tipos son A (con subtipos A0, A1, A2), B y C. Todos los virus de gripe no humana son del tipo A. Una persona que se haya recuperado de una gripe causada por un determinado tipo de virus es inmune a éste durante un tiempo, pero no a los otros.

La inyección de una vacuna contra la gripe protege algo contra ésta. Para preparar la vacuna, se cría el virus en huevos con embriones (fértiles), se sustrae el fluido alantoico –que contiene la cepa de partículas de virus–, y se desactivan estas últimas por medio de un tratamiento con formaldehído. El virus desactivado ya no es contaminante; o sea, ya no puede estimular las células de un ser humano u otro anfitrión, para que produzca partículas adicionales de virus. Sin embargo, sí que puede funcionar como antígeno, de manera que el anfitrión produce moléculas de su anticuerpo específico. Este anticuerpo puede combinar con las partículas activas del virus y neutralizarlas, protegiendo a la persona inmunizada contra la enfermedad.

Las vacunas se fabrican generalmente con cepas prevalecientes en el país en ese momento. La inmunidad producida por la vacuna dura más o menos un año, después del cual se pueden administrar unas revacunaciones que alargan la protección durante más o menos otro año. Se estima que la protección proporcionada por la vacuna es efectiva en un 70 u 80%. Habitualmente, su fracaso es imputable a un contagio con una cepa distinta a la que se usó para fabricar las vacunas; parece que aparecen constantemente nuevas cepas. Se considera particularmente importante la protección parcial de una vacuna para los viejos y los aquejados de enfermedades crónicas.

La vacuna puede provocar efectos secundarios. La gente que tiene reacciones alérgicas a los huevos no debe vacunarse. En algunas personas se producen reacciones locales o sistémicas a la vacuna, pero son escasas las reacciones inmediatas que acarrean la muerte. Dados los posibles efectos secundarios, los médicos sugieren, en general, a sus pacientes que se vacunen sólo cuando haya una razón especial. La inminencia de una epidemia podría considerarse como una de dichas razones, sobre todo para personas que carecen de mecanismos naturales de protección, por edad o enfermedad, y para personas que, por su profesión, están particularmente expuestas, por ejemplo, las que trabajan en hospitales o clínicas.

La importancia de la gripe se hace evidente en un informe de Schmeck, de 1973, basado en datos, no publicados, del National Center for Health Statistics (Centro Nacional para Estadísticas sobre la Salud). En cuanto al impacto de las enfermedades sobre la salud, en 1971, la gripe y la pulmonía (a menudo una secuela de la gripe) ocuparon el primer lugar en cuanto al número de días en que se guardó cama (206 241 000); el segundo lo ocupaban las infecciones del sistema respiratorio superior (164 840 000); y las enfermedades cardíacas, el tercero (93 137 000). En cuanto a las muertes, las causadas por gripe y pulmonía ocupaban el cuarto lugar (56000), después de aquellas causadas por enfermedades del corazón (741000), cáncer (333000), y enfermedades cerebrovasculares (208000).

Nuestros propios mecanismos naturales de defensa constituyen la mejor protección contra la gripe. Aparentemente, durante la pandemia de 1918-1919, estos mecanismos de defensa protegieron más o menos a una sexta parte de la gente, probablemente aquellas personas cuyos mecanismos de defensa funcionaban con mayor eficacia.

Hay muchas pruebas –ya mencionadas con relación al resfriado– de que un elevado consumo de vitamina C mejora el funcionamiento de los mecanismos naturales de defensa, a tal grado que una mucho mayor proporción de la población resistiría el contagio. El consumo adecuado de vitamina C, más la vacuna, cuando ésta es indicada, debería evitar eficazmente una pandemia de gripe o una grave epidemia.

En 1976, se temió otra epidemia de gripe porcina, como la de 1918-1919, y el gobierno federal de los Estados Unidos destinó 165 millones de dólares para sufragar la preparación de vacunas, y muchos millones de personas fueron vacunadas. No se presentó la grave epidemia, y el programa se interrumpió, porque muchas personas sufrieron efectos secundarios. El peor de éstos fue el síndrome de Guillain-Barré, una neuritis caracterizada por debilidad muscular y alteraciones sensoriales en las extremidades.

Las medidas a tomar para prevenir, y tratar, la gripe con la ingestión de vitamina C son, básicamente, las mismas que para el resfriado. La mayoría de la gente debería empezar a ingerir regularmente 1 g o más por hora. Sin embargo, un elevado consumo de vitamina C no es pretexto para trabajar hasta el agotamiento. La persona que parece estar a punto de contraer un resfriado o una gripe debe acostarse, descansar unos días, tomar mucho líquido y vitamina C, para aumentar sus posibilidades de evitar una enfermedad grave. Si tiene fiebre durante más de un par de días, o si la fiebre es muy alta, no deje de llamar a su médico.

Un elevado consumo de vitamina C debería evitar desde un principio las infecciones bacterianas secundarias. De desarrollarse alguna, su médico la puede controlar con un régimen adecuado de antibióticos. Algunos médicos le inyectarán, incluso, grandes dosis de ascorbato de sodio.

Sería aconsejable que se vacunaran contra la gripe las personas con riesgos especiales; por ejemplo, aquellas que padecen enfermedades del corazón, del pulmón, del riñón y ciertas enfermedades metabólicas, así como los médicos, las enfermeras y otros más expuestos al virus de lo normal. También deberían ingerir vitamina C; los protegerá contra los efectos secundarios de la vacuna, así como contra la enfermedad.

Si se declara un ataque de gripe y la vitamina C no lo corta, se deberían seguir ingiriendo grandes dosis de vitamina. Así se reducirá la gravedad y la duración del ataque.

La vitamina C es eficaz en la prevención y tratamiento no sólo del resfriado y de la gripe, sino de otras enfermedades virales y de varias infecciones bacterianas. Su principal acción consiste en reforzar el mecanismo del sistema de inmunidad, según se vio en el capítulo 12. También puede tener un efecto directamente antiviral, «desactivando» de alguna manera el virus. Existen muy pocos fármacos eficaces contra las infecciones virales, por tanto, el valor de la acción antiviral de la vitamina C es particularmente importante. La mayoría de las infecciones bacterianas se pueden tratar eficazmente con los antibióticos adecuados u otros fármacos, pero la vitamina C también es importante como complemento de este tratamiento.

En 1935, el doctor Claus W. Jungeblut, que trabajaba en el College of Physicians and Surgeons (Facultad de Medicina y Cirugía) de la Universidad de Columbia, fue el primero en comunicar que la vitamina C –en concentraciones que se pueden alcanzar en el cuerpo humano gracias a un consumo elevado– «desactiva» el virus de la poliomielitis y destruye su capacidad de causar la parálisis. Él y otros investigadores mostraron que la vitamina «desactiva» el virus del herpes, el de la vaccinia, el de la hepatitis y otros (Stone, 1972, se refiere a los trabajos anteriores). Antes de su muerte, en 1976, Jungeblut ya pudo ver un interés y una actividad crecientes en el campo en el que fue pionero.

Murata y sus colegas también han estudiado el efecto antiviral de la vitamina C. Utilizando, como modelo, unos virus que contaminan bacterias, mostraron que un mecanismo de radical libre neutraliza estos virus.

La comunicación de Jungeblut alentó al doctor Fred R. Klenner, un médico de Reidsville, Carolina del Norte, Estados Unidos, a utilizar la vitamina C en el tratamiento de los pacientes afectados de poliomielitis, hepatitis, pulmonía viral y otras enfermedades (Klenner, 1948 y 1974). La dosis que sugiere para la hepatitis viral, por vía intravenosa, es de 400 a 600 mg por kg de peso, o sea, de 28 a 42 g para una persona de 70 kg, repetida cada ocho o doce horas; llegó a inyectar hasta el doble de esta dosis en el caso de varias enfermedades virales (Klenner, 1971, 1974).

Aparte de la acción antiviral de la vitamina C, muchos investigadores han señalado que el ascorbato «desactiva» las bacterias. Boissevin y Spillane (1937) llevaron a cabo uno de los primeros experimentos, mostrando que una concentración de 1 mg por dl, fácil de lograr en la sangre, evita el crecimiento de cultivos de bacterias de la tuberculosis. También se publicaron trabajos acerca de la eficacia del ascorbato para «desactivar» muchas otras bacterias y sus toxinas, incluyendo las de la difteria, el tétanos, el estafilococo y la disentería, así como las bacterias que causan la fiebre tifoidea, el tétanos y las infecciones por estafilococos (Stone se refiere a ello, 1972). Los mecanismos de la «desactivación» son aparentemente los mismos que los que funcionan contra los virus: un ataque por radicales libres, formados por ascorbato y oxígeno molecular, catalizados por iones de cobre (Ericsson y Lundbeck, 1955; Miller, 1969).

Klenner (1971), Mccormick (1952) y otros han comunicado el éxito considerable que obtuvieron al utilizar fuertes dosis de vitamina C en el tratamiento de varias infecciones bacterianas en los humanos. Hasta cierto punto, se podría atribuir este éxito a la «desactivación» directa de las bacterias, cuyos indicios se presentan en el capítulo 13; pero creo que se debe, sobre todo, a la acción de la vitamina, al incrementar la potencia de los mecanismos naturales de protección del cuerpo (Cameron y Pauling, 1973, 1974).

La hepatitis consiste en una inflamación del hígado, causada por infecciones o por agentes tóxicos. Generalmente, causa ictericia, un color amarillento de la piel y el blanco de los ojos, que proviene de un exceso de pigmentos biliares en la sangre. Algunas sustancias tóxicas, como el tetracloruro de carbono y varios fármacos, así como los metales pesados, pueden causar la hepatitis tóxica. La vitamina C puede ayudar a prevenirla gracias a su capacidad, de amplio espectro, de desintoxicar, por medio de la hidroxilación o la glucosilación, los compuestos orgánicos tóxicos y por medio de la combinación con metales pesados.

La hepatitis infecciosa puede ser causada por virus o bacterias, en general por virus introducidos por el agua o los alimentos contaminados con materia fecal. El tratamiento habitual consiste en guardar cama durante tres semanas o más. La hepatitis sérica (hepatitis de tipo B, hepatitis transfusional [o por inoculación] es causada por un virus distinto, el virus de la hepatitis B, y generalmente es transmitida al paciente a través de transfusiones de sangre, o del uso de agujas hipodérmicas, o de fresas de dentista no esterilizadas. El período de incubación es de uno a cinco meses. Los casos de hepatitis sérica se dan sobre todo entre la gente mayor. Es más grave que la hepatitis infecciosa; incluso en algunos estudios se menciona una tasa de mortalidad por esta enfermedad del 20%.

El doctor Fukumi Morishige, en el Japón, se interesó por la vitamina C, siendo todavía estudiante de medicina: su tesis trató de la eficacia de la vitamina C para acelerar la cicatrización de las heridas. Al convertirse en cirujano torácico y jefe de un hospital en Fukuoka, Japón, administró dosis moderadamente elevadas a unos pacientes operados, a quienes se les habían practicado transfusiones sanguíneas. Observó que estos pacientes no contraían hepatitis sérica, mientras que en los pacientes en condiciones parecidas, pero que no habían ingerido la vitamina suplementaria, la frecuencia de infección era del 7%. En 1978, él y Murata informaron sobre sus observaciones en cuanto a 1537 pacientes operados, que habían recibido transfusiones sanguíneas en el hospital Torikai, en Fukuoka, entre 1967 y 1976. De los 170 pacientes a quienes no se les administró vitamina C, o poca, 11 desarrollaron hepatitis –una frecuencia del 7%–, mientras que de los 1367 pacientes que ingirieron de 2 a 6 g de vitamina C por día, sólo tres casos se presentaron (ninguno del tipo B), una frecuencia de sólo 0,2%. Estas cifras indican que a 93 pacientes se les evitó el sufrimiento y el peligro de la hepatitis con vitamina C (Morishige y Murata, 1978).

Un elevado consumo de vitamina C protege el hígado de distintas maneras. Elimina las toxinas de las sustancias venenosas que podrían causar hepatitis tóxica. Por este mismo efecto, ayuda a prevenir el daño causado al hígado por fumar cigarrillos e ingerir demasiadas bebidas alcohólicas. Al aumentar la eficacia del sistema de inmunidad, ayuda a prevenir y controlar las infecciones virales y bacterianas del hígado.

El doctor Robert Fulton Cathcart III, de San Mateo, California, Estados Unidos, es el médico que posee mayor experiencia en cuanto a la vitamina C y las enfermedades virales.

Durante varios años, Cathcart había ejercido como cirujano ortopédico. En su especialidad operó muchos pacientes para implantarles prótesis de articulación coxofemoral, o sea, una bola de metal unida a un clavo que cabe dentro de la parte superior del fémur y reemplaza la parte redonda de dicho hueso. Austin Moore, un investigador inglés, inventó esta prótesis. Cathcart estaba preocupado pues la implantación había fracasado en muchos pacientes debido a la erosión de la cavidad cotiloidea de la cadera en la cual encaja la bola. Decidió investigar por qué no había tenido mayor éxito con la prótesis. Examinó muchos huesos de cadera, y observó que la bola en la parte superior del fémur no es esférica, sino esferoidal, y diseñó una nueva prótesis que se ajustara mejor a la forma del fémur. Hoy, ya se han implantado millares de prótesis Cathcart.

En 1971, poco después de la publicación de mi libro *Vitamin C and the Common Cold*, Cathcart me escribió, explicándome que, habiendo leído el libro y seguido mis recomendaciones, había logrado controlar las infecciones respiratorias y del oído medio que lo fastidiaban desde su niñez. Me dijo que una sola dosis de 8 g de vitamina C, ingerida al presentarse los primeros síntomas de un resfriado, bastaba, en general, para abortarlo, aunque a menudo fueran necesarias dosis adicionales.

La eficacia de la vitamina C lo impresionó tanto, que renunció a su práctica como cirujano ortopedista y se consagró a la medicina general, especializándose en el tratamiento de enfermedades infecciosas (Pauling, 1978). Ya en 1981 pudo publicar sus observaciones sobre 9000 pacientes tratados con fuertes dosis de vitamina C (Cathcart, 1981).

Cathcart establecía, para cada uno de sus pacientes, el nivel de tolerancia intestinal a la vitamina C (o sea, la cantidad de vitamina C ingerida, algo inferior a la que tiene un efecto laxante molesto). Observó que la vitamina C es más eficaz como complemento de la terapia convencional, de ser necesaria ésta, cuando la cantidad ingerida alcanza el nivel de tolerancia intestinal. Esta dosis varía según las personas, y también varía para la misma persona en diferentes ocasiones. Cathcart observó que el consumo al nivel de tolerancia intestinal es generalmente muy elevado en pacientes gravemente enfermos y disminuye a medida que mejora su salud. Le sorprendió que algunos pacientes gravemente enfermos tuvieran una tolerancia intestinal de hasta 200 g por día. Al cabo de unos días, a medida que se controlaba la enfermedad, el límite disminuía, hasta alcanzar niveles normales, o sea de 4 a 15 g diarios.

Así, después de establecer una norma para administrar la vitamina C a sus pacientes, de manera que responda a su individualidad bioquímica, Cathcart ha acumulado mucha experiencia en cuanto a este tratamiento ortomolecular para muchos tipos distintos de infecciones. Señala que la vitamina C tiene poca eficacia en casos de síntomas agudos, si no se alcanzan dosis del 80 o 90 % del nivel de tolerancia intestinal. También señaló que si, en algunos casos, no desaparecen totalmente los síntomas, hay, sin embargo, una supresión significativa, y que a menudo el alivio es completo y rápido.

Se sabe que muchas condiciones que producen tensión destruyen la vitamina C y por tanto provocan disminución de la vitamina en la sangre y los tejidos del cuerpo, si no es sustituida gracias a una elevada ingestión de la misma. Entre estas condiciones, podríamos mencionar las enfermedades infecciosas, el cáncer, las enfermedades del corazón, las intervenciones quirúrgicas, las lesiones, el fumar cigarrillos y la tensión emocional y mental. Stone llama el bajo nivel de vitamina C hipoascorbemia, y Cathcart lo llama escorbuto inducido o anascorbemia. Ésta, a menos de rectificarse, conduce a agravar la enfermedad padecida. Es posible que el mecanismo de incremento en morbilidad y mortalidad que se observa en hombres y mujeres tras la muerte de su cónyuge, se deba a la destrucción de vitamina C por una situación de tensión. Esto se podría explicar por la necesidad de ácido ascórbico adicional en las glándulas suprarrenales para fabricar la hormona relacionada con la tensión, la adrenalina, según se muestra en el capítulo 8.

Cathcart describió las posibles consecuencias de la anascorbemia inducida como sigue (1981):

> Es de esperar que se presenten los siguientes problemas, con mayor frecuencia, en cuanto se acentúa la merma de ascorbato: trastornos del sistema de inmunidad, tales como las infecciones secundarias, la artitris reumatoide y otras enfermedades relacionadas con el colágeno, reacciones alérgicas a los fármacos, los alimentos y otras sustancias; infecciones agudas y escarlatina; trastornos en los mecanismos de la coagulación de la sangre, como la hemorragia, ataques cardíacos, apoplejías, hemorroides y otras trombosis vasculares; incapacidad de responder adecuadamente a las tensiones debidas a la supresión de las funciones suprarrenales, como la flebitis y otros trastornos inflamatorios, asma y otras alergias; problemas debidos a la formación desorganizada del colágeno, como deficiencia en la capacidad de cicatrizar, cicatrización excesiva, úlceras de decúbito, varices, hernias, estrías (gravídicas u otras), arrugas, incluso el posible desgaste de los cartílagos o la degeneración de los discos vertebrales; funcionamiento deficiente del sistema nervioso, como malestar, disminución de la tolerancia al dolor, tendencia a padecer espasmos musculares e incluso trastornos mentales y senilidad; cáncer debido a la supresión del sistema inmunológico y a la no desintoxicación de los

carcinógenos, etc. Nótese que no digo que la merma de ascorbato sea la única causa de estos trastornos; pero señalo, eso sí, que los trastornos de estos sistemas seguramente predisponen a dichas enfermedades y que se sabe que estos sistemas dependen del ascorbato para su funcionamiento adecuado.

No sólo existe la probabilidad teórica de que estos tipos de complicaciones, relacionadas con las infecciones o las tensiones deriven de la merma ascórbica, sino que hubo una disminución evidente de las complicaciones previstas, en el caso de miles de pacientes tratados con dosis de tolerancia, ingeridas o inyectadas, de ascorbato. Médicos que tienen experiencia en el empleo del ascorbato, como Klenner (1949, 1971) y Kalokerinos (1974), comparten esta impresión de que hay una marcada disminución de dichos problemas.

La mononucleosis infecciosa (fiebre glandular) es una infección aguda que afecta sobre todo a los jóvenes, y a veces se convierte en epidemia en escuelas y universidades. Se caracteriza por una tumefacción de los nódulos linfáticos en todo el cuerpo y la aparición de linfocitos anormales en la sangre. Los pacientes, tras un período de incubación de cinco a quince días, presentan síntomas imprecisos como dolor de cabeza, fatiga, fiebre, escalofríos y malestar general. A veces, se producen infecciones de la garganta y lesiones en el hígado, causadas por una obstrucción de linfocitos, así como problemas con el bazo, el sistema nervioso, el corazón y otros órganos. A veces, la enfermedad sigue su curso y desaparece en un período de una a tres semanas, pero a menudo causa trastornos durante varios meses.

Cathcart comunicó su éxito en el tratamiento de la mononucleosis con fuertes dosis de vitamina C ingerida (véase la tabla en la página 131).

He aquí algunos de sus comentarios:

> La mononucleosis aguda ofrece un buen ejemplo, porque la diferencia en el curso de la enfermedad, con o sin el ascorbato, es obvia. Y porque se pueden obtener diagnósticos de laboratorio para comprobar que, efectivamente, se trata de mononucleosis. En muchos casos, las dosis de apoyo no son necesarias durante más de dos a tres semanas. El paciente mismo puede darse cuenta de la duración de su necesidad. Conseguí que patrulleros esquiadores estuvieran esquiando nuevamente en las pistas de montaña, al cabo de una semana, con instrucciones de llevar en sus mochilas gran cantidad de solución de ácido ascórbico. Con el ascorbato, los síntomas de la enfermedad se suprimían casi totalmente, aunque la infección básica no se hubiese resuelto completamente. Los nódulos linfáticos y el bazo se normalizaron rápidamente y el profundo malestar se alivió en pocos días. Se debe recalcar que las dosis de tolerancia deben mantenerse hasta que el paciente se sienta totalmente sano, si no, los síntomas reaparecen.

En los últimos años, se ha identificado una nueva enfermedad, el síndrome de inmunodeficiencia adquirida, generalmente conocida como SIDA. Aparentemente se trata de una enfermedad viral, transmitida principalmente por la materia fecal durante el contacto sexual, pero también a veces a través de transfusiones sanguíneas. Los pacientes son, en general, hombres y mujeres homosexuales promiscuos, pero también hay otros, incluyendo niños y bebés. Los pacientes desarrollan infecciones secundarias y una forma de cáncer, la sarcoma de Kaposi, enfermedad que a menudo es mortal.

El éxito obtenido con la vitamina C en el control de otras enfermedades virales sugiere que ésta se podría probar en el caso del SIDA. En los tres últimos años, el doctor Ewan Cameron, el doctor Robert Cathcart y yo lo hemos propuesto separadamente a las agrupaciones médicas apropiadas, sin que éstas se dieran por enteradas.

Se han publicado los resultados de un estudio al respecto. Cathcart (1984) examinó noventa enfermos de SIDA que habían solicitado atención médica de otros facultativos, y que además ingerían elevadas dosis de ascorbato, por iniciativa propia, y trató él también a doce enfermos de SIDA con elevadas dosis (50 a 200 g por día) de ascorbato, por vía oral e intravenosa. De sus limitadas observaciones ha concluido que la vitamina C suprime los síntomas de la enfermedad y puede reducir la frecuencia de las infecciones secundarias. Es evidente que se necesita experimentar más en esta línea.

La quimiotaxis de los fagocitos constituye una parte importante

DOSIS DE TOLERANCIA INTESTINAL HABITUALES (CATHCART)

condición	gramos por 24 horas	número de dosis por 24 horas
Normal	4-15	4
Resfriado poco severo	30-60	6-10
Resfriado severo	60-100	8-15
Gripe	100-150	8-20
ECHO, virus de Coxsackie	100-150	8-20
Mononucleosis	150-200+	12-25
Pulmonía viral	100-200+	12-25
Fiebre del heno, asma	15-50	4-8
Alergia ambiental y a los alimentos	0,5-50	4-8
Quemaduras, lesiones, cirugía	25-150	6-20
Ansiedad, ejercicios y otras tensiones poco severas	15-25	4-6
Cáncer	15-100	4-15
Espondilitis anquilosante	15-100	4-15
Síndrome de Reiter	15-60	4-10
Uveítis anterior aguda	30-100	4-15
Artritis reumatoide	15-100	4-15
Infecciones bacterianas	30-200+	10-25
Hepatitis infecciosa	30-100	6-15
Candidiasis	15-200+	6-25

del mecanismo de inmunidad (capítulo 12). La quimiocinesis es un movimiento acrecentado de las células, ya sea dirigido o al azar, en respuesta a un estímulo químico; la quimiotaxis es un aumento de este movimiento en la buena dirección, es decir, hacia el lugar donde son necesarias, como sería el foco de una infección. Los neutrófilos son los leucocitos que más responden quimiotácticamente (son los primeros en llegar a un foco inflamatorio, seguidos de otras células blancas fagocíticas).

Varían considerablemente las causas de la quimiotaxis anormal de los fagocitos (Gallin, 1981). Muchas de las anomalías genéticas responsables de ello son tan graves que aparecen estafilococos y otras infecciones, y problemas de la piel, durante los primeros días de vida, y la mayoría de esos recién nacidos no viven mucho tiempo. En algunas enfermedades, incluyendo la artritis reumatoide y el cáncer, el tejido enfermo libera en la sangre sustancias que interfieren la movilidad de los fagocitos.

Muchos investigadores han comunicado que un incremento en el consumo de vitamina C mejora la reacción quimitáctica de los fagocitos. Entre muchos ejemplos señalemos el de Anders (1981), que indicó que 1 g de vitamina C por día mejoraba la movilidad neutrófila, en el caso de niños con enfermedades granulomatosas crónicas. Se han comunicado mejorías similares en pacientes con asma y con tuberculosis. Patrone y Dallegri (1979) concluyeron que la «vitamina C representa la terapia específica de los defectos primarios de la función fagocítica para personas que padecen infecciones recurrentes».

El tema de la función fagocítica hace que nos apartemos aquí de las infecciones, para tratar las enfermedades genéticas. Los pacientes que padecen una enfermedad genética recesiva, conocida como la enfermedad de Chediak-Higashi, sufren frecuentes y severas infecciones piogénicas (que forman pus), como resultado de la reacción quimiotáctica anormal de los neutrófilos y otras células fagocíticas. Estas células se pueden mover gracias a la contracción de las fibrillas de actina-miosina (similares a las de los músculos) localizadas en el borde frontal de la célula. La buena locomoción de la célula se debe a su estructura, a su estabilización por medio de unas barritas, llamadas microtúbulos, que se extienden desde la región central a la periferia. La anomalía genética en la enfermedad de Chediak-Higashi implica una anomalía en la proteína tubulina, que, por agregación, forma los microtúbulos.

Hace diez años, se descubrió que la vitamina C incrementa la quimiotaxis neutrófila (Goetzl et al., 1974). Varios investigadores han señalado que un aumento en el consumo de vitamina C protege a los que padecen la enfermedad de Chediak-Higashi contra las infecciones, aunque no corrige la anomalía en las moléculas de tubulina (Boxer et al., 1976, 1979; Gallin et al., 1979). Este claro ejemplo del valor de la vitamina C en el control de las enfermedades infecciosas realza su importancia para el sistema inmunológico.

La enfermedad de Kartagener consiste en un trastorno recesivo genético poco común (más o menos un caso por cada treinta o cuarenta mil nacimientos) y una colección sorprendente de manifestaciones. Se caracteriza por una bronquitis crónica e infecciones de los senos perinasales y del oído medio, y una tendencia a padecer de dolores de cabeza crónicos. Los pacientes masculinos son estériles y sus espermatozoides son inmóviles. Muchos pacientes muestran transposición visceral, con el corazón a la derecha, y algunos o todos los órganos en posiciones inversas a la normal.

Estos hechos hacen que se pregunte uno cómo se determina la quiralidad a gran escala, en el cuerpo humano. ¿Por qué la mayoría de la gente tiene el corazón a la izquierda? ¿Qué falló en el caso de los pacientes con la enfermedad de Kartagener, que presentan una transposición visceral?

Al hablar de los aminoácidos derechos y zurdos, en el capítulo 9, se señaló que las proteínas del cuerpo humano están todas formadas por aminoácidos-L. Una de las maneras principales en que se doblan las cadenas polipéptidas (secuencia lineal de los residuos de aminoácidos) en las proteínas, es la hélice alfa. La preferencia de los residuos de aminoácidos-L requiere que la hélice alfa gire a la derecha, como un tornillo normal. El diámetro de un aminoácido es de más o menos una millonésima de un ser humano, pero un segmento de hélice alfa podría ser hasta cien veces mayor, llevando así el mensaje de preferencia por una u otra dirección a estructuras de más o menos una millonésima del diámetro del cuerpo.

En 1953, se descubrió otra forma de transmitir la quiralidad a estructuras mayores, cuando señalé que una molécula de proteína globular, formada probablemente por unos diez mil átomos, podría tener dos parches pegajosos en su superficie, mutuamente complementarios, que podrían hacer que la molécula combinara con otras similares, para producir una gran hélice con forma de tubo (Pauling, 1953). Estructuras de este tipo, en unidades como los microtúbulos, podrían transportar la quiralidad a través de una célula.

Normalmente, el espermatozoide nada utilizando su cola como propulsor, con un movimiento en espiral, como un sacacorchos. El sacacorchos (hélice) puede ser derecho o zurdo. Su quiralidad en un espermatozoide normal se determina por medio de pequeñas protuberancias, conocidas como brazos de dineína, que sobresalen de la cola hacia la derecha o hacia la izquierda. Estos brazos de dineína no existen en los espermatozoides de los pacientes con la enfermedad de Kartagener; por tanto, las colas no saben hacia dónde nadar y los pacientes son estériles (Afzelius, 1976).

De igual manera, los cilios en los bronquios son incapaces de pestañear para mantener limpios los bronquios y, por tanto, los pacientes son particularmente aptos a contraer bronquitis e infecciones relacionadas. La tendencia a padecer de dolores de cabeza crónicos puede derivar de un defecto de los cilios de la membrana epitelial que tapizan los ventrículos cerebrales y el canal de la espina dorsal.

No se conoce la naturaleza de las estructuras que determinan la quiralidad, colocando el corazón a la izquierda, pero es probable que se asemejen a los brazos de dineína de las colas de los espermatozoides. Su anomalía, en el caso de los pacientes aquejados de la enfermedad de Kartagener, probablemente deja al azar la colocación del corazón y otros órganos, de manera que la mitad presenta la transposición visceral.

En estos pacientes existe una quimiotaxis neutrófila anormal, relacionada con la anomalía de los microtúbulos. Existe la posibilidad de que su resistencia a las infecciones bacterianas se beneficiara con un consumo mayor de vitamina C, como sucede en el caso de los pacientes con la enfermedad de Chediak-Higashi; pero esto aún no ha sido demostrado.

Me ha asombrado, como ha sucedido con otras personas, el hecho que, en el último cuarto del siglo XX, se reconozca que una sola sustancia puede ser benéfica, sin importar de qué enfermedad se trata. La razón por la cual la vitamina C es una sustancia de este tipo, es que, al intervenir en muchas reacciones bioquímicas del cuerpo humano, refuerza la potencia de las defensas naturales del cuerpo y son estas defensas naturales las que mayormente nos permiten resistir la enfermedad. Nuestro cuerpo sólo puede combatir la enfermedad cuando tenemos en nuestros órganos y líquidos suficiente vitamina C para permitir que nuestros mecanismos naturales de protección operen eficazmente. Claro está, la cantidad necesaria es mucho mayor que la recomendada en el pasado por las autoridades médicas y nutricionales.

15. LAS HERIDAS Y SU CICATRIZACIÓN

Una herida es un daño al cuerpo, causado por medios físicos, que interrumpe la continuidad normal de la estructura del cuerpo. Los accidentes y las intervenciones quirúrgicas causan heridas. Las fracturas de huesos son heridas. En los Estados Unidos, las heridas son la causa de unos 150 millones de visitas médicas por año; unos 75 millones de personas sufren heridas, y se llevan a cabo unos 20 millones de intervenciones quirúrgicas por año. Estas cifras muestran que podría ser muy valioso cualquier factor que pudiera incrementar la rapidez de la cicatrización y disminuir el tiempo de hospitalización.

Hace mucho se observó que cuando un marinero padecía de escorbuto se abrían las cicatrices de viejas heridas que databan de veinte años. Parecería razonable recurrir a la vitamina C, por su intervención en la síntesis del colágeno (capítulo 9), ya que la cicatrización de una herida requiere que se genere y se deposite colágeno en el lugar de dicha herida. Murad y sus colegas –que demostraron que, en el caso de cultivos de tejidos abastecidos con vitamina C, la producción de colágeno aumentaba ocho veces– concluyeron su trabajo con la siguiente observación: «Las implicaciones clínicas de este estudio son apreciables. Durante años se ha reconocido la importancia del ascorbato en la cicatrización de las heridas. El ascorbato se concentra en los tejidos lesionados y se utiliza rápidamente durante la cicatrización. La resistencia de las heridas a la tracción y la frecuencia de la dehiscencia de los bordes de una herida quirúrgica tienen relación con los niveles de ascorbato. Ya que para proveerse de ascorbato los humanos dependen de fuentes alimenticias, son los ancianos y las personas enfermas o débiles –es decir, los que más a menudo reciben tratamiento quirúrgico– los que padecen de insuficiencia de esta sustancia. Dichos pacientes podrían necesitar dosis suplementarias de ascorbato para una óptima cicatrización de las heridas.»

Esta afirmación es buena, pero criticaré la última oración, que refleja el sorprendente y, a menudo, irracional conservadurismo del *establishment* médico en cuanto a su actitud hacia las vitaminas. ¿Por qué decir «podrían necesitar dosis suplementarias de ascorbato»? y ¿por qué referirse sólo a «personas enfermas» (los ancianos, los enfermos y los débiles)? La evidencia muestra claramente que toda persona necesita dosis suplementarias de ascorbato para una óptima cicatrización de las heridas.

Una herida experimental, en una persona que durante siete meses había ingerido una dieta sin vitamina C, no cicatrizó, y luego lo hizo normalmente cuando se le administró 1 g por día de vitamina, durante diez días (Lund y Crandon, 1941). Varios investigadores han comunicado que las heridas por intervenciones quirúrgicas no cicatrizan, en el caso de pacientes cuya concentración de ascorbato en el plasma sanguíneo es inferior a 2 mg por l, que corresponde a una ingestión de menos de 20 mg por día (Schwartz, 1970, presenta referencias en su análisis). A un paciente con hernia bilateral y con una concentración de sólo 0,9 mg por l de ascorbato, se le administraron 100 mg de ácido ascórbico por día, tras la intervención quirúrgica en un lado; tras la segunda intervención se le administraron 1 100 mg diarios. Las heridas de piel y de fascia, en el primer lado, cicatrizaron mal, mientras que las del segundo lado cicatrizaron bien, siendo la resistencia a la ruptura de tres a seis veces mayor que en el primer lado (Bartlett, Jones y Ryan, 1942).

En 1946, Bourne mostró que el tejido cicatricial en los cobayos era más resistente con un elevado consumo de vitamina C (véase el esquema en la página siguiente), y, en 1967, Collins et al. informaron que las heridas gingivales cicatrizaron en ocho días en el caso de cobayos que ingerían 20 mg de vitamina C por día; en doce días, en el caso de los que ingerían 2 mg; y en diecisiete días, en el caso de los que no ingerían vitamina suplementaria. Ringsdorf y Cheraskin (1983) comunicaron una disminución del 40 % en el tiempo de cicatrización de heridas gingivales normales, en voluntarios humanos, a quienes se les administró una dosis de 1 g por día de vitamina C. Estos autores concluyen, partiendo de su revisión de los informes publicados y de sus propios trabajos, que dosis diarias de 500 a 3 000 mg de vitamina C aceleran significativamente la cicatrización de las personas que se recuperan de una intervención quirúrgica, de úlceras de decúbito y de úlceras en las piernas causadas por anemia hemolítica.

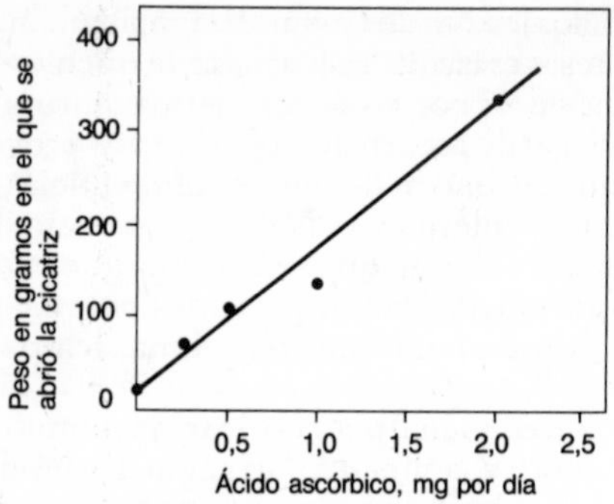

La vitamina C y el tejido cicatricial. *Un estudio de 1946 mostró que el tejido cicatricial, en el caso de cobayos, era mucho más resistente con una ingestión elevada de vitamina C. Los puntos en la gráfica muestran la resistencia del tejido cicatricial en cobayos a los que no se les había administrado vitamina C, o bien se había administrado 0,25 mg, 0,5 mg, 1 mg y 2 mg por día. Las cicatrices se habían formado durante un período de siete días después de efectuar las incisiones que tenían 6,4 mm de largo. El tejido cicatricial era cuatro veces más resistente con un consumo de 2 mg por día, que con 0,25 mg por día (Bourne, 1946). Wolfer, Farmer, Carroll y Manshardt (1947) comunicaron resultados similares, en seres humanos.*

Yo calculo que se podría reducir el tiempo de hospitalización en un promedio de dos días, con la administración adecuada de vitamina C suplementaria, no sólo porque refuerza el sistema de inmunidad, sino también porque acelera el proceso de cicatrización de las heridas quirúrgicas, de las fracturas de huesos, de las quemaduras, y de otras lesiones. Si consideramos que el costo medio de hospitalización es de 500 dólares por día en los Estados Unidos, el ahorro en el costo de la atención médica, para los cuarenta millones de casos de hospitalización corta, sería de unos veinte mil millones de dólares por año, al administrar de 1 a 20 g de vitamina C por día, sin contar los sufrimientos innecesarios que se ahorrarían millones de pacientes.

Es lamentable que la medicina organizada y muchos facultativos y cirujanos hagan caso omiso de esta forma de reducir el sufrimiento y de ahorrar dinero.

Muchos facultativos y cirujanos perjudican a sus pacientes, primero, al no actuar; segundo, cuando el paciente llega al hospital, se le impide a menudo ingerir la vitamina C suplementaria y otras vitaminas y minerales que acostumbra a ingerir, justo cuando le son más necesarios.

En la década de los treinta se reconoció el valor de la vitamina C en el estímulo de la cicatrización de heridas, a través de estudios con cobayos, y también que la necesidad de vitamina C para la síntesis del colágeno podría ser el mecanismo principal de esta acción. Recuerdo que en 1941 el doctor Thomas Addis recetó a todos sus pacientes vitaminas y minerales suplementarios. Treinta años más tarde pregunté a los médicos y cirujanos de las facultades de medicina y de los hospitales que visité, qué práctica seguían en cuanto a recetar vitamina C a sus pacientes. Un cirujano me dijo que recetaba 500 mg de vitamina C por día a todos sus pacientes, pero generalmente no obtuve respuesta, y concluí que se recetaba menos vitamina C en 1971 que en 1941. Creo que en los últimos años son más los facultativos y cirujanos que han empezado a recetar de modo habitual la vitamina C, pero no he conseguido información estadística al respecto. Sin embargo, es evidente, según me dicen los pacientes, que muchos facultativos y cirujanos ya reconocen el valor de la vitamina C suplementaria.

Si está usted herido, o tiene que someterse a una intervención quirúrgica, asegúrese de que se le administre la cantidad óptima de vitamina C.

Existen muchas observaciones según las cuales la vitamina C se concentra en el lugar de una herida y allí es destruida. Si al paciente no se le administran cantidades suplementarias de vitamina C, las concentraciones de la misma en el plasma, suero, sangre entera y células blancas, se reducen a niveles bajos. En su estudio con 287 pacientes de cirugía, Crandon et al. (1961) observaron que la concentración de vitamina C en los leucocitos, en las plaquetas (capa brillante) y en el plasma, disminuía en un 20% después de la cirugía. Otros investigadores (Coon, 1962; Irvin y Cattopandhyay, 1978; McGinn y Hamilton, 1978) han comunicado resultados similares. En el caso de 40 pacientes, Mukherjee, Som y Chatterjee (1982) observaron una elevada disminución en la concentración de ascorbato en el plasma y la sangre, o sea, más del 50% tras un trauma o una intervención quirúrgica, y un ligero aumento en la concentración del producto de oxidación, el ácido dehidroascórbico. Sayed, Roy y Acharya (1975) estudiaron 1434 pacientes, y observaron una disminución en la concentración de leucocitos, tras una intervención quirúrgica, en el 19% de los pacientes, cuyas heridas no se habían infectado, y de un 30% en aquellos cuyas heridas sí se habían infectado.

Hace tiempo, se observó que las úlceras pépticas se relacionan a la carencia de vitamina C (Ingalls y Warren, 1937; Portnoy y Wilkinson, 1938). En el estómago, los jugos gástricos son ácidos y corrosivos. Contienen enzimas, como la pepsina, para atacar las proteínas en los alimentos y, así, continuar el proceso de digestión, empezado en la boca al masticar, y al actuar las enzimas de la saliva. Como las paredes del estómago contienen proteínas, cabe la posibilidad de que los jugos gástricos las ataquen.

A veces, las estructuras protectoras se trastornan en algún punto y los jugos gástricos empiezan a atacar allí, causando una úlcera en el estómago (una úlcera gástrica) o en el intestino adyacente (úlcera duodenal). La formación de dichas úlceras puede ser iniciada por la aspirina, la cortisona, el cincofeno y otros fármacos, que a veces causan hemorragia gástrica.

Se han publicado muchos informes posteriores sobre la vitamina C y las úlceras, mostrando que un aumento en el consumo de la misma tiene un valor tanto profiláctico como terapéutico. Irwin Stone (1972) ha analizado los indicios, las pruebas, presentados al respecto en los estudios publicados.

Una úlcera por presión (úlcera de decúbito) es una úlcera que cubre una prominencia huesuda sobre la cual hace presión una cama, una silla de ruedas u otro objeto. Estas úlceras atormentan a los parapléjicos y a las personas debilitadas. Cuesta curarlas y a menudo necesitan un tratamiento quirúrgico.

En 1972, Burr y Rajan publicaron sus observaciones sobre noventa y un parapléjicos, y cuarenta y un sujetos de control (pacientes que no tenían úlceras de decúbito), dividiendo los parapléjicos y los sujetos de control en cuatro subgrupos respectivos (hombres y mujeres, fumadores y no fumadores). En cada uno de los ocho subgrupos, la concentración de vitamina C en los leucocitos era superior entre los del grupo de control que entre los pacientes con úlceras de decúbito. En cada una de las categorías la concentración era mucho menor entre los fumadores que entre los no fumadores.

En 1974, Taylor et al. comunicaron el resultado de un experimento «doblemente ciego» con veinte pacientes de cirugía con úlceras de decúbito. A diez de los sujetos, seleccionados al azar, se les administró 1 g de vitamina C por día, y a los otros diez, un placebo. Después de un mes hubo una disminución media del 84% en el área de la úlcera de presión, entre los pacientes que ingerían vitamina C –seis de ellos se curaron por completo–, y una disminución media del 43% entre los que ingerían placebos –tres de ellos se curaron por completo–. Los investigadores señalan que sus resultados tienen un elevado significado estadístico y muestran la aceleración de la cicatrización de las úlceras de decúbito con 1 g por día de vitamina C. Un consumo mayor debería ser todavía más efectivo.

Hace más de treinta años se informó que la vitamina C y otras vitaminas ingeridas en fuertes dosis eran muy eficaces en el tratamiento de las quemaduras (Brown, Farmer y Franks, 1948; Klasson, 1951; Yandell, 1951). Claro está, es razonable que la vitamina C ayude en el proceso de cicatrización, siendo necesaria para la síntesis de colágeno, uno de los principales componentes del tejido cicatricial y de la piel. Los investigadores administraban habitualmente unos 2 g de vitamina C por día, por vía oral o intravenosa, y, además, aplicaban sobre las quemaduras vendajes con una solución acuosa del 5 o 10% de la vitamina. También se les administraban otras vitaminas cada día: 20000 UI de vitamina A, 20 a 50 mg de vitamina B_1, 20 mg de vitamina B_2, 150 a 250 mg de niacina, 2000 UI de vitamina D, y 1 mg de vitamina K.

Se sabe que el tratamiento de las quemaduras con vitamina E, tanto por vía oral como en aplicación, da excelentes resultados (Shute y Taub, 1969). La vitamina E también es eficaz en la transformación de queloides (excrecencias duras e irregulares sobre la piel, a menudo como resultado de quemaduras) en piel de textura normal.

La vitamina C suplementaria es eficaz para prevenir y cicatrizar las úlceras gástricas, y para cicatrizar heridas y quemaduras. Se ha demostrado que hasta unas pequeñas dosis de 1 g tienen un efecto significativo. Se puede esperar que el consumo óptimo de varios gramos por día sea todavía más efectivo.

Pueden evitarse mucho sufrimiento y muchas muertes con el uso adecuado de vitamina C. Recuerdo que hace unos cincuenta años le pregunté a uno de mis alumnos posgraduados sobre la condición de su padre, que hacía poco se había sometido a una intervención quirúrgica abdominal. Me dijo que la salud de su padre se deterioraba (y de hecho murió poco después) porque las heridas causadas por la incisión quirúrgica no cicatrizaban. No cabe duda de que padecía de carencia de vitamina C. Lamento no haber sabido lo suficiente sobre la vitamina C en ese momento para poder sugerirle que se le administraran vitamina C y otras vitaminas. Ahora, cincuenta años más tarde, no hay excusa para no administrar fuertes dosis de vitamina C suplementaria a los pacientes quirúrgicos.

16. LA ACTIVIDAD MUSCULAR

La función de los músculos del cuerpo humano es trabajar, impulsados por la energía liberada por la oxidación de los alimentos, sobre todo de los hidratos de carbono y de las grasas. Al trabajar, el músculo se contrae, su longitud decrece y su anchura aumenta, de manera que su volumen es constante. La buena salud requiere una buena actividad muscular. El lector que ha llegado hasta aquí no debería sorprenderse al enterarse de que la vitamina C ayuda a mantener la integridad y el buen funcionamiento del tejido muscular.

El tejido muscular contiene del 20 al 30% de proteínas; y la proteína actomiosina, a su vez compuesta por dos proteínas fibrosas, actina y miosina, es el material contráctil del músculo. Ya se conoce el mecanismo molecular de la contracción muscular, gracias, sobre todo, al trabajo del biólogo inglés H. E. Huxley. El músculo consiste en moléculas de miosina, agregadas en forma de filamentos; las cabezas de las moléculas apuntan hacia direcciones opuestas. Las moléculas de actina están unidas a una placa, desde la cual se extienden hacia ambos lados. En un músculo extendido, las extremidades de los filamentos de actina apenas alcanzan las extremidades de los filamentos de miosina. La extremidad de la molécula de miosina es atraída hacia las regiones complementarias, sobre la superficie de las moléculas de actina, por medio de fuerzas interatómicas específicas y, como resultado, los filamentos de miosina, al contraerse el músculo, se deslizan a través de los canales entre los filamentos de actina y moléculas sucesivas de miosina, de una molécula de actina a otra.

Al contraerse, el músculo ha trabajado. Es necesario proveer energía para romper los enlaces entre las cabezas de las moléculas de miosina y las regiones complementarias de las moléculas de actina. Esta energía la proporciona la oxidación de los alimentos, sobre todo de las grasas. La oxidación se lleva a cabo dentro de las mitocondrias, que son pequeñas estructuras dentro de las células de los músculos y que participan en su metabolismo. La energía de la oxidación es utilizada para producir las moléculas de alto contenido de energía, el trifosfato de adenosina (ATP), a partir del difosfato de adenosina (ADP) y un ion de fosfato. Las moléculas de ATP se difunden en el músculo contraído y utilizan su energía para cambiar la estructura de las regiones complementarias de actina y miosina, de manera que ya no se atraen mutuamente, lo que permite al músculo relajarse en su posición extendida. Estas regiones revierten entonces a sus estructuras activas y el músculo está listo para contraerse nuevamente, cuando un impulso nervioso se lo ordene.

Una de las sustancias que participan en la actividad muscular es la carnitina. Ésta es una las muchas sustancias ortomoleculares en el cuerpo humano –sustancias habitualmente presentes y necesarias para la vida–. Sus moléculas son pequeñas; contienen sólo veinticinco átomos; su fórmula es $(CH_3)_3N + CH_2CH(OH)CH_2COO$. Dos científicos soviéticos, Gulewitsch y Krimberg, la descubrieron en 1905, cuando realizaban un estudio del músculo. Observaron que se presenta hasta un 1% de esta sustancia en el jugo de la carne roja, con un porcentaje ligeramente menor en la carne blanca, y le dieron el nombre de *carnis*, el término latín para «carne». Luego, se descubrió que se necesita carnitina para transportar las moléculas de grasa a las mitocondrias, donde se oxidan, para proveer la energía de la actividad muscular. Una molécula de carnitina, en el citoplasma fuera de la mitocondria, combina con una molécula de grasa y una molécula de la coenzima A, para formar un complejo que puede penetrar la pared de la mitocondria. Dentro de la mitocondria, el complejo libera la carnitina, capaz entonces de salir para repetir su acción transportadora, llevando más moléculas del combustible a la mitocondria.

La rapidez de la disponibilidad de las grasas, como combustible, depende de la cantidad de carnitina en el músculo. Por ello, la carnitina es una sustancia de gran importancia.

Varios alimentos, sobre todo la carne roja, nos proporcionan la carnitina. Esto podría explicar la reputación que tiene la carne roja de incrementar la fuerza muscular y por qué el extracto de carne de vaca, constituido por los componentes solubles del animal, fue una bebida popular durante un siglo (caldo de carne).

También podemos sintetizar la carnitina a partir de uno de los aminoácidos presentes en las cadenas polipéptidas de muchas proteínas en nuestro cuerpo, la lisina, que obtenemos en cantidad al digerir las proteínas de nuestros alimentos. Algunos estudios sobre animales han mostrado que éstos sintetizan la mayor parte de la carnitina a partir de la lisina, y que sólo obtienen una quinta parte de los alimentos que ingieren (Cederblad y Linstedt, 1976; Leibovitz,

1984). No se han llevado a cabo estudios similares en seres humanos, pero cabe la posibilidad de que mucha gente tendría mayor fuerza muscular al incrementar los niveles de carnitina.

Una mutación genética que resulta en la pérdida de la capacidad de transformar la lisina en carnitina ha sido señalada por Engel y Angelini (1973). Los pacientes están extremadamente fatigados y sus músculos son extraordinariamente débiles. La enfermedad de algunos pacientes ha sido controlada, con la administración de varios gramos diarios de carnitina-L (para referencias, véase Leibovitz, 1984).

En su libro sobre la carnitina, publicado en 1984, Brian Leibovitz examina los resultados de sus propios experimentos, y los de otros investigadores, sobre la eficacia de la carnitina suplementaria para reforzar el vigor y la salud, mejorar la actuación atlética y ayudar a conseguir una disminución de la obesidad. El consumo dietético de carnitina-L que recomienda es de 500 mg por día. También señala que existen pruebas de que la forma reflejo, la carnitina-D –que no se da en la naturaleza–, puede provocar algunas reacciones tóxicas. Sólo la forma L es eficaz para aumentar la fuerza muscular. Por tanto, sólo la mitad de una dosis de la mezcla D,L sería eficaz, y la otra mitad podría ser dañina. En el número de diciembre de 1984 de la revista *Prevention* he encontrado tres anuncios de carnitina-D,L, y ninguno de carnitina-L, pero Leibovitz menciona seis compañías que venden el isómero L puro.

Es posible que la dosis óptima de vitamina C, y de otras vitaminas y minerales, incremente la cantidad de carnitina-L, sintetizada a partir de la lisina, obviando así la necesidad de carnitina suplementaria. La transformación de la lisina en carnitina ocurre a través de cinco reacciones bioquímicas sucesivas, cada una catalizada por una enzima específica. De estas reacciones, la segunda y la quinta pasan por la hidroxilación, para la cual se necesita la vitamina C. Por tanto, la cantidad de carnitina fabricada en el cuerpo humano depende del consumo de vitamina C. Esto explica el hecho de que los marineros que padecían de escorbuto daban muestras de lasitud y debilidad muscular como primeros síntomas de su enfermedad, y que los pacientes de cáncer, debilitados, de Ewan Cameron, en el hospital Vale of Leven, dijeran: «Pero, doctor, me siento tan fuerte ahora», unos días después de haber empezado a ingerir sus dosis de 10 g de vitamina C por día.

El aminoácido metionina, la vitamina B_6 y el hierro son los otros nutrientes que intervienen en la transformación de la lisina en carnitina.

Hay fibras musculares en todo el cuerpo. Los leucocitos nadan a través de la contracción de sus fibrillas de actinamiosina. El corazón late por contracción muscular. La acción beneficiosa de la vitamina C para el corazón es el tema del próximo capítulo.

La debilidad muscular y el deterioro de las sustancias colagenosas en las articulaciones causan muchos dolores de riñones y de la parte inferior de la espalda. Casi todo el mundo padece ocasionalmente de dolores de riñones, a veces causados por llevar una carga demasiado pesada sobre los músculos de la espalda, y más o menos el 50 % de la gente mayor de sesenta años padece de molestias crónicas de la espalda. En el caso de un disco intervertebral roto, o de ciertas otras condiciones, hay que recurrir a la cirugía.

El examen anterior de la vitamina C, en relación con el colágeno y los músculos, sugiere que un consumo elevado de esta vitamina podría proporcionar, a menudo, una mejoría significativa en los problemas de la espalda. En 1964, el doctor James Greenwood, Jr., profesor jefe de la clínica de neurocirugía, en la Facultad de Medicina de la Baylor University, comunicó sus observaciones en cuanto al efecto que un aumento del consumo de ácido ascórbico tenía en preservar la integridad de los discos intervertebrales, y en prevenir trastornos de la espalda. Recomendó ingerir 500 mg diarios, incrementando dicha cantidad a 1 000 mg por día, de haber molestia o de prever un trabajo o un ejercicio arduo. Señaló que para la mayoría de los pacientes el dolor muscular causado por el ejercicio se redujo notablemente con estas dosis de ácido ascórbico, pero que, si se dejaba de ingerir la vitamina, recrudecía. Concluyó, habiendo observado más de quinientos casos, que «se puede decir con bastante seguridad que un porcentaje significativo de pacientes, con lesiones tempranas en los discos, pudieron evitar la intervención quirúrgica al ingerir fuertes dosis de vitamina C. Muchos de estos pacientes dejaron de ingerir la vitamina después de unos meses o años, y los síntomas reaparecieron. Algunos, claro está, tuvieron eventualmente que someterse a una intervención quirúrgica» (Greenwood, 1964). Cuando Greenwood me visitó en mi casa en California, me informó de que todavía cree que la vitamina C ayuda a controlar los trastornos de la espalda inferior. Un consumo mayor de los 500 o 1 000 mg que recomendó Greenwood al principio tienen todavía mayor eficacia.

17. EL CORAZÓN

La principal causa de muerte en los Estados Unidos la constituyen las enfermedades cardíacas (fiebre reumática, enfermedades reumáticas, hipertensoras e isquémicas del corazón, así como infartación aguda del miocardio); éstas son responsables del 48 % de las muertes, y de estas últimas, otro 10 % se debe a las enfermedades afines (ataques cardíacos, hipertensión, arteriosclerosis y otras enfermedades de las arterias, arteriolas y capilares). En 1986 habrán muerto más o menos 1 400 000 personas en los Estados Unidos por causa de dichas enfermedades. Yo creo que el índice de muertes por enfermedades del corazón podría disminuir de manera considerable, probablemente en un 50 %, con el uso adecuado de vitamina C y otros nutrientes.

No cabe duda de que las enfermedades cardíacas tienen que ver con la dieta. En 1976, en una sesión informativa de una comisión del Congreso estadounidense sobre la relación entre dieta y enfermedades, el doctor Theodore Cooper, el funcionario de más alta jerarquía en el campo de la salud (ministro adjunto de la Salud, en el Department of Health, Education and Welfare de los Estados Unidos), afirmó que: «Aunque los científicos aún no se han puesto de acuerdo sobre las relaciones causales, es cada vez más evidente y parece que hay acuerdo general sobre el hecho de que los tipos y cantidades de alimentos y bebidas que ingerimos, así como el estilo de vida habitual en nuestra generalmente próspera y sedentaria sociedad, podrían ser los factores principales relacionados con el cáncer, las enfermedades cardiovasculares y otras enfermedades crónicas.»

Hace unos treinta años, se reconoció que existe una correlación entre la frecuencia de las enfermedades del corazón y la cantidad de colesterol en la sangre. El colesterol es un lípido, soluble en grasas y aceites (liposoluble), cuya fórmula química es $C_{27}H_{46}O$. Es producido en todas las células de los animales, especialmente en el hígado, pero no se encuentra en las plantas. Los seres humanos sintetizan unos 3000 a 4000 mg por día, e ingieren una cantidad ligeramente menor con sus alimentos, sobre todo con los huevos y las grasas animales. El colesterol se encuentra en todos los tejidos del cuerpo humano, en particular en el cerebro y la médula espinal. La frecuencia de las enfermedades cardiovasculares aumenta cuando el porcentaje de colesterol en la sangre es elevado. Como se descubrió, cuando es así se producen depósitos de grasa en los vasos sanguíneos de todo el cuerpo, obstruyendo y reduciendo el flujo de sangre en ellos. Esta reducción del flujo puede provocar enfermedades del corazón y del sistema circulatorio. Las autoridades médicas recomendaron que la gente disminuya su consumo de grasas animales y de huevos. Durante veinte años no se registró ningún cambio en el índice de mortalidad por enfermedades cardiovasculares en los Estados Unidos. Ahora bien, desde 1970, este índice ha disminuido, pero no se sabe si es el resultado de un cambio en la dieta o si tiene alguna otra causa; quizá se deba al mayor consumo de vitamina C y otras vitaminas suplementarias desde esa fecha.

Algunos estudios posteriores mostraron que existen varias correlaciones entre las enfermedades cardiovasculares y los componentes de la sangre. La mayor parte del colesterol en la sangre no se encuentra en estado libre; está unido a las moléculas de ciertas proteínas de suero, afines a ciertas sustancias similares a las grasas, y forma, así, moléculas de lipoproteínas. Algunas de estas moléculas son de baja densidad: se conocen como lipoproteínas-beta, o lipoproteínas de baja densidad; y aquellas con alta densidad se conocen como lipoproteínas-alfa, o lipoproteínas de alta densidad. Ambos tipos de lipoproteínas se pueden separar, centrifugando una muestra de sangre en una ultracentrífuga y pueden medirse sendas cantidades. Durante muchos años, el énfasis se ha centrado en el colesterol de la lipoproteína de baja densidad o en el colesterol total, más fácil de medir, y generalmente se ha pasado por alto la lipoproteína de alta densidad. Últimamente se ha observado que la frecuencia de las enfermedades cardiovasculares tiende a aumentar, a medida que son más altas las cantidades totales de colesterol en la sangre, de lipoproteínas de baja densidad y de triglicéridos; y tiende a disminuir, según la cantidad de colesterol de las lipoproteínas de alta densidad. Estas relaciones se pueden comprender al observar las funciones de las lipoproteínas de baja y alta densidad. Las lipoproteínas de baja densidad transportan el colesterol a través de la red sanguínea, donde éste puede unirse a unas células y formar placas arterioscleróticas, mientras que las lipoproteínas de alta densidad recogen el colesterol y lo transportan a la vesícula biliar, donde se convierte en ácidos biliares, y luego es transportado, a través de los conductos biliares, a los intestinos, donde es eliminado.

La velocidad con que se sintetiza el colesterol en el hígado (a partir del acetato y otros precursores), la velocidad con que se obtiene de los alimentos, la rapidez con que se transforma en ácidos biliares y es excretado a los intestinos, y la velocidad con que los ácidos biliares son reabsorbidos en la parte inferior del intestino y transformados nuevamente en colesterol, determinan la cantidad de colesterol presente en la sangre y en los tejidos. Se establece un equilibrio entre la rapidez de destrucción (transformación en ácidos biliares) y las otras tres velocidades. El genotipo del individuo, la naturaleza de su dieta y otros factores afectan estas velocidades.

Es claro que sería posible cambiar el nivel de estabilidad en la sangre, variando cualquiera de estas cuatro velocidades. En 1984, el National Heart Institute (Instituto Nacional para el Corazón) completó un interesante estudio de este tipo utilizando un fármaco, la resina colestiramina. Esta resina es una sustancia artificial macromolecular (formada por moléculas muy grandes) insoluble en agua y que después de ser ingerida es retenida en las heces y luego eliminada. Tiene la propiedad de combinarse con los ácidos biliares y así impedir que éstos sean reabsorbidos en la sangre y transformados nuevamente en colesterol. De esta forma, su ingestión permite disminuir ligeramente la cantidad de colesterol en el cuerpo.

Dicho estudio, que duró diez años, costó ciento cincuenta millones de dólares. Creo que valió la pena que el National Heart Institute gastara dicha suma, pues se obtuvo un resultado concreto al permitir conocer cuál era el beneficio que podría esperarse impidiendo la reabsorción de los ácidos biliares en la parte inferior del intestino. Comparado con el costo del tratamiento médico para los pacientes aquejados de enfermedades cardíacas, o sea cien mil millones de dólares anuales, en Estados Unidos, el costo de la investigación fue insignificante.

Los 1 900 pacientes que ingirieron colestiramina, y que fueron seleccionados al azar entre los 3 800 hombres que participaron en el experimento, debían ingerir cada uno una cucharada (4 g) de gránulos de la resina, seis veces al día. Los 1 900 sujetos de control en este experimento «doblemente ciego» debían ingerir la misma cantidad, 24 g diarios, de otra resina, que no combinaba con los ácidos biliares.

En ambos grupos sólo llegaron a ingerirse dos tercios de las dosis, es decir, una media de 16 g de resina por día. No me sorprende que cumplieran tan mal: es una molestia tomar una cucharada de gránulos seis veces al día, durante años, sobre todo cuando, ocasionalmente, se presentan efectos secundarios, como constipación, diarrea y náusea.

La conclusión principal del estudio fue que en los sujetos que ingirieron colestiramina el colesterol total en la sangre disminuyó en una media de un 8,5 % comparado al de los sujetos de control, y el índice de mortalidad por enfermedades cardíacas se redujo en un 25 %. La investigación sobre el efecto de la resina colestiramina nos proporciona lo que parece ser una estimación fiable del efecto de la reducción del colesterol de la sangre. En este estudio se observó que el porcentaje de disminución en el índice de mortalidad por enfermedades cardíacas era tres veces el porcentaje de disminución del nivel de colesterol.

En 1984, un grupo de expertos, convocados por los National Institutes of Health (NIH) (Institutos Nacionales de Salud de los Estados Unidos), publicó un informe recomendando, entre otras cosas, que los adultos mayores de treinta años, cuyos niveles de colesterol total fueran de 240 mg por dl o más, los adultos más jóvenes, por encima de los 220 mg por dl, y los niños, por encima de los 185 mg por dl, tomaran medidas para reducir este nivel, cambiando la dieta o ingiriendo fármacos reductores del colesterol. Los fármacos pueden provocar efectos secundarios graves y el valor de un cambio de dieta es limitado.

Dichos expertos recomendaron disminuir la ración de huevos y grasas animales en la dieta, hasta alcanzar una ingestión diaria de colesterol de sólo 250 a 300 mg. En el informe de 1977 sobre «Los objetivos dietéticos para los Estados Unidos», preparado por los miembros del Select Committee on Nutrition and Human Needs, U.S. Senate (con el senador George McGovern como presidente), uno de los seis objetivos dietéticos también fue de «reducir el consumo de colesterol a unos 300 mg por día». Sin embargo, desde 1970, gracias al costosísimo estudio de Framingham sobre la dieta, en relación con las enfermedades cardíacas, se sabe que el nivel de colesterol en la sangre no se reduce limitando la ingestión de colesterol. En este experimento, hombres y mujeres ingirieron 702 y 492 mg de colesterol por día, respectivamente (un huevo proporciona unos 200 mg). Se observó que para los hombres y las mujeres que consumían más colesterol de lo normal, las concentraciones medias en el suero eran de 237 y 245 mg por dl, respectivamente, y, para los hombres y mujeres que ingerían menos colesterol de lo normal, de 237 y 241 mg por dl, o sea que fueron casi iguales. Por tanto, la reducción en el consumo de colesterol no afecta su concentración en la sangre. La explicación de este resultado tan sorprendente es que los seres humanos, claro está, sintetizan el colesterol en sus propias células, en cantidades de unos 3 000 o 4 000 mg por día, y existe un mecanismo de retroalimentación que disminuye el ritmo de la síntesis de la sustancia cuando se incrementa su ingestión. Es lamentable que el comité del senador McGovern y el grupo de expertos de los NIH proporcionen al pueblo norteamericano información y consejos que no son fidedignos, tendiendo a privarlo de una razonable cantidad de alimentos tan sanos como los huevos, la carne y la mantequilla.

Como vimos en el capítulo 6, cuesta deshacerse de la idea que equipara grasa en los alimentos con el colesterol en las vías sanguíneas. En la última década se ha hecho más y más evidente que había fallado la gran esperanza de hace treinta años, de poder controlar las enfermedades cardíacas, limitando el consumo de grasas saturadas (como las de la carne o la mantequilla) y de colesterol (en la carne y los huevos), y aumentando la ingestión de grasas insaturadas, particularmente las poliinsaturadas (la margarina y ciertos aceites vegetales). En 1977, el doctor George V. Mann, de la Facultad de Medicina de la Universidad de Vanderbilt, publicó en el *New England Journal of Medicine* un escrupuloso análisis de las pruebas existentes. En el primer párrafo escribe que: «Las fundaciones, los científicos y los medios de comunicación, tanto científicos como profanos, han promovido dietas de bajo contenido en grasas y colesterol y de alto contenido en grasas poliinsaturadas, y, sin embargo, la epidemia sigue latente, la colesterolemia en la población no ha cambiado, y los médicos clínicos no están convencidos de la eficacia... No obstante, la industria aceitera y la de productos para untar en el pan anuncian sus productos con afirmaciones y promesas que hacen que estos alimentos parezcan medicamentos. Es inquietante la vibrante seguridad de los científicos que pretenden ser expertos en estos campos.» Menciona que en la década de los cincuenta, los entusiastas de las dietas para el corazón presionaron a los médicos, quienes «estaban abrumados por este asalto, tanto en sus salas de espera como en las revistas profesionales. Una dieta baja en grasas y en colesterol se volvió tan automática en los consejos que daban con su tratamiento, como una cortés despedida».

En su artículo de 1976, «Is it True What They Say About Cholesterol?» («¿Es cierto lo que se dice acerca del colesterol?»), el doctor Mark D. Altschule analizó la hipótesis según la cual la ingestión de alimentos como los huevos, que contienen colesterol, aumenta el riesgo de enfermarse del corazón. Dijo que: «Actualmente, una impresionante serie de agencias poderosas, públicas y privadas, lanzan afirmaciones que sostienen o insinúan su veracidad.» Entonces analizó diez experimentos clínicos que se llevaron a cabo en Estados Unidos, Inglaterra y Escandinavia, y cuyas observaciones se publicaron entre 1965 y 1972. En la mayoría de éstas no se pudo demostrar que un cambio en la cantidad de colesterol ingerida en la dieta tuviera un efecto significativo en la frecuencia de las enfermedades cardiovasculares.

Estos resultados y otros similares llevaron a Mann y otros investigadores a concluir que el énfasis en la ingestión de grasas y colesterol en los últimos treinta años ha estado mal orientado y no ha sido nada provechoso. Ya se está despejando el camino para que se reconozcan los trabajos decisivos de John Yudkin y de aquellos que han complementado su demostración (capítulo 6), afirmando que el aumento en el consumo de la sucrosa del azúcar es la responsable de la pandemia de enfermedades cardiovasculares en los países ricos e industrializados del mundo.

Además de reducir la sucrosa en la dieta, todos podemos tomar otra medida para reducir el riesgo de enfermar del corazón debido a un alto nivel de colesterol en la sangre: ingerir suplementos de vitamina C. Un aumento en el consumo de vitamina C disminuye el colesterol total, el colesterol de las lipoproteínas de baja densidad y los triglicéridos y aumenta el colesterol de las proteínas de alta densidad; en todas estas formas, ayuda a proteger contra las enfermedades cardíacas.

La vitamina C regula el colesterol total de diversas maneras. En Checoslovaquia, Ginter (1973) demostró que un elevado consumo de vitamina incrementa la rapidez con que el colesterol es eliminado, convirtiéndose en ácidos biliares, que se excretan con la bilis hacia el intestino (Turley, West y Horton, 1976, proporcionan muchas otras referencias al respecto). Esta transformación comprende reacciones de hidroxilación para las cuales se necesita generalmente el ascorbato. Una buena dosis de vitamina C, antes de desayunar, puede actuar como laxante y acelerar la eliminación de las materias de desecho en el intestino, disminuyendo así la reabsorción de los ácidos biliares y, de nuevo, su transformación en colesterol. Probablemente, una dieta con alto contenido de fibras también sea útil, pues su efecto es similar.

Hace mucho que se descubrió (Barr, Russ y Eder, 1951) que un alto nivel de lipoproteínas de alta densidad ayuda a prevenir las enfermedades cardiovasculares, y muchos estudios recientes lo han confirmado, tales como el estudio sobre el corazón, de Tromso, en Noruega (Miller et al., 1977) y uno en Hawai (Rhoads, Gullrandsen y Kagan, 1976). En varios experimentos recientes se ha confirmado que un incremento en el consumo de vitamina C aumenta el nivel de lipoproteínas de alta densidad (Bates, Mandal y Cole, 1977; Harte et al., 1984; Glover, Koh y Trout, 1984).

En 1947, en un estudio que llevó a cabo I. A. Myasnikova comunicó que las concentraciones de colesterol en el suero sanguíneo de los seres humanos con alto nivel de colesterol pueden disminuirse aumentando la ingestión de vitamina C. Ginter observó, en un estudio con pacientes cuyo nivel medio inicial de colesterol en el plasma era de 263 mg por dl, que una dosis de 1 g de vitamina C por día lograba, al cabo de tres meses, una disminución media del 10 % de este nivel y del 40 % de triglicéridos (Ginter, 1977). En un estudio de pacientes cuyos niveles de colesterol medio inicial era de 312 mg por dl, y a quienes se les administraron 3 g de vitamina C durante tres semanas, la disminución en el nivel de colesterol fue del 18 %, y el de los triglicéridos, del 12 % (Fidanza, Audisio y Mastrovacovo, 1982).

Sin embargo, se observan pocos cambios en hombres y mujeres con niveles normalmente bajos de colesterol, de 132 a 176 mg por dl,

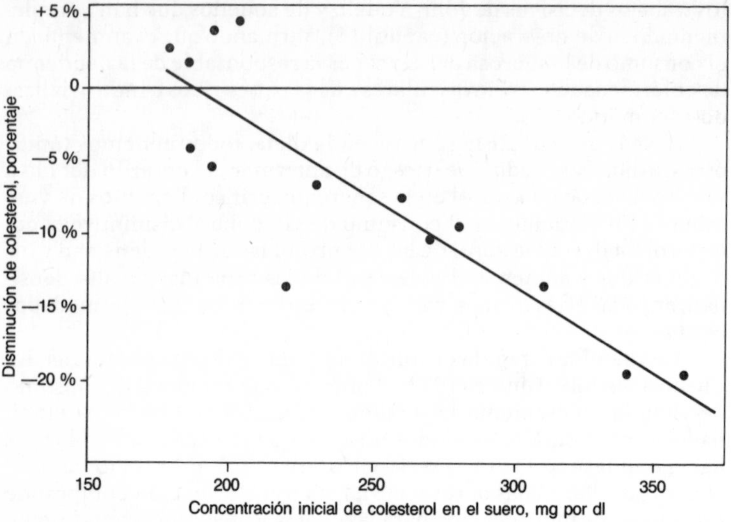

La vitamina C y el colesterol. *Los catorce puntos muestran los porcentajes medios en la concentración de colesterol total en el suero sanguíneo en el caso de catorce grupos de veinte sujetos cada uno con diferentes valores medios iniciales. (Copiado del esquema 9 de Ginter, 1982.)*

cuando ingieren de 1 a 3 g de vitamina C por día, durante cuatro a doce semanas (Johnson y Obenshein, 1981; Kahn y Seedarnee, 1981; Elliott, 1982). Ginter explicó estas diferencias por medio de un estudio de 280 hombres y mujeres divididos en catorce grupos, según su nivel inicial de colesterol (Ginter, 1982). Al ingerir los sujetos entre 300 y 1 000 mg de vitamina C, el cambio en el nivel de colesterol oscilaba entre + 5 % y – 19 % según se puede observar en el gráfico de esta página. La línea oscura corresponde a la línea de regresión lineal observada por Ginter. Su conclusión, que concuerda con los resultados de otras investigaciones, es que la vitamina C afecta poco el nivel de colesterol dentro de la escala normal, o sea menos de 200 mg por dl, pero es muy eficaz para disminuir en un 10 a 20 %, los niveles elevados.

Si aceptamos la afirmación hecha por los National Institutes of Health, según la cual, por cada disminución de un 1 % en el nivel de colesterol, resulta una disminución del 2 % en la mortalidad por problemas cardiovasculares, o que el resultado, en cuanto a la colestiramina, de una disminución del 8,5 % en el nivel de colesterol significa una disminución del 25 % en la mortalidad por problemas cardiovasculares, podríamos concluir que un aumento en el consumo de vitamina C disminuiría la mortalidad de la gente con un nivel de riesgo elevado de un 20 a un 60 %.

Existen pruebas que apoyan esta conclusión en los estudios epidemiológicos sobre la salud de las poblaciones. Estos estudios mostraron claramente que una dieta que contiene frutas y verduras frescas es benéfica para la salud. Se ha hecho un esfuerzo por analizar las dietas en relación con su efecto sobre la salud, con el fin de determinar cuáles son los nutrientes ingeridos en los alimentos que inciden más en la disminución de las tasas de mortalidad. En el estudio llevado a cabo por Chope y Breslow, en el condado de San Mateo, Estados Unidos, de los veinticinco factores que se consideraron, el consumo de vitamina C fue el de mayor importancia en cuanto a la reducción de los índices de mortalidad. Los sujetos del experimento, que ingerían al menos 50 mg de vitamina C por día, tenían un índice de mortalidad, ajustado por edades, equivalente al 40% del de las que ingerían menos de 50 mg. Las muertes, como sucede con la población en su conjunto, se debían, en su mayoría, a enfermedades cardiovasculares.

Un estudio epidemiológico llevado a cabo por Knox, en una población muy extensa, en Inglaterra, dio resultados similares (1973). Knox observó, como ya se sabía, que un alto consumo de calcio se relaciona con la protección contra las enfermedades isquémicas del corazón y contra las enfermedades cerebrovasculares, y, también, que una protección aún mayor –más que la de cualquier otro factor– está directamente ligada a un incremento en la ingestión de vitamina C. Intentando conseguir datos sobre el índice de mortalidad entre aquellas personas que consumen suplementos vitamínicos, se llevó a cabo un estudio en que 479 californianos de edad avanzada respondieron a un cuestionario que apareció en la revista *Prevention*, en 1972 (Enstrom y Pauling, 1972). Los sujetos ingerían una media de 1 g diario de vitamina C, así como dosis de vitaminas E y A superiores a las habituales, y seguían otras prácticas sanas. En lo que concierne a la población blanca en los Estados Unidos, la proyección del índice de mortalidad por enfermedades cardiovasculares, en 1977 (que causaron el 58% de todas las muertes), fue del 75% para los hombres, del 46% para las mujeres y del 62% para ambos sexos. Los índices para todas las causas mortales fueron del 78, 54 y 68% del índice nacional proyectado para ese año, respectivamente. Estas observaciones indican que estos californianos de edad avanzada, que se preocupan por su salud, tienen un estilo de vida, incluyendo la ingestión de vitaminas suplementarias, que se correlaciona con una disminución del 38% en la mortalidad cardiovascular y del 21% en la mortalidad por otras causas.

Estos estudios epidemiológicos y otros similares apoyan fuertemente la conclusión según la cual se puede lograr una protección significativa contra las enfermedades cardiovasculares, aumentando la ingestión de vitamina C por encima de la RDA de 60 mg, del U.S. Food and Nutrition Board.

Recientemente ha aparecido mucha información proporcionando datos en cuanto a la importancia de comer pescado, ya sea magro, ya sea graso, para disminuir la frecuencia de las enfermedades coronarias. En un estudio (Kromhout et al., 1985) se observó que el índice de mortalidad por edad, debido a enfermedades coronarias, en las personas que no comían pescado era 2,5 veces mayor que el de las personas que ingerían al menos 28,3 g de pescado diario. Se puede atribuir parte del efecto a los aceites del pescado (Phillipson et al., 1985; Lee et al., 1985).

Los National Institutes of Health, la American Heart Association y otros organismos han gastado cientos de millones de dólares para subvencionar estudios sobre las enfermedades cardiovasculares en relación con el colesterol en las lipoproteínas de baja y alta densidad, los triglicéridos, las grasas saturadas y las grasas insaturadas. Se ha prestado muy poca atención a la vitamina C y a otras vitaminas. Creo que estos organismos han estado apostando al caballo equivocado.

Es una suerte que la vitamina C no sea un fármaco; es una sustancia ortomolecular, normalmente presente en el cuerpo humano y necesaria para la vida y su toxicidad es extremadamente baja. No se necesita una receta médica ni la autorización de un organismo médico para utilizarla de la mejor manera, a favor de su salud, y para evitar las enfermedades del corazón. El conocimiento de usted y su juicio pueden ser mejores que los de•ellos.

18. LAS ENFERMEDADES CARDIOVASCULARES

Se ha comprobado que otra vitamina, administrada sola o con vitamina C, es eficaz para controlar la patología arterosclerótica, base de las enfermedades cardiovasculares en sus diversas manifestaciones. Se trata de la vitamina E (tocoferol), una de las vitaminas liposolubles. Herbert M. Evans, profesor de bioquímica de la Universidad de California, y su colega Katherine Scott Bishop la descubrieron en 1922. Mostraron que las ratas la necesitan para estar completamente sanas, pero hasta hace poco no se pudo comprobar si era necesaria para los seres humanos. No fue sino hasta 1968 cuando el Food and Nutrition Board decidió, finalmente, que es esencial en la nutrición humana y fijó en 30 UI la dosis diaria recomendada.

Sin embargo, en 1980, el Food and Nutrition Board redujo la RDA a 10 UI. La base de esta decisión se describe a continuación:

> Ya que no se ha comprobado clínica o bioquímicamente que es inadecuada la cantidad de vitamina E presente en las personas normales que ingieren una dieta equilibrada en los Estados Unidos, se considera que la actividad de la vitamina E en la dieta media es satisfactoria... Las cantidades (de RDA) en la tabla deben considerarse como consumos medios adecuados en Estados Unidos, pero lo idóneo de estas dosis variará si el contenido del ácido graso poliinsaturado (AGPI) en la dieta se aparta significativamente de lo normal... En cuanto a las indicaciones de que las personas normales se benefician con suplementos por encima de la dosis recomendada, son en gran parte subjetivas.

Por tanto, el Food and Nutrition Board ha rechazado todas las indicaciones que presentaremos aquí, o quizá considera que las personas que puedan morir de enfermedades cardiovasculares o tener otros problemas que pueden remediarse con vitamina E no son «personas normales». Ya que más de la mitad de la población de los Estados Unidos muere por enfermedades cardiovasculares, ésta me parece más bien una actitud irracional. En 1980, el Food and Nutrition Board no sabía aún cuál es la diferencia entre el consumo mínimo y el consumo óptimo de los nutrientes esenciales.

Durante los últimos setenta años ha habido una gran controversia sobre la eventual utilidad de la vitamina E en dosis mucho mayores que 10 UI por día para controlar o curar muchas enfermedades graves, incluyendo las coronarias y las enfermedades vasculares periféricas. La controversia está centrada en el médico canadiense doctor R. James Shute y sus dos hijos, los doctores Evan V. Shute y Wilfrid E. Shute, quienes empezaron, en 1933, a emplear la vitamina E en el tratamiento de enfermedades. Sus declaraciones en cuanto al éxito fueron refutadas por muchos otros médicos, especialmente alrededor de 1948, y desde hace treinta y siete años la posición de casi todas las autoridades médicas sigue siendo que dosis superiores a las 10 UI de la RDA no son eficaces para mejorar la salud, o para prevenir o controlar las enfermedades. Pienso que las autoridades se equivocan sobre la vitamina E, tanto como lo hicieron sobre la vitamina C.

Cuando la vitamina E fue aislada del aceite de germen de trigo, en 1936, se observó que se componía de una mezcla de varias sustancias similares, que se llaman alfa-tocoferol, beta-tocoferol, gamma-tocoferol, delta-tocoferol, y así, sucesivamente. Cada una de éstas puede tener la forma D o la forma L. Todas tienen actividades biológicas y propiedades antioxidantes, pero en distintas cantidades. Las cápsulas de vitamina E contienen a menudo acetato alfa-tocoferol-D,L, del cual 1 g equivale a 1 UI. Sin embargo, pueden contener una mezcla de tocoferoles o sus ésteres en cantidades proporcionales, de manera que ofrecen el efecto biológico que corresponde al monto de UI anunciadas en la etiqueta. Los diversos efectos biológicos y antioxidantes no cambian exactamente de la misma manera entre un tocoferol y otro; por tanto, el monto de UI es sólo un cálculo aproximado de la actividad de la vitamina E. E. Wilfrid Shute recomendó el consumo de alfa-tocoferol (o acetato de alfa-tocoferol) para controlar las enfermedades del corazón, pero es probable que dosis similares de otros tocoferoles (medidas en UI) tengan básicamente el mismo efecto. Los estudios sobre animales han permitido determinar la actividad relativa, como vitamina E, de los diversos tocoferoles, especialmente su efectividad para estimular la reproducción normal en la rata.

La vitamina E pura es un aceite, prácticamente insoluble en agua, pero liposoluble. Se encuentra en muchos alimentos (mantequilla, aceites vegetales, margarina, huevos, frutas y verduras). En 1956 se descubrió que los pacientes de un hospital estatal que, durante varios años, habían subsistido con una dieta conteniendo sólo 3 UI de vitamina E, mostraban una mayor fragilidad de las células rojas de la sangre, causada por la oxidación de los ácidos grasos insaturados en la membrana celular. La vitamina E actúa como antioxidante y evita o invierte la oxidación, oxidándose en el proceso. La vitamina C, que también es un antioxidante, puede restablecer el estado original de la vitamina E.

Una dieta con alto contenido de ácidos grasos insaturados, particularmente los poliinsaturados, puede destruir las provisiones de vitamina E del cuerpo y causar lesiones musculares y cerebrales y la degeneración de las vías sanguíneas. Se debe evitar incluir en la dieta grandes cantidades de aceite poliinsaturado, sin el correspondiente aumento de la dosis de vitamina E.

En 1950, el Council on Pharmacy and Chemistry of the American Medical Association (el Consejo sobre Farmacia y Química de la Asociación Médica Norteamericana) publicó un informe sobre la vitamina E, en el cual se incluían las siguientes declaraciones:

> Hace más de tres años aparecieron unas historias acerca de un nuevo tratamiento extraordinario para los pacientes con enfermedades circulatorias. Se dijo que el tratamiento fue descubierto por unos investigadores en Londres, Canadá. Se afirmaba que dosis elevadas de vitamina E, o alfa-tocoferol podían efectuar recuperaciones notables en el caso de pacientes con una gran variedad de trastornos cardiovasculares que no se habían podido curar con una terapia más ortodoxa... La primera declaración sobre la posible eficacia del acetato alfa-tocoferol en enfermedades coronarias apareció en forma de carta, firmada por A. Vogelsang y E. V. Shute, en *Nature* (1946, 157, 772). Posteriormente apareció una serie de artículos en el *Medical Record (Surgery, Gynecology and Obstetrics*, 1948, 86, 1) alegando que las úlceras varicosas, la tromboflebitis, la gangrena precoz de las extremidades, la tromboangitis obliterante y la trombosis cerebral responden a la terapia con vitamina E. La enfermedad que también responde a la terapia con vitamina E es la diabetes, según las publicaciones más recientes de Vogelsang, del Instituto Shute. (*Medical Record*, 1948, 161, 363; *Journal of Clinical Endrocrinology*, 1944, 8, 883). La prensa no especializada ya ha dedicado un espacio considerable a las supuestas virtudes de la vitamina E... Es lamentable que las esperanzas de los que padecen enfermedades del corazón y otros trastornos cardiovasculares, así como de los incontables diabéticos, se alienten falsamente con un entusiasmo desbordante.

Hace treinta y cinco años que esta actitud de escepticismo enfermizo persiste. En 1977, el experto más importante de los Estados Unidos sobre la nutrición a la antigua, el doctor Jean Mayer, presidente de la Universidad Tufts, declaró que «la variedad de señales de carencia en varios animales, llevó a experimentar con enormes dosis de vitamina E en muchas enfermedades humanas, desde la expulsión espontánea en tres o más gestaciones, hasta las enfermedades del corazón y la distrofia muscular. Los experimentos no tuvieron éxito.

Por tanto, los médicos volvieron a la idea de que necesitamos vitamina E, pero sólo en dosis moderadas» (Mayer, 1977). Mayer también describe el uso de grandes dosis de vitamina C como una «moda», empezada por mí, y sugiere que nadie consuma más que la RDA, citando varios de los argumentos falaces que analizamos en el capítulo 27.

No se han señalado efectos secundarios perjudiciales con la ingestión de dosis muy elevadas de vitamina E. En este aspecto, difiere de los distintos fármacos, como las aspirinas (para mencionar uno de los menos peligrosos), utilizados extensamente en el tratamiento de las enfermedades para las cuales la vitamina E es eficaz, según los Shutes. El hecho de que la vitamina E sea segura, y el que los Shutes pretendan que es eficaz en el tratamiento de las enfermedades coronarias del corazón y de varias otras disfunciones, debería haber alentado a las autoridades médicas escépticas a llevar a cabo una investigación a fondo, por medio de amplios experimentos «doblemente ciegos» en que los pacientes de un grupo, seleccionados al azar, ingieren la vitamina, y los de otro grupo toman un placebo. Pero no se han llevado a cabo estas investigaciones a fondo treinta y nueve años después de las primeras afirmaciones.

Se ha argumentado que los Shutes tenían el deber de llevar a cabo estos estudios «doblemente ciegos» ellos mismos, pero los principios básicos de la ética médica se lo han impedido. En 1946, ellos estaban convencidos del gran valor de la vitamina E. Un médico tiene el deber moral de administrar a cada paciente el tratamiento que, según él o ella, tiene la mejor posibilidad de curarlo. Por tanto, era el deber de los Shutes el seguir recetando la vitamina E a todos sus pacientes afectados de enfermedades controladas por la vitamina E, según sus observaciones. Hubiera sido inmoral no administrar este benéfico tratamiento a la mitad de sus pacientes.

Sin embargo, no sería inmoral que un escéptico, un médico que cree que la vitamina E no es válida, llevara a cabo un experimento «doblemente ciego» de este tipo. No son los Shutes, sino más bien los otros miembros de la profesión médica quienes no han cumplido con su deber al no efectuar amplios estudios sobre la vitamina E, cuando existen indicios que sugieren claramente que esta sustancia no tóxica, segura y natural sirve, y probablemente mucho, en el control de las enfermedades que año tras año causan unos doscientos millones de días de incapacidad en cama y un millón de muertes en los Estados Unidos.

Además de varios ensayos publicados en revistas médicas desde 1946, los Shutes describieron sus métodos y resultados en dos libros: *Vitamin E for Ailing and Healthy Hearts* («La vitamina E para corazones enfermos y sanos»), por Wilfrid E. Shute y Harold J. Taub (1969), y *The Heart and Vitamin E* («El corazón y la vitamina E»), por Evan Shute y sus colaboradores (1956, 1969). En diferentes capítulos de dichos libros se refieren a varias enfermedades, como las coronarias e isquémicas del corazón y la angina correspondiente, la fiebre reumática, las enfermedades reumáticas agudas y crónicas del corazón, la hipertensión, las enfermedades congénitas del corazón, la arteriosclerosis, la enfermedad de Buerger, las venas varicosas, la tromboflebitis, la tromboarteritis, las enfermedades vasculares periféricas, la úlcera indolente, la diabetes, las enfermedades renales y las quemaduras. Creen que en dosis de 50 UI a 2 500 UI por día, la vitamina E es eficaz para tratar todas estas enfermedades. La vitamina E se administra por vía oral. También se emplea un ungüento (3 % de vitamina E en vaselina) para las quemaduras y las úlceras y para algunos tipos de dolores.

Wilfred Shute afirma que durante los veintidós años anteriores a 1969 había tratado treinta mil pacientes con problemas cardiovasculares. Se han publicado los expedientes de cientos de ellos. Generalmente, los únicos casos de «control» fueron los expedientes de los pacientes mismos antes de ingerir la vitamina E. Por ejemplo, un paciente diabético, un médico de edad avanzada, padecía ulceraciones graves y de circulación obstaculizada en una pierna, tan graves que una amputación era indicada. Se le amputó la pierna. Se presentaron ulceraciones y obstaculización de la circulación en la otra pierna. Entonces se enteró de lo que hacían los Shutes. Se le administró vitamina E. Tras unos meses, la otra pierna se curó y se evitó la amputación.

Otro paciente, que en 1951 tenía cincuenta y ocho años de edad, padecía una oclusión coronaria con infartación posterior. Tras dos semanas de hospitalización, se le dio de alta, pero no podía trabajar. Seis meses después, Wilfrid Shute lo trató, recetándole dosis de 800 UI de vitamina E por día. A las diez semanas, los síntomas habían desaparecido y regresó al trabajo. Diecisiete años más tarde, sufrió un ataque de fibrilación auricular, rápidamente controlado con oxígeno. En 1968, a los setenta y seis años de edad, su estado era bueno.

En los dos libros se señalan numerosos historiales clínicos similares. No constituyen una prueba, pero no cabe duda que Wilfrid y Evan Shute estaban convencidos de que la vitamina E es la sustancia más importante del mundo. Confieso que siento lo mismo por la vitamina C.

Al leer hace algunos años un artículo en *Consumer Reports*, me sentí obligado a analizar los estudios publicados sobre la vitamina E y la enfermedades del corazón. *Consumer Reports* es una publicación que pretende «proporcionar a los consumidores información y consejos sobre los bienes y servicios de consumo, suministrar información sobre todos los asuntos relacionados con el gasto del ingreso familiar e iniciar y cooperar con los esfuerzos, individuales y de grupo, para crear y mantener normas de vida decentes». Sus consejos son probablemente buenos en muchos casos, pero en cuanto a las vitaminas, no son nada fidedignos. No llevan a cabo experimentos con las vitaminas, sino que se fía de alguna autoridad anónima, cuyo juicio me parece poco seguro.

En el número de enero de 1973 de *Consumer Reports* apareció un artículo titulado «Vitamin E: What's Behind All Those Claims for It?» («La vitamina E: ¿qué hay detrás de todas las afirmaciones a su favor?). El autor de dicho artículo enumeró muchas enfermedades para las cuales se ha dicho que la vitamina E tiene propiedades terapéuticas (las que Wilfrid y Evan Shute señalan, según lo antes mencionado, así como el acné, el envejecimiento y otras), y concluyó afirmando que «no hemos podido encontrar ningún indicio científico válido de que la vitamina E ayuda en alguna de las enfermedades de la larga lista de la página 62». Continuó diciendo que el único uso terapéutico de la vitamina E, establecido en un experimento clínico bien controlado, es el tratamiento de la anemia hemolítica en ciertos bebés prematuros, y que algunos médicos la recetan como medida de precaución, en algunas enfermedades relativamente escasas que implican la absorción de grasas.

El artículo concluyó con «por lo demás, el empleo de la vitamina E como suplemento dietético, o como medicamento para enfermedades comunes es, en el mejor de los casos, una pérdida de dinero. Pero, y esto es más serio, podría conducir a posponer el tratamiento médico adecuado en favor de una automedicación inútil. Y el costo de eso podría ser incalculable».

Las conclusiones se basan supuestamente en las comunicaciones publicadas acerca de varios experimentos llevados a cabo por algunos médicos sobre la vitamina E, a los cuales el artículo hace referencia. Examiné cuidadosamente cada uno de esos informes publicados y observé que no justifican la conclusión de *Consumer Reports*. Yo concluyo que su autoridad médica, es decir, el autor del artículo, carecía de la capacidad necesaria para evaluar adecuadamente los indicios.

Consumer Reports enumeró varios estudios sobre la vitamina E y las enfermedades coronarias del corazón llevados a cabo hacia 1949. Según el artículo, los resultados de todos fueron negativos, refutando las afirmaciones de los Shutes. Decidí que ninguno de los estudios merecía confianza, porque las dosis administradas eran demasiado pequeñas o porque el tratamiento no duraba bastante, o por alguna otra razón. Por ejemplo, el experimento descrito como «posiblemente el más sofisticado» fue llevado a cabo por Donegan, Messer, Orgain y Ruffin, de la Facultad de Medicina de la Duke University (*American Journal of the Medical Sciences* 217 [1949], 294). Se trataba de veintiún pacientes con enfermedades cardiovasculares, con un período de seguimiento de cinco a veinte meses. En meses alternos, cada paciente ingería 150 a 600 UI de vitamina E por día o un placebo. Los pacientes eran sometidos a observación una vez por mes. Se notaba poca diferencia en su estado, después de un mes de ingerir vitamina E o tomar un placebo.

Sin embargo, se sabe que se necesita consumir vitamina E durante tres meses para que sus efectos se noten. La vitamina es almacenada en las grasas, y la depleción del aprovisionamiento del cuerpo sólo ocurre paulatinamente. Por tanto, los pacientes no cambiarían mucho en cuanto a su provisión de vitamina E durante los meses alternos. Este estudio, como otros, de ninguna manera rebate lo señalado por los Shutes.

El doctor Alton Ochsner, el gran cirujano del corazón, que murió en 1981, publicó varias ponencias sobre su éxito en el tratamiento de los coágulos sanguíneos (tromboembolismo y tromboflebitis) a base de vitamina E (Ochsner, DeBakey y DeCamp, *JAMA* 144 [1950], 831; *New England Journal of Medicine* 271 [1964], 4). Ochsner declaró que: «Ya hace años que a todos los pacientes [de cirugía] que corren el riesgo de una trombosis venosa [un coágulo sanguíneo en una vena] les recetamos, por rutina, 100 UI de alfa-tocoferol (vitamina E), tres veces por día, hasta que el paciente esté totalmente capacitado para caminar... El alfa-tocoferol es un inhibidor potente de la trombina [factor de coagulación sanguínea] que no produce una tendencia a la hemorragia [como suelen hacer los fármacos anticoagulantes] y que es, por tanto, un profiláctico seguro contra la trombosis venosa.»

Otro testimonio que *Consumer Reports* pasa por alto es la ponencia del doctor Knut Haeger, del Departamento de Cirugía del Hospital de Malmö, en Suecia, en la cual describe sus observaciones sobre 227 pacientes con enfermedades arteriales periféricas oclusivas (1968). A 104 de estos pacientes (edad media de 60 años) se les administraron de 300 a 600 UI de vitamina E por día, sin ningún otro tratamiento, y a los 123 restantes (edad media de 59,4 años) se les administraron vasodilatadores, antiprotrombina o un complejo vitamínico.

No hubo diferencias significativas entre los pacientes a quienes se les administró los tres últimos tratamientos. Tras un seguimiento de dos a siete años, se observaron varias diferencias entre los pacientes que ingerían vitamina E y los otros. Nueve de los pacientes tratados con vitamina E murieron durante el curso del experimento, así como 19 del otro grupo (8,7 % contra 15,4 %. De los 95 supervivientes tratados con vitamina E, a uno se le tuvo que amputar una pierna, así como a 11 de los 104 supervivientes del otro grupo (1,05 % contra 10,58 %; estadísticamente significativo a un nivel de fiabilidad del 99 %). Los pacientes que padecen enfermedades arteriales periféricas u oclusivas sufren dolores agudos en la pantorrilla tras haber caminado cierta distancia debido a un deficiente suministro de oxígeno a los músculos. De los pacientes tratados con vitamina E, el 75 % incrementó la distancia que podía recorrer en un 50 %, comparado con el 20 % para los otros; el 38 % de los pacientes del primer grupo duplicaron al menos la distancia que podían recorrer comparado con sólo el 4 % para los otros. La sensación subjetiva de mejoría fue mucho mayor para los pacientes tratados con vitamina E que para los otros.

Otros estudios han obtenido resultados semejantes. Boyd y Marks (1963) publicaron los resultados de un experimento con 1 476 pacientes afectados de aterosclerosis general tratados durante diez años con vitamina E. Observaron que el índice de supervivencia durante esos diez años fue mayor en el caso de dichos pacientes que el observado en experimentos similares de pacientes que no habían ingerido vitamina E.

Mi conclusión, basada en las indicaciones arriba resumidas y en otros informes de la literatura médica, presentados por médicos capaces, aparte de los Shutes, es que no cabe duda que la vitamina E es muy eficaz para controlar las enfermedades vasculares periféricas –que a menudo ocurren conjuntamente con las enfermedades del corazón y con la diabetes–, así como para evitar y tratar los coágulos sanguíneos (tromboembolismo y tromboflebitis). Además, creo que hay argumentos válidos para apoyar las afirmaciones de los Shutes en cuanto a la eficacia de la vitamina E para evitar y controlar, entre otras, las enfermedades coronarias del corazón.

Haeger ha señalado que los agudos dolores en la pantorrilla que sufren los pacientes con enfermedades arteriales periféricas oclusivas, tras haber caminado cierta distancia, son análogos a los agudos dolores del corazón (angina) de los pacientes con enfermedades coronarias cardíacas. En cada caso, el dolor proviene de una insuficiencia de oxígeno –el músculo que trabaja ha consumido el oxígeno más rápidamente de lo que éste puede ser transportado al músculo de la pierna o del corazón, a través de las arterias obstruidas. No cabe duda de que el dolor muscular es aliviado con vitamina E (como sucede con los calambres musculares que padecen algunas personas). Por tanto, se puede suponer que la angina del paciente con una enfermedad cardíaca también se aliviaría con la vitamina E, según lo describen en sus libros Wilfrid Shute y Evan Shute.

Hace más de cincuenta años se reconoció que un bajo consumo de vitamina E conduce a la distrofia muscular, un trastorno de los músculos del esqueleto, caracterizado por una debilidad similar a la causada por la carencia de vitamina C (Pappenheimer, en 1948, analizó los experimentos acerca de la vitamina E en relación con la distrofia muscular). La dificultad para caminar que experimentan algunos pacientes con enfermedades arteriales oclusivas periféricas puede parcialmente resultar de una baja concentración de vitamina en los músculos y parcialmente de una disminución en la velocidad del suministro de oxígeno a los mismos. El daño a los músculos, cuando es bajo el suministro de vitamina E, puede resultar de la oxidación de los lípidos insaturados, que la vitamina E, antioxidante, protege, cuando es suficiente su concentración.

Se conocen varios tipos de distrofias musculares hereditarias. En general, no se comprende del todo su naturaleza, y no hay ninguna terapia específica que se pueda recomendar para ellos. La miastenia gravis es tratada con inhibidores de colinesterasa, corticoesteroides y la ablación quirúrgica del timo. Las autoridades médicas no mencionan la posible eficacia de las vitaminas para controlar las distrofias musculares. Los indicios existentes en cuanto a la intervención de las vitaminas E y C, así como B_6 y otras, en el funcionamiento de los músculos sugiere que un consumo óptimo de estos nutrientes sería valioso para los pacientes. Que yo sepa, no se ha informado sobre ningún estudio serio acerca de un incremento del consumo de vitaminas en el caso de los pacientes con distrofia muscular hereditaria.

La vitamina E, la vitamina antioxidante, liposoluble, y la vitamina

C, la vitamina antioxidante hidrosoluble, colaboran para proteger las vías sanguíneas y otros tejidos contra el daño causado por la oxidación. Hacen más lento el proceso de deterioro del cuerpo con el paso del tiempo y ayudan a prevenir las enfermedades cardiovasculares. Son valiosas como complemento de la terapia convencional en el tratamiento de las enfermedades cardiovasculares y otras afecciones.

En este libro me he limitado a analizar casi exclusivamente las vitaminas y otras sustancias ortomoleculares, mencionando sólo ocasionalmente los fármacos. En este capítulo haré una excepción, para examinar un procedimiento no ortomolecular –la profilaxis de *quelación* por EDTA (ácido etilenodiaminatetraacético)– para la aterosclerosis y sus derivados: las enfermedades del corazón y del sistema circulatorio periférico. Una de las razones por las cuales lo menciono es que este tratamiento profiláctico me parece tener una base científica razonable, y que parecen válidas las pruebas de su utilidad. La otra razón es que la mayoría de la gente no se enteraría de la verdad sobre este tratamiento ni recibirían buenos consejos de su médico al respecto. La mayoría de los médicos han oído hablar del tratamiento por EDTA, pero, basándose en ideas falsas, como veremos a continuación, aconsejan no seguirlo.

El EDTA se utiliza muy a menudo en la química analítica y en procesos químicos industriales, como el de los tintes y de la fabricación de jabones y detergentes, donde las concentraciones de iones de metales pesados en el agua, aún muy pequeñas, interfieren con las reacciones. El EDTA une fuertemente a estos iones y, de este modo, los secuestra. Este proceso se llama quelación.

El EDTA se utiliza en la medicina, con la aprobación de la Food and Drug Administration, para tratar las personas envenenadas con cadmio, cromo, cobalto, cobre, plomo, manganeso, níquel, selenio, radio, tungsteno, uranio, vanadio o zinc. Generalmente se administra por la lenta inyección intravenosa de una solución que contiene 3 g de la sal de calcio disodio. Los iones metálicos venenosos se unen más fuertemente al EDTA que al ion de calcio, lo reemplazan en el complejo y se eliminan con la orina.

El EDTA también es eficaz para controlar las enfermedades cardiovasculares, incluyendo la aterosclerosis, las enfermedades arteriales oclusivas y las enfermedades cardíacas que resultan de una disminución en el suministro de oxígeno a los músculos del corazón. Para ello se administra por vía intravenosa, durante tres horas, una solución de 3 g de sodio EDTA, en 500 ml de solución Ringers, de solución salina normal, o de una solución de dextrosa, a menudo añadiendo ascorbato de sodio. El tratamiento profiláctico normal consiste en veinte inyecciones generalmente dos por semana durante diez semanas. Existen indicios que este tratamiento ayuda a eliminar las placas ateromatosas.

En el desarrollo de la aterosclerosis, la primera etapa consiste en la acumulación, sobre la pared interna de la arteria, de una masa de tejido conectivo agregado, pero más o menos suelto (fibrillas de colágeno y mucopolisacáridos). El proceso puede empezar con una pequeña lesión en la pared. El colesterol y otros lípidos comienzan entonces a acumularse en la placa, con una pequeña cantidad de calcio. Posteriormente, a medida que crece, la placa incorpora más calcio y se endurece más. Al reducir el diámetro interno de la arteria, conduce a una disminución del flujo de la sangre hacia los tejidos, a un incremento de la presión sanguínea y a que el corazón y otros órganos sufran daños por la restricción en el suministro de oxígeno.

Quizá la forma principal en que opera el EDTA es en mejorar el sistema cardiovascular, por eliminación de los iones de calcio de las placas. Entonces se podría eliminar más fácilmente el colesterol con la lipoproteína de alta densidad. El doctor Bruce W. Halstead analiza otras formas en que la quelación por EDTA puede ayudar, en su libro, publicado en 1979, *The Scientific basis of EDTA Chelation Therapy* («La base científica de la terapia de quelación por EDTA»).

Halstead trata detalladamente de la toxicidad de EDTA. Cuando la cantidad y el ritmo de administración se controlan según lo recomendado, la sustancia presenta pocos efectos secundarios. La disminución en la concentración de calcio se corrige administrando compuestos de calcio.

Halstead dice que durante los treinta años anteriores a 1979, más de 150 000 pacientes en los Estados Unidos recibieron más de dos millones de tratamientos con terapia de quelación por EDTA, sobre todo para las enfermedades cardiovasculares, y que, cuando se administra adecuadamente, se puede emplear con seguridad. Tanto él como Walker (1980) recomiendan que sólo la administre un médico que conozca a fondo la terapia de quelación por EDTA.

La terapia de quelación es más segura y menos costosa que una anastomatosis (bypass). Parece que puede razonablemente esperarse que este tratamiento elimine la necesidad de una intervención.

Cuando testifiqué en un proceso contra un médico ortomolecular, el fiscal adjunto del estado de California, en los Estados Unidos, en su calidad de acusador, me preguntó si yo sabía que el Food and Drug Administration no había autorizado la terapia quelativa para las enfermedades cardiovasculares. Mi respuesta fue: «Sí, lo sé. También sé que esa misma terapia por EDTA ha sido aprobada por el FDA para la desintoxicación de metales pesados, y que la razón por la cual no la ha aprobado para los problemas cardiovasculares es que nadie ha intentado obtener la aprobación. Hace muchos años los laboratorios Abbott, propietarios de los derechos de patente, retiraron su solicitud para que el FDA aprobara el tratamiento por EDTA de las enfermedades arterioscleróticas. Lo hicieron por razones financieras: la patente iba a expirar demasiado pronto. Nadie más podía permitirse solicitarla.»

Pese al hecho de que esta terapia para las enfermedades cardiovasculares no tiene la aprobación del FDA porque las compañías farmacéuticas no están interesadas en obtenerla, y pese a que no existe ninguna prohibición legal contra su uso por médicos para este propósito, el gobierno ha hostigado bastante a los facultativos que la emplean (Halstead, 1979; Walker, 1980). Algunas asociaciones médicas apoyan este hostigamiento y, como en el caso similar del hostigamiento contra los médicos ortomoleculares, parece basarse principalmente en la ignorancia y el prejuicio.

19. EL CÁNCER

El cáncer, incluyendo los neoplasmas de los sistemas linfático y hematopoyético (formadores de células sanguíneas), causa el 22 % de las muertes en los Estados Unidos. Cada año, unas 600 000 personas contraen cáncer, y la mayoría, o sea unos 420 000, mueren a causa de esta enfermedad. Los sufrimientos asociados con el cáncer son mucho más intensos que en la mayor parte de las otras enfermedades. Por ello, el gobierno central de los Estados Unidos hace hincapié en la investigación sobre el cáncer y ha asignado cientos de millones de dólares para ello, alcanzando mil millones este año.

Pese a la gran cantidad de dinero y a los esfuerzos dedicados al estudio del cáncer, el progreso en los últimos veinticinco años ha sido lento. Hace unos treinta años se logró alargar el tiempo de supervivencia tras su diagnóstico, en gran parte gracias a los perfeccionamientos de técnicas de cirugía y de anestesia. En los últimos veinticinco años se han logrado algunas mejoras en el tratamiento de algunos tipos de cáncer, principalmente con el empleo de la radiación de alta energía y de la quimioterapia, pero en la mayor parte de los tipos de cáncer prácticamente no ha disminuido su frecuencia ni aumentado el tiempo de supervivencia tras su diagnóstico, y es evidente que se necesitan nuevas ideas si se ha de lograr un mayor control de esta plaga.

Una nueva idea es que se pueden administrar fuertes dosis de vitamina C, tanto para prevenir como para tratar el cáncer. El doctor Ewan Cameron, anteriormente cirujano jefe del hospital Vale of Leven, de Loch Lomondside, Escocia, y ahora director médico del Linus Pauling Institute of Science and Medicine, ha llevado a cabo el trabajo de mayor importancia en este sentido. He tenido la suerte, durante los últimos catorce años, de trabajar con el doctor Cameron en su investigación clínica en este campo. En el libro *Cancer and Vitamin C* (1979) y en los trabajos publicados –citados en la sección de referencias– hemos presentado informes sobre nuestros trabajos, los que se resumen posteriormente en este capítulo. El doctor Fukumi Morishige, de Fukuoka, Japón, es otro cirujano que ha contribuido notablemente por sus trabajos en este campo.

En su libro de 1972, *The Healing Factor: Vitamin C Against Disease*, Irwin Stone examina las publicaciones de unos médicos alemanes entre 1940 y 1956 que señalan que dosis de 1 a 4 g de vitamina C por día, a veces administradas con dosis adicionales de vitamina A, parecían ayudar a controlar el cáncer de algunos pacientes. Pese a la indicación sobre la eficacia de estas dosis de vitamina C, para el tratamiento del cáncer, dichos estudios no condujeron a un examen minucioso de las posibles virtudes de la vitamina C a este respecto. También se señalan resultados positivos con animales, pero tampoco hubo seguimiento con estudios en este campo.

En 1951 se informó que los pacientes con cáncer tienen normalmente muy pequeñas concentraciones de vitamina C en el plasma sanguíneo y en los leucocitos de la sangre; a menudo, sólo la mitad de lo normal. Durante los últimos treinta años se ha confirmado reiteradamente esta observación. En 1979, Cameron, Pauling y Brian Leibovitz enumeraron trece estudios, y todos mostraban fuertes disminuciones en las concentraciones de esta sustancia, tanto en el plasma como en los leucocitos. El nivel de ácido ascórbico en los leucocitos de los pacientes con cáncer es, generalmente, tan bajo que los leucocitos no pueden llevar a cabo su importante función fagocítica, o sea, de rodear y digerir las bacterias y otras células extrañas al cuerpo, incluyendo las células malignas. Una explicación razonable de este bajo nivel de vitamina C en la sangre de los pacientes con cáncer es que sus cuerpos gastan la vitamina en un esfuerzo por controlar la enfermedad. El bajo nivel sugiere que se les debe administrar fuertes dosis de la vitamina, a fin de sostener al máximo la eficacia de las defensas de su cuerpo.

Sólo una de las comunicaciones anteriores sobre la vitamina C y el cáncer se refirió al empleo de fuertes dosis de vitamina C durante un período de hasta dieciocho meses. En 1954, el doctor Edward Greer, de Robinson, Illinois, Estados Unidos, publicó un informe sobre un extraordinario paciente, quien aparentemente, controló su cáncer (leucemia mieloide crónica) durante dos años, ingiriendo enormes cantidades de vitamina C. Este paciente, un ejecutivo ya mayor de una compañía petrolera, padecía al mismo tiempo de otras enfermedades. En setiembre de 1951 se le declaró una enfermedad cardíaca crónica y, en mayo de 1952, le diagnosticaron cirrosis hepática por alcoholismo y policitemia (un aumento de las células rojas sanguíneas circulantes). En agosto de 1952 se le diagnosticó leucemia mieloide crónica, confirmando el diagnóstico un hematólogo independiente. En setiembre de 1952, cuando le extrajeron algunos dientes, le aconsejaron ingerir vitamina C para ayudar a cicatrizar sus encías. Inmediatamente empezó a consumir dosis muy fuertes, entre 24,5 y 42 g por día (siete comprimidos de 500 mg entre siete y doce veces al día). Dijo haber establecido él mismo este régimen por sentirse mucho mejor al tomar estas fortísimas dosis. El paciente comentaba repetidamente su sensación de bienestar y siguió trabajando. En dos ocasiones, Greer insistió en poner fin al consumo de vitamina C. Ambas veces, al hacerlo, el bazo y el hígado del paciente crecieron, se volvieron blandos y sensibles, su temperatura aumentó a 38,3 °C, y se quejaba de malestar general y fatiga, síntomas típicos de la leucemia. Al volver a ingerir vitamina C, sus señales y síntomas rápidamente mejoraron. En marzo de 1954 murió de descompensación cardíaca aguda, a los setenta y tres años. Su bazo estaba duro y no habían progresado ni la leucemia, ni la policitemia, ni la cirrosis, ni la miocarditis en los dieciocho meses posteriores al inicio de su tratamiento a base de fuertes dosis de vitamina C. Greer concluyó que «el consumo de la enorme dosis de ácido ascórbico era aparentemente primordial para el bienestar del paciente».

En 1968, Cheraskin y sus colegas describieron un efecto sinérgico del ascorbato suplementario sobre la reacción a la radiación de las pacientes que presentaban carcinomas con células escamosas en el cuello del útero. A veintisiete pacientes se les administraron 750 mg de ácido ascórbico por día, empezando una semana antes del tratamiento por radiación, y continuando tres semanas después de su terminación; además se les administró un suplemento de vitaminas y minerales y se les dieron consejos generales sobre nutrición (disminución de la ingestión de sucrosa). Otros veintisiete pacientes a quienes no se les administraron las vitaminas ni se les dieron consejos nutricionales actuaron como control. La terapia por radiación fue igualmente vigorosa para los dos grupos. La reacción a la radiación fue significativamente mejor en el caso de los pacientes con el tratamiento de nutrientes (resultado medio de 97,5) que en el de los de control (resultado medio de 63,3). Por tanto, parece evidente que los pacientes con cáncer, sometidos a radioterapia, necesitan ácido ascórbico y que el satisfacer esta mayor necesidad protege contra algunos de los efectos dañinos de la irradiación y refuerza la reacción a la terapia.

El difunto doctor William McCormick, de Toronto, Canadá, parece haber sido el primero en reconocer que los cambios generalizados de los tejidos conectivos, que acompañan el escorbuto, son idénticos a los cambios locales de los tejidos conectivos observados en el área inmediatamente cercana a las células neoplásticas invasoras (McCormick, 1959). Conjeturó que el nutriente (la vitamina C), que, como se sabe, puede evitar dichos cambios generalizados en el caso del escorbuto, podría tener efectos similares en el caso del cáncer. Las pruebas de que los pacientes con cáncer padecen casi invariablemente una depleción de ácido ascórbico apoya esta opinión.

Existen otras asociaciones interesantes entre el escorbuto y el cáncer. La literatura histórica contiene muchas alusiones a la mayor frecuencia de «cánceres y tumores» en las víctimas del escorbuto. Un típico informe de autopsia de James Lind (Lind, 1753) contiene declaraciones como ésta: «Todas las partes estaban tan mezcladas y unidas, formando una masa o un montón, que no se podían identificar los órganos individuales». Seguramente tenemos aquí la descripción gráfica de una infiltración neoplástica por un anatomista mórbido del siglo XVIII. Por otro lado, en el estado avanzado del cáncer humano los rasgos premortales de anemia, caquexia, lasitud extrema, hemorragias, ulceraciones, susceptibilidad a las infecciones y niveles anormalmente bajos de ascorbato en los tejidos, el plasma y los leucocitos, con insuficiencia adrenal terminal, son virtualmente idénticos a los rasgos premortales del escorbuto humano en estado avanzado.

Los signos epidemiológicos indican que la frecuencia del cáncer en grandes grupos de población tiene una relación inversa al consumo medio diario de ascorbato. Entre diversas comunicaciones publicadas sobre investigaciones, que dan todas fundamentalmente el mismo resultado, mencionaré la del investigador noruego Bjelke, que en 1973 y 1974 dio cuenta de los minuciosos estudios que llevó a cabo sobre los cánceres gastrointestinales por medio de una encuesta por correo sobre la dieta, así como un estudio de casos con control. Su trabajo, en el que participaron más de treinta mil personas en los Estados Unidos y en Noruega, determinó, entre otras cosas, el consumo de varios alimentos, así como el hábito de fumar y otros factores. Observó una correlación negativa entre el consumo de frutas, bayas, verduras y vitamina C y la frecuencia del cáncer gástrico, mientras que los alimentos con almidón, el café y el pescado salado tenían una correlación positiva. Concluyó que los dos factores más importantes fueron el consumo total de verduras y de vitamina C. A mayor consumo de verduras y de vitamina C, menor frecuencia de cáncer.

En 1973 fui al National Cancer Institute para enseñar a una docena de sus mejores especialistas el historial de los primeros cuarenta pacientes tratados con 10 g de vitamina C diarios por el doctor Ewan Cameron, en el hospital Vale of Leven, en Loch Lomondside, Escocia; mi objetivo era solicitar que estos especialistas llevaran a cabo un experimento controlado con vitamina C. Las pruebas no les impresionaron, ni la posibilidad de poder controlar un poco el cáncer, administrando fuertes dosis de esta vitamina, como complemento de la terapia convencional adecuada. Mi esposa, que me acompañaba, comentó luego que nunca antes había visto un grupo de investigadores médicos con menos interés en ideas nuevas. Me dijeron que el National Cancer Institute no haría nada con vitamina C hasta que no se hubieran llevado a cabo experimentos con animales.

Sin embargo, dichos especialistas sí sugirieron que solicitara una subvención del National Cancer Institute para llevar a cabo un experimento de este tipo en nuestro instituto. Inmediatamente solicité una subvención para realizar estudios sobre la vitamina C en relación con el cáncer en ratones y cobayos. Los consultores del instituto lo consideraron científicamente válido, pero fue rechazado. Las siguientes siete solicitudes que presenté tuvieron el mismo resultado. Finalmente, el National Cancer Institute nos acordó una subvención que nos ayudó a llevar a cabo un cuidadoso estudio de la vitamina C en relación con el cáncer de pecho espontáneo en ratones, en nuestro instituto en Palo Alto, California, de 1981 a 1984. Este estudio es, con mucho, el más cuidadoso y fidedigno llevado a cabo con animales, sobre la vitamina C y el cáncer (Pauling et al., 1985).

Los ratones utilizados en esta investigación, tipo RIII, empiezan a desarrollar tumores mamarios más o menos a las cuarenta semanas de edad. En la formación de los tumores participa un virus, transmitido de madre a hija en la leche materna. El índice de desarrollo del primer tumor, al terminar el intervalo, es constante, o sea, después de esa edad, los ratones sin tumor tienen la misma posibilidad, semanalmente, de desarrollar el primer tumor.

En nuestro estudio tuvimos siete grupos de cincuenta ratones cada uno, ingiriendo alimentos cuidadosamente preparados que contenían porcentajes de ácido ascórbico adicional de 0,076, 1,86, 2,9, 4,2, 8,0, 8,1 o 8,3. La dieta empezaba cuando tenían 9 semanas de edad y continuaba hasta las 114 semanas de edad. Matamos a los ratones con tumores para evitarles sufrimiento. Observamos que el período de intervalo aumentaba constantemente con el mayor consumo de vitamina C, desde las 38 semanas de edad, con 0,076 %, hasta 52 semanas con 8,3 % de vitamina C. Además, el índice de aparición del primer tumor entre cada grupo de ratones disminuyó constantemente en porcentaje, desde 2,7 por semana, con 0,075 % de vitamina C, hasta 0,7 por semana con 8,3 % de vitamina C. La evaluación bioestadística de los resultados muestra que es extremadamente alto el nivel de confianza de la conclusión que mayores cantidades de vitamina C en su alimento conducen a una menor frecuencia de cáncer mamario espontáneo en este tipo de ratones. La posibilidad de que las observaciones sean el resultado de fluctuaciones estadísticas es de sólo uno por millón.

El resultado global es que la edad en que aparece el tumor aumenta mucho con una mayor ingestión de vitamina C. Esta edad, en el caso de la mitad de los ratones que desarrollaron un tumor (la edad mediana), aumenta de las 66 semanas para la cantidad menor de vitamina C hasta las 120 semanas para la cantidad mayor. El desarrollo del cáncer en el ratón tipo RIII se retrasa de la mediana edad hasta una edad muy avanzada.

En un estudio anterior realizado en nuestro instituto llevado a cabo gracias a las contribuciones de mucha gente, no del National Cancer Institute (Pauling, Willoughby et al., 1980), se obtuvieron resultados similares en cuanto al cáncer de la piel en ratones, causado por irradiación con luz ultravioleta de onda larga (parecida a la luz solar). Otros estudios realizados por varios investigadores, generalmente con grupos mucho más pequeños, han dado resultados menos fidedignos.

Hace ya muchos años que se reconoce que en los pacientes con cáncer, el nivel de vitamina C en la sangre disminuye y que los mismos, especialmente los niños, tienen una fuerte tendencia a contraer infecciones. La infección es una de las principales causas de morbilidad y de mortalidad en los niños con cáncer; eso se debe parcialmente al hecho de que la terapia anticáncer daña el mecanismo inmunológico.

El bajo nivel de vitamina C en la sangre debería corregirse, claro está, en el caso de todos los pacientes cancerosos con fuertes dosis de vitamina C. Este elevado consumo actuaría como ayuda en la protección contra las enfermedades infecciosas y aportaría un complemento valioso a la terapia convencional en el tratamiento de las enfermedades infecciosas, así como del cáncer mismo. Parece que muchos médicos nunca aprendieron estos hechos sobre la vitamina C, la infección y el cáncer, o que los olvidaron. Como ejemplo, tenemos un reciente artículo sobre las infecciones en los niños cancerosos (Hughes, W. T., 1984, «Infections in Children with Cancer: Part I: Most Common Causes and How to Treat Them» [«Las infecciones en los niños cancerosos: Primera parte: Causas más comunes y cómo tratarlas»]: *Primary Care & Cancer*, octubre, pp. 66-72). Dicho artículo menciona once factores en un niño con un tumor maligno que indican una propensión acrecentada a contraer enfermedades infecciosas. Uno de esos factores es la malnutrición. Examina, sin profundizar, el efecto que sobre los mecanismos de defensa naturales del cuerpo tienen la terapia anticancerosa y el tipo y la amplitud de la malignidad. Sin embargo, no menciona ni la vitamina C ni otros nutrientes en cuanto al refuerzo de los mecanismos de defensa, y prácticamente no trata de la nutrición ni hace recomendaciones al respecto. En el artículo no se señala el hecho de que en los pacientes cancerosos se produce una disminución del nivel de ascorbato en la sangre, lo que debe corregirse.

El ascorbato en el cuerpo humano tiene poderes bastante amplios para destruir sustancias tóxicas. Colabora con las enzimas del hígado para reaccionar con estas sustancias, a menudo hidroxilándolas, convirtiéndolas en otras sustancias que no son tóxicas, para que luego sean eliminadas con la orina. Aún no sabemos hasta qué punto el consumo óptimo de vitamina C puede proporcionar protección contra las sustancias carcinógenas presentes en los alimentos, las bebidas y el ambiente y que entran en nuestro cuerpo, pero algunos ejemplos muestran que este efecto puede ser muy amplio.

Los nitritos y los nitratos en alimentos como el tocino y otras carnes en conserva reaccionan en el estómago con complejos amino en el contenido mismo del estómago, para formar nitrosaminas, que son carcinógenas y causan cáncer de estómago. Un elevado consumo de vitamina C destruye los nitritos y los nitratos y evita el cáncer de estómago. Se está llevando a cabo un gran esfuerzo por eliminar los nitritos y nitratos de los alimentos, como una forma de controlar el cáncer. Un mayor consumo de vitamina C también puede ayudar a alcanzar este objetivo.

También se ha señalado que los cánceres que aparecen en las vejigas de los fumadores de cigarros puros y de otros consumidores de tabaco muestran una regresión si el paciente ingiere una cantidad suficiente de ácido ascórbico, 1 g por día o más. Shlegel, Pipkin, Nishimura y Schultz (1980) observaron que el nivel de ácido ascórbico en la orina equivalía, en los fumadores, a la mitad del nivel de los no fumadores, y que es bajo en pacientes con tumores en la vejiga. También observaron que, al implantar en la vejiga de ratones una pequeña píldora que contiene ácido 3-hidroxiantranílico (un derivado del aminoácido triptofano), los tumores de la vejiga se desarrollaban si los ratones ingerían una dieta normal, pero no si se les administraba ácido ascórbico adicional en el agua de beber. Los autores sugieren que el ácido ascórbico evita la oxidación del ácido 3-hidroxiantranílico en un producto de oxidación carcinógena. Dicen que «parece justificado tener en cuenta los efectos benéficos de un nivel adecuado de ácido ascórbico en la orina (correspondiente a un consumo de 1,5 g por día), como posible medida de prevención en cuanto a la formación y recidiva de los tumores de la vejiga». También se refieren a las investigaciones que indican que el ácido ascórbico pueden tener un efecto benéfico sobre el proceso de envejecimiento de la aterosclerosis, el endurecimiento y ensanchamiento de las paredes de las arterias (Williams y Fishman, 1955; Sokoloff y otros, 1966).

En 1977, el doctor Robert Bruce, director de la sucursal del Ludwig Cancer Research Institute («Instituto Ludwig de investigación sobre el cáncer»), señaló que en el contenido de los intestinos de los seres humanos existen sustancias mutágenas y probablemente carcinógenas. Posteriormente, él y sus colaboradores informaron que unas dosis adecuadas de vitamina C reducen fuertemente la cantidad de estas sustancias (Bruce, 1979). Así, y también al disminuir el tiempo de permanencia de las materias de desecho en el cuerpo, como se vio en el capítulo 10, un consumo adecuado de vitamina C ayuda a proteger el intestino inferior contra el cáncer.

La poliposis del colon es una enfermedad genética caracterizada por la formación de numerosos pólipos en el colon y el recto. Estos pólipos son tumores benignos, pero hace tiempo que ya se reconoce su presencia como una condición premaligna. Según William (1973): «Las víctimas de la enfermedad de Gardner mueren casi siempre de carcinoma de colon o del recto a temprana edad.» Sin embargo, ya hay una esperanza para ellos. El resultado de unos estudios llevados a cabo por DeCosse et al. (1975), Lai et al. (1977) y Watne et al. (1977) fue que con una ingestión habitual de 3 g de vitamina C por día, los pólipos desaparecieron en la mitad de los casos. Existe una posibilidad real de que, con un mayor consumo, de 10 a 20 g diarios se podría controlar la enfermedad en los otros.

Antes de que nos conociéramos y empezáramos a colaborar, Ewan Cameron había llevado a cabo intervenciones quirúrgicas en cientos de pacientes cancerosos, en Escocia. Como muchos otros, pensaba que para esta enfermedad, que causa tantos sufrimientos, era necesario un nuevo enfoque. Se documentó copiosamente sobre el cáncer y formuló una nueva teoría sobre sus causas, teoría que publicó en su libro *Hyaluronidase and Cancer* («La hialuronidasa y el cáncer»), en 1966. En dicho libro sugirió que se podría lograr un control considerable del cáncer reforzando los mecanismos naturales de defensa del cuerpo humano. En particular mencionó que, como se sabe, los tumores malignos producen una enzima, la hialuronidasa, que ataca los cementos intercelulares de los tejidos circundantes, debilitando tanto dicho cemento que facilita la invasión de los tejidos por el neoplasma. Sugirió que se podría encontrar un medio para reforzar el cemento intercelular, y así reforzar también los mecanismos naturales de defensa del cuerpo, hasta el punto de poder resistir el ataque de las células malignas. Durante varios años intentó administrar varias hormonas y otras sustancias a sus pacientes con cáncer avanzado, con la esperanza de lograr este fin, pero no pudo encontrar ninguna sustancia, o mezcla de sustancias, eficaz.

Leí su libro y me impresionó mucho su razonamiento. Yo había estado trabajando con la vitamina C en relación con el resfriado común y otras enfermedades, y, en 1971, se me ocurrió que la propiedad de la vitamina C de acelerar la síntesis de colágeno permitiría que, ingerido en grandes dosis, esta vitamina reforzara el cemento intercelular, por medio de una mayor síntesis de fibrillas de colágeno, que constituyen una parte importante de este cemento intercelular. Mencioné esta idea en un discurso pronunciado en la inauguración del Ben May Laboratory for Cancer Research de la Facultad de Medicina Pritzker de la Universidad de Chicago. Para entonces, Cameron, por su lado, había llegado a la conclusión experimental de que el ascorbato podría intervenir en la síntesis del inhibidor natural de la hialuronidasa y ya había empezado a recetar cuidadosamente el ascorbato a sus pacientes cancerosos moribundos. En noviembre de 1971 leyó una reseña sobre mi discurso, en el *New York Times*. Inmediatamente empezamos a mantener correspondencia, y éste fue el inicio de nuestra larga y productiva asociación.

Mientras que había quedado desilusionado por sus experimentos con varias hormonas, Cameron inmediatamente pensó que el tratamiento con vitamina C era de gran beneficio para sus pacientes, y durante los siguientes diez años administró grandes dosis de la misma a cientos de pacientes con cáncer avanzado, casi todos los cuales habían sido tratados con métodos convencionales sin mayores beneficios. Él y sus colegas publicaron varios trabajos sobre sus observaciones. En uno mencionaron que la vitamina C parece controlar el dolor con bastante eficacia, de manera que aquellos pacientes que recibían morfina o diamorfina podían dejar de usar dicho narcótico (Cameron y Baird, 1973). También publicó un informe detallado sobre los primeros cincuenta pacientes con cáncer avanzado a quienes trató con vitamina C (Cameron y Campbell, 1974), y otro sobre un paciente que parecía haberse recuperado totalmente del cáncer con un tratamiento de vitamina C, pero, una vez cortado el consumo de vitamina, el cáncer volvió a aparecer; reemprendió el tratamiento con vitamina C y de nuevo se recuperó por completo. Dicho paciente sigue ingiriendo 12,5 g diarios de vitamina C y, después de doce años, parece estar en excelente estado de salud (Cameron, Campbell y Jack, 1975).

La primera observación que hizo Cameron fue que la mayoría de los pacientes tratados con ascorbato entraban en un período de mayor bienestar y una mejoría clínica general. Los beneficios de que gozaron la mayoría de dichos pacientes incluían, además de mayor bienestar, alivio del dolor, disminución de la ascitis (células que los tumores sueltan, iniciadoras de potenciales nuevos tumores y, por tanto, agentes de metástasis) y del exudado pleural maligno, alivio de la hematuria, una ligera reversión de la hepatomegalia y de la icteria malignas, así como una disminución de la velocidad de sedimentación de las células rojas y del nivel del suero seromucoidal, todos indicadores aceptados de una disminución en la actividad maligna. Por lo que es posible concluir que tanto el aumento del bienestar como el aparente incremento en el tiempo de supervivencia eran el resultado de un ataque significativo del ascorbato contra la malignidad misma, ya sea directamente, ya sea por medio de los mecanismos naturales de protección del cuerpo.

Ya en 1973 nos pareció a Cameron y a mí que se debería llevar a cabo un experimento controlado, en el cual la mitad de los pacientes, seleccionados a cara o cruz, o por un proceso más sofisticado de selección al azar, ingirieran 10 g de vitamina C por día y los otros un placebo.

Sin embargo, Cameron ya estaba tan convencido de la eficacia de la vitamina C para sus pacientes con cáncer avanzado que era renuente, por razones éticas, a negársela a los enfermos a quienes se la podía administrar; por tanto, no podía llevar a cabo dicho experimento con sus pacientes. Fui, pues, al National Cancer Institute para sugerir que se llevara a cabo dicho experimento, según mencioné anteriormente en este capítulo.

Aunque no pudimos llevar a cabo un experimento clínico «doblemente ciego», al azar, pudimos realizar un experimento controlado.

El hospital Vale of Leven es grande, con 440 camas, y cada año ingresan en él unos 500 nuevos pacientes con cáncer. Aunque Cameron era el cirujano asesor de mayor jerarquía, encargado de la administración de las 100 camas de cirugía, medicalmente sólo tenía la responsabilidad directa de unos cuantos de los pacientes. Al principio, ninguno de los otros médicos o cirujanos administró grandes dosis de vitamina C a sus pacientes, y aun años más tarde muchos de los pacientes de cáncer del hospital Vale of Leven no han recibido dicho tratamiento. Por tanto, ha habido otros pacientes con cáncer, bastante similares a los tratados con ascorbato, que reciben el mismo tratamiento, salvo por el ascorbato, por parte de la plantilla médica y quirúrgica, en el mismo hospital. Estos pacientes podían servir como controles.

En 1976 informamos sobre los tiempos de supervivencia de cien pacientes con cáncer terminal a quienes se les administró ascorbato suplementario, y los de un grupo de control de mil pacientes, cuyo estado inicial era parecido, tratados por el mismo personal clínico, en el mismo hospital, con un mismo tratamiento, salvo por el ascorbato suplementario. Los mil del control, por tanto, significaban diez pacientes de control para cada paciente tratado con ascorbato, equiparados en cuanto a edad, sexo, tipo de tumor primario y estado clínico de caso terminal. Empleamos a un médico de fuera del hospital que ignoraba el tiempo de supervivencia de los pacientes tratados con ascorbato, para examinar los expedientes de cada uno de los pacientes de control e inscribir en cada caso el tiempo de supervivencia, o sea el tiempo, en días, entre el momento en que abandonó todo tratamiento y la fecha de la muerte.

Los resultados fueron sorprendentes, aun para nosotros (véase la ilustración de esta página) (Cameron y Pauling, 1978). El 10 de agosto de 1976 cada uno de los mil pacientes de control habían muerto, mientras que dieciocho de los cien pacientes tratados con ascorbato aún vivían. En esa fecha, el tiempo medio de supervivencia, después del momento en que fueron declarados casos terminales, era 4,2 veces mayor en el caso de los pacientes tratados con ascorbato que en el de los de control equiparados. Los cien pacientes tratados con ascorbato han vivido una media de trescientos días más que los de control equiparados, y, además, nuestra impresión clínica es que han vivido más felices durante este período terminal. Es más, algunos aún viven, aun ingiriendo sus dosis diarias de ascorbato de sodio, y a algunos se les puede considerar «curados» de su enfermedad maligna, ya que no presentan manifestaciones abiertas de cáncer y llevan vidas normales.

Consideramos que éste era un logro extraordinario, ya que la mortalidad del cáncer podía reducirse en un 5 % y que las vidas de

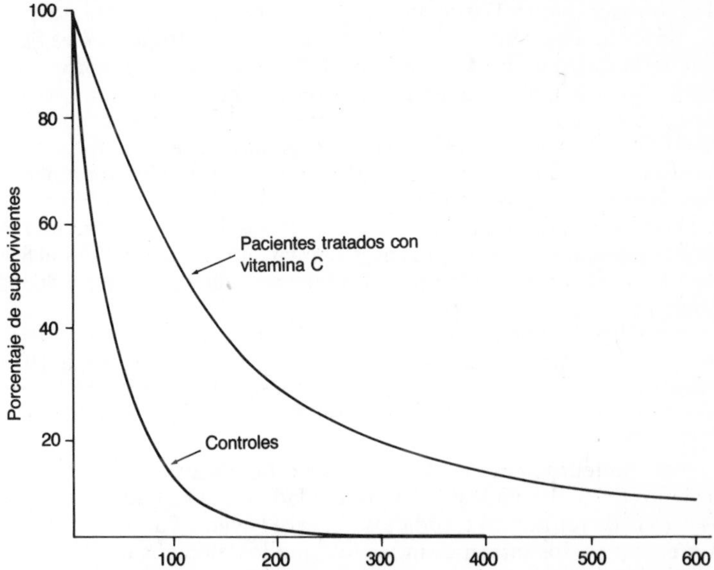

Estudio de Vale of Leven. *Una vez declarados «no tratables», o casos terminales, cien pacientes del doctor Ewan Cameron, del hospital Vale of Leven, en Escocia, comenzaron a ser tratados con vitamina C, normalmente con 10 g diarios. Su tiempo de superviviencia se compara en este gráfico con el del grupo de mil pacientes de control, equiparables con los del grupo experimental en cuanto a edad, sexo y localización del cáncer. Cada vez que se completaban las curvas comparativas, se notaba que los pacientes tratados con vitamina C sobrevivían en proporción muy superior a los de control, ya que éstos no vivían más allá de los quinientos días.*

veinte mil pacientes de cáncer en Norteamérica podrían salvarse cada año.

Dada la importancia del problema del cáncer, examinamos por segunda vez, en 1978, los expedientes de los pacientes del hospital Vale of Leven, nuevamente con cien pacientes tratados con ascorbato y mil de control, equiparados (Cameron y Pauling, 1978). Diez de los cien pacientes originales tratados con ascorbato fueron reemplazados por tener formas raras de cáncer que hacía difícil encontrar sujetos de control equiparables, y los mil de control fueron seleccionados independientemente, sin importar si habían sido seleccionados anteriormente o no (más o menos la mitad estuvieron en el primer experimento).

Algunos de los resultados de este estudio figuran en la página siguiente. Los cien pacientes tratados con ascorbato y los de control equiparados (mismo tipo de tumor primario, mismo sexo y misma edad, con un margen de cinco años) fueron divididos en nueve grupos, según el tipo de tumor primario; por ejemplo, 17 pacientes tratados con ascorbato y 170 de control con cáncer del colon. (El noveno grupo incluía pacientes con tipos de cáncer distintos a los que figuran en la ilustración.) Los tiempos de supervivencia se midieron a partir del momento en que se determinó que el paciente era «no tratable»; o sea, cuando las terapias convencionales ya no eran consideradas eficaces –en esta fecha, o unos días más tarde, se empezaba el tratamiento con ascorbato–. En 1978, los tiempos medios de supervivencia para los nueve grupos fueron de 114 a 435 días más largos en los grupos tratados con vitamina C que en los de control, una media de 255 días para todos los grupos, y seguían aumentando, pues el 8 % de los pacientes con vitamina C seguían con vida y ya ninguno de los controles vivía.

En el hospital Fukuoka Torikai, en Tokio, se llevó a cabo un estudio similar durante cinco años, a partir del primero de enero de 1973 (Morishige y Murata, 1979), cuyos resultados (presentados en el gráfico de la página 172) fueron similares a los obtenidos en el hospital Vale of Leven.

Más recientemente se han llevado a cabo dos experimentos controlados en la clínica Mayo. La publicidad que se ha dado a este trabajo es la de refutar los estudios de Vale of Leven y Fukuoka Torikai. Sin embargo, los informes muestran que los médicos de la clínica

Tiempo de supervivencia del Vale of Leven. *En los casos de cáncer, en ocho localizaciones primarias distintas, del estudio de Vale of Leven (resumido en la ilustración de la página 169), se comparan los tiempos de supervivencia de los pacientes tratados con vitamina C con los de los de control. El tiempo de supervivencia se mide desde el día en que se juzga que el paciente no es «tratable». En las estadísticas convencionales del cáncer, una supervivencia de cinco años es considerada como «cura» (1 826 días).*

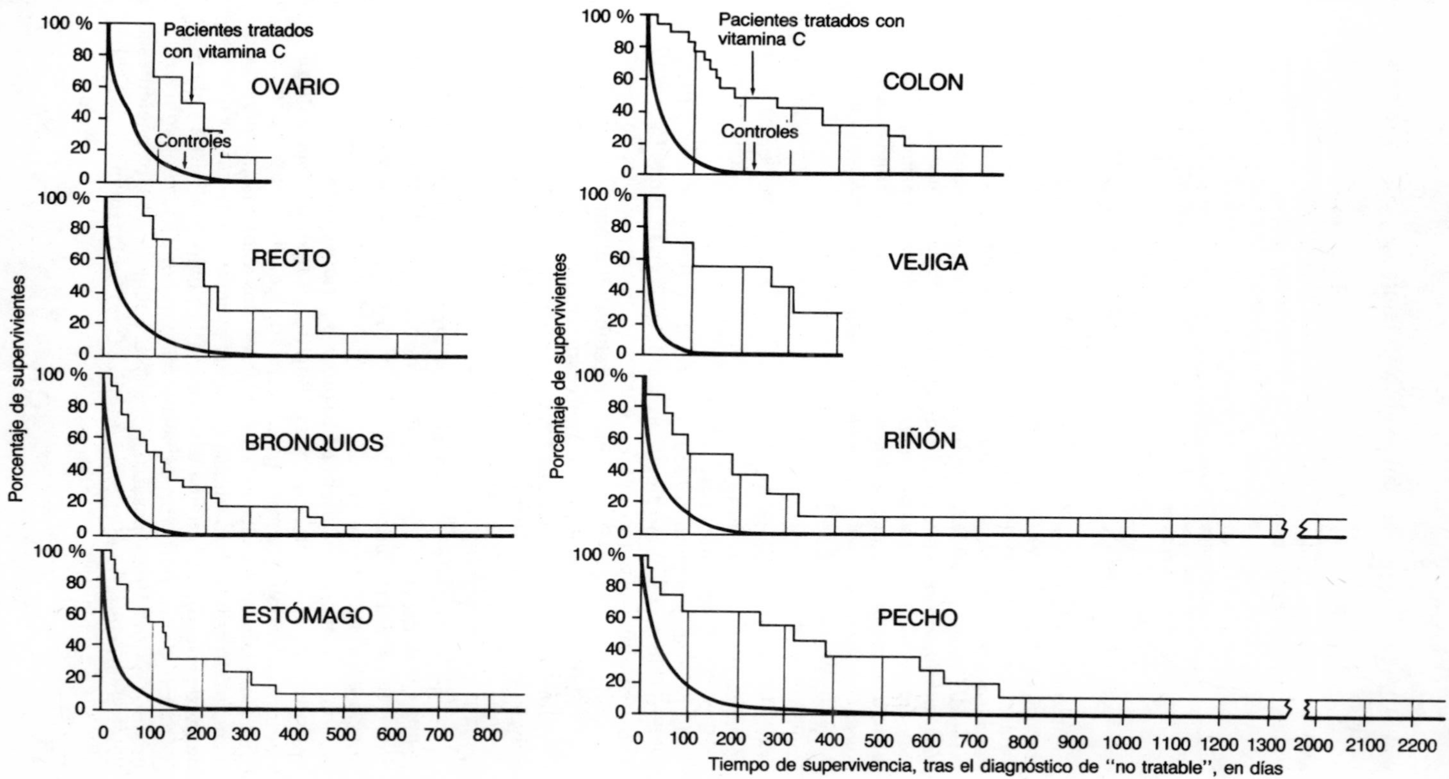

Pacientes tratados con vitamina C
Controles
OVARIO
RECTO
BRONQUIOS
ESTÓMAGO
Pacientes tratados con vitamina C
Controles
COLON
VEJIGA
RIÑÓN
PECHO
Porcentaje de supervivientes
100 %
80
60
40
20
0
0 100 200 300 400 500 600 700 800
0 100 200 300 400 500 600 700 800 900 1000 1100 1200 1300 2000 2100 2200
Tiempo de supervivencia, tras el diagnóstico de "no tratable", en días

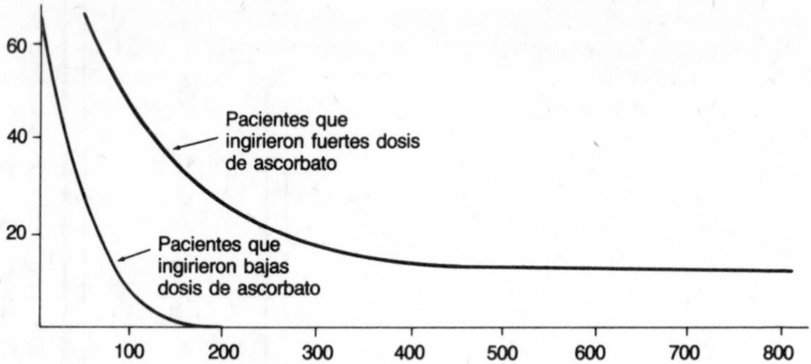

Estudio del hospital Fukuoka Torikai. *A sujetos de experimento y de control, equiparados, se les administraron fuertes dosis de vitamina C (5 g o más por día, con un promedio de 29 g por día) y pequeñas cantidades (4 g por día o menos), respectivamente, una vez que fueron juzgados «no tratables». Al llegar a los 200 días, todos los pacientes del grupo de control habían muerto, mientras que un 25 % del grupo con elevado consumo aún vivían. Los seis que aún estaban vivos el 10 de agosto de 1978, indicado por la larga extensión más allá de 400 días, habían sobrevivido una media de 866 días, después de haber sido declarados no tratables. (Adaptado de Morishige y Murata, 1979.)*

Mayo no siguieron el protocolo de dichos estudios. Por tanto, esos trabajos tienen poca relevancia en cuanto a la eficacia de la vitamina C para los pacientes con cáncer.

El primer experimento de la clínica Mayo (Creagen et al., 1979) mostró sólo un pequeño efecto protector de la vitamina C. Cameron y yo atribuimos este resultado al hecho de que la mayoría de los pacientes de la clínica Mayo ya habían recibido fármacos citotóxicos, que dañan el sistema inmunológico e interfieren con la acción de la vitamina C, y al hecho de que los de control ingerían vitamina C en mayores dosis que los de Escocia y Japón. Sólo al 4 % de los pacientes de Vale of Leven se les había suministrado quimioterapia anteriormente.

En nuestros estudios, los pacientes tratados con vitamina C tomaron grandes dosis de vitamina, sin parar, durante el resto de sus vidas, o hasta ahora, algunos incluso durante catorce años. En el segundo experimento de la clínica Mayo (Moertel et al., 1985), los pacientes tratados con vitamina C sólo la ingirieron durante un corto período (una media de 2,5 meses). Ninguno de estos pacientes murió mientras ingería la vitamina (una cantidad algo inferior a los 10 g por día). Sin embargo, se les estudió durante dos años más, y mientras transcurrió este tiempo su tasa de supervivencia no fue mejor que la de los de control, fue incluso algo peor. El trabajo de Moertel y el comentario de un portavoz del National Cancer Institute, sobre el mismo (Wittes, 1985), pasaron por alto el hecho de que los pacientes que habían sido tratados con vitamina C no ingerían vitamina C al morir y no la habían ingerido durante mucho tiempo (una media de 10,5 meses). Vigorosamente anunciaron que este estudio mostraba final y en definitiva que la vitamina C no era eficaz contra el cáncer avanzado, y recomendaron que no se llevaran ya a cabo estudios sobre la vitamina C.

Sus resultados no ofrecen ninguna base para esta conclusión, ya que sus pacientes murieron sólo después de habérseles privado de la vitamina C. Si algo probó este estudio, fue que los pacientes con cáncer no deberían dejar de ingerir sus fuertes dosis de vitamina C. Sin embargo, el estudio fue anunciado como una publicación que desacreditaba los trabajos de Cameron-Pauling.

Cuando se publicó esta comunicación de la clínica Mayo, el 17 de enero de 1985, Cameron y yo nos enfadamos, porque Moertel y sus asociados en la clínica Mayo, el portavoz del National Cancer Institute y el editor del *New England Journal of Medicine* habían impedido que obtuviéramos información sobre sus resultados hasta pocas horas antes de su publicación. Seis semanas antes, Moertel se había negado a decirme cualquier cosa sobre los experimentos, salvo que su comunicación iba a publicarse. En una carta que me envió me prometió hacerme llegar una copia del documento unos días antes de su publicación, pero no cumplió su promesa.

La tergiversación de Moertel y sus asociados y del portavoz del National Cancer Institute ha sido muy perjudicial. Algunos pacientes cancerosos nos han informado de que habían dejado de ingerir vitamina C debido a los «resultados negativos» anunciados por la clínica Mayo.

No sucede a menudo que se denuncien comportamientos poco éticos de los científicos. En los últimos años se han denunciado casos de fraude perpetrados por jóvenes médicos en sus investigaciones. La tergiversación de los resultados de los estudios clínicos, como en el caso del segundo estudio de la clínica Mayo, es particularmente condenable, ya que por sus efectos incrementa los sufrimientos humanos.

La comunicación de la clínica Mayo provocó reacciones firmes del público hacia Cameron y hacia mí. Las dos primeras cartas me llegaron cinco días después de la publicación de la comunicación. Cito los siguientes pasajes, con permiso de sus autores.

La primera carta fue escrita a Moertel, el investigador principal de la clínica Mayo, por un hombre de Utah, quien me envió una copia. Fue escrita al día siguiente de la publicación; a continuación reproduzco la carta entera:

Estimado doctor Moertel:

En marzo de 1983 me extirparon el pulmón derecho debido al cáncer. Los rayos X no mostraron proliferación, y no se me prescribió ningún tratamiento de seguimiento.

El 8 de mayo de 1984, una tomografía axial computarizada reveló unas metástasis en el cerebro, dos pequeños tumores en el cerebro frontal, derecha e izquierda, 3 cm. También un gran tumor atrás, 6 cm.

La prognosis era terminal, con más o menos un año de vida. El tratamiento consistía en radiación en el hospital LDS en Salt Lake City, para disminuir y controlar los tumores durante cierto tiempo, pero no para erradicarlos.

Inmediatamente empecé un programa nutricional que incluía la vitamina C. Alcancé mi tolerancia intestinal de 36 g por día.

El 19 de julio se me practicó otra tomografía en el hospital LDS y los tumores habían desaparecido por completo. Sigo ingiriendo 36 g por día y pienso hacerlo indefinidamente, y siento que la vitamina C ha sido una parte importante en mi cura milagrosa.

En el libro Cancer and Vitamin C *de Ewan Cameron y Linus Pauling* no *se sugiere el uso de la sola vitamina C para curar el cáncer, sino sólo para complementar los tratamientos convencionales.*

Mi expediente está disponible para su verificación. Me doy cuenta que no le agradan los historiales médicos, pero las radiografías y los informes de los médicos, más los resultados reales, constituyen una buena prueba.

No sé cuánta vitamina C administró en sus experimentos ciegos, pero las necesidades de cada cual son distintas. Por tanto, cualquier cantidad por debajo de la tolerancia intestinal, lo que no se puede hacer en un estudio ciego como el suyo, es inútil.

Espero que, si está usted verdaderamente interesado en el paciente con cáncer, reconsiderará su posición.

La segunda carta me fue enviada por un señor de ochenta y un años, de San Francisco.

He aquí algunos pasajes de la misma:

Esta carta es esencialmente acerca del uso de sus teorías básicas sobre el cáncer y la vitamina C. Como escribí antes, se me practicó una intervención quirúrgica para cáncer colorrectal el 4 de setiembre de 1980. Había diseminado metástasis hasta el hígado, donde se halló un tumor de unos 35 mm de diámetro. Bajo estas circunstancias no se podía operar. Empecé a leer sobre el tema y a recibir inyecciones de 5-FU al mismo tiempo. Sabía que había usted escrito sobre la vitamina C y el resfriado común, pero no conocía sus trabajos con el doctor Cameron sobre el cáncer, en Escocia.

En las publicaciones médicas descubrí rápidamente que un cáncer con metástasis en el hígado equivalía a una sentencia de muerte, ya que las tasas de supervivencia oscilaban entre unas semanas y 18 meses. En la mayoría de los estudios, las metástasis no tratadas tenían un período de supervivencia medio de 6,1 meses. También me convencí rápidamente que la primidina fluorinada 5-FU no era más que un placebo. Decidí dejar de ingerirla. El oncólogo al que consultaba no se opuso y ordenó una tomografía del hígado. Ésta mostró que el tumor había crecido de 35 mm a 52 mm de diámetro mientras se me administraban las inyecciones.

Por naturaleza soy un hombre optimista, y desde los quince años he sabido que la vida me causaría la muerte. Juntando todo lo que había leído y utilizando el razonamiento de usted como guía, elaboré un régimen basado en vitamina C, vitamina E y otros suplementos dietéticos.

La segunda tomografía del hígado, tras haber ingerido 10-12 g de vitamina C diariamente durante tres meses, mostró que no había cambios en el tamaño o la textura de la lesión hepática. Seguía allí, pero no había crecido. Seguí con mi tratamiento y busqué un médico que me pudiera ayudar. Me enfrenté a un océano de ignorancia por parte de la comunidad médica en cuanto al inmensamente complejo proceso por el cual el cuerpo humano absorbe y utiliza las materias que le permiten existir. Y encontré una profunda indiferencia hacia lo que hacía yo. Conozco personalmente a doce doctores, la mayoría de los cuales considero como mis amigos. Cinco de ellos me dicen que tuvieron un curso sobre nutrición durante un solo semestre en la facultad de medicina. Los otros siete no asistieron a ninguno. Ni uno de ellos se interesó por lo que yo hacía.

Seguí con las tomografías del hígado, una cada tres meses. La lesión permaneció igual hasta la tomografía por ultrasonido del 15 de octubre de 1984. Me sorprendió oír que esta tomografía mostraba una disminución del 32% en el contenido cúbico del tumor. Debido a la naturaleza de la observación, se practicó la serie dos veces. Una por parte del técnico y la otra por parte del médico encargado del laboratorio, para verificar la exactitud de la observación. También el calcio comenzaba a infiltrar el tumor.

Durante todo este tiempo he estado razonablemente saludable, sin señales de cáncer, trabajando en una u otra cosa y navegando en nuestro barco en la bahía. Cada año me hacen una radiografía pulmonar, porque el camino normal en la disminución es del hígado a los pulmones. Mi pulmón está limpio.

En sus escritos, usted aconseja aumentar el consumo de ácido ascórbico hasta sentirse incómodo, y luego disminuirlo un poco. En su carta, usted propuso que tomara 25 g diarios de vitamina C. Durante más de dos años he estado tomando 36 g diarios; los ingiero en porciones divididas y no encuentro dificultad en ello.

Hace más de un año que pienso escribirle, pero por pura pereza lo he ido posponiendo. Lo que me empujó a hacerlo ahora fue el artículo que leí durante el desayuno, hace dos días, sobre el procedimiento de la clínica Mayo. Pienso que es un asunto mezquino. La clínica Mayo es el último lugar que quisiera ver utilizado para un estudio sobre la vitamina C, bajo cualquier condición. La forma en que llevaron a cabo su primer supuesto estudio los estropeó. Lo que se necesita debería ser obvio hasta para un ciego. O sea, nada menos que una serie de experimentos masivos, con miles de pacientes, con muchos tipos distintos de cáncer, y agrupando éstos en distintas etapas de esta enfermedad degenerativa. El esfuerzo tendría que ser nacional, ya que ninguna clínica, hospital o centro médico universitario puede hacerlo en la necesaria escala.

Estoy seguro de que tiene usted toda la razón al decir que la vita-

mina C, aunque no sea una cura para el cáncer, es un complemento vital y potente en el manejo y control de la enfermedad. Y es un hecho que cualquier forma de quimioterapia perjudica el sistema de inmunidad del cuerpo. En mi caso, seguramente he logrado un fabuloso sistema de inmunidad, si no mi cáncer hace tiempo que hubiera llegado a una de las glándulas linfáticas.

Es obvio que el tumor de mi hígado ya no es invasor. No es obvio que permanezca así. El saber que está allí me obliga a vivir bajo la espada de Damocles. Estoy casi seguro de que moriré de cáncer... si no lo hago antes de vejez. El 16 de enero de 1985 cumplí 81 años.

Estas cartas son representativas de la multitud de correspondencia que Cameron y yo hemos recibido. Se pueden desestimar estas pruebas como anecdóticas, si se comparan con las pruebas estadísticas de los experimentos a gran escala –con consumos inadecuados de vitamina C–. Sin embargo, las anécdotas deberían retar a los investigadores conscientes a realizar experimentos a gran escala con consumos de vitamina C acordes con lo prescrito por Cameron.

En el capítulo 26 hablaremos más sobre la conducta de Moertel y de sus colegas, al ilustrar la diferencia entre los fármacos y las vitaminas.

Basándonos en los resultados de nuestros estudios, Cameron y yo hemos recomendado un fuerte consumo de vitamina C para todo paciente de cáncer, como complemento a la terapia convencional adecuada, y empezando lo más pronto posible en el curso de la enfermedad.

¿A cuánta gente se puede ayudar así? La información cuantitativa de que disponemos se basa principalmente en la observación de pacientes con cáncer avanzado, en Escocia, a quienes se les administraron 10 g de vitamina C diarios. Después de observar a cientos de pacientes, Cameron llegó a la siguiente conclusión sobre los efectos que tenía esta cantidad de vitamina C administrada a los pacientes con cáncer avanzado:

• Categoría I.	Sin reacción en los tumores, pero generalmente con un incremento en el bienestar	± 20%
• Categoría II.	Reacción más bien pequeña	± 25%
• Categoría III.	Disminución del ritmo de crecimiento de los tumores	± 25%
• Categoría IV.	Sin cambio en el tumor (parada)	± 20%
• Categoría V.	Regresión del tumor	± 9%
• Cateogoría VI.	Regresión completa	± 1%

Se obtienen mejores resultados con consumos superiores a los 10 g por día.

En nuestro libro *Cancer and Vitamin C* Cameron y yo expusimos nuestra conclusión de que: «este tratamiento sencillo y carente de peligro, la ingestión de grandes cantidades de vitamina C es sin duda útil para el tratamiento de pacientes con cáncer avanzado. Pese a que las pruebas disponibles no son muy sólidas, creemos que la vitamina C es aún más eficaz en el tratamiento de pacientes de cáncer en las fases precoces de la enfermedad y también en su prevención».

El libro termina con las siguientes frases:

«Con la posible excepción de un período de tratramiento de quimioterapia intensiva, recomendamos fuertemente el uso de ascorbato suplementario en el cuidado de todos los pacientes, tan temprano en su enfermedad como sea posible. Creemos que esta sencilla medida mejoraría los resultados globales del tratamiento contra el cáncer de manera bastante espectacular, no sólo al hacer que los pacientes sean más resistentes a su enfermedad, sino también al protegerlos contra algunas de las graves, y a veces fatales, complicaciones del tratamiento mismo contra el cáncer. Estamos convencidos de que en un futuro no muy lejano el ascorbato suplementario formará regularmente parte de todos los regímenes del tratamiento contra el cáncer.»

Ya hemos tenido la oportunidad de observar pacientes que han ingerido 10 g o más de vitamina C por día durante una quimioterapia intensiva.

Parece claro que la vitamina C es beneficiosa, ya que controla considerablemente los efectos secundarios desagradables de los agentes citotóxicos quimioterapéuticos, como la náusea y la pérdida de cabello, y que su acción positiva parece añadirse al del agente quimioterapéutico. Ahora recomendamos unas fuertes dosis de vitamina C, en algunos casos hasta el nivel de tolerancia intestinal (capítulo 14), empezando lo más pronto posible.

Existen varias ventajas al utilizar la vitamina C, como complemento de la terapia convencional adecuada, en el tratamiento de los pacientes con cáncer. La vitamina C es barata. No tiene efectos secundarios graves; más bien, al contrario, mejora el apetito, controla la sensación de desdicha que atormenta a los pacientes con cáncer, mejora el estado general y proporciona al paciente una mayor capacidad para gozar de la vida. Para todos los pacientes cabe la posibilidad de que, junto con la terapia convencional adecuada y buenas dosis de otros nutrientes, pueda controlarse la enfermedad durante muchos años ingiriendo vitamina C.

20. EL CEREBRO

De todos los órganos del cuerpo humano, el cerebro es el más sensible a su propia composición molecular. Se sabe que el buen funcionamiento del cerebro requiere las concentraciones apropiadas de muchos tipos distintos de moléculas. Se trata del medio ambiente físico molecular de la mente. La fisiología del cerebro tiende siempre a mantener este ambiente constante. En el caso de personas que padecen de escorbuto, la concentración de vitamina C en el cerebro queda alta, aun cuando en la sangre y en otros tejidos esté casi completamente agotada. El cerebro es tan sensible que muere si una persona carece de oxígeno durante unos minutos (como se ve en una curva electroencefálica plana), mientras que los otros órganos sobreviven.

Al considerar la salud del resto del cuerpo hemos visto que la individualidad bioquímica diferencia singularmentre a todas las personas entre sí (capítulo 10). ¿Se podría argumentar que no difieren en cuanto a las cantidades de sustancias esenciales suministradas al cerebro? Debemos, pues, preguntarnos qué papel juega el ambiente molecular de cada mente al establecer la singularidad de la personalidad de cada individuo.

Esta sencilla pregunta nos lleva a la posibilidad de que el cerebro pueda sufrir una avitaminosis cerebral localizada u otra enfermedad carencial cerebral localizada. Cabe la posibilidad de que algunos seres humanos padezcan una especie de escorbuto cerebral sin ninguna de las otras manifestaciones, un tipo de pelagra cerebral o anemia perniciosa cerebral. Zuckerkandl y Pauling (1962) señalaron que cada vitamina, cada aminoácido esencial y todos los otros nutrilitos esenciales representan una enfermedad molecular determinada, que nuestros antepasados aprendieron a controlar, cuando empezaron a contraerla, seleccionando una dieta terapéutica, y que todavía se puede controlar así. Las enfermedades carenciales localizadas, arriba mencionadas, podrían ser enfermedades moleculares compuestas, involucrando no sólo la lesión original, la pérdida de la capacidad para sintetizar la sustancia vital, sino también otra lesión, una que causa una disminución en la velocidad del transporte a través de una membrana, como la barrera sangre-cerebro, al órgano afectado, o un aumento de la velocidad de destrucción de la sustancia vital en ese órgano, u otra reacción perturbadora. Estas deficiencias en el suministro de síntesis de las moléculas cruciales podrían manifestarse en síntomas diagnosticados como psicosis de un tipo u otro, que será tratada con intentos de modificar la conducta o la personalidad del paciente.

En la novena edición de la *Encyclopaedia Britannica* (1881), la demencia se define como una enfermedad crónica del cerebro que produce síntomas crónicos de trastorno mental. El autor del artículo, J. Batty Tuke, M. D., catedrático de esta especialidad en la Facultad de Medicina de Edimburgo, señaló que esta definición «posee la ventaja singular de poner ante el estudiante el hecho primordial de que la demencia es el resultado de una enfermedad del cerebro, que no es un simple trastorno inmaterial del intelecto. En las primeras épocas de la medicina, el carácter corpóreo de la demencia era generalmente reconocido, y no fue sino hasta que la ignorancia supersticiosa del medievo hubiera borrado las deducciones científicas –aunque no siempre correctas– de los primeros escritores, que se elaboró cualquier teoría sobre su carácter puramente psíquico. Actualmente no es necesario combatir tal teoría, ya que se reconoce universalmente que el cerebro es el órgano a través del cual se manifiestan los fenómenos mentales, y, por tanto, es imposible concebir la existencia de una psique demente en un cerebro sano».

Ya para 1929, cuando se publicó la decimocuarta edición de la *Encyclopaedia Britannica*, la situación había cambiado en gran parte debido al desarrollo del psicoanálisis de Sigmund Freud. La definición anterior de la demencia fue suprimida y la sustituyeron dos puntos de vista: el de la escuela materialista, según el cual intervienen unos cambios estructurales en el cerebro, y el de la escuela psicogénica, según el cual la demencia es consecuencia de anormalidades del ego y que los cambios estructurales observados en el cerebro, en ciertas formas de demencia, se deben a una mentalidad pervertida.

Aun ahora, medio siglo más tarde, cuando tenemos amplios conocimientos sobre la acción de los fármacos psicotrópicos sobre los tumores cerebrales, las lesiones cerebrales, los virus lentos, la carencia de proteínas y otros factores que afectan la función del cerebro, existe quien practica el psicoanálisis pasando por alto el cerebro e intentando tratar sólo el ego.

Cuando se introdujo el empleo de la vitamina B_3 (bebiendo leche, a partir de 1920, o comiendo pan hecho con harina enriquecida con esta vitamina, a partir de 1940), ésta curó de supsicosis a miles de pacientes aquejados de pelagra, así como de las manifestaciones físicas de su enfermedad. Para ello sólo se requieren pequeñas dosis; la RDA del National Research Council (Consejo Nacional para la Investigación) es de 17 mg por día (para un hombre que pese 70 kg.). En 1939, Cleckley, Sydenstricker y Geeslin comunicaron los logros del tratamiento de diecinueve pacientes, y en 1941, Sydenstricker y Cleckley señalaron, asimismo, el éxito del tratamiento de veintinueve pacientes, afectados de graves síntomas psiquiátricos, con el uso de dosis relativamente fuertes de ácido nicotínico (0,3 a 1,5 g por día). Ninguno de estos pacientes presentaba los síntomas físicos de la pelagra ni de ninguna otra avitaminosis. Más recientemente, muchos otros investigadores han informado sobre la administración de ácido nicotínico o nicotinamida en el tratamiento de las enfermedades mentales. Destacan entre ellos los doctores Abram Hoffer y Humphry Osmond, quienes, desde 1952, han abogado por el empleo de fuertes dosis de ácido nicotínico, además de la terapia convencional, lo que ellos mismos ponían en práctica para el tratamiento de la esquizofrenia. Sus trabajos provocaron mi interés por las vitaminas. Más adelante, en este capítulo, volveremos más extensamente sobre ellos.

Una carencia de vitamina B_{12}, la cobalamina, sea cual fuere su causa (anemia perniciosa, una carencia genética, en los jugos gástricos, del factor necesario para transportar la vitamina a la sangre; o la infestación por el *Diphyllobothrium*, un gusano cestodo del pez, cuya vital necesidad de dicha vitamina se satisface a costa del anfitrión; o un exceso de flora bacterial con un alto requerimiento de dicha vitamina), conduce a la enfermedad mental, a menudo más pronunciada que las consecuencias físicas. La enfermedad mental asociada a la anemia perniciosa aparece a menudo años antes del desarrollo de la anemia. Todas estas manifestaciones de una grave carencia de vitamina B_{12} se controlan, claro está, con la administración de las cantidades adecuadas de la vitamina.

También existen indicios epidemiológicos de que hasta una carencia moderada de vitamina B_{12} puede conducir a una enfermedad mental. Edwin, Holten, Norum, Schrumpf y Skaug (1965) calcularon la cantidad de vitamina B_{12} en el suero de todos los pacientes de más de treinta años de edad, admitidos en un hospital psiquiátrico de Noruega, en el curso de un año. De los 396 pacientes, el 5,8 % (23) presentaba una concentración patológicamente baja, o sea menos de 101 picogramos por ml, y para el 9,6 % (38), la concentración estaba por debajo de lo normal (101 a 150 picogramos por ml). La concentración normal está entre los 150 y los 1300 picogramos por ml. La frecuencia de estos niveles patológicamente bajos y subnormales de vitamina B_{12} en el suero de dichos pacientes, o sea del 15,4 %, es más o menos treinta veces mayor que la que se presenta en la población en general, o sea más o menos el 0,5 % (cálculo de la frecuencia de anemia perniciosa señalada en el área, o sea el 9,3 por 100 000 personas por año). Otros investigadores también han informado sobre una mayor frecuencia de bajas concentraciones de vitamina B_{12} en el suero de los pacientes mentales que en la población en su conjunto y han sugerido que la carencia de vitamina B_{12}, sea cual fuera su causa, puede conducir a la enfermedad mental.

Estas observaciones indican que un mayor consumo de vitamina B_{12}, así como el de otras vitaminas, debería formar parte del tratamiento de toda persona mentalmente enferma. La vitamina puede administrarse por vía oral, salvo en los casos de anemia perniciosa, para los cuales son necesarias las inyecciones.

Kubala y Katz (1960) han publicado el resultado de una interesante investigación sobre la relación entre la inteligencia, según se indica en los resultados de las pruebas estándares sobre habilidad mental, y la concentración de ácido ascórbico en el plasma sanguíneo. Los sujetos eran 351 escolares y estudiantes en cuatro centros de enseñanza (desde jardín de infancia a universidad) de tres ciudades. Inicialmente se los dividió entre el grupo de mayor concentración de ácido ascórbico (con más de 1,10 mg de ácido ascórbico por 100 ml de plasma sanguíneo) y los del grupo de menor concentración (menos de 1,10 mg por ml), basándose en el análisis de muestras sanguíneas. Equiparándolos por pares, sobre una base socioeconómica (ingresos familiares, nivel de educación de padre y madre), se seleccionaron setenta y dos sujetos en cada grupo. En las pruebas se observó que el cociente intelectual (CI) medio del grupo con mayor concentración de ácido ascórbico era más elevado que el del grupo con menor concentración en cada uno de los cuatro centros para los setenta y dos pares de sujetos, el CI medio fue de 113,22 y 108,71 respectivamente, con una diferencia media de 4,51. La probabilidad de que una diferencia de esta magnitud se pudiera observar en una prueba similar, practicada en una población uniforme, no alcanza el 5 %; por tanto, la diferencia observada en el CI medio es estadísticamente significativa.

A los sujetos de ambos grupos se les administró entonces zumo de naranja suplementario, durante seis meses, y se repitieron las pruebas. El CI medio en el caso del grupo que inicialmente tenía la más alta concentración de ácido ascórbico aumentó muy poco (0,02 %), mientras que en el caso del grupo con menor concentración el aumento fue de 3,54 unidades de CI. Esta diferencia en el aumento es también estadísticamente significativa, con una probabilidad que sólo representa una fluctuación menor del 5 % en una población uniforme.

Se prosiguió con el estudio durante un segundo año escolar, con treinta y dos pares (sesenta y cuatro sujetos) y con resultados similares. La relación entre el CI medio y la concentración media de ácido ascórbico en el plasma sanguíneo, de estos sesenta y cuatro sujetos, sometidos a las pruebas cuatro veces durante un período de meses, se ve en la ilustración de la página siguiente. Los resultados indican que el CI aumenta en 3,6 unidades cuando la concentración de ácido ascórbico en el plasma sanguíneo aumenta en un 50 % (de 1,03 a 1,55 mg por 100 ml). Para muchos adultos este aumento provendría de un incremento de 50 mg por día de ácido ascórbico ingerido (de 100 a 150 mg/día). Kubala y Katz concluyen que parte de las diferencias en el resultado de las pruebas de inteligencia es determinado por «el estado nutricional temporal de la persona, al menos en cuanto a los cítricos y otros productos que proporcionan ácido ascórbico.» Sugieren que con un menor consumo de ácido ascórbico disminuyen la capacidad de atención y la viveza.

La ilustración no indica que se ha alcanzado la capacidad mental máxima con una concentración de 1,55 mg de ácido ascórbico por 100 ml de plasma sanguíneo. Esta concentración corresponde, para un adulto de unos 70 kg, a una ingestión diaria de unos 180 mg de ácido ascórbico. Concluyo que para que la mente funcione al máximo, la ingestión diaria de ácido ascórbico debería ser, cuando menos, tres veces mayor que los 60 mg recomendados por el U. S. Food and Nutrition Board, y, cuando menos, nueve veces los 20 mg recomendados por las autoridades británicas correspondientes. Mayores cantidades podrían tener un efecto más amplio.

Las personas se diferencian entre sí en cuanto a su capacidad para adaptarse al mundo, congeniar con otros y ganarse la vida, contribuyendo al trabajo necesario para que el mundo pueda seguir su curso. Mucha gente padece de incapacidad congénita, y ésta se evidencia en la infancia en términos de retraso mental, lento aprendizaje, alteración de la capacidad de pensar. El problema del retraso mental es muy grave. En los Estados Unidos, unos quince millones de personas son deficientes mentales, incluyendo unos dos millones clasificadas como gravemente deficientes. Calculo que el costo para atender a estos últimos es de unos cincuenta mil millones de dólares anuales. El retraso mental causa sufrimiento no sólo a la persona que lo padece, sino también a su familia.

Se conocen muchas causas para el retraso mental, y en algunas se sabe cómo evitar o modificar el daño genético. Tal es el caso de la fenilcetonuria provocada por la incapacidad de producir la enzima que cataliza la transformación del aminoácido fenilalanina en otro aminoácido, la tirosina. Ambos aminoácidos se encuentran en las proteínas de nuestros alimentos. Un niño que padece fenilcetonuria tiene un exceso de fenilalanina y una carencia de tirosina en la sangre. Esta condición interfiere con el desarrollo y el funcionamiento adecuados del cerebro, originando el retraso mental. Si al niño afectado de fenilcetonuria se le administra, poco después de su nacimiento, una dieta especial, baja en fenilalanina, y eso durante varios años, no se producirá un grave retraso mental.

El síndrome de Down (trisomía 21, mongolismo) proviene de una anomalía genética en la que las células de una persona contienen tres, y no dos, de uno de los más pequeños cromosomas, el número 21. Por tanto, los que padecen esta enfermedad tienden a producir un 50 % más de muchos tipos de enzimas distintos, programados por los cientos de genes de este cromosoma. Como consecuencia, dichas personas presentan muchas anomalías: baja estatura, cabeza anormalmente grande y de forma inusual, manos y pies anormales, lengua larga y protuberante, y ojos sesgados bajo pliegues epicantos, por

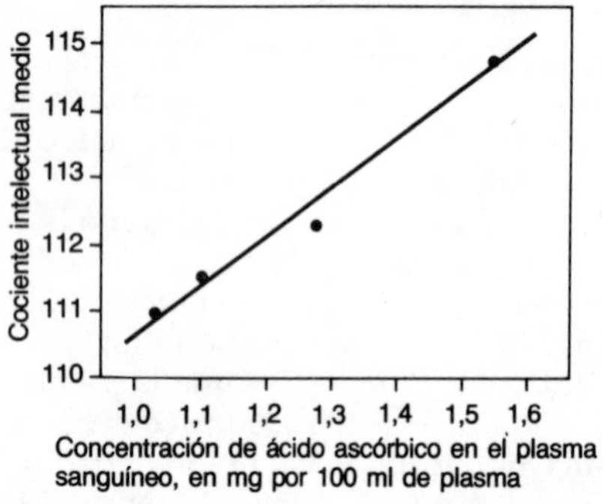

La vitamina C y el cociente intelectual. *Se muestra la relación entre el cociente intelectual medio y la concentración media de vitamina C en el plasma sanguíneo de sesenta y cuatro niños. Todos se sometieron a cuatro pruebas durante un período de dieciocho meses. Cambió la concentración de vitamina C en el plasma al administrar zumo de naranja suplementario a todos los sujetos durante unos meses. (Dibujado a partir de la figura 1 de Kubala y Katz, 1960.)*

lo que la enfermedad originalmente fue llamada mongolismo. Más o menos, una tercera parte de los afectados padecen enfermedades cardíacas congénitas y hay mayor frecuencia de leucemia aguda entre ellos, lo que a menudo desemboca en una muerte temprana. Los que sobreviven hasta la edad adulta muestran un envejecimiento acelerado y mueren generalmente entre los cuarenta y los sesenta años de edad.

La gente que padece del síndrome de Down es plácida y cariñosa, y los recién nacidos no suelen llorar. Su retraso mental es agudo, con un cociente intelectual habitual de 50. Nace más o menos uno de cada dos mil, de madres jóvenes, alcanzando más o menos uno de cada veintidós de madres de más de cuarenta años. La gente afectada por el síndrome de Down constituye el mayor grupo de retrasados mentales recluidos en asilos en Estados Unidos.

Un importante problema médico y científico consiste en hallar una forma de tratar estas anomalías genéticas, desde el nacimiento, para prevenir gran parte del retraso mental, así como las anormalidades físicas, como la baja estatura y la apariencia desacostumbrada. Creo que ahora podemos ver que es factible lograr parcialmente este objetivo, con medidas nutricionales y otras ortomoleculares. Incluso una disminución parcial de la gravedad del retraso mental puede ser muy importante. Un aumento en el cociente intelectual de 50 a 70 (normal bajo) significa la diferencia entre una vida dependiente de otros y una vida independiente y autosuficiente.

La doctora Ruth F. Harrell, de la Universidad Old Dominion, en Norfolk, Virginia, Estados Unidos, y sus colaboradores, Ruth Capp, Donald Davis, Julius Peerless y Leonard Ravitz, han publicado los resultados de un estudio suyo, doblemente ciego, sobre los efectos obtenidos al administrar una mezcla de diecinueve vitaminas y minerales a dieciséis niños retrasados mentales entre las edades de cinco y quince años (seis niños y diez niñas) (Harrell et al., 1981). El cociente intelectual inicial del grupo, medido por tres o más psicólogos, oscilaba entre 17 y 70, con una media general de 47,7. Se dividieron los sujetos en dos grupos al azar. Durante los primeros cuatro meses del estudio doblemente ciego, a los seis niños del primer grupo se les administraron seis comprimidos de vitaminas y minerales cada día, y a los otros diez del segundo grupo se les administraron comprimidos de placebo; finalmente, durante cuatro meses adicionales a todos los niños se les recetaron comprimidos de vitaminas y minerales.

Para Harrell, la idea de este experimento surgió después de leer lo que el profesor Roger J. Williams, de la Universidad de Texas –que en 1933 había descubierto el ácido pantoténico–, sugería en cuanto a la ayuda que un aumento en el consumo de nutrientes importantes podría aportar para controlar algunas enfermedades genéticas (Williams, 1956). Harrell llevó a cabo una prueba experimental con un niño de siete años gravemente retrasado, que aún debía utilizar pañales, incapaz de hablar y cuyo cociente intelectual estimado se situaba entre 25 y 30. Una bioquímica, la doctora Mary B. Allen, concibió la fórmula de vitaminas y minerales que figura en la tabla de esta página. Con este tratamiento, el niño empezó a hablar y al cabo de unas semanas empezó a leer y escribir y a actuar normalmente. Dos años más tarde le iba bastante bien en la escuela y su cociente intelectual llegaba a 90. Allen había también administrado otra sustancia ortomolecular, hormona tiroidea, a sus pacientes; a catorce de los dieciséis sujetos del estudio de Harrell, se les administraron también entre 30 y 120 mg por día.

Los principales resultados se pueden ver en la página siguiente. El grupo que ingirió el suplemento durante ocho meses experimentó un aumento constante, de 46 a 61, en el cociente de inteligencia medio. El otro grupo no experimentó cambios durante los primeros cuatro meses, cuando se les administró el placebo, y luego, un incremento de 49 a 59, durante los cuatro meses siguientes, cuando se les administró el suplemento de vitaminas y minerales.

De estos resultados podemos concluir que se puede razonablemente esperar que un niño, con retraso mental grave, alcance un incremento de 20 puntos o más de su cociente intelectual ingiriendo suplementos de vitaminas y minerales desde muy temprana edad.

DOSIS DIARIAS DE VITAMINAS Y MINERALES SUPLEMENTARIAS
(seis comprimidos)

Vitamina A palmitato	15 300	IU[1]
Vitamina D (colacalciferol)	300	IU
Mononitrato de tiamina	300	mg
Riboflavina	200	mg
Niacinamida	750	mg
Pantotenato de calcio	490	mg
Clorhidrato de piridoxina	350	mg
Cobalamina	1 000	mg
Ácido fólico	400	mg
Vitamina C (ácido ascórbico)	1 500	mg
Vitamina E (succinato de d-a-tocoferol)	600	IU
Magnesio (óxido)	300	mg
Calcio (carbonato)	400	mg
Zinc (óxido)	30	mg
Manganeso (gluconato)	3	mg
Cobre (gluconato)	1,75	mg
Hierro (fumarato ferroso)	7,5	mg
Fosfato de calcio ($CaHPO_4$)	37,5	mg
Yoduro (KI)	0,15	mg

La dosis diaria fue de 6 comprimidos. Los comprimidos también incluían celulosa microcristalina, povidona, ácido esteárico, silicoaluminato de sodio, hidroxipropilmetilcelulosa, propilenglicol, gel de sílice, polietilenoglicol, dióxido de titanio, ácido oleico y fosfato de sodio tribásico como excipientes. Los comprimidos con placebo incluían lactosa, celulosa microcristalina, ácido esteárico, povidona, propilenglicol, hidroxipropilmetilcelulosa, dióxido de titanio y ácido oleico.

1. Bronson Pharmaceuticals, en La Cañada, California 91011, Estados Unidos, fabrica también cápsulas con una composición similar (2 cápsulas, GTC 2, equivalen a un comprimido.

Los mayores aumentos individuales anotados por Harrell et al. fueron de 24 puntos (de 42 a 66) en ocho meses, y de 21 puntos (50 a 71) en cuatro meses, suficientes para que esos niños pudieran volverse autosuficientes en el futuro. El suplemento de vitaminas y minerales, compuesto de unas 30 veces la RDA de vitamina C, y buenas cantidades de otros nutrientes que mejora el estado nutricional, beneficiaría a cualquiera que lo ingiriera, y recomiendo que este régimen nutricional mejorado sea administrado a cada niño retrasado mental. El costo de 180 comprimidos, la provisión para un mes, es inferior a los 10 dólares, y, por tanto, es poco comparado con otros gastos necesarios para atender a una persona mentalmente retrasada.

Tres de los niños del estudio de Harrell et al. padecían el síndrome de Down. Sus cocientes de inteligencia iniciales eran respectivamente de 42, 59 y 65, y los incrementos al ingerir el suplemento de vitaminas y minerales y hormona tiroide (para los dos primeros) fueron de 24 y 11 (en ocho meses), y unos 10 puntos (en cuatro meses), respectivamente.

No existe ningún tratamiento convencional reconocido para el síndrome de Down. El doctor Henry Turkel, de Detroit, Michigan, Estados Unidos, es el médico que ha llevado a cabo los mayores esfuerzos para mejorar esta condición. Expuso los resultados de sus trabajos en una comunicación al Select Committee on Nutrition and

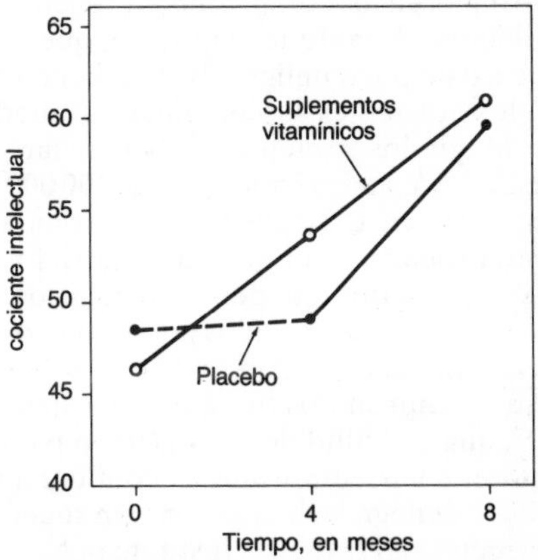

La vitamina C y el retraso mental. *Los retrasados mentales a quienes se les administraron suplementos de vitaminas y minerales durante un período de ocho meses presentaron un incremento medio de 15 puntos (de 46 a 61) de su cociente intelectual. Un grupo de control que no ingirió suplementos durante cuatro meses no mostró ningún cambio en su cociente intelectual. Cuando a estos últimos se les administraron suplementos de vitaminas y minerales durante cuatro meses, presentaron un incremento medio de 10 puntos en su cociente intelectual (de 49 a 59), acercándose a los del grupo experimental. (Adaptado de Harrell et al., 1981.)*

Human Needs of the United States Senate, cuyo presidente era entonces el senador George McGovern (Turkel, 1977), y, anteriormente, en su libro, *New Hope for the Mentally Retarded–Stymied by the FDA* («Una nueva esperanza para los retrasados mentales, obstaculizada por el FDA») (Turkel, 1972). En 1940, Turkel había empezado a tratar a los pacientes afectados por el síndrome de Down con comprimidos cuya composición había ideado. Dichos comprimidos contienen principalmente sustancias ortomoleculares –diez vitaminas, nueve minerales, un aminoácido (ácido glutámico), colina, inositol, ácido paraaminobenzoico, hormonas tiroideas, ácidos grasos insaturados y enzimas digestivas–. Estas sustancias deberían mejorar la salud de los pacientes. Su preparación contiene, además, varios fármacos, en dosis menores de lo acostumbrado. Uno de estos fármacos es el pentilenetetrazole, que estimula el sistema nervioso central. Otro es la aminofilina, estimulante del corazón. No tengo suficiente conocimiento sobre fármacos para poder comentar su eficacia en dichos pacientes, pero existe la posibilidad de que su acción como estimulantes sea benéfica.

Conozco al doctor Turkel y puedo dar fe de su integridad y de su convicción. Los resultados que señala son impresionantes. Muchos niños presentan una disminución de las anomalías en el crecimiento y desarrollo, particularmente las óseas. Su apariencia cambia y se encamina hacia la normalidad. Su capacidad mental y su conducta mejoran hasta tal punto que pueden trabajar y ganarse la vida. Durante el período en que ingieren los comprimidos crecen rápidamente, y el crecimiento se detiene durante los lapsos en que no los toman.

Concluyo que existe poco peligro de que dicho tratamiento, o el tratamiento con los nutrientes suplementarios, pueda ser dañino, y existen pruebas de que los pacientes se beneficiarían significativamente con ellos. En los Estados Unidos, unas 300 000 personas padecen del síndrome de Down. Creo que todos –particularmente los más jóvenes– deberían probar los suplementos nutricionales, con el fin de averiguar hasta qué punto pueden beneficiarlos.

Turkel trata los pacientes afectados por el síndrome de Down, en el estado de Michigan, pero el Food and Drug Administration no le permite enviar sus comprimidos fuera de ese estado. En 1959, presentó ante el FDA una solicitud de autorización para fármacos nuevos (necesaria porque sus comprimidos contienen algunos fármacos). La solicitud fue denegada, lo que también sucedió en ocasiones posteriores. El director del National Institute of Neurological Diseases and Blindness (Instituto Nacional para las Enfermedades Neurológicas y la Ceguera, de Estados Unidos), refiriéndose al tratamiento de Turkel para los pacientes afectados por el síndrome de Down, escribió que «teóricamente, y basándose en los efectos conocidos de dichos medicamentos, que incluyen vitaminas, minerales y otros fármacos, nuestros asesores han señalado que, aunque no son dañinos, dudan que dichos medicamentos tengan valor específico en el tratamiento del mongolismo» (Turkel, 1972, p. 123). El FDA, al rechazar la solicitud del nuevo fármaco, mencionó que «los hechos conocidos sobre el mongolismo excluyen la esperanza razonable de que sus productos podrían beneficiar dicha condición, causada por un defecto en la estructura celular básica. Estas recomendaciones, añadidas a la larga historia de la incapacidad de la ciencia médica de encontrar un tratamiento o una cura para el mongolismo, indican que no hay esperanzas de que tenga éxito un tratamiento basado sobre el tipo de preparaciones que usted pretende recomendar para ello» (Turkel, 1972, p. 119).

Pienso que esta actitud por parte de los National Institutes of Health (NIH) y del FDA deriva de la ignorancia, del prejuicio, del desconocimiento de la naturaleza de las vitaminas y otras sustancias ortomoleculares, y de la falta de esperanza o visión (parecen estar convencidos que no se puede descubrir nada nuevo).

El autismo es una enfermedad genética que se manifiesta en los primeros dos o tres años de vida en uno de cada tres mil niños, más o menos (el 80 % son niños). El niño autista se mantiene aislado, no desarrolla relaciones sociales con sus padres u otras personas. Tiene problemas de lenguaje, rehusándose a hablar o utilizando el lenguaje de forma extraña. Se aferra a rituales, se resiste a los cambios y tiene un insólito apego a los objetos. Su cociente intelectual es generalmente bajo y puede desarrollar ataques de tipo epiléptico. Aquellos cuyo cociente intelectual es ligeramente más elevado pueden sacar algún beneficio de la psicoterapia y de la educación especial.

No existe ninguna terapia convencional reconocida para el autismo. Sin embargo, varios investigadores han señalado que los suplementos vitamínicos son eficaces. El doctor Bernard Rimland, un psicólogo, director del Institute for Child Behavior Research (Instituto para la Investigación sobre el Comportamiento Infantil), en San Diego, California, Estados Unidos, ha llevado a cabo el experimento más significativo en este campo (Rimland, 1973; Rimland, Callaway y Dreyfus, 1977). A través de sus padres, Rimland logró que 190 niños autistas fueran estudiados durante veinticuatro semanas. Se solicitó a los padres de cada niño que obtuvieran la cooperación de su médico o de otro médico local, para proporcionar supervisión médica y para formular informes mensuales sobre el estado del niño con el tratamiento vitamínico. Muchos padres tropezaron con una resistencia tan fuerte por parte de los médicos que tuvieron que renunciar; con lo que el número de niños del estudio se redujo de 300 a 190.

Tras haber ingerido gradualmente los comprimidos, durante un período de cinco semanas, los niños tomaron diez de ellos por día durante doce semanas. Luego venía un período sin tratamiento, durante dos semanas, seguido por dos semanas de ingestión diaria de diez comprimidos. El consumo diario de nutrientes proporcionado por los diez comprimidos incluía 1 000 mg de vitamina C, 1 000 mg de niacinamida, 150 mg de piridoxina, 5 mg de tiamina, 5 mg de riboflavina, 50 mg de ácido pantoténico, 0,1 mg de ácido fólico, 0,01 mg de vitamina B_{12}, 30 mg de ácido paraaminobenzoico, 0,015 mg de biotina, 60 mg de colina, 60 mg de inositol y 10 mg de hierro. El costo de las vitaminas ascendía a unos 10 dólares mensuales.

Los padres y los médicos preparaban regularmente los informes que se analizaban en cuanto a la mejoría, durante el período de ingestión de las vitaminas, y al deterioro, durante el intervalo sin tratamiento. La conclusión fue que 86 de los 190 niños (el 45 %) mostraron una gran mejoría, una muy buena mejoría o mejoría significativa; 78 (el 41 %) presentaron una mejoría ligeramente inferior; 20 (el 11 %) no mostraron ningún cambio; y 6 (el 3 %) empeoraron. Por tanto, más o menos el 75 % de los niños se benefició con el suplemento nutricional, y sólo el 3 % empeoró.

Existían indicios de que la vitamina B_6 tenía una importancia primordial, y entonces se llevó a cabo un estudio doblemente ciego con quince niños (Rimland et al., 1977). Durante el experimento, los niños continuaron ingiriendo las mismas vitaminas, minerales y fármacos que antes del inicio del estudio. Durante un período, cada niño ingirió, ya sea vitamina B_6 (75 a 800 mg por día, las dosis diferían según los niños), o un placebo, y luego, durante un segundo período, el placebo o vitamina B_{12}. Se juzgó que diez de los quince niños se habían beneficiado con la vitamina B_6 (calificación media de +24), uno no mostró cambios y cuatro empeoraron (calificación media −16). Los investigadores concluyeron que la vitamina B_6 parece ser un agente seguro, potencialmente eficaz para el cuidado de los niños autistas. Mi opinión, basada en los experimentos de Rimland y de otros, es que el tratamiento ortomolecular con vitaminas y minerales debería probarse con todos los niños autistas, dada la posibilidad que tiene de lograr una significativa mejoría, sin el peligro de producir efectos secundarios dañinos, que actúan como freno a la experimentación con fármacos.

La epilepsia es un trastorno recurrente del cerebro que implica breves accesos de alteración de la conciencia, generalmente un acceso de convulsiones, con pérdida de conciencia y espasmos en las extremidades. Los accesos convulsivos pueden ser provocados por fármacos y por falta de oxígeno, pero se desconoce la causa de la mayoría de los ataques epilépticos. Alrededor del 2 % de los norteamericanos padecen epilepsia. El tratamiento convencional consiste en el empleo de fármacos anticonvulsivos (difenilhidantoína, fenobarbital y varios más). Este tratamiento es generalmente eficaz, pero los efectos secundarios pueden ser molestos.

En su experimento sobre los suplementos nutricionales y el retraso mental, Harrell notó que tres de los niños con tendencia a accesos convulsivos no tuvieron ninguno durante los ocho o cuatro meses en que recibieron el suplemento de vitaminas y minerales. Estudió siete niños más con tendencia a accesos convulsivos, administrándoles el suplemento durante un mes, período en que no tuvieron ninguno. Su solicitud ante los National Institutes of Mental Health para obtener una subvención destinada a sufragar unos experimentos fue rechazada.

Debería probarse el tratamiento nutricional en niños que tienden a padecer accesos convulsivos. Beneficia generalmente a la salud, y en muchos casos, podría controlar el problema de los niños con tendencia a convulsiones tan bien como los fármacos, sin los efectos secundarios desagradables.

Los trastornos afectivos son una forma de enfermedad mental que implica una sensación o emoción o trastorno que se manifiesta por una respuesta y una reacción inadecuada a las circunstancias objetivas del momento. Los trastornos esquizofrénicos son formas de trastornos afectivos, con tendencia a ser crónicos, y que entrañan varios síntomas psicóticos, como delirios, alucinaciones y un deterioro en el funcionamiento general durante largos períodos. Casi todo el mundo tiene momentos de tristeza, depresión y pena, tras una muerte o una desilusión, y períodos de exaltación tras el éxito o el logro de algo. Es sólo cuando estos momentos duran demasiado tiempo, cuando el humor es demasiado extremo y cuando la persona no responde a las palabras y actos tranquilizadores y otros esfuerzos para ayudar, que se puede describir a la persona como psicótica y afectada de un trastorno afectivo. La esquizofrenia y otros trastornos afectivos son las principales enfermedades mentales. Se calcula que un 12 % de los hombres y un 18 % de las mujeres padecen alguna forma de trastorno afectivo, clínicamente significativo, durante su vida, y más o menos el 2 % pasan por uno o más episodios esquizofrénicos en los Estados Unidos.

Los trastornos afectivos –depresiones, júbilo, episodios esquizofrénicos– tienen causas muy variadas, como los fármacos (contraceptivos esteroides, otros esteroides, L-dopa, reserpina, cocaína, sedantes, anfetaminas, etc.) o las enfermedades (gripe, hepatitis, mononucleosis, encefalitis, tuberculosis, sífilis, esclerosis múltiple, cáncer, etc.). Otras causas incluyen la carencia de vitaminas (B_1, B_3, B_6, B_{12}), o reacciones alérgicas a algunos alimentos, productos químicos y otros factores ambientales (Hoffer y Osmond, 1960; Hawkins y Pauling, 1963; Cheraskin y Ringsdorf, 1974; Philpott, 1974; Pfeiffer, 1975; Dickey, 1976; Lesser, 1977). La mejor manera de controlar estas psicosis es encontrar y eliminar sus causas. A menudo, una mejor nutrición ayuda también.

El maniacodepresivo se trata generalmente con compuestos de litio. Este elemento se encuentra en la corteza terrestre, en muy pequeñas cantidades, 0,01 %, muy inferiores al sodio, 2,8 %, o al potasio, 2,6 %. El ion de litio podría influir sobre el sistema nervioso al interferir con el movimiento de los iones de sodio y de potasio. No se sabe que el litio sea necesario para la vida y probablemente no debería llamársele sustancia ortomolecular.

Durante las dos últimas décadas, muchísimos jóvenes han desarrollado psicosis por el uso de fármacos que cambian el humor –excitantes, tranquilizantes, cocaína y drogas más duras, probablemente también la marihuana–. Muchos se han recuperado hasta el punto de poder llevar vidas normales con la ingestión óptima y regular de vitaminas y minerales.

Osmond y Hoffer, en el hospital Saskatchewan y el University Hospital en Saskatoon, fueron los primeros en llevar a cabo un experimento doblemente ciego en el campo de la psiquiatría, mencionado en el capítulo 3. Osmond y el doctor John H. Smythies habían formulado la hipótesis de que la causa de la esquizofrenia podría ser la producción en el cuerpo de una sustancia con propiedades psicológicas similares a las de la mescalina y de la dietilamida del ácido lisérgico (conocido comúnmente como LSD), quizás a través de reacciones de metilación, parecidas a las que forman parte de la transformación de noradrenalina en adrenalina. Se sabe que cuando un esquizofrénico ingiere un agente de metilación, el aminoácido metionina, exacerba su enfermedad. Osmond y Hoffer pensaron que una sustancia que capta grupos de metilo podría evitar que estas reacciones de metilación produzcan sustancias dañinas. Sabían que la niacina, la vitamina B_3 (ácido nicotínico o nicotinamida), es un agente de demetilación, y sabían que es notablemente no tóxico, de manera que se puede ingerir en grandes cantidades. A principios de 1952 administraron niacina a media docena de pacientes esquizofrénicos con buenos resultados. Uno de ellos era un joven de diecisiete años, excitado, hiperactivo, tonto, con delirios y a veces alucinaciones. Respondía, hasta cierto punto, a la terapia electroconvulsiva y al tratamiento del coma insulínico, pero éstos se tuvieron que abandonar porque se le estaba presentando parálisis facial. Hacia fines de mayo estaba desnudo en cama, incontinente y alucinado. Osmond y Hoffer ya no podían hacer nada por él (los tranquilizantes utilizados actualmente aún no habían sido descubiertos), así que el 28 de mayo empezaron a administrarle 5 g de niacina y 5 g de vitamina C cada día. Al día siguiente estaba mejor, y casi normal diez días más tarde; le dieron de alta en julio, y diez años más tarde aún estaba bien.

Entonces Osmond y Hoffer pusieron a punto su experimento doblemente ciego con treinta pacientes esquizofrénicos, a algunos de los cuales, seleccionados al azar, administraron un placebo, a otros ácido nicotínico y a otros nicotinamida, en dosis de 3 g diarios durante treinta y tres días. En el curso de los dos años siguientes, el grupo que había ingerido el placebo estaba bien sólo un 48% del tiempo, mientras que los otros dos grupos estaban bien el 92% del tiempo (Osmond y Hoffer, 1962). Después de 1952 siguieron administrando niacina a algunos de sus pacientes internos, algunos de los cuales siguieron el tratamiento tras ser dados de alta. El expediente de los pacientes que habían ingerido niacina era uniformemente mejor que el de los otros. Por ejemplo, la proporción de pacientes tratados con niacina que aún estaban bien después de cinco años era del 67%, casi el doble que la de los otros, o sea 35%.

He conversado con muchos psiquiatras ortomoleculares. La dosis media de niacina que administran es de unos 8 g por día, con una dosis igual de vitamina C, y también buenas dosis de otros nutrientes. Parece que se dan por correctas las estimaciones de Osmond, a saber, que de los pacientes hospitalizados por primera vez con esquizofrenia aguda, y que reciben un tratamiento ortomolecular, alrededor del 20% sufren otro ataque que requiere hospitalización, mientras que, entre los que siguen sólo un tratamiento convencional, la proporción es de más o menos el 60%. No caben muchas dudas de que este suplemento vitamínico, añadido a un tratamiento convencional adecuado, es de gran utilidad.

La aceptación del tratamiento ortomolecular de la esquizofrenia no se ha generalizado todavía, aunque sí se aplica en algunos hospitales psiquiátricos. En 1973, un comité de la American Psychiatric Association publicó un informe, *Megavitamin and Orthomolecular Therapy in Psychiatry* («La megavitamina y la terapia ortomolecular en la psiquiatría»), que presentaba argumentos en favor de la conclusión de que la megavitamina y la terapia ortomolecular no son eficaces en el tratamiento de la esquizofrenia o de otras enfermedades mentales. Señalé que este informe contiene muchas afirmaciones incorrectas y errores lógicos (Pauling, 1974). No se encuentran este prejuicio y esta falta de respeto por los hechos en un informe sobre la terapia megavitamínica, presentado en 1976 por la Joint University Megavitamin Therapy Review Committee (Comité Universitario Conjunto de Revisión de la Terapia Megavitamínica) para el ministro de Asuntos Sociales y de la Salud de la Comunidad de la Provincia de Alberta, Canadá. El documento presenta una reseña objetiva de las pruebas y formula ciertas recomendaciones sobre investigaciones adicionales (McCoy,Youge y Karr, 1976). Por otro lado, el informe de 1979 sobre nutrición y salud del Council on Scientific Affairs of the American Medical Association (Consejo sobre Asuntos Científicos de la Asociación Médica Norteamericana) pasa por alto lo concerniente a la eficacia de los suplementos vitamínicos, salvo para decir que se está engañando al público con afirmaciones extravagantes.

En los treinta y un artículos, por treinta y siete autores, reunidos en el libro *Orthomolecular Psychiatry: Treatment of Schizophrenia* («Psiquiatría ortomolecular: tratamiento de la esquizofrenia»), publicado en 1973, hay mucha documentación sobre nutrición en relación con las enfermedades mentales. Uno de los capítulos describe los resultados obtenidos al administrar una mezcla de tres vitaminas (C, B_3 y B_6) por vía oral, a pacientes afectados de esquizofrenia aguda, y a unos pacientes de control, midiendo luego las cantidades excretadas por la orina. Se piensa que la baja excreción de una vitamina indica una necesidad especial de dicha vitamina. Casi todos los pacientes esquizofrénicos (94 %) excretaron pequeñas cantidades de una o más de las vitaminas, proporción mucho mayor que el 62 % de los de control. Los autores concluyeron que la carencia del cualquiera de estas tres vitaminas podría incrementar la probabilidad de crisis esquizofrénicas. Otros autores subrayan que existen diferentes tipos de esquizofrenia y que se puede ayudar de muchas maneras a los distintos pacientes, al mejorar su nutrición, con consumos óptimos de niacina, ácido ascórbico, tiamina, piridoxina y otras vitaminas, minerales y nutrientes.

En 1970 caminaba yo por la calle Maya en el pequeño poblado de Cambria, en la costa de California, Estados Unidos, cuando un coche se detuvo y el conductor salió y corrió hacia mí. Me dijo: «Doctor Pauling, le debo la vida. Tengo veintiséis años. Hace dos años pensaba suicidarme. Había sufrido terriblemente de esquizofrenia dunte seis años. Luego, cuando alguien me habló de su documento sobre la psiquiatría ortomolecular, me enteré de lo que hacen las vitaminas. Éstas me han salvado la vida.»

Actualmente existen muchos psiquiatras ortomoleculares. Se han publicado muchas ponencias interesantes en el *Journal of Orthomolecular Psychiatry* («Revista de psiquiatría ortomolecular»). Creo que una mejor nutrición debería formar parte del tratamiento de todos los que tienen problemas mentales, y me alegro que se esté progresando en esta dirección.

21. LAS ALERGIAS

Mucha gente padece de asma, fiebre del heno, rinitis alérgica, bronquitis alérgica, o de otras reacciones de hipersensibilidad a sustancias como el polvo de la casa, el polen u otros factores ambientales, así como a ciertos alimentos o fármacos. Varios investigadores (Korbsh, 1938; Holmes y Alexander, 1942; Holmes, 1943; Leake, 1955; Stone se refiere a otros, 1972) señalaron hace ya mucho que a esta gente se la puede ayudar hasta cierto punto a controlar sus problemas con un consumo adecuado de vitamina C y otros nutrientes. La función reconocida de la vitamina C de reforzar el sistema de inmunidad sugiere que ésta debería ser eficaz en el control de las reacciones de hipersensibilidad, que son básicamente reacciones de inmunidad. Muchos experimentos confirman este supuesto y muestran que la vitamina tiene eficacia en dosis diarias de 500 mg o algo más.

Está todavía por hacer un cuidadoso estudio en cuanto al efecto de dosis aún más fuertes.

En las reacciones de hipersensibilidad encontramos un factor molecular importante: la histamina, una pequeña molécula que contiene sólo diecisiete átomos, siendo su fórmula $C_5H_9N_3$. Tiene estrecha relación con la histidina, uno de los aminoácidos esenciales. Se almacena en los gránulos de las células de muchos tejidos, particularmente la piel, los pulmones, el estómago; es descargada de estos gránulos cuando un antígeno (como los grupos moleculares antigénicos de las partículas de polen que causan la fiebre del heno) se combina con su anticuerpo específico. También puede ser provocada su descarga por el estímulo de ciertos fármacos o por un corte en los tejidos.

Al descargarse, la histamina se combina con proteínas específicas e inicia las reacciones características de la hipersensibilidad. En la piel, los capilares se dilatan y sus paredes se vuelven permeables a los líquidos formando una roncha (una elevación plana que produce comezón, como las causadas por una picadura de mosquito), y el área enrojece. Las arteriolas se dilatan, permitiendo un mayor flujo de sangre a la zona afectada; esta dilatación de los vasos sanguíneos en el cerebro puede provocar dolor de cabeza. La contracción de los músculos lisos, al responder a la histamina, puede causar la constricción de los bronquios y dificultar la respiración. Puede afectar el corazón con contracciones más fuertes y taquicardia. La comezón proviene del efecto de la histamina en las terminaciones nerviosas.

Se conocen muchos fármacos, llamados antihistamínicos, que a menudo son eficaces para contrarrestar la histamina descargada en una reacción de hipersensibilidad. Su valor es grande, pero, como en el caso de la mayoría de los fármacos, deben emplearse con cuidado, debido a los posibles efectos secundarios dañinos, como sopor, mareo, dolor de cabeza, náuseas, falta de apetito, sequedad en la boca y nerviosismo. Su función antihistamínica consiste en competir con la histamina para llegar a los sitios específicos de las moléculas proteínicas, a través de las cuales la histamina ejerce sus efectos.

Debido a la cantidad de informes, iniciados hace casi cincuenta

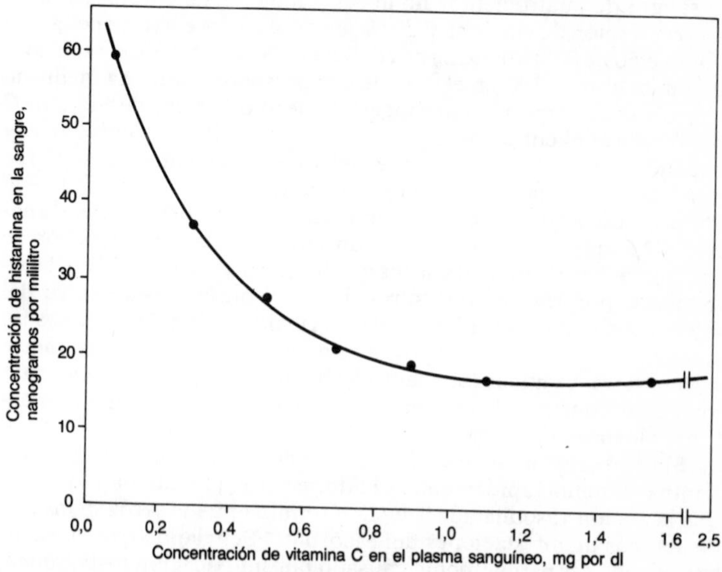

La vitamina C y la histamina en la sangre. *En un experimento con cuatrocientas personas, Alan B. Clemetson demostró la eficacia de la vitamina C para reducir la concentración de histamina en la sangre. La histamina se muestra en la escala a la izquierda; la vitamina C, en la escala inferior. Los puntos indican las concentraciones medias de histamina correspondientes a concentraciones ascendentes de ascorbato en el plasma sanguíneo, en mg por dl, oscilando entre 0,00 y 0,19; 0,20 y 0,39; 0,40 y 0,59, etc. El punto trazado en el extremo derecho muestra la concentración media de histamina para concentraciones de ascorbato entre 1,2 y 2,5 mg por dl. (Adaptado de Clemetson, 1980.)*

años, sobre la eficacia de la vitamina C como complemento de otros tratamientos para controlar las reacciones de hipersensibilidad, los investigadores empezaron a estudiar la interacción de esta vitamina con la histamina. En 1975, Chatterjee y sus colegas mostraron que, cuando se le administra a un cobayo una dieta sin vitamina C, el nivel de histamina en la sangre comienza a elevarse al tercer día, y al decimocuarto llega a un alto nivel; ese día, el cobayo empieza a mostrar síntomas de escorbuto. Sugirieron que una de las funciones de la vitamina C es la de regular la cantidad de histamina en el cuerpo, convirtiéndola en otra sustancia, hidantoína-5-ácido acético, que luego se descompone en productos metabólicos normales (Subramian, 1978). La transformación supone una reacción de hidroxilación, para la cual se necesita la vitamina C. Está claro que la destrucción de vitamina C en este proceso es la que provoca su carencia para otras funciones vitales y acarrea así el escorbuto incipiente.

El doctor C. Alan B. Clemetson ha llevado a cabo un experimento importante, en cuanto a la relación de la vitamina C y la histamina, en la sangre de cuatrocientos hombres y mujeres de Nueva York. La concentración de vitamina C en la sangre oscilaba entre un peligroso punto bajo de 0,00 a 0,19 mg por dl (en el caso de catorce personas), y un punto alto de 2,5 (en el caso de dos personas), con una media de 0,8, lo que corresponde a una ingestión de unos 100 mg de vitamina C por día. La concentración de histamina variaba de uno a más de tres y dependía, de modo sorprendente, del nivel de la vitamina C, según se muestra en la ilustración de la página anterior. La inclinación de la curva muestra que con esa concentración de ascorbato oscilando entre 1 y 2,5 mg por dl no existe ningún cambio en la concentración de histamina. Para la mayoría de los que ingieren al menos 250 mg de vitamina C por día, la concentración en el plasma está dentro del mismo orden que considero como normal (Pauling, 1974c). Los resultados con la histamina apoyan esta conclusión, ya que los mecanismos homeostáticos (de reaprovechamiento), que funcionan para mantener constante la concentración de histamina, en su punto óptimo, alcanzan este objetivo dentro de dicho orden.

Sin embargo, para niveles inferiores de ascorbato, el nivel de histamina aumenta rápidamente. Chatterjee et al. (1975b) han sugerido que la acción vasodilatadora de la histamina puede ser responsable de algunas manifestaciones del escorbuto. Señalando que el escorbuto puede ser parcialmente causado por intoxicación histamínica, Clemetson ha indicado que podría ser más que mera coincidencia el que la inflamación producida por la histamina se asemeje al escorbuto localizado.

Nandi et al. (1976) han aportado pruebas adicionales que señalan que la tensión inducida por un tratamiento de vacunas, por el ayuno y por la exposición al calor o al frío, en ratas y cobayos, incrementa la producción de histamina (medida en la mucosa gástrica y en las excrecencias urinarias). El tratamiento con vitamina C disminuyó significativamente la excreción urinaria.

Estas observaciones apoyan firmemente la conclusión de que un mayor consumo de vitamina C sirve para ayudar a controlar los problemas de la hipersensibilidad.

Clemetson comparó también (1980) los niveles de histamina y de vitamina C en la sangre de 223 mujeres embarazadas y de cierto número de no embarazadas. Observó que las embarazadas tenían niveles de vitamina C más bajos y niveles de histamina más elevados que las otras. Una mujer estuvo aquejada de separación parcial de la placenta *(abruptio placentae)* y sangrado vaginal a la trigésimo quinta semana del embarazo. El nivel de ascorbato en su plasma era bajísimo, o sea de 0,19 a 0,27 mg por dl, y el nivel de histamina en su sangre era alto, o sea de 35 a 38 nanogramos (ng) por ml. Se le administraron 1 000 mg de vitamina C por día y dejó de sangrar; a las cuarenta semanas nació un bebé sano. Dos pacientes más con *abruptio placentae* tenían niveles de ascorbato de 0,38 y 0,25 y niveles de histamina de 44 y 55, respectivamente. Clemetson declara que a las mujeres embarazadas deberían medírseles los niveles de ascorbato y de histamina y, si fuera necesario, darles vitamina C suplementaria.

El choque anafiláctico es una repentina y aguda reacción a un antígeno, principalmente debido a la descarga de histamina en una persona hipersensibilizada. A esta última se le forman ronchas (urticaria), respira difícilmente y pierde tanto líquido sanguíneo, al traspasar éste la pared de las vías sanguíneas, que su circulación casi se detiene. Entre los antígenos que causan el choque anafiláctico se encuentran proteínas externas, como las del suero del caballo (que provocan la enfermedad del suero); cualquiera de muchos fármacos (penicilina, en las personas alérgicas a este antibiótico); y sustancias administradas para contrarrestar las mordeduras de serpientes (cascabel, ancistrodon, mocasín común, coralillo), mordeduras de heloderma (lagarto venenoso), picaduras de arañas (particularmente de la viuda negra, la araña «violín» y, a veces, de otras arañas, siendo casi todas venenosas), y picaduras de abejas. Una sola picadura de abeja puede provocar la muerte. Éstas causan en Estados Unidos, más o menos cuatro veces más fallecimientos que las mordeduras de serpientes. La gente que, a sabiendas, corre este riesgo debería llevar siempre consigo un botiquín que contenga epinefrina y un antihistamínico.

Los seres humanos, los monos y los cobayos, que no sintetizan la vitamina C, tienen más posibilidades de sufrir un choque anafiláctico que otros animales. Hace unos cincuenta años se descubrió que un fuerte consumo de vitamina C protege a los cobayos contra la anafilaxis (Raffel y Madison, 1938; se han llevado a cabo muchos otros estudios al respecto). Fred R. Klenner ha señalado un tratamiento eficaz contra la mordedura de serpiente, que consiste en una inyección intravenosa de ascorbato de sodio (1971). Sería aconsejable que las personas que pudieran estar expuestas a agentes causantes potenciales de anafilaxis ingirieran regularmente fuertes dosis de vitamina C.

El asma (asma bronquial) es una enfermedad caracterizada por la dificultad para respirar, causada por la contracción espasmódica de los bronquios; se repite a intervalos, y es acompañada de un sonido jadeante, de una sensación de constricción en el pecho, de tos y expectoración. Las crisis ocurren a menudo después de estar expuesto a un alérgeno, pero a veces son causadas por presiones psicosociales (alteraciones emocionales) o de otro tipo, como el ejercicio, las enfermedades respiratorias virales o la inhalación de aire frío, de humos de gasolina, de pintura fresca o de humo de tabaco, así como del cambio en la presión barométrica. Alrededor de la mitad de los asmáticos son afectados de una forma aguda y molesta de esta enfermedad. Habitualmente se la puede controlar por medio de fármacos que, claro está, tienen efectos secundarios desagradables y dañinos.

Hacia 1940 se publicaron los primeros informes sobre la eficacia de la vitamina C para controlar el asma. En la actualidad existen muchas pruebas que demuestran que la vitamina C es importante como complemento de la terapia convencional. Unos estudios anteriores presentaron resultados negativos, quizá por haberse administrado dosis demasiado pequeñas de la vitamina, durante un tiempo excesivamente corto. La mayor parte de los estudios recientes muestran que la vitamina tiene un efecto significativo. Por ejemplo, con 500 mg de vitamina C se controló la disnea, causada por la inhalación de histamina en aerosol (Zuskin, Lewis y Bouhuys, 1973), de polvo de lino (Valic y Zuskin, 1973) o de polvo textil (Zuskin, Valic y Bouhuys, 1976). Entonces, Ogilvy, DuBois y sus colaboradores en la Universidad de Yale llevaron a cabo varios experimentos con metacolina, un fármaco que induce la constricción de los bronquios y dificulta la respiración, tanto en personas sanas como en asmáticos. En seis jóvenes sanos a quienes se les administró metacolina, ya sea por inhalación en aerosol, ya sea por vía oral, se observó una constricción bronquial que obstaculizaba la respiración –el aire inspirado disminuyó en un 40%–, mientras que la disminución fue de sólo el 9% cuando ingirieron 100 mg de vitamina C una hora antes de administrárseles el fármaco (Ogilvy et al., 1978, 1981). Se obtuvieron resultados similares con pacientes asmáticos (Mohrenin, DuBois y Douglas, 1982).

En un reciente experimento doblemente ciego, con cuarenta y un pacientes asmáticos nigerianos (Anah, Jarike y Baig, 1980), a veintidós de ellos se les administró 1 g de vitamina C por día, durante catorce semanas, en la época de lluvias, cuando se exacerba el asma por las infecciones respiratorias; y a los diecinueve restantes se les administró un placebo. Durante este período, las personas tratadas con vitamina C sufrieron un 25% menos de crisis asmáticas que los que ingirieron el placebo, y las crisis fueron menos graves. Los trece pacientes que consumieron vitamina C, y que no padecieron ninguna crisis durante las catorce semanas, sufrieron al menos una durante las ocho semanas después de interrumpirse el tratamiento.

Anderson et al. (1980) reseñaron su estudio de diez niños blancos asmáticos, en Pretoria, Sudáfrica. Estos niños, aquejados originalmente de asma y que presentaban una constricción bronquial inducida por el ejercicio, ingirieron 1 g de vitamina C y fueron analizados clínicamente e inmunológicamente durante seis meses. El resultado fue un incremento en la quimiotaxis neutrófila, un mejor funcionamiento pulmonar, mayor transformación de linfocitos, bajo estímulo antigénico y, durante los seis meses, no padecieron crisis asmáticas.

Estas investigaciones apoyan la conclusión de que un incremento en la ingestión de vitamina C es valiosa para los pacientes asmáticos.

La fiebre del heno (polinosis) consiste en una inflamación aguda de la membrana mucosa nasal, habitualmente causada por el polen de árbol, hierba o malahierba, llevado por el viento. Durante la estación de polen se presentan comezón, estornudos, secreciones nasales líquidas y flujos de lágrimas. Para controlar el problema se utilizan antihistamínicos y otros fármacos. Las personas aquejadas de esta alergia intentan a menudo evitar el polen culpable y, a veces, se mudan a otras partes del país, donde pueden tener la mala suerte de encontrarse con otro tipo de polen, tan malo como el agente causante original.

Holmes y Alexander (1942) publicaron uno de los primeros informes sobre la importancia de la vitamina C para controlar la fiebre del heno. Señalaron que 200 mg por día eran a menudo eficaces. Sin embargo, el asunto se tornó confuso cuando otros investigadores comunicaron que no habían observado ningún beneficio. Esta situación no ha cambiado mucho. Por ejemplo, Kordowsky, Rosenthal y Norman (1979) estudiaron el efecto de la vitamina C en el espasmo bronquial inducido por la ambrosía en seis adultos asmáticos, alérgicos al polen de dicha hierba. Señalaron que 500 mg no tuvieron ningún efecto protector. Esta cantidad probablemente es demasiado pequeña, y tal vez se necesite un largo período de tratamiento. En 1949, Brown y Ruskin estudiaron sesenta pacientes que padecían de fiebre del heno e informaron que alrededor del 50 % de los que ingirieron 1 g de vitamina C, y más o menos el 75 % de los que tomaron 2,25 g diarios, mostraron una mejoría. Durante cuarenta y siete años he observado a una persona que, durante décadas, sufrió mucho por la fiebre del heno, causada por el polen de ambrosía y del olivo, y quien, durante los últimos doce años, ha sentido gran alivio ingiriendo 3 g diarios de vitamina C.

Sugiero que las personas aquejadas de fiebre del heno ingieran más o menos dicha cantidad regularmente, e incrementen su consumo al nivel de tolerancia intestinal (capítulo 14) durante la temporada del polen.

A veces las reacciones de inmunidad se vuelcan contra el cuerpo mismo; se forman anticuerpos contra los antígenos en las células del paciente. Entre estas enfermedades de autoinmunidad se encuentran el lupus eritematoso sistémico, la miastenia gravis, la glomerulonefritis y el pénfigo. Se dispone de poca información sobre la posible eficacia de fuertes dosis de vitamina C para ayudar a controlarlas.

22. ARTRITIS Y REUMATISMO

La artritis es la inflamación de una articulación. Se han descrito más de cien tipos distintos de artritis causados por diversos factores. La gota, por ejemplo, es provocada por la formación de cristales de urato de hidrógeno sódico en la articulación. También pueden inflamar las articulaciones agentes infecciosos, como las bacterias gonocócicas, los virus de las paperas o de la hepatitis, como pueden hacerlo otras enfermedades, los fármacos, los alergenos y el cáncer.

La artritis reumatoide y la osteoartritis son fácilmente reconocibles. En la artritis reumatoide, las articulaciones hinchadas de los dedos están suaves y son dolorosas al tacto; en la osteoartritis están duras y generalmente no duelen. Habitualmente, la osteoartritis afecta las articulaciones cercanas a la extremidad de los dedos, no las que están más cerca de la muñeca, mientras que en la artritis reumatoide resultan afectadas las muñecas y otras partes de la mano, pero no las extremidades de los dedos.

El reumatismo (fibromiositis) incluye un grupo de enfermedades que ocasionan dolor, sensibilidad y rigidez. No sólo puede afectar las articulaciones (artritis reumatoide), sino también los músculos y las estructuras adyacentes.

En estos últimos años se han fabricado y perfeccionado muchos fármacos altamente eficaces para controlar la artritis. A menudo se emplea aspirina para eliminar el dolor y la inflamación de la artritis reumatoide; la dosis diaria media es de 4,5 g (14 comprimidos). Los pacientes con úlceras estomacales o del duodeno pueden ingerir grageas con capa entérica para evitar la irritación de las úlceras por la aspirina. A veces se puede resolver el problema de un grave malfuncionamiento articular con una intervención quirúrgica. La sustitución total de la articulación de la cadera se realiza a menudo con éxito.

La nutrición es un factor importante, tanto en la causa como en el control de algunos tipos de artritis. Un ataque de gota puede ocurrir si se come en exceso, especialmente demasiada carne, y si se ingiere excesivo alcohol y poca agua. El comer mucha carne, particularmente ciertas vísceras, aumenta el nivel de ácido úrico en la sangre, y el incrementar la cantidad de alcohol, al tiempo que se disminuye la de agua en los líquidos del cuerpo, facilita el depósito de uratos en las articulaciones. Para evitar un ataque de gota se debería mantener bajo el consumo de carne y beber grandes cantidades de agua, o sea al menos 3 l diarios. Igualmente, la orina debería permanecer alcalina, porque los uratos son más solubles en la orina alcalina que en la ácida. Esto se puede lograr ingiriendo bicarbonato de sodio, citrato de triasodio o ascorbato de sodio. Personalmente recomiendo el último.

Como en el caso de otras enfermedades, el asunto de la utilidad de las vitaminas suplementarias para el control de la artritis se ha vuelto confuso debido a declaraciones engañosas. No hace mucho leí un breve informe de un profesor de una de las facultades médicas más importantes sobre su experimento realizado para probar la eficacia de los tratamientos no convencionales contra la artritis. Afirmaba que se observó que los suplementos vitamínicos no tenían ninguna utilidad. Le escribí, preguntándole cuántos pacientes había estudiado y cuánta vitamina suplementaria les había administrado. Respondió que había recetado un comprimido multivitamínico cada día a media docena de pacientes, y que éstos no parecieron mejorar. Los pacientes descritos posteriormente en este capítulo ingirieron entre cien y quinientas veces las cantidades de dichos comprimidos; son estos consumos óptimos los que resultan útiles para ayudar a controlar la artritis.

El doctor William Kaufman, un joven facultativo de Nueva Inglaterra, fue el pionero de la terapia vitamínica para el reumatismo y la artritis. Para asegurar un análisis objetivo en cuanto al estado y al progreso de sus pacientes construyó un juego de goniómetros (instrumentos para medir ángulos) con los que podía medir los ángulos a través de los cuales se podían mover las diferentes articulaciones del cuerpo humano. Midiendo los movimientos de mil personas en estado de salud normalmente bueno, obtuvo una curva modelo que mostrara el índice medio de movilidad de las articulaciones en función de las edades –desciende ligeramente al aumentar la edad–. También midió la movilidad de los pacientes con disfunción de las articulaciones y observó que el índice descendía muy por debajo de la curva modelo. Además advirtió que el nivel de sedimentación de los corpúsculos rojos de la sangre era mayor en dichos pacientes que en los del control sanos. Por tanto, contaba con dos métodos objetivos para valorar el estado de salud de los pacientes.

En 1937 fue identificada la vitamina B_3, niacina o niacinamida. Kaufman decidió averiguar si ésta podría ser útil a sus pacientes. Al administrársela a sus pacientes artríticos se percató de que la mayoría de ellos respondían rápidamente al tratamiento, se sentían mejor, con un creciente índice de movilidad de las articulaciones, hasta casi alcanzar la curva modelo y con un descenso en la tasa de sedimentación de las células rojas. Una interrupción en el tratamiento con niacinamida causaba el regreso del estado anormal al cabo de uno o dos días.

En 1943, Kaufman publicó una relación de su experimento con 150 pacientes artríticos en *The Common Form of Niacin Amide Deficiency Disease, Aniacinamidosis* («La forma común de la enfermedad por carencia de amida de niacina, aniacinamidosis»), y en 1949 publicó los resultados de su estudio con 450 pacientes en *The Common Form of Joint Dysfunction: Its Incidence and Treatment* («La forma común de disfunción de las articulaciones: su frecuencia y tratamiento»). En 1955, en una ponencia ante la American Geriatric Society (Sociedad Norteamericana de Geriatría), declaró que la mayoría de los pacientes mejoraban mucho con un régimen de 1 a 5 g de niacinamida por día, en dosis parciales (de seis a dieciséis por día), que unos llegaron a prolongar hasta nueve años. No observó ninguna reacción adversa durante varios miles de años-paciente de uso continuo de niacinamida. El consumo que recomendaba para el tratamiento de las articulaciones con movilidad restringida y para otras manifestaciones de la carencia de vitamina B_3 (aniacinamidosis) es de 4 a 5 g por día.

Aun antes de los experimentos de Abram Hoffer y Humphry Osmond sobre la esquizofrenia aguda, Kaufman había escrito que muchos de sus pacientes mostraban una extraordinaria mejoría tanto en su salud mental como en su salud física al seguir este régimen de niacinamida. He tenido la oportunidad de verificar la eficacia de la niacinamida, junto con la vitamina C, para controlar la artritis de algunos pacientes, y los resultados han confirmado las conclusiones de Kaufman. Que yo sepa, ningún grupo de investigadores en el campo de la artritis ha intentado repetir los experimentos de Kaufman. Esta falta de interés puede derivar, por una parte, la repito, del prejuicio general de la profesión médica contra las vitaminas y, por otra, del hecho de que nadie puede enriquecerse con la niacinamida, que es tan barata como la vitamina C.

Otra vitamina que alivia a los aquejados de reumatismo es la vitamina B_6, piridoxina. Ésta encoge las membranas sinoviales que tapizan las superficies internas del encaje de las articulaciones. Así, ayuda a controlar el dolor y a restaurar la movilidad en los codos, hombros, rodillas y otras articulaciones, según notó el doctor John M. Ellis, un facultativo en Mt. Pleasant, Texas, Estados Unidos.

En su libro, publicado en 1983, *Free of Pain* («Libre del dolor»), Ellis dice que la vitamina es eficaz en dosis elevadas. Está prácticamente aceptado ahora que el consumo óptimo de vitamina B_6 oscila entre los 50 y los 100 mg diarios, y probablemente más para algunos. Sin embargo, hay un límite superior para la ingestión de esta vitamina. Un consumo diario de 2000 mg o más de vitamina B_6, durante meses o años, conduce a una neuropatía periférica temporal, una sensación de entumecimiento en los dedos del pie. En consecuencia, la ración óptima de dicha vitamina es de menos de mil veces la RDA... pero algo mayor que ésta.

Debido a su efecto de encogimiento de las membranas sinoviales, la vitamina B_6 tiene otro uso; se trata del alivio de un trastorno nervioso llamado síndrome del túnel carpiano. Ésta es una enfermedad dolorosa y paralizante de las manos y las muñecas causada por la compresión de uno de los nervios principales que llega a la mano, a medida que pasa a través de un túnel tapizado por una membrana sinovial, entre los tendones y los ligamentos de la muñeca. Afecta a las mujeres con una frecuencia más o menos tres veces más alta que a los hombres, y se da más durante el embarazo y en la época de la menopausia. Hasta hace poco, el tratamiento principal consistía en una intervención quirúrgica.

En 1962, Ellis empezó a administrar fuertes dosis de vitamina B_6 a mujeres embarazadas para controlar el edema y otros problemas que tienden a padecer. Observó que las fuertes dosis, o sea 50 a 1000 mg diarios (de veinticinco o quinientas veces la RDA), también controlaban la sensación de hormigueo en los dedos, los calambres, la débil capacidad de asimiento y la ausencia de sensación en las manos. Hacia 1970 notó que dichas dosis de vitamina B_6 controlaban el síndrome del túnel carpiano (Ellis, 1966; Ellis y Presley, 1973), tanto que, generalmente, no era necesaria la intervención quirúrgica.

En sus investigaciones, Ellis ha hecho un interesante descubrimiento: para evitar anomalías en el metabolismo del aminoácido triptófano causadas por las píldoras anticonceptivas esteroides, basta con ingerir diariamente 50 mg de vitamina B_6.

Muchas de las vitaminas actúan como coenzimas en varios sistemas enzimáticos del cuerpo humano. Por ejemplo, se sabe que la vitamina B_6 tiene esta función con más de cien enzimas diferentes. Anteriormente se decía que el consumo de la RDA para las vitaminas proporcionaba suficientes sustancias para que los sistemas enzimáticos funcionaran casi al máximo de su eficacia, pero ya se sabe que esta afirmación no es cierta.

Karl Folkers es un distinguido químico y bioquímico, actualmente profesor de la Universidad de Texas, en Austin; anteriormente, y durante veinte años, fue director de investigación de los laboratorios Merck and Co. Decidió investigar las enzimas para las cuales la vitamina B_6 actúa como coenzima, y seleccionó una fácilmente disponible, la transaminasa glutamínico-oxalacético de eritrocitos, que se encuentra en las células rojas de la sangre. Ya en 1975, él y sus colaboradores habían demostrado que esta actividad enzimática, en los tejanos que estudiaban, era mucho menor que el valor máximo que se puede lograr con un elevado consumo de vitamina B_6. Esta observación confirmó la conclusión a la que ya había llegado Ellis, en el sentido que mucha gente padece carencia de dicha vitamina.

Luego, Ellis y Folkers colaboraron en un experimento doblemente ciego, comparando la eficacia de la vitamina B_6 con la de un placebo, en pacientes afectados del síndrome del túnel carpiano. El resultado, con gran significado estadístico ($P = 0{,}0078$), fue que los pacientes que ingerían vitamina B_6 mejoraban y que los que tomaban el placebo no lo hacían (Ellis, Folkers et al., 1982). Los autores concluyen que «la mejoría clínica de este síndrome, obtenida con una terapia de piridoxina puede, con frecuencia, evitar la necesidad de una intervención quirúrgica de la mano». El mecanismo de control de la enfermedad se encuentra en la acción de la vitamina, al reducir la hinchazón de la membrana sinovial que tapiza el interior del túnel.

No sorprende que se haya descubierto que la vitamina B_6 puede también ayudar a controlar la artritis. Su acción como agente antihistamínico y como regulador de la velocidad de síntesis de las prostaglandinas (capítulo 28) hacen de ella, hasta cierto punto, un sustituto de la aspirina para controlar el dolor y la inflamación.

La experiencia de Norman Cousins, antiguo director de la revista *Saturday Review*, constituye el ejemplo mejor conocido en cuanto a la eficacia de la vitamina C para controlar los trastornos artríticos. El señor Cousins sufría mucho a causa de una enfermedad diagnosticada como espondilitis anquilosante, una forma progresiva de artritis, caracterizada por la inflamación y luego la soldura de huesos adyacentes, particularmente en la espina dorsal. Según la descripción que hace en su libro, *Anatomy of an Illness as Perceived by the Patient* («Anatomía de una enfermedad, según la percepción del paciente»), Cousins decidió experimentar el efecto de la vitamina C, y persuadió a su médico que le inyectara, por vía intravenosa, 35 g de ascorbato de sodio por día. Este tratamiento, junto con la ayuda psicosomática de su determinación de preservar su buen humor y gozar de la vida, cosa que logró parcialmente al darse de alta del hospital y recibir el tratamiento en una habitación de hotel, causó su recuperación. Ahora ocupa un puesto especial en la Facultad de Medicina de la Universidad de California, en Los Ángeles.

Existen pruebas de que la artritis, el reumatismo y las enfermedades conexas tienen a menudo por causas unas carencias nutricionales. La gente aquejada por estas dolencias haría bien en intentar mejorar su nutrición, regulando su dieta e ingiriendo vitaminas y minerales suplementarios, aproximándose quizá a las cantidades enumeradas en la tabla de página 66, con niacinamida y vitaminas C y B_6 adicionales si es posible. No es necesario ingerir muchos comprimidos: existe una mezcla de vitaminas puras, elaborada por Bronson Pharmaceuticals, La Cañada, California, Estados Unidos. Una cucharadita proporciona 1 000 mg de niacinamida, 100 mg de vitamina C y 60 mg de vitamina B_6. Un incremento en el consumo de alguna otra vitamina, como el ácido pantoténico, también podría ser beneficioso. Estas medidas nutricionales deberían complementar el tratamiento convencional adecuado, en caso de que dicho tratamiento exista, pero, a veces, como en el caso del síndrome del túnel carpiano, desaparece la necesidad de un tratamiento convencional (como la cirugía).

23. EL OJO, EL OÍDO Y LA BOCA

Dejemos ahora los temas de mayor envergadura, relacionados con la salud y las enfermedades, que nos han ocupado en los últimos capítulos, y examinemos cómo una óptima ingestión de vitaminas puede actuar sobre ciertas aflicciones que causan dolor e incapacidad, aunque no amenacen la vida. Algunas de las observaciones y recomendaciones que voy a hacer se basan tan sólidamente en observaciones fidedignas y repetidas como la mayoría de las cosas que ya he dicho en los capítulos anteriores. Sin embargo, algunas se sustentan sólo en experiencias limitadas. De estar recomendando algún fármaco, debería ser mucho más cauteloso al mencionar algunos de los empleos señalados. Sin embargo, y afortunadamente, las vitaminas tienen una toxicidad sorprendentemente baja, y pocas personas necesitan limitar su consumo. La ingestión óptima de vitaminas mejora el estado de salud general y refuerza los mecanismos naturales de protección del cuerpo. Sin embargo, la vitamina D no debería consumirse en exceso y demasiada vitamina A puede provocar dolores de cabeza.

El ojo es un órgano importante y delicado. Es sensible al medio ambiente, incluyendo a las moléculas que le suministra la sangre. Unas sustancias tóxicas pueden causar cataratas. Una presión parcial de oxígeno demasiado elevada, suministrada a los recién nacidos prematuros, podría causar la restricción y obliteración de las arterias que llegan a la retina (fibroplasia retrolental), provocando la ceguera. En algunas personas, el uso crónico de corticosteroides tópicos conduce al glaucoma, a las cataratas y a otros problemas oculares.

Es conocido el valor del consumo adecuado de vitaminas para lograr el buen estado de la vista. En algunos países del sureste asiático y en Brasil, la ceguera es a menudo causada por una carencia de vitamina A. La xeroftalmia (sequedad anormal del glóbulo ocular), que resulta de la carencia de vitamina A, es la causa principal de ceguera en los niños pequeños. La ceguera debida a la retinitis pigmentosa, provocada por el síndrome de Bassen-Kornzweig, puede evitarse con dosis masivas de vitaminas E y A.

El hecho que la concentración de vitamina C en el humor acuoso sea muy elevada –veinticinco veces la del plasma sanguíneo– sugiere su importancia para la buena salud del ojo.

Existen muchas pruebas que vinculan un bajo consumo de vitamina C a la formación de cataratas. Las cataratas consisten en una opacidad del cristalino del ojo, causada por moléculas de proteínas agregadas, formando partículas suficientemente grandes para dispersar la luz. Las cataratas a temprana edad se derivan de la exposición de la madre embarazada o del niño a sustancias tóxicas, de la malnutrición o de ciertas enfermedades, como la rubéola y la galactosemia. La catarata senil puede ser causada por la luz solar, radiaciones de energía elevada (rayos X, neutrones), infecciones, diabetes y malnutrición.

Ya desde 1935, y empezando por Monjukowa y Fradkin, muchos investigadores han señalado que en los ojos con cataratas existe muy poca vitamina C en el humor acuoso, y que los pacientes aquejados de cataratas tienen a menudo una concentración baja de vitamina C en el plasma sanguíneo (Lee, Lam y Lai, 1977; Varma, Kumar y Richards, 1979; Varma, Srivistava y Richards, 1982; Varma et al., 1984). Monjukowa y Fradkin informaron de que la baja concentración de vitamina C en el cristalino precede a la formación de la catarata, y concluyeron que un bajo nivel de vitamina C es la causa, no la consecuencia, de la formación de las cataratas. Sugirieron que en la vejez la permeabilidad del ojo a la vitamina C decrece, lo que podría remediarse con un elevado consumo de dicha vitamina. Varma et al. (1984) concluyeron de sus estudios que las vitaminas C y E son importantes para evitar las cataratas seniles.

También existen informes en el sentido de que la ingestión habitual de fuertes dosis de vitamina B_2, o sea 200 a 600 mg diarios, frena el desarrollo de las cataratas. Es posible que el atenerse fielmente al régimen descrito en el capítulo 5 conduzca a un control significativo del desarrollo de la catarata senil.

Varios médicos han señalado experimentos positivos con vitamina C para controlar el glaucoma. Esta aflicción dolorosa, que tan a menudo acaba en ceguera, se caracteriza por una presión intraocular creciente, causando la tumefacción del glóbulo ocular. La presión normal es inferior a los 20 mm de mercurio (mm Hg). En el glaucoma benigno, la presión es de 22 a 30 mm Hg; en el grave, es de 30 a 45 mm Hg, y en el muy agudo alcanza los 70 mm Hg. A veces, su causa es hereditaria o puede ser el resultado de una infección en el ojo u otra lesión, o tal vez a causa de la tensión emocional. A menudo puede controlarse con fármacos.

Cheraskin, Ringsdorf y Sisley (1983), en su examen del glaucoma, mencionan que Lane (1980) estudió sesenta sujetos entre los veintiséis y los setenta y cuatro años de edad, y observó que la presión intraocular media era de 22,33 mm Hg cuando el consumo medio de vitamina C era de 75 mg por día, disminuyendo a 15,15 mm Hg, al incrementar la ingestión de vitamina C a 1 200 mg por día. Otros investigadores han comunicado resultados similares. Las observaciones de Bietti (1967) y de Vierno et al. (1967) son las más notables. Ellos administraron dosis de 30 a 40 g de vitamina C por día (0,5 g por kg del peso del sujeto) a sus pacientes, durante un período de hasta siete meses. La presión intraocular, inicialmente de 30 a 70 mm Hg, disminuyó en general a la mitad. Para algunos pacientes, fuertes dosis de vitamina C podrían controlar el glaucoma, y para otros podrían disminuir la cantidad de fármacos necesarios para controlarlo.

El valor de la vitamina C en la cicatrización de las quemaduras se mencionó en el capítulo 14. También se ha señalado que dicha vitamina es de gran ayuda para tratar las quemaduras de la córnea del ojo. Miles de quemaduras de este tipo se deben a accidentes industriales, en los que el ojo está expuesto al álcali u otro producto químico. En 1978, la U. S. Consumer Protection Safety Commission (Comisión de seguridad y protección del consumidor, de los Estados Unidos) reseñó 22 429 casos de quemaduras en los ojos con productos químicos ocurridas en el hogar.

Si un accidente de este tipo ocurriera, inmediatamente se debe irrigar el ojo con agua y continuar mojándolo durante horas. Puede ser necesario un tratamiento oftalmológico para salvar la vista. Las quemaduras pueden causar la ulceración de la córnea y la perforación del glóbulo ocular.

La lesión puede interferir con el tránsito de la vitamina C hacia el ojo, causando una disminución de su concentración en el humor acuoso, hasta alcanzar una tercera parte de la cantidad normal. Hace mucho se señaló que la vitamina C, ingerida o aplicada localmente en forma de solución de ascorbato de sodio, es de gran ayuda en el tratamiento de dichas quemaduras (Boyd y Campbell, 1950; Krueger, 1960; Stellamor-Peskir, 1981).

En la última década, el profesor Rosewell R. Pfister y sus colegas de la Universidad de Alabama, en Birmingham, han estudiado a fondo la naturaleza de la acción de la vitamina C. Además del tratamiento convencional, el ascorbato, ingerido o aplicado localmente en forma de solución al 10 % de ascorbato de sodio, puede evitar la ulceración.

La conjuntivitis es la inflamación de la conjuntiva, o sea la membrana mucosa que cubre la superficie interna del párpado y se extiende sobre la parte delantera del glóbulo ocular. Puede ser causada por infecciones virales, alergias, luz intensa u otras fuentes de irritación. La conjuntivitis aguda infecciosa es una variedad extremadamente contagiosa. La iriditis y la uveítis son inflamaciones de partes del iris. Todas estas afecciones pueden mejorarse con gotas de una solución isotónica, recién preparada, de ascorbato de sodio (al 3,1 %), como complemento del tratamiento convencional adecuado.

La otitis media aguda, que es una infección bacteriana o viral del oído medio, produce grandes problemas a mucha gente. Generalmente, es el resultado de una infección del aparato respiratorio superior. Una buena manera de evitar este problema es cortar o controlar la infección respiratoria, lo que puede lograrse con una ingestión adecuada de vitamina C.

Un corresponsal me escribió que había tenido éxito al tratar la infección del oído medio introduciendo unas gotas de una solución de ascorbato de sodio en el oído. Aunque no se ha llevado a cabo ningún estudio a fondo sobre este tratamiento, me parece que es sensato y que vale la pena intentarlo.

La salud de la boca –dientes, encías y membranas mucosas– depende del consumo de vitamina C. Una ingestión muy baja es desastrosa. Un consumo moderado –como el que se obtiene con una dieta equilibrada ordinaria– conduce a una salud moderadamente buena. Para lograr una verdadera buena salud bucal se requiere una ingestión óptima de vitamina C, proporcionada por varios gramos diarios de la misma.

Jacques de Vitry, obispo de Acre, al mencionar el escorbuto que aquejaba a los cruzados en Tierra Santa, describió los efectos de un consumo tan bajo de vitamina C como para conducir a esa enfermedad: «... sus dientes y encías se manchaban rápidamente con una especie de gangrena y los enfermos no podían comer» (citado por Fullmer, Martin y Burns, 1961).

Un bajo consumo de vitamina C afecta directamente a los dientes. Las células que producen los dientes se deterioran, cesa la producción de dentina y la existente se vuelve porosa. Buenas provisiones de vitamina C, calcio y fluoruro son fundamentales para tener los dientes saludables.

La carencia de vitamina C conduce a la fragilidad capilar. Cuando los capilares en las encías se debilitan y sangran, se interrumpe el flujo de sangre hacia los tejidos de las encías y éstos se debilitan. Las encías se hinchan, toman un color violáceo, se ablandan y se dañan fácilmente. Posteriormente siguen la infección y la gangrena, con peligro de perder los dientes. La inflamación de las encías se llama gingivitis y se convierte en piorrea (enfermedad periodontal) a medida que se agrava.

La conclusión a la que llegan Fullmer, Martin y Burns (1961) y otros investigadores es que la vitamina C es necesaria para la formación y el mantenimiento normal de la dentina, de los huesos, de las encías y de otros tejidos conectivos del periodontio.

El tratamiento habitual de las enfermedades periodontales consiste en eliminar la placa y, a veces, en taladrar los dientes selectivamente, o cambiar los empastes y las prótesis, así como en la escisión quirúrgica del tejido de la encía. Este tratamiento es doloroso y costoso. A menudo se puede evitar incrementando el consumo de vitamina C.

No existe ninguna amplia demostración clínica controlada que sustente la afirmación anterior; que yo sepa, no se ha llevado a cabo ningún experimento de este tipo. Sin embargo, algunos casos individuales sí la apoyan; éstos, combinados con nuestros conocimientos sobre las propiedades de la vitamina C, nos llevan a recomendar el empleo de la vitamina C para este propósito. Citaré uno de dichos casos, el de Joshua M. Rabach, como él mismo lo describe en su libro sobre la vitamina C (1972):

> Fue un dentista –no mi dentista habitual, sino otro al que consulté, ya desesperado– quien me hizo tomar vitamina C por primera vez, en 1966. La causa de mi desesperación se debía a los honorarios de 900 dólares que pretendía cobrarme un dentista «periodontólogo» para «mejorar» mis encías... Su prognosis era *realmente* siniestro. De por sí era malo el cobro de 900 dólares; peor lo era que no podía asegurar que su trabajo impidiera la pérdida prematura de mis dientes... Consulté al segundo dentista –ahora «mi» dentista– una semana más tarde. Tras hurgar en mi boca y hacerme muchas preguntas, estuvo de acuerdo en que mis encías se retraían y que el problema no debía pasarse por alto. No estuvo de acuerdo en que fuera necesario un trabajo periodontal, «de momento». Me recetó el siguiente tratamiento: hacerme limpiar los dientes inmediatamente, y cada tres meses posteriormente; cepillarme los dientes y masajearme las encías según sus instrucciones y, por la mañana y por la tarde, ingerir uno de los comprimidos blancos que me dio.
>
> Pasaron seis meses antes que me enterara de que los comprimidos blancos se componían de vitamina C (500 mg) y que, en ciertos tipos de enfermedades de las encías, mi dentista utilizaba una terapia a base de vitamina C, antes que otros tipos de tratamientos más radicales... De eso hace seis años. Todavía tengo mis dientes y *mis encías* están sanas.

Para Rabach fueron suficientes 1000 mg diarios de vitamina C para evitar la enfermedad periodontal, pero en el caso de otras personas se puede requerir mucho más.

No cabe duda, como señalaron Cheraskin y Ringsdorf en su libro

Predictive Medicine («Medicina de predicción») (1973), que la salud general se ve afectada, hasta cierto punto, por la salud bucal, y que ésta sirve como indicador del estado de salud general. Si tiene usted problemas con sus encías o sus dientes, incremente su suplemento diario de vitamina C y de otras vitaminas, para ver si puede resolver el problema de esta sencilla manera. También mantenga contacto con su dentista, y asegúrese que él o ella está al corriente del valor de una nutrición adecuada.

24. EL ENVEJECIMIENTO: SU MITIGACIÓN Y RETRASO

El envejecimiento es el proceso por el cual se llega a la ancianidad y se acerca a la muerte normal. Va acompañado de un deterioro gradual de las funciones bioquímicas y fisiológicas –como la actividad de las enzimas–, y empieza hacia los treinta y cinco años de edad para proseguir después a un ritmo creciente.

Como consecuencia de dicho proceso, la tasa de mortalidad aumenta con la edad. La muerte puede sobrevenir a cualquier edad, por enfermedad, accidente, suicidio u homicidio. En los Estados Unidos, alrededor del 4,5 % de las muertes sobrevienen por accidentes, aproximadamente el 1,4 % por suicidio, alrededor del 1,0 % por homicidio, y más o menos el 93 % por enfermedad. La tasa de mortalidad por enfermedad da la medida del cambio que causa el envejecimiento.

En un documento titulado *On the Nature of the Function Expressive of the Law of Human Mortality* («De la naturaleza de la función que expresa la ley de la mortalidad humana»), publicado en 1925, Benjamin Gompertz, un erudito inglés, contribuyó notablemente al estudio del envejecimiento.

Estudió los registros de defunción en cuatro áreas y observó que, después de los treinta y cinco años de edad, la probabilidad de muerte aumenta por un factor constante, año tras año. Esto significa que, después de esta edad, la tasa de mortalidad aumenta exponencialmente con el paso de los años. Una manera útil para verificar la relación de Gompertz es trazar el logaritmo de la mortalidad como una función de la edad; la función de Gompertz es, entonces, una línea recta.

En la gráfica siguiente he trazado el logaritmo del número de defunciones, como una función de la edad, por cada mil habitantes blancos y por año en los Estados Unidos. Observamos que por los puntos situados entre las edades de treinta y cinco y setenta y cinco años pasa una línea recta. Por la inclinación de la línea podemos decir que la probabilidad de muerte del norteamericano medio aumenta en un 8,8 % con cada cumpleaños, después del trigésimo quinto. La probabilidad de su muerte –sea hombre o mujer– durante el año se duplica con cada aumento de 8,2 años de edad.

Entre los treinta y cinco y los setenta y cinco años de edad, la tasa de mortalidad de las mujeres se mantiene más o menos en la mitad de la de los hombres. Del nacimiento hasta alrededor de los cinco años, la relación entre niños y niñas es más o menos del 80 %, pero baja bruscamente, alcanzando un 30 % entre los diecisiete y los veinticinco, subiendo a un 50 % a los treinta y cinco años. Después de los setenta y cinco años aumenta más o menos a un 65 %.

Las estimaciones para la primera infancia que figuran en la gráfica de esta página se pueden atribuir a trastornos genéticos y a las enfermedades de la niñez. Se advierte que el mejor estado de salud se sitúa a los diez años. La elevada tasa de mortalidad entre los diecisiete y los treinta años puede atribuirse principalmente a los accidentes de coche. Éstos causan unas cuarenta mil muertes anuales, a una edad media de veintidós años. La joroba en la curva es más elevada para los jóvenes que para las jóvenes que, a esa edad, corren menos riesgos de morir en este tipo de accidentes.

En Estados Unidos, las niñas, al nacer, son ligeramente más saludables que los niños y a los treinta y cinco años lo son dos veces más, según se observa en la diferencia de las tasas de mortalidad. (Una parte de dicha diferencia se debe a que fuman más hombres que mujeres.) Sin embargo, a partir de entonces, envejecen con la misma rapidez, según se advierte en el paralelismo de las líneas de Gompertz.

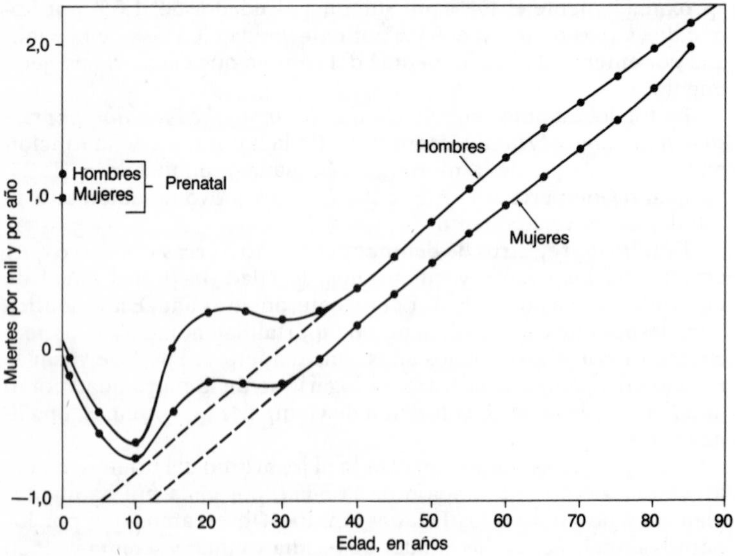

Tasas de mortalidad en función de la edad. *El diagrama Gompertz muestra el logaritmo de la tasa anual de mortalidad (por cada mil vivos de cada edad) de los varones y las mujeres blancos en Estados Unidos.*

Los fumadores de cigarrillos padecen de mala salud, lo que se demuestra no sólo porque contraen más enfermedades –benignas o graves–, sino también porque entre ellos hay notablemente más defunciones por todas las causas de mortalidad. Tienen una vida desdichada. Son cautivos de su adicción.

Se han llevado a cabo muchos estudios minuciosos comparando la tasa de mortalidad de una población de fumadores de cigarrillos y la de una población similar de no fumadores. A cada edad, y con cada cigarrillo adicional que fuman, los fumadores mueren más rápidamente de cualquier enfermedad que los no fumadores. Sus mecanismos naturales de protección están tan dañados que se vuelven vulnerables a todo ataque. Incluso disminuye la esperanza de vida de los cónyuges no fumadores, tan dañada se encuentra su salud al vivir en un ambiente lleno de humo.

Las probabilidades de morir de los que fuman un paquete diario de cigarrillos se duplica entre los cincuenta y los sesenta años de edad, comparado con la de los no fumadores (posteriormente, las probabilidades disminuyen ligeramente), y se triplica para los que fuman dos paquetes diarios. El fumador medio muere unos ocho años más joven que el no fumador. El fumador de cigarros puros no está tan perjudicado, quizá porque no inhala el humo. Sin embargo, muere un año o dos antes que el no fumador, y lo hace a menudo de cáncer de la boca o de la garganta.

Hace veinticinco años calculé que por cada cigarrillo fumado la esperanza de vida disminuye en quince minutos. Ya que se fuma un cigarrillo en unos cinco minutos, concluí que no vale la pena fumar, a menos que el fumador se sienta cuatro veces más feliz cuando está fumando que cuando no lo está (Pauling, 1960).

El cáncer pulmonar es una enfermedad horrorosa. Un fumador que habita en la ciudad tiene trescientas veces más probabilidades de morir de cáncer pulmonar, que uno que vive en áreas rurales. Antes existía una notable diferencia entre hombres y mujeres en la tasa de mortalidad de cáncer pulmonar, pero ahora muchas más mujeres fuman y están alcanzando a los hombres, según se puede ver en la gráfica superior de la página siguiente.

Pero no es el cáncer la principal causa de la disminución de la esperanza de vida para los fumadores, sino las enfermedades cardíacas. La gráfica inferior de la página siguiente muestra el logaritmo de la tasa de mortalidad por enfermedades coronarias del corazón, trazado en función de la edad, según un estudio estadístico con 187 783 varones llevado a cabo por Hammond y Horn (1958). Las inclinaciones de las líneas representan una duplicación de siete años. La curva para los que fuman un paquete diario de cigarrillos se desplaza de siete años hacia edades menores; o sea que los fumadores de un paquete diario mueren por enfermedades coronarias del corazón siete años antes que los no fumadores.

Hace muchos años se descubrió que el nivel de vitamina C es menor en la sangre de los fumadores que en la de los no fumadores (Strauss y Scheer, 1939), y muchos investigadores han confirmado

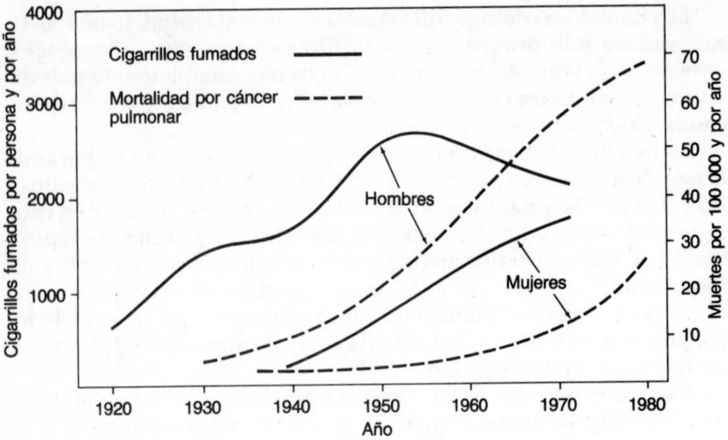

Los cigarrillos y el cáncer pulmonar. *La mortalidad por cáncer pulmonar aumentó drásticamente unos veinticinco años después de popularizarse el fumar cigarrillos, primero entre los hombres y luego entre las mujeres (De Cameron y Pauling, 1979).*

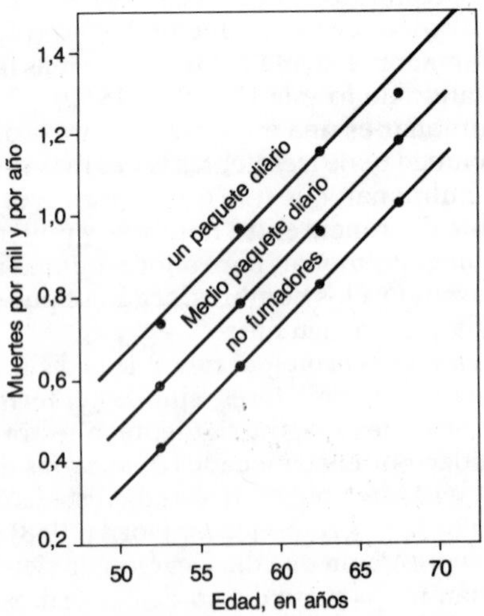

Los cigarrillos y las enfermedades cardíacas. *Las líneas de Gompertz muestran el logaritmo de la tasa de mortalidad por edades (muertes por año y por cada mil personas) por enfermedades coronarias del corazón, según un estudio de 187 783 varones: fumadores de un paquete diario de cigarrillos, de 0,3 paquete diario y no fumadores.*

este hecho. De las veinte ponencias presentadas en una reciente conferencia sobre la vitamina C, cuatro trataban de este tema, a propósito de poblaciones en Brasil, Canadá, Suiza y Estados Unidos (Hoefel, 1977; Pelletier, 1977; Ritzel y Brupacher, 1977; Sprince, Parker y Smith, 1977).

Los investigadores están de acuerdo: el nivel de la vitamina C en el plasma de los fumadores representa generalmente la mitad o la tercera parte del de los no fumadores. En 1952, McCormick calculó que cada cigarrillo puede destruir 25 mg de vitamina C, e Irwin Stone (1972) escribió que los fumadores padecen una fase subaguda crónica de escorbuto.

La mala salud de los fumadores de cigarrillos se puede atribuir, en parte, a su carencia de vitamina C. Ésta puede corregirse con la ingestión habitual de unos gramos diarios de dicha vitamina. Así se pueden evitar algunos de los efectos secundarios dañinos causados por el fumar, pero no todos. El fumador –de ambos sexos– que ingiere vitamina C suplementaria no logrará una protección igual a la del no fumador –de cualquier sexo– que ingiere vitamina C, a menos que deje de fumar.

En las últimas décadas, mucha gente ha dejado de fumar, pero otros no han podido escapar de la adicción. Para ellos existe la posibilidad de dejarlo en dos etapas. Primero, sustituir los cigarrillos por unos chicles que contengan nicotina (para ello se necesita receta médica, en Estados Unidos) y, después de un tiempo, dejar de masticar estos chicles.

En cuanto al alcohol, se puede dividir a las personas en tres clases: los no bebedores, los bebedores moderados (de uno a cuatro tragos por día) y los que beben en exceso (más de cuatro tragos por día). Los resultados de muchos estudios epidemiológicos concuerdan en que los bebedores moderados tienen, en término medio, una salud ligeramente mejor que los no bebedores, y viven unos dos años más (Jones, 1956; Chope y Breslow, 1955). Este efecto de un consumo moderado de alcohol puede ser el resultado de la acción de éste como tranquilizador. Para ello, es menos dañino que los fármacos tranquilizantes.

Un elevado consumo de alcohol puede producir grandes problemas: interferencia con la capacidad de la persona para congeniar con su cónyuge y sus hijos, y con amigos y relaciones de trabajo; destrucción del matrimonio; pérdida del trabajo; daño a sí mismo o a otros al conducir borracho; arresto por borrachera, y deterioro de la salud física y mental. Los efectos del alcoholismo son a menudo complicados por los de fumar cigarrillos (los que beben con exceso tienden a fumar mucho).

El problema del alcoholismo es difícil de controlar. A muchos alcohólicos les ha ayudado el apoyo psicosocial, como el que proporciona Alcohólicos Anónimos. Otros han obtenido resultados positivos con el fármaco «disulfiram». Éste evita que continúe la oxidación del acetaldehído, un producto de la oxidación del alcohol. Si después de ingerir «disulfiram» el paciente toma alcohol, se sonroja, siente punzadas en la cabeza, tiene náuseas y se encuentra muy mal. Tal experiencia podría ayudar a dejar de beber.

El descubridor del ácido pantoténico, Roger J. Williams, ha hablado de la eficacia de las vitaminas para controlar el alcoholismo (Williams, 1937). Muchos otros investigadores han observado que las vitaminas B y C son eficaces. Abram Hoffer (1962) informó sobre el control del alcoholismo agudo y del delirium tremens obtenido al administrar 9 g de niacina y 9 g de vitamina C diarios. Varios autores, particularmente Hawkins, en *Orthomolecular Psychiatry*, tratan de la niacina y de la vitamina C en relación con el alcoholismo. Hawkins se refiere a un estudio en que se ha dado un seguimiento de cinco años a 507 pacientes alcohólicos que habían recibido un tratamiento megavitamínico. Todos ellos habían experimentado repetidos fracasos con otros tratamientos hasta que empezaron a ingerir las vitaminas. De los 507 pacientes, 400 se mantuvieron sobrios durante dos o más años.

Sprince, Parker y Smith (1977) han señalado que el fumar y beber mucho alcohol introduce en el cuerpo no sólo nicotina y etanol, sino también otras sustancias tóxicas, incluyendo: acetaldehído, compuestos N-nitrosos, hidrocarburos polinucleares, cadmio y monóxido de carbono. También estimula la liberación de catecolaminas y corticosteroides, que se relacionan con ciertos efectos negativos cardiovasculares, respiratorios y del sistema nervioso. Los autores presentan indicios según los cuales fuertes dosis de vitamina C ayudan a disminuir los efectos tóxicos del acetaldehído y de algunas de las otras sustancias.

En resumen, fumar cigarrillos y beber con exceso son dos factores importantes que conducen a la desdicha, la mala salud y la muerte prematura.

Inevitablemente, al envejecer, los procesos fisiológicos y bioquímicos del cuerpo van menguando, al disminuir la fuerza y aumentar la frecuencia de las enfermedades y la probabilidad de muerte. Las moléculas de ácido desoxirribonucleico (ADN), que controlan la síntesis de las enzimas y otras proteínas, sufren cambios (mutaciones somáticas) que provocan una disminución de la producción de estas importantes sustancias, o cambios en las moléculas, que disminuyen su actividad. A estos cambios en las enzimas de todo el cuerpo se añade la malnutrición derivada de la falta de apetito, de no ingerir vitaminas suplementarias y de la decreciente actividad de las enzimas digestivas. El incremento del número de células que contienen anormalidades cromosómicas contribuye a estos efectos.

Una de las teorías del envejecimiento pretende que muchos de los cambios moleculares que se dan en el cuerpo, con el paso del tiempo, son causados por radicales libres, átomos o moléculas que son particularmente reactivos, porque contienen un electrón dispar (Denham, 1981). Pueden causar cambios en la estructura y función de importantes moléculas, como las enzimas, y dichos cambios pueden producir mutaciones somáticas, o sea mutaciones en las células del cuerpo (a diferencia de las mutaciones en el huevo o el espermatozoide, que pueden resultar en el nacimiento de bebés anormales, en la muerte del feto, o bien impedir el desarrollo del feto).

Una de las características del envejecimiento es que la piel pierde elasticidad y se forman arrugas, particularmente en las zonas expuestas a la luz solar –las manos, la cara y el cuello–. Bjorksten (1951) desarrolló una teoría del envejecimiento que explica estos cambios en la piel. Para curtir la piel de los animales, se introducen moléculas que se unen químicamente con las moléculas de dicha piel y las entrecruzan formando grandes agregados, que hacen que la piel se vuelva insoluble y dura. Bjorksten señaló que, al avanzar en edad, las moléculas de la piel humana se entrecruzan y la piel se curte.

Este proceso se puede retardar, limitando la exposición de la piel a la luz solar intensa, y protegiéndola contra los rayos ultravioletas de ésta, con lociones o ungüentos que contengan una sustancia capaz de absorber la luz ultravioleta. Así se puede reducir también la probabilidad de que se desarrolle un cáncer de la piel.

La formación de depósitos amarillos de colesterol en la piel, debajo de los ojos, acompaña comúnmente la vejez. Se ha observado que, una vez retirados, no se vuelven a formar otros depósitos, si el nivel de colesterol en la sangre disminuye, gracias a la ingestión habitual de fuertes dosis de vitamina C y a la reducción del consumo de sucrosa.

Los efectos de la luz ultravioleta, los rayos X, los rayos cósmicos, la radiactividad natural, el polvillo radiactivo de las explosiones nucleares y los productos químicos mutágenos y carcinógenos derivan en parte de la formación de radicales libres que luego atacan otras moléculas, cambiándolas o entrecruzándolas. Una parte del proceso de envejecimiento puede consistir en la producción de residuos insolubles, entrecruzados en las células de todo el cuerpo. La capacidad de oxidación-reducción de las vitaminas C y E da protección contra el cáncer y contra el envejecimiento al hacer que dichas moléculas se combinen con radicales libres, los reduzcan y, por tanto, los destruyan.

No recomiendo la ingestión de fármacos para controlar el envejecimiento. Pearson y Shaw (1982), en un grueso libro popular (para mí, bastante confuso) sobre el envejecimiento y la prolongación de la vida, enumeran treinta y una sustancias, en su propia fórmula experimental, para prolongar la vida. La lista incluye vitaminas y otras sustancias ortomoleculares, pero también cierta cantidad de fármacos, incluyendo varios que describen como antioxidantes: «dilauril tiopropinato», «ácido tiodipropiónico», «hidroxitolueno butilado» y alcaloides de cornezuelo hidrogenados («ergot») («dihidroergocornina metanosulfonato», «dihidroergocristina metanosulfonato», «dihidroergocriptina metanosulfonato»). No recomiendo la ingestión de dichas sustancias.

Generalmente todo el mundo reconoce que la actividad física es importante para preservar la buena salud. Cheraskin y Ringsdorf, en su libro *Predictive Medicine*, concluyen que «el añadir la actividad física desalienta las enfermedades; la ausencia de ejercicio las invita».

Uno de los primeros estudios es el de Hammond (1964), que informó sobre los resultados obtenidos con más de un millón de hombres y mujeres que participaron en el estudio y a quienes se les hizo un seguimiento de dos años. Las tasas de mortalidad de 461 440 hombres, entre los cuarenta y cinco y los noventa años de edad, figuran en la gráfica siguiente. Se puede observar que las tasas de mortalidad de los que no hacían ejercicios son muy superiores a las de los que sí hacían ejercicios. La proporción corresponde a una diferencia de entre diez y veinte años en la esperanza de vida. Otros investigadores han señalado una diferencia de unos cinco años entre las personas que hacen poco o ningún ejercicio y las que hacen alguno, sin que el ejercicio vigoroso proporcione ventaja alguna. La gente que hace ejercicio probablemente también sigue otras prácticas saludables. El ejercicio habitual beneficia al corazón y a los pulmones, mejora las vías sanguíneas, incrementa la fuerza muscular, tensa los ligamentos y ayuda a controlar el peso del cuerpo.

La palabra *aeróbic*, que tiene que ver con la presencia o empleo del oxígeno del aire, se utiliza ahora para describir aquellos ejercicios que, por ser vigorosos, requieren de una respiración rápida y un latido más fuerte del corazón. El ejercicio aeróbico puede llevarse a cabo caminando rápidamente, haciendo *jogging*, circulando en bicicleta o nadando. No cabe duda de que es bueno cuando se practica regularmente y sin exceso.

Todo insulto al cuerpo, toda enfermedad, toda tensión, incrementan la edad fisiológica de la persona y disminuyen su esperanza de vida. El doctor Hardin Jones, del Donner Laboratory of Medical Physics de la Universidad de California en Berkeley, señaló las proporciones en que los episodios de enfermedad reducen la esperanza de vida. Hizo notar que existen pruebas de que el envejecimiento es el resultado de episodios que dañan las funciones del cuerpo. Entre éstos se encuentran las enfermedades; toda enfermedad disminuye la capacidad del cuerpo para funcionar de forma óptima. Una enfermedad tiende a llevar a otra y a disminuir la esperanza de vida. Este efecto se ha descrito como sigue: toda persona nace con una cantidad dada de vitalidad, una parte de la cual se gasta con cada episodio de enfermedad u otra causa de tensión, y la muerte sobreviene cuando la cuota de vitalidad se ha agotado.

Jones concluye que la forma de evitar las enfermedades consiste en no tener enfermedades previas: «... quizá podamos preservar mejor la salud fisiológica eliminando nuestras enfermedades más triviales; conseguir la eliminación de afecciones «benignas», como resfriados, varicela, sarampión, etc., puede ser más provechoso que cualquier otra cosa que intentemos para disminuir la tendencia a las enfermedades en la vejez».

Controlando el resfriado, la gripe y otras dolencias, al consumir vitamina C suplementaria y practicar otros hábitos saludables, no sólo evitamos la incomodidad de dichas afecciones, sino que también reducimos el ritmo de deterioro de nuestro cuerpo y de agotamiento de nuestras reservas de vitalidad. Es frecuente que los viejos y los enfermos se acerquen rápidamente hacia la muerte por no comer bastante. Su malnutrición viene a menudo de la pobreza, pero también puede ser que los alimentos no les sepan o huelan bien. El deterioro del olfato y del gusto puede, en sí, ser un resultado de la malnutrición, pero a menudo es agravado por los productos tóxicos de las enfermedades –particularmente el cáncer–, por los cambios que acompañan el proceso de envejecimiento y por malos hábitos de salud, como la constipación.

Una buena nutrición puede disminuir la frecuencia de estos episodios y evitar el asalto a la edad fisiológica, al mejorar la salud general, reforzar los mecanismos naturales de protección del cuerpo y ayudar a controlar las enfermedades. La ingestión óptima de vitaminas suplementarias contribuye mucho al logro de todos estos objetivos. Es posible, como dijo Lewis Thomas, ¡que todos muramos sanos!

Aun si una persona anciana no goza de excelente salud, con una buena nutrición, sus últimos días pueden ser más llevaderos. El doctor Ewan Cameron ha comunicado que los enfermos de cáncer graves, que empezaron a ingerir 10 g diarios de vitamina C, reaccionaron rápidamente con mejor apetito y comiendo más, probablemente porque los alimentos sabían y olían mejor. La mejor nutrición que re-

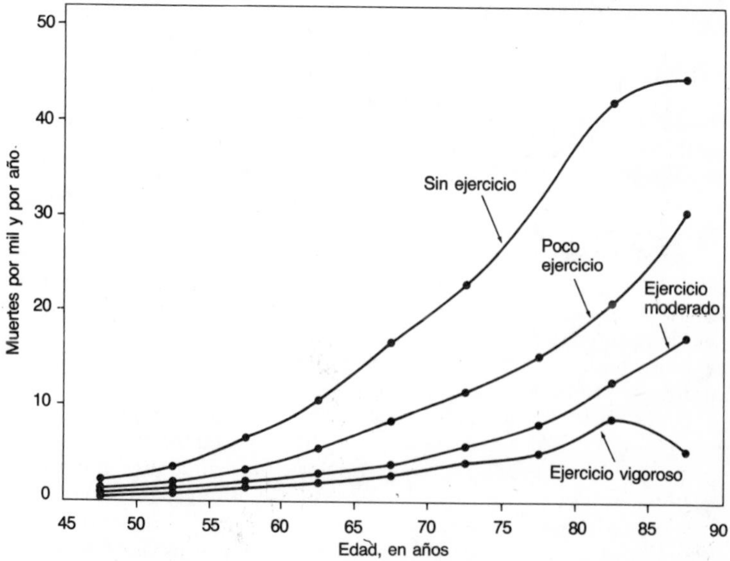

El ejercicio y la mortalidad. *Las tasas anuales de mortalidad (muertes por año y por cada mil personas) difieren de manera significativa para hombres que hacen ejercicio y para los que no hacen ninguno. Las relaciones corresponden a una diferencia de entre diez y veinte años en la esperanza de vida. (De Hammond, 1964.)*

sulta de ello puede explicar, en parte, el efecto de la vitamina sobre la salud de los pacientes.

Actualmente, en Estados Unidos, la edad media al morir es de unos setenta y cinco años. La inclinación de la curva de Gompertz empieza a disminuir más allá de los ochenta y cinco años; o sea que, a una edad más avanzada, la tasa de mortalidad no aumenta rápidamente como en años anteriores. Este efecto es probablemente el resultado de la selección de los supervivientes, por ser personas generalmente más sanas de lo que lo eran las que murieron antes. A los cien años de edad, la tasa anual de mortalidad es de 0,30, y aumenta en más o menos 0,012 por cada año sucesivo. Sobre esta base, el cálculo indica que en la población de los Estados Unidos debería haber una sola persona que haya sobrevivido hasta los ciento veinticinco años.

Mi cálculo, basado en los resultados de los estudios epidemiológicos y otras observaciones, es que con el consumo óptimo de vitaminas suplementarias y otras prácticas saludables la duración del período de bienestar y la duración de la vida podrían incrementarse entre veinticinco y treinta y cinco años. Para la subpoblación que se atuviera a este régimen, la esperanza de vida sería de cien o ciento diez años, y, en el futuro, la edad máxima alcanzada por unos cuantos podría ser de ciento cincuenta años.

IV. Las vitaminas y los fármacos

25. LA MEDICINA ORGANIZADA Y LAS VITAMINAS

Hace quince años estaba yo escribiendo *Vitamin C and the Common Cold*. Me sentía satisfecho de mí mismo. Había hecho muchos descubrimientos en química y otros campos científicos e incluso había hecho algunas contribuciones a la medicina, aunque no era seguro que éstas influyeran mucho en la disminución del sufrimiento causado por las enfermedades. Creía haber aprendido algo que podía reducir ligeramente el sufrimiento de decenas o centenares de millones de personas, algo que otros científicos y facultativos habían advertido, pero que por alguna razón se descartó.

Pensaba que sólo necesitaba presentar los hechos de manera sencilla, directa y lógica, para que los facultativos y la gente en general los aceptara. Tenía yo razón en mi esperanza en cuanto a la gente, pero me equivoqué con los facultativos, o quizá no con los médicos individualmente, sino con la medicina organizada.

Un modesto número de médicos norteamericanos, quizá el 1 %, practican actualmente la medicina ortomolecular y se llaman médicos ortomoleculares. Éstos emplean medidas profilácticas y terapéuticas convencionales y las complementan con recomendaciones adecuadas acerca del consumo óptimo de vitaminas y otros nutrientes, conjuntamente con el uso de otras sustancias ortomoleculares. Actualmente, la American Orthomolecular Association (Asociación norteamericana de medicina ortomolecular), de la cual he sido presidente honorario desde su fundación hace diez años, consta de quinientos miembros.

No es fácil ser un médico ortomolecular. Este campo todavía no ha sido reconocido como especialidad médica. Por alguna razón, la medicina ortomolecular es considerada como una amenaza para la medicina convencional. El *establishment* médico hostiga a los médicos ortomoleculares. A uno de mis amigos, de hecho el actual presidente de la Orthomolecular Medical Association, se le suspendió la licencia médica en el estado de California, en 1984, y tuvo que mudarse a otro estado para poder seguir practicando la medicina. Fui testigo en la vista de su caso, en la que el fiscal del estado de California me formuló preguntas bastante tontas. Ninguno de sus pacientes presentó cargos contra el acusado; lo hizo otro médico, quizá porque sentía que la medicina ortomolecular constituye una competencia desleal, ya que beneficia demasiado a los pacientes y a un costo excesivamente bajo (las vitaminas son mucho más baratas que los fármacos). Según lo entiendo, el cargo principal contra mi amigo fue que «no se esforzó lo suficiente para que su paciente enferma de cáncer cambiara de opción cuando decidió no tratarse con quimioterapia». Este tipo de pretexto me parece tan descarado como el que el Departamento de estado de los Estados Unidos utilizó al no querer darme mi pasaporte, para poder asistir a un simposio internacional de dos días en Londres, organizado por la Royal Society of London, en la que se iban a analizar mis descubrimientos sobre la estructura de las proteínas. Se suponía que yo sería el primer conferenciante. El Departamento de Estado arguyó que mis «declaraciones anticomunistas no habían sido lo suficientemente enérgicas».

En el capítulo 13 mencioné que, mientras mucha gente cree que la vitamina C ayuda a evitar los resfriados, la mayoría de los médicos niegan que ésta sea muy eficaz. Mis experiencias, tras la publicación de *Vitamin C and the Common Cold* (1970), confirman esta idea y me han estimulado a intentar explicar el hecho.

Muchos médicos me han escrito, señalando que les parece que la vitamina C es eficaz para controlar el resfriado y otras infecciones del aparato respiratorio, y que la utilizan para tratarse a sí mismos, a miembros de su familia y a sus pacientes. Unos centenares de personas, que no son médicos, también me han escrito sobre el uso beneficioso de la vitamina C, generalmente durante varios años. Sólo he recibido unas tres o cuatro cartas de médicos que están convencidos de que la vitamina C no tiene tal eficacia. Sin embargo, este reducido número es probablemente engañoso; los escépticos no me escriben.

El doctor Cortez F. Enloe, Jr., director de *Nutrition Today*, mencionó en un artículo de fondo sobre mi libro (1971), que no había encontrado un solo médico entre sus amigos, o entre los que asistían a la reunión de una sociedad médica provincial, que «admitieran siquiera haber leído el libro». Supongo que la mayoría de los médicos no han leído ni dicho libro ni los artículos que describen los experimentos controlados, que, en relación con el resfriado, se llevaron a cabo con vitamina C. Calculo que de cada mil médicos norteamericanos uno había leído el artículo de Cowan, Diehl y Baker, publicado en 1942, y que, de cada diez mil, uno había leído el artículo de Ritzel publicado en 1961. Las opiniones de todos, menos las de un puñado, son de segunda mano.

Casi todos los médicos se fían de lo que dicen las autoridades. Esto es inevitable. El médico que practica su profesión está demasiado ocupado para estudiar a fondo, en su forma original, las publicaciones complejas, y a menudo voluminosas, sobre todos los temas médicos. Por ejemplo, un médico en Albuquerque, Nuevo México, Estados Unidos, escribió una carta a un periódico local, afirmando que se había demostrado que la vitamina C no tiene ninguna eficacia para proteger contra el resfriado y otras enfermedades respiratorias.

Le escribí, preguntándole en qué informes publicados sobre experimentos había basado su información. Respondió que él era ginecólogo y sabía poco sobre las enfermedades infecciosas; su aseveración se basaba en la información que le proporcionó por teléfono su antiguo profesor, el doctor F. J. Stare. Este médico se había apoyado en una autoridad, que, como muchos miembros del *establishment* médico, había pasado por alto las crecientes pruebas a favor del tratamiento del resfriado con vitamina C.

Algunos investigadores médicos no han analizado adecuadamente sus propias observaciones y no han actuado según los resultados. Cowan, Diehl y Baker (1942) constituyen un ejemplo de ello. En su cuidadoso estudio, estos tres médicos advirtieron una disminución del 15 % en la frecuencia de los resfriados entre los sujetos del grupo que ingirió ácido ascórbico (en comparación con el grupo que tomó un placebo), y una redución del 19 % en la gravedad de la enfermedad (capítulo 12). Según las reglas generalmente aceptadas por los estadísticos, estos resultados son significativos estadísticamente y no se deberían pasar por alto. Sin embargo, es lo que Cowan, Diehl y Baker hicieron. En el resumen de su informe –la única parte que leería la mayoría de los lectores de la American Medical Association–, omitieron estos datos. Su resumen consiste en una sola oración: «Este experimento controlado no indica que dosis fuertes de vitamina C o dosis fuertes de vitamina A, B_1, B_2, C, D y ácido nicotínico tengan algún efecto importante sobre la cantidad de las infecciones del aparato respiratorio superior, cuando se administran a jóvenes adultos que ya siguen probablemente una dieta razonablemente adecuada.»

Comparando la enfermedad por resfriado (medida en términos de días de enfermedad por sujeto, el producto de la cantidad de resfriados por sujeto y los días de enfermedad por cada resfriado), los sujetos que ingirieron vitamina C sólo tuvieron el 69 % de los que ingirieron el placebo. Seguramente, una disminución del 15 % en la frecuencia, y del 19 % en la gravedad de los resfriados es un resultado importante. La única explicación posible del proceder de Cowan, Diehl y Baker, al escribir el resumen de esta manera, es que no consideraron que el efecto observado fuera significativo; pero es de suponerse que la mayoría de la gente consideraría importante el poder reducir en casi un tercio la suma de afección por resfriado. En una carta al *New York Times*, en 1970, Diehl indicó que todavía pensaba que él y sus colaboradores no habían obtenido resultados positivos. En respuesta a dicha carta, señalé que el doctor Diehl y yo estábamos de acuerdo sobre los datos, pero en desacuerdo en cuanto a la palabra *importante*, y que, en resumen, Cowan, Diehl y Baker habían cometido un error de juicio al omitir que habían observado un efecto protector, estadísticamente significativo, del ácido ascórbico contra el resfriado.

Glazebrook y Thomson (1942) también interpretaron incorrectamente sus propias observaciones en el resumen de su informe. En el capítulo 13 se menciona que en su estudio principal, con 435 sujetos, advirtieron que la frecuencia de resfriados y amigdalitis fue del 13 % menor en el grupo que ingirió ácido ascórbico que en el grupo de control. La frecuencia de resfriados en sí fue del 17 % menor en este estudio, y del 12 % en un segundo experimento con 150 sujetos, en el que también observaron una frecuencia de resfriados y amigdalitis del 15 % menor. Estos datos presentados en el informe mismo no se repiten en el resumen, sino que se declara, en contra de los datos, que «la frecuencia de resfriados y amigdalitis fue igual en ambos grupos». En los resúmenes de los informes de otros investigadores se puede observar que tampoco presentan una relación correcta de los resultados de sus trabajos.

Una especie de conservadurismo y de reserva, el sentimiento de que no se debe afirmar que se ha observado un efecto terapéutico o preventivo, a menos que éste sea amplio y obvio, pueden explicar que estos investigadores hayan subestimado el resultado de sus observaciones en los resúmenes de sus trabajos. Opino que tales sentimientos, por admirables que sean, no justifican una descripción incorrecta de las observaciones. Los autores de un artículo científico o médico siempre deben procurar ser precisos. Es tan incorrecto subestimar los resultados como sobreestimarlos. No cabe duda de que los mismos investigadores originales han sido parcialmente responsables de que el *establishment* médico no reconozca la importancia de las observaciones.

La actitud de las autoridades médicas es ilustrada por el editorial no firmado que apareció en *Nutrition Reviews* (1967) –citado en el capítulo 6–, donde se afirma que no existe ninguna prueba concluyente de que el ácido ascórbico tenga un efecto protector o terapéutico sobre el desarrollo del resfriado en la gente sana. El examen de las pruebas por parte del autor anónimo fue claramente descuidado y superficial, ya que, según se menciona en el capítulo 13, señaló de forma incorrecta que Ritzel (1961) sólo había observado una reducción del 39 % en la cantidad de días de enfermedad y una reducción del 36 % en la frecuencia de los síntomas, siendo los valores correctos casi del doble (61 % y 65 %, respectivamente). No existe ningún indicio en el artículo de que su autor haya intentado analizar los trabajos publicados para ver si se podía afirmar que las pruebas demuestran, con significado estadístico, que el ácido ascórbico tiene o no un efecto protector o terapéutico (de una magnitud dada). No es improbable que el autor haya llegado a conclusiones erróneas por las afirmaciones incorrectas de los resúmenes de algunos investigadores, tales como los arriba mencionados, y por la opinión médica prevaleciente, y que este prejuicio haya conducido a la superficialidad de su artículo.

Aun después de la publicación de *Vitamin C and the Common Cold* (7 de diciembre de 1970), cuando se presentaron claramente las pruebas ante las autoridades médicas, éstas siguieron negando la existencia de dichas pruebas. Esta negación a veces se acompañaba de afirmaciones que contradecían o tergiversaban los hechos.

Entre las autoridades que negaron las pruebas estaba el doctor

Charles C. Edwards, jefe de la U. S. Food and Drug Administration (FDA). El 18 de diciembre de 1970, el comisionado Edwards me llamó por teléfono, citándome en Washington, D. C., para una entrevista con la FDA sobre este tema. Acepté y le sugerí que antes de la reunión se clarificaran algunas cuestiones por carta. Al día siguiente, en un despacho de la United Press International, bajo la firma de Craig A. Palmer, publicado en muchos periódicos, el doctor Edwards citó a los periodistas para decirles que la riada hacia las farmacias en pos de vitamina C, desde la publicación de mi libro, era «ridícula» y que «no existe ninguna prueba científica, y nunca ha habido experimentos significativos que indiquen que la vitamina C es capaz de evitar o curar los resfriados». Le escribí varias cartas preguntándole cómo podía conciliar esta afirmación con la existencia de las pruebas resumidas en mi libro, y particularmente los resultados de Ritzel. En sus respuestas, que incluyeron documentos del doctor Allan L. Forbes, director adjunto de la división de nutrición de la FDA, el doctor Edwards hizo varias críticas sobre el trabajo de Ritzel y otros investigadores citados en mi libro. Sin embargo, concluyó que Ritzel «sí presenta datos que parecen significativos». Habiendo llegado la «clarificación» por correspondencia hasta dónde era posible, en junio de 1971 le comuniqué al doctor Edwards que iría a Washington inmediatamente, o en la fecha que mejor le conviniera, para la entrevista. Entonces retiró su invitación y nunca se ha llevado a cabo dicha entrevista.

Pese a las repetidas observaciones en el sentido de que la vitamina C sí proporciona alguna protección contra las enfermedades, respiratorias y otras, las agencias médicas federales siguen negando su valor. En agosto de 1975, los National Institutes of Health publicaron un folleto (566-AMDD-975-B) que contenía muchas aseveraciones incorrectas: «El cuerpo sólo utiliza la cantidad de ácido ascórbico que necesita y elimina el resto por la orina.» «Otras preguntas acerca de la seguridad que ofrece la ingestión de fuertes dosis de ácido ascórbico incluyen su posible efecto sobre la fertilidad y sobre el feto, su interferencia en el tratamiento de pacientes cuya orina debe mantenerse alcalina...» «Informes recientes demuestran, además, que fuertes dosis de vitamina C destruyen cantidades sustanciales de vitamina B_{12} en los alimentos.» Según se afirma en este folleto, 45 mg diarios serían suficientes para evitar la enfermedad y preservar la salud. La única vez que se mencionan las pruebas, es cuando se afirma que los experimentos no son convincentes.

Los autores de los libros de referencia y de texto no han analizado adecuadamente las pruebas relativas a la vitamina C. Por ejemplo, en la sexta edición del libro de texto *Human Nutrition and Dietetics* («La nutrición humana y la dietética»), de Davidson, Passmore, Brock y Truswell (1975), los autores escriben que: «Pauling (1970) se basa en pruebas muy poco sólidas al afirmar que el consumo de 1 o 2 g diarios promueve un estado óptimo de salud y protege contra el resfriado.» Para apoyar esta aseveración, citan las conclusiones de Cowan et al. y de Glazebrook y Thomson, pero no hablan de sus datos.

No mencionan los trabajos de Ritzel, aunque los conocían. Uno de los autores, Passmore, escribió una crítica de *Vitamin C and the Common Cold*, obra en la cual examiné dichos trabajos (Passmore, 1971). No está claro el porqué estas autoridades en el campo de la nutrición interpretan incorrectamente o pasan por alto las pruebas.

Medical Letter («Carta médica»), una publicación sin fines lucrativos, sobre los fármacos y la terapia, que la Drug and Therapeutic Information, Inc., destina a los médicos, publicó una crítica desfavorable, no firmada, de *Vitamin C and the Common Cold*, el 25 de diciembre de 1970. El anónimo autor dijo que yo me había apoyado en experimentos no controlados, y que «un experimento controlado sobre la eficacia de la vitamina C contra las infecciones del aparato respiratorio superior debe llevarse a cabo durante un extenso período e incluir muchos centenares de personas para ofrecer resultados significativos. Ningún experimento de ese tipo se ha realizado». Escribí una carta señalando lo erróneo de dicha afirmación, y mostrando al autor del artículo que, cuando menos, el estudio de Cowan, Diehl y Baker cumplía al pie de la letra todas sus especificaciones. Concluí solicitando a *Medical Letter* que publicara mi carta.

Ésta no se publicó; en vez de ello, el 28 de mayo de 1971, *Medical Letter* publicó un segundo artículo titulado «Vitamin C–Were the Trials Well Controlled and Are Large Doses Safe?» («La vitamina C. ¿Fueron controlados adecuadamente los experimentos, y son seguras las dosis elevadas?»). Este artículo argumentaba que el experimento de Cowan, Diehl y Baker se había rechazado por no ser doblemente ciego (pese a que Cowan mismo me dijo, en una carta, que podría describirse como tal), y que la distribución de los sujetos en los grupos que ingerían ácido ascórbico o placebo no fue hecha al azar (pese a que los investigadores describen su método de selección al azar en su comunicación). Se atacó el experimento de Ritzel sobre la base trivial de que éste no indicaba las edades y el sexo de los sujetos. De hecho, su documento señalaba que los sujetos eran todos adolescentes escolares (en una carta dirigida a mí, Ritzel confirmó que todos eran jovencitos y dijo que tenían entre quince y diecisiete años de edad). El artículo también mencionó la posible formación de cálculos renales, sin ofrecer pruebas al respecto.

A causa de la debilidad de los argumentos presentados por *Medical Letter* y otros críticos, el médico canadiense Abram Hoffer hizo el comentario siguiente (1971): «[Estos críticos] utilizan dos tipos de lógica. Antes de querer examinar las hipótesis del doctor Pauling exigen las más rigurosas pruebas. Pero cuando disputan sus puntos de vista utilizan pruebas de lo más insustanciales sobre la toxicidad del ácido ascórbico.»

Claro está, cuando las autoridades tergiversan los datos, engañan a los escritores populares. En un artículo del *Reader's Digest* (Ross, 1971) –que no es en absoluto de fiar– aparece la oración siguiente: «Pero algunos de estos pacientes [que habían ingerido 4000 a 10000 mg de vitamina C por día] han desarrollado cálculos renales.» Cuando solicité al *Reader's Digest* que me facilitaran las referencias de las publicaciones médicas sobre dichos pacientes, no obtuve respuesta. *Medical Letter* no mencionó ningún caso en el que el ácido ascórbico hubiese causado el desarrollo de cálculos renales, sólo mencionó dicha posibilidad.

Durante muchos años, la posición de la American Medical Association (AMA) fue que la vitamina C no tenía ninguna eficacia para prevenir o tratar el resfriado u otras enfermedades, según lo expresado, en particular por el doctor Philip L. White, su principal portavoz sobre nutrición y salud (White, 1975). El 10 de marzo de 1975, la AMA proporcionó a la prensa una declaración titulada «Vitamin C Will Not Prevent or Cure the Common Cold» («La vitamina C no previene ni cura el resfriado»). Esta declaración, bastante negativa, se basaba supuestamente en dos comunicaciones, publicadas ese mismo día en el *Journal of the American Medical Association (JAMA)* (Karlowski et al., 1975; Dykes y Meier, 1975). Karlowski y sus colegas habían llevado a cabo un experimento sobre el ácido ascórbico en relación con el resfriado, con empleados de los National Institutes of Health como sujetos. El documento de Dykes y Meier consistía en un examen de otros estudios. Sin embargo, no presentaron los resultados observados por Ritzel (1961), Sabiston y Radomski (1974) y otros investigadores. Pese a su análisis incompleto de las pruebas, Dykes y Meier concluyeron que los estudios parecían mostrar que la vitamina C disminuye la cantidad de molestias que acompañan al resfriado, aunque, en su opinión, su efecto protector puede no ser suficientemente amplio para ser importante en clínica. Así pues, su revisión de las pruebas no proporcionaba base alguna para la declaración de la AMA en el sentido que la vitamina C no previene ni cura el resfriado.

Con el fin de ofrecer a los lectores del *Journal of the American Medical Association* un resumen de todas las pruebas, preparé inmediatamente un análisis a fondo, pero breve, de trece experimentos controlados, y lo presenté al director el 19 de marzo. Me lo devolvió dos veces, sugiriendo revisiones de menor importancia, las cuales integré. Finalmente, el 24 de diciembre, seis meses después de haberle presentado el artículo, me escribió diciéndome que no era completamente convincente y que había decidido rechazarlo y no publicarlo en la *JAMA*. Posteriormente fue publicado en *Medical Tribune* (Pauling, 1976b).

En mi opinión es incorrecto que el director de *JAMA* (o de cualquier otra revista) tenga por regla el publicar sólo los artículos que apoyan únicamente un lado de un tema médico o científico, e interferir en la adecuada discusión del tema, al retener, durante medio año, un documento que le fue presentado, período durante el cual, según la costumbre aceptada, el escrito no puede ofrecerse a otra revista.

Éste no constituye el único ejemplo de este tipo de acción por parte del director de *JAMA*. La revista publicó el artículo de Herbert y Jacobs, que pretende que la vitamina C, ingerida con los alimentos, destruye la vitamina B_{12} en éstos, y puede causar una enfermedad grave, parecida a la anemia perniciosa (capítulo 9). Cuando Newmark y sus colegas encontraron que no se podía sustentar dicha tesis y que, de hecho, la vitamina C no destruye la vitamina B_{12} de los alimentos, enviaron su refutación al director de *JAMA*, lugar lógico para publicarla. El director la retuvo durante medio año y luego se negó a difundirla, retrasando así su publicación en otra revista, y evitando que muchos lectores del artículo original de Herbert y Jacobs pudieran enterarse de que sus resultados eran incorrectos. Estas acciones sugieren que la AMA trata de evitar que los médicos norteamericanos se enteren de la información que va en contra de sus propios prejuicios. Las pruebas indican que la AMA tiene una prevención contra la vitamina C.

La tarea del director de *JAMA* y de sus asesores es difícil. La medicina es un tema extremadamente complicado. Se basa en gran parte en las ciencias –física, química física, química orgánica, bioquímica, biología molecular, bacteriología, virología, genética, farmacología y otras–, pero todavía no es una ciencia. Nadie puede conocer a fondo más de una pequeña parte de la medicina. Además, muchos médicos se encuentran limitados en cuanto a sus conocimientos científicos y no han tenido experiencia en el campo de los descubrimientos científicos. No saben cómo reaccionar ante las nuevas ideas y cómo valorarlas.

La literatura científica y médica es ya tan extensa que un director sólo puede formar sus opiniones teniendo en cuenta únicamente una pequeña parte de las pruebas existentes. El director de *JAMA* quizá estaba demasiado ocupado para analizar a fondo el tema de la vitamina C. El distinguido director de otra revista médica, *Modern Medicine*, el doctor Irvine H. Page, pisaba terreno poco seguro al escribir un artículo de fondo titulado «Are Truth and Plain Dealing Going Out of Style?» («La verdad y la honradez, ¿están pasando de moda?»), para el número del 15 de enero de 1976. Dijo lo siguiente: «Cuando hasta los investigadores responsables utilizan tácticas dudosas para promover sus "descubrimientos", no es de extrañar que el público pierda confianza en el *establishment* científico.» Y también que: «En mi opinión, el ejemplo más trágico de autoengaño fue aquel en que el doctor Linus Pauling –ganador, por dos veces, del premio Nobel– propuso y explotó el uso de dosis masivas de vitamina C para el resfriado.»

Page se retractó en lo que se refería a mi persona, en el número del 1 de julio de 1976 de *Modern Medicine*, tras un intercambio de correspondencia conmigo. Escribió:

> «Retiro lo dicho y lamento el empleo injustificado de las palabras peyorativas con que, debido a un malentendido, aseguré incorrectamente que el doctor Pauling exigía que sus críticos probaran que estaba en un error. De hecho, el doctor Pauling presentó, en su libro de 1970, *Vitamin C and the Common Cold*, y en sus artículos, un resumen razonable de los informes publicados sobre los diversos experimentos controlados que se habían llevado a cabo, junto con su propio análisis y sus conclusiones. No ha exigido que sus

críticos probaran su error, aunque los ha alentado a analizar las pruebas... El alto concepto que tenemos del doctor Pauling se demuestra por nuestro gesto al otorgarle, en 1963, el Premio de *Modern Medicine* por logros notables, que mereció su descubrimiento de que la anemia drepanocítica es una enfermedad molecular.

Page también dijo que los médicos deberían dar información fiable sobre cuestiones de salud pública tan importantes como: nutrición (incluyendo el uso de la vitamina C), fármacos, inmunizaciones y estilos de vida y, con su propio comportamiento, deberían ganarse y conservar el respeto y la confianza de aquellos a quienes pretenden beneficiar con la medicina preventiva. Además, *Modern Medicine* publicó, en el número del 1 de julio de 1976, una comunicación mía sobre la eficacia de la vitamina C para conservar la salud y evitar las enfermedades.

Modern Medicine parece estar desarrollando una actitud más abierta en cuanto a los avances recientes en nutrición y medicina preventiva, siguiendo el ejemplo de otra revista médica, *Medical Tribune*, que a través de los años se ha mantenido libre de este tipo de prejuicios. Espero que al pasar el tiempo se pueda observar algún progreso en las publicaciones de la American Medical Association.

Los médicos deben ser conservadores al practicar la medicina, pero la profesión médica debe abrirse a las nuevas ideas si la medicina ha de progresar. La idea nueva que fuertes dosis de vitaminas podrían ayudar a controlar las enfermedades se examinó hace unos cincuenta años, pero no se desarrolló adecuadamente. Claus W. Jungeblut, el primer médico que señaló que el ácido ascórbico puede contrarrestar a los virus y proporcionar alguna protección contra las enfermedades virales (capítulo 13), se sintió desalentado por la mala acogida que tuvo su idea, y se orientó hacia otro campo de la medicina.

La clínica Mayo ha perpetrado la más reciente e indignante acción de la medicina organizada contra la nueva ciencia de la nutrición y contra el bienestar del pueblo norteamericano. En el capítulo 19 nos referimos a ello: a la publicación de una ponencia fraudulenta en el número del 17 de enero de 1985 del *New England Journal of Medicine*. El autor principal del trabajo, el doctor Charles G. Moertel y sus cinco colaboradores tergiversaron deliberadamente los resultados de su investigación sobre la eficacia de fuertes dosis de vitamina C para los pacientes con cáncer metastásico del colon o del recto, a fin de repetir y verificar el trabajo del doctor Ewan Cameron y de sus colaboradores (uno de los cuales era yo). Concluyeron que las fuertes dosis de vitamina C no tienen eficacia para los cancerosos avanzados.

De hecho (pese a que suprimieron esta información), a los pacientes les administraron vitamina C de un modo completamente diferente al del doctor Cameron. Los pacientes de Cameron ingirieron fuertes dosis de vitamina C desde el principio de su tratamiento, hasta la fecha, o hasta su muerte, durante doce o trece años, mientras que los pacientes de la clínica Mayo consumieron cantidades menores durante un corto tiempo. Cameron y yo habíamos advertido que el dejar repentinamente de ingerir las fuertes dosis de vitamina C podría ser peligroso. Los médicos de la clínica Mayo pasaron por alto esta advertencia.

El National Cancer Institute también fue víctima del fraude de la clínica Mayo. Los miembros del instituto fueron engañados y pensaron que la clínica Mayo había repetido el trabajo de Cameron. Al hacer una declaración pública en este sentido, prestaron su autoridad a este esfuerzo sospechoso y agravaron el error.

Los médicos de la clínica Mayo se han negado a hablar del asunto conmigo. Concluyo que no son científicos dedicados a la búsqueda de la verdad. Supongo que se sienten tan avergonzados que preferirían que se olvidara el asunto. Antes, la clínica Mayo gozaba de muy buena reputación. Este episodio me indica que ya no la merece. En el próximo capítulo mencionaré otra vez a la clínica Mayo, al comparar las vitaminas y los fármacos.

En 1985, la American Medical Association, la American Cancer Society y los directores de las principales revistas médicas no reconocían aún el valor de las dosis óptimas de suplementos vitamínicos. Sin embargo, ciertos indicios hacen pensar que quizá en los próximos años se produzca un cambio en sus actividades. Muchos médicos, individualmente, han dejado de rechazar las fuertes dosis de vitaminas y aceptan contemplar la idea de su posible eficacia. Me impresiona que tantos médicos escriban o llamen por teléfono, ya sea a mí o a alguno de mis colegas, particularmente al doctor Ewan Cameron, solicitando información adicional. También mucha gente me ha escrito sobre la reacción de su médico (él o, rara vez, ella), al saber que el paciente había estado ingiriendo 5 o 10 g diarios de vitamina C. Hace una década, los pacientes evitaban, a menudo, hablar de dicho consumo a sus médicos. Cuando los médicos se enteraban de ello, decían: «Ha estado escuchando a Linus Pauling, ¡ese charlatán!», y a veces lanzaban improperios más fuertes, más vulgares. En los últimos tres o cuatro años, algunos pacientes me han señalado que el médico dice: «Quizá no sea por la vitamina C, pero ¡siga ingiriéndola!» o, si el paciente no ha hablado de su consumo: «No sé qué ha estado haciendo, pero ¡siga haciéndolo!»

Hace unos doce años yo era *persona non grata* en las facultades de medicina. En los últimos años he dado varias conferencias sobre las vitaminas en facultades de medicina, y reuniones médicas –diez veces en 1984–. El 14 de noviembre de 1984, por ejemplo, hablé sobre el valor de la ciencia nutricional en la medicina ante un numeroso público, en la Facultad de Medicina de Jefferson, en Filadelfia, Pennsylvania, Estados Unidos, invitado por la división de gastroenterología y el programa de nutrición de Jefferson. Al terminar mi ponencia, uno de los profesores de medicina me dijo: «Hasta hace dos horas, yo creía que las vitaminas ingeridas en dosis mayores que la RDA no tenían ningún efecto. He cambiado de idea, por los datos que usted nos ha presentado.»

También en 1984 di veinticinco charlas a grupos de salud y otros grupos de legos, o bien en programas de televisión o radio. No cabe duda de que el público está muy interesado en mejorar su salud con consumos óptimos de vitamina C y otros nutrientes. En noviembre de ese mismo año participé en un programa de televisión vespertino, de Toronto, llamado *Speaking Out* («Hablando claro»). Los televidentes podían llamar por teléfono y emitir un voto sobre una pregunta relacionado con las vitaminas. La cadena recibió 25 229 llamadas telefónicas durante el programa. Me dijeron que se trataba de la mayor respuesta popular a cualquier programa en la historia de la cadena.

Este enorme interés popular por una mejor nutrición está influyendo en el *establishment* médico. Creo que ha llegado el momento no sólo de que la medicina ortomolecular sea reconocida como campo de especialización, sino también de que todos los médi-

De hecho, empecé con mecánica cuántica, pero en el camino me desvié.

cos y cirujanos incorporen mejoras nutricionales en sus procedimientos para ayudar a sus pacientes.

26. COMPARACIÓN ENTRE VITAMINAS Y FÁRMACOS

Si usted tiene un grave problema de salud, debería consultar a su médico, quien probablemente le recetará un medicamento. A menudo, éste será eficaz para controlar la enfermedad. También puede producir efectos secundarios dañinos. Y, a veces, se receta un segundo fármaco para controlar los efectos secundarios del primero.

La razón por la cual la mayoría de los medicamentos sólo se pueden conseguir con receta médica es porque son peligrosos. Y lo son, aunque un médico los recete.

En el caso de una enfermedad grave, el fármaco puede ser de importancia vital. Antes de tomarlo, usted debería procurar entender para qué sirve y cuáles son sus probables consecuencias, y tendría que usar su propio criterio, además del del médico.

En el libro *Matters of Life and Death* –citado en el capítulo 1–, el doctor Eugene D. Robin dice:

> «La opinión del médico no es infalible y no tiene usted por qué ser pasivo. Lo que está en juego es su propio futuro. Recuerde que usted, el paciente, tiene un interés primordial en la decisión –gana más y pierde más–. Si usted, el paciente, está en condición de tomar una decisión, le corresponde decidir qué constituye una vida feliz y productiva. No deje que su médico, por muy buenas que sean sus intenciones, le usurpe este derecho.»

Este consejo es particularmente importante en cuanto a las vitaminas y a la nutrición en general. Los mismos especialistas en nutrición no suelen ser de fiar porque la educación en este campo no ha cambiado mucho en los últimos treinta años y porque existe un prejuicio contra los nuevos conocimientos en cuanto al valor de las megavitaminas.

Tampoco debe usted considerar que son seguros los medicamentos que no requieren receta médica, incluso la aspirina. Su salud probablemente será mejor si no ingiere ninguno de ellos. Cuídese de las afirmaciones hechas en los anuncios de televisión. Por ejemplo, con dosis de vitamina C suficientemente elevadas para que las deposiciones sean suaves y líquidas, y con aplicaciones tópicas de vitamina E probablemente se controlan más eficazmente los hemorroides que usando «Preparación H».

Los fármacos son peligrosos; las vitaminas no lo son. Las vitaminas son *alimentos* –alimentos esenciales que los seres humanos necesitan para vivir y gozar de buena salud–. Son seguras, aun ingeridas en grandes cantidades. No son frecuentes los efectos secundarios y rara vez son graves (capítulo 27). Además, las vitaminas son baratas comparadas con la mayoría de los fármacos.

En este capítulo voy a utilizar la vitamina C como ejemplo principal, comparándola, por ejemplo, con medicamentos que no requieren de receta médica y que se venden como remedios contra el resfriado.

Los medicamentos empleados en tremendas cantidades para tratar el resfriado son muy distintos de la vitamina C, ya que son dañinos y peligrosos, y lo son tanto que causan muchas enfermedades y muertes. No controlan la infección viral, sino únicamente los síntomas, y sólo hasta cierto punto, mientras que la vitamina C controla la infección misma así como sus síntomas.

La aspirina –o ácido acetilsalicílico– es un ejemplo de fármaco al que se atribuye una baja toxicidad y pocos efectos secundarios. Entra en la composición de casi todos los medicamentos contra el resfriado. La dosis mortal para un adulto es de 20 a 30 g. El comprimido normal de aspirina contiene 324 mg (en los Estados Unidos); por tanto, entre sesenta y noventa comprimidos pueden matar a un adulto, y una cantidad menor puede matar a un niño. La aspirina es el veneno simple más corrientemente utilizado por los suicidas (sólo el grupo de sustancias contenidas en las pastillas para dormir lo aventajan). El 15 % aproximadamente de los envenenamientos accidentales de niños pequeños se debe a las aspirinas. Se salvarían muchas vidas si el botiquín médico contuviera vitamina C, en vez de aspirina y otros medicamentos contra el resfriado.

Algunas personas exhiben tan fuerte sensibilidad a la aspirina que, al ingerir entre 0,3 g y 1 g de la misma (uno a tres comprimidos), disminuye su circulación sanguínea y les es difícil respirar.

Los síntomas de un envenenamiento ligero por aspirina consisten en dolor ardiente en la boca, la garganta y el abdomen, dificultad para respirar, letargo, vómito, zumbido en el oído y mareo. Un envenenamiento más grave trae delirio, fiebre, sudor, falta de coordinación, coma, convulsiones, cianosis (la piel se vuelve azulada), interrupción de la función renal, paro de la respiración y muerte.

Una de las propiedades de la aspirina –como de otros salicilatos– es que en solución concentrada puede atacar y disolver los tejidos. Un comprimido de aspirina en el estómago puede atacar la pared estomacal y provocar el desarrollo de una úlcera sangrante.

Los U. S. Centers for Disease Control (Centros para el control de enfermedades de los Estados Unidos) han señalado que los niños y adolescentes aquejados de gripe o de varicela, y a quienes se les receta aspirina, tienen entre quince y veinticinco veces más probabilidades de contraer el síndrome de Reye –encefalopatía aguda y degeneración de las vísceras por invasión de grasas–, causando la muerte de un 40 % de los pacientes. En 1982, el Department of Health and Human Services (Ministerio de Salud y Servicios Humanos de los Estados Unidos) anunció que iba a exigir que se incluyera una advertencia en la etiqueta de las aspirinas, contraindicando su uso para las enfermedades infantiles, pero retiró la propuesta cuando la industria farmacéutica ejerció presiones en contra de la misma. Sin embargo, en 1985, las firmas acordaron imprimir voluntariamente dicha advertencia. Luego, en octubre de 1985, el Subcommittee on Health of the House of Representatives Energy and Commerce Committee (Subcomité encargado de la salud, del Comité de Energía y Comercio, de la Cámara de Representantes de los Estados Unidos) afirmó que el acuerdo voluntario era ineficaz y votó a favor de advertencias explícitas en todos los frascos de aspirinas en cuanto a la relación entre el medicamento y el síndrome de Reye, a menudo fatal en niños y adolescentes.

Durante más de un siglo la aspirina había sido un fármaco que, en los Estados Unidos, no requería receta médica y se vendía en tiendas de todo tipo, antes que, en 1971, se descubriera la base fisiológica de su acción contra el dolor y reductora de la fiebre. Se observó que la aspirina actúa sobre el sistema central de control de hormonas en el cuerpo. Si ahora un laboratorio farmacéutico las lanzara al mercado, seguramente se requeriría una receta médica para su compra. Después de muchos rodeos, se logró entender su potencia.

En 1930, Kurzrok y Lieb, del Departamento de Obstetricia y Ginecología de la Universidad de Columbia en Nueva York, comunicaron que las mujeres a quienes se les practicaba una inseminación artificial padecían a menudo de una contracción violenta o de una relajación del útero. En 1933, Goldblatt, en Inglaterra, señaló que el semen humano contiene una sustancia que reduce la presión arterial y estimula la relajación del músculo. Más o menos en la misma época, el investigador suizo U. S. von Euler aisló un factor similar de las glándulas prostáticas de seres humanos, monos, borregos y cabras (Von Euler, 1937). Lo llamó prostaglandina. Desde entonces se han descubierto muchas prostaglandinas. Se llaman PGE1, PGE2, PGE3, PGA1, PGB1 y así sucesivamente. Desde entonces muchos investigadores han llevado a cabo experimentos intensivos sobre dichas sustancias; ya en 1980 se habían publicado unos treinta y cinco mil documentos científicos y médicos sobre las prostaglandinas.

Las prostaglandinas son hormonas que actúan como mensajeros para controlar la actividad bioquímica y fisiológica del cuerpo. Son compuestos bastante sencillos; por ejemplo, la fórmula del PGE1 es $C_{20}H_{34}O_5$. La molécula consiste en un anillo de cinco átomos, al que se unen dos cadenas, una un ácido graso y la otra de hidratos de carbono, a la cual se une un grupo hidróxilo. Son lípidos liposolubles. Además de encontrarse en los órganos reproductivos masculinos, están presentes en muchos tejidos y tienen diversas funciones.

Había indicios de que las prostaglandinas participan en los procesos que causan inflamación, fiebre y dolor. En 1971, John R. Vane, un farmacólogo inglés que trabajaba en la Universidad de Londres, hizo el importante descubrimiento de que la acción de la aspirina, como agente antiinflamatorio, antipirético y analgésico se basa en su capacidad de inhibir la síntesis de las prostaglandinas PGE2 y PGE2-alfa. Así, la aspirina reduce el color rojizo, el dolor y la tumefacción relacionada con la inflamación de los tejidos. Es uno de los pocos medicamentos cuyo mecanismo de acción en el cuerpo humano conocemos.

Ésa es la naturaleza de este remedio casero «carente de peligro» que el médico receta telefónicamente, en vez de hacer una visita a domicilio. Se ha observado que la vitamina C funciona en forma parecida a la aspirina, al inhibir la síntesis de algunas prostaglandinas (Pugh, Sharma y Wilson, 1975; Sharma, 1982). Quizá sea éste el mecanismo de la eficacia de las fuertes dosis de vitamina C para reducir la inflamación, la fiebre y el dolor. Sin embargo, difiere de la aspirina en que incrementa la velocidad de síntesis de PGE1 (Horrobin, Oka y Manku, 1979). Horrobin, Manku et al. (1979) señalaron que dicha prostaglandina participa en la función de los linfocitos y en otros aspectos del sistema de inmunidad, en el caso de la artritis reumatoide, en diversas enfermedades autoinmunes, en la esclerosis múltiple y en el cáncer. Experimentos adicionales en cuanto a la relación entre la vitamina C y las diversas prostaglandinas podrían aclarar mejor el problema complejo de las extraordinarias propiedades de dicha vitamina. Actualmente vale la pena recordar que un mayor consumo de vitamina C podría evitar la necesidad de ingerir aspirinas u otro medicamento similar. En 1973, Cameron y Baird señalaron la capacidad de esta sustancia para controlar el dolor de los pacientes cancerosos; también se ha señalado que controla la artritis y los dolores de cabeza, de muelas y de oído. A diferencia de la aspirina, la vitamina C es una sustancia que está presente natural y necesariamente en los tejidos del cuerpo.

Varias otras sustancias muy próximas a la aspirina tienen propiedades analgésicas (la capacidad de disminuir la sensibilidad al dolor) y antipiréticas (la capacidad de rebajar la temperatura corporal creciente), y se encuentran en algunos de los medicamentos populares contra el resfriado. Una es la salicilamida (la amida del ácido salicílico). Tiene una toxicidad semejante a la de la aspirina: la dosis mortal para un adulto es de 20 a 30 g.

Las siguientes sustancias analgésicas, estrechamente relacionadas entre sí, se utilizan solas o combinadas con otros fármacos en diversos medicamentos contra el resfriado, en dosis de 150 a 200 mg por comprimido: acetanilida (N-fenilcetamida), fenacetina (acetofenetidina) y acetaminofeno (para-hidroxiacetanilida). Estas sustancias dañan el hígado y los riñones. Una sola dosis de 0,5 a 5 g puede causar una baja de la presión arterial, insuficiencia de la función renal y muerte por paro respiratorio.

Muchos de los medicamentos contra el resfriado que no requieren receta médica contienen no sólo aspirina u otro analgésico, sino también un antihistamínico y un antitusígeno (para controlar los fuertes ataques de tos). Por ejemplo, una preparación, recomendada por televisión para «el rápido alivio provisional de los síntomas del resfriado y la tos que los acompaña, la congestión nasal, el dolor de cabeza y los síntomas de la fiebre del heno», contiene, en cada comprimido, 12 mg del antihistamínico hidrocloruro de metapirilena y 5 mg del antitusígeno hidrobromuro de dextrometorfán, así como un poco de fenacetina de salicilamida y otras sustancias. En el *Handbook of Poisoning* (Dreisbach, 1969) se comunica que un niño pequeño murió al ingerir unos 100 mg de metapirilena (114 mg del hidrocloruro). Al menos veinte muertes infantiles se deben al envenenamiento accidental con antihistamínicos. Se estima que la dosis fatal de los envenenamientos con fenindamina, metapirilena, difenhidramina y pirilamina oscila entre los 10 y los 50 mg por kg de peso corporal y que probablemente es igual para los otros antihistamínicos. Estas sustancias son más tóxicas que la aspirina; uno o dos gramos podrían causar la muerte de un adulto.

Estos fármacos van a menudo acompañados de efectos secundarios, como el sopor y el mareo, aun cuando se ingieran las dosis recomendadas. En la caja o el envase se avisa generalmente de la posibilidad de envenenamiento diciendo, por ejemplo: «Este y todos los medicamentos deben mantenerse fuera del alcance de los niños. En caso de sobredosis accidental, consultar inmediatamente a su médico.»

Además, la advertencia es a menudo más extensa, como por ejemplo:

> CUIDADO: Los niños menores de doce años sólo deberán utilizar este medicamento según la dosis recetada por un médico. Si los síntomas persisten o son anormalmente graves, consultar a un médico. No es indicado para uso frecuente o prolongado. No exceder la dosis recomendada. Si se produce sequedad de la boca, disminuir la dosis. Interrumpir la ingestión con cualquiera de los siguientes síntomas: pulso acelerado, mareo, erupción cutánea o visión borrosa. No conducir o utilizar maquinaria, ya que esta preparación puede causar sopor en algunas personas. Las personas aquejadas de alta presión arterial, enfermedades cardíacas, diabetes, enfermedades tiroideas, glaucoma o presión excesiva en el ojo, y las personas mayores (quienes pueden tener un glaucoma o presión excesiva en el ojo no diagnosticados), deberán utilizarla sólo según lo recetado por el médico. Las personas que padezcan de glaucoma no diagnosticado pueden sentir dolor en el ojo; si esto ocurre, deje de ingerirla y consulte inmediatamente al médico.

La sustancia hidrobromuro de dextrometorfán, arriba mencionada como antitusígeno, controla los fuertes ataques de tos ejerciendo un efecto depresor en el cerebro. Una sustancia afín, que los médicos también recetan a menudo, es la codeína (en forma de fosfato de codeína), en dosis de 15 a 60 mg cada tres o cuatro horas, para los fuertes ataques de tos. En la mayor parte de los estados del país (Estados Unidos), los medicamentos vendidos sin receta médica no contienen codeína, pero muchos de ellos sí contienen algún otro antitusígeno, como el dextrometorfán. La dosis mortal mínima de dichas sustancias oscila entre los 100 mg y 1 g para un adulto; mucho menos para los niños y más para los drogadictos.

Algunos de esos medicamentos vendidos sin receta médica contienen también alcaloides de belladona (sulfato de atropina, sulfato de hiosciamina, hidrobromuro de escopolamina) que alcanzan hasta 0,2 mg por comprimido. Estos fármacos sirven para dilatar los bronquios y evitar los espasmos. Son extremadamente tóxicos; la dosis fatal para los niños puede ser de 10 mg. Los efectos secundarios que pueden acompañar las dosis normales son: sequedad anormal de la boca, visión borrosa, latido lento del corazón y retención de orina.

El hidrocloruro de fenilpropanolamina (25 mg por comprimido, en algunos medicamentos contra el resfriado) y el hidrocloruro de fenilefrina (5 mg por comprimido) sirven para disminuir la congestión nasal y dilatar los bronquios. Estos y otros fármacos afines, como la epinefrina y la anfetamina, también se utilizan en gotas nasales. Se estima que entre el 1 y el 10 % de las personas que utilizan dichas gotas sufren reacciones de sobredosis, como congestión nasal crónica o cambios en la personalidad, acompañados de un voraz deseo psíquico de seguir usando el fármaco. Rara vez mueren. Se estima que la dosis fatal para los niños oscila entre 10 mg para la epinefrina y 200 mg para la fenilpropanolamina.

Los medicamentos recetados por los médicos para tratar los resfriados y otras enfermedades respiratorias contienen dichos fármacos y otros igualmente tóxicos, incluso más, y la frecuencia de efectos secundarios es similar en todos.

En lugar de la advertencia «DEBE MANTENERSE ESTE MEDICAMENTO FUERA DEL ALCANCE DE LOS NIÑOS» que llevan los medicamentos contra los resfriados, creo que deberían poner: «¡DEBE MANTENERSE ESTE MEDICAMENTO FUERA DEL ALCANCE DE TODOS! ¡UTILIZAR VITAMINA C EN SU LUGAR!»

Los estadounidenses gastan unos dos mil millones de dólares anuales en remedios contra el resfriado. Estos medicamentos no lo evitan. Quizá disminuyan un poco el malestar del resfriado, pero también perjudican al organismo por su toxicidad y sus efectos secundarios.

La vitamina C, el alimento natural, esencial, ingerida en dosis adecuadas, en el momento adecuado, evitaría el desarrollo de la mayoría de los resfriados y, en gran número de casos, reduciría mucho la intensidad de los síntomas si llega a desarrollarse el resfriado. La vitamina C no es tóxica, mientras que todos los fármacos son tóxicos, y algunos causan reacciones secundarias graves en mucha gente. Desde todos los puntos de vista, la vitamina C es preferible a los analgésicos, antipiréticos, antihistamínicos, antitusígenos, broncodilatadores, antiespasmódicos y depresores del sistema nervioso central, contenidos en la mayoría de los medicamentos antirresfriado, que son peligrosos y sólo parcialmente eficaces.

Los fármacos utilizados para controlar otras enfermedades pueden tener efectos secundarios aún más graves. En el capítulo 24 mencioné que el doctor William Kaufman comunicó el éxito obtenido en el tratamiento de pacientes aquejados de artritis reumatoide, osteoartritis y disfunción articular leve, con fuertes dosis (unos 5 g diarios) de niacinamida y, a veces, con otras vitaminas. Sin embargo, el tratamiento convencional actual consiste en aspirinas o medicamentos más fuertes. A continuación enumero las advertencias impresas en uno de dichos medicamentos, que llamo Medicamento X, en vez de por su nombre real, porque no difiere mucho de los otros:

Contraindicaciones: No deben utilizar Medicamento X los pacientes que han mostrado hipersensibilidad hacia el mismo, ni aquellos que tienen el síndrome que consiste en broncoespasmos, pólipos nasales y angioedema causado por la aspirina u otros fármacos antiinflamatorios no esteroidales.

Advertencias: Se han señalado ulceraciones pépticas, perforaciones y sangrado intestinal –a veces graves y, en algunos casos, fatales– en pacientes que utilizan Medicamento X. Si es necesario administrar Medicamento X a los pacientes con un historial de enfermedad del aparato gastrointestinal superior, éstos deben mantenerse bajo estrecha vigilancia (véase *Reacciones adversas*).

Precauciones: Como en el caso de otros agentes antiinflamatorios, la administración prolongada de este fármaco a los animales produce necrosis papilar renal y patologías conexas en ratas, ratones y perros.

Se han señalado insuficiencia renal aguda e hipercaliemia, así como aumentos reversibles del nitrógeno en la sangre y en la urea, y de la creatinina en el suero sanguíneo. Además de los cambios reversibles en la función renal, se ha señalado también que este fármaco puede causar nefritis intersticial, glomerulitis, necrosis papilar y el síndrome nefrótico.

Pese a que otros fármacos antiinflamatorios no esteroidales no tienen el mismo efecto directo que la aspirina en las plaquetas, todo fármaco que inhibe las biosíntesis de las prostaglandinas interfiere, hasta cierto punto, en la función de las plaquetas.

Como se han descrito señales adversas en los ojos con el uso de agentes antiinflamatorios no esteroidales, se recomienda a los pacientes aquejados de trastornos visuales en el curso del tratamiento con Medicamento X que consulten a un oftalmólogo.

El uso de Medicamento X, como de otros fármacos antiinflamatorios no esteroidales, puede acarrear aumentos en uno o varios tests del hígado, que alcanzan el límite aceptable, en un 15 % de los pacientes. Un paciente que presenta síntomas o signos –o los dos– sugiriendo una disfunción hepática o que ha tenido resultados anormales en análisis hepáticos, debe ser examinado para detectar el desarrollo de una reacción hepática más grave mientras reciba terapia con Medicamento X.

Con Medicamento X se han señalado graves reacciones hepáticas, incluyendo ictericia y casos de hepatitis mortal. Dichas reacciones son poco frecuentes, pero si los resultados de análisis hepáticos son persistentemente anormales, o empeoran, si se desarrollan signos clínicos y síntomas relacionados con enfermedades hepáticas, o si ocurren manifestaciones sistémicas (por ejemplo, eosinofilia, erupciones cutáneas, etc.), se debe interrumpir la ingestión de Medicamento X (véase también *Reacciones adversas*).

Con la dosis recomendada de 20 mg por día de Medicamento X –solo o con aspirina–, los pacientes tratados no presentaron ningún aumento de pérdida de la sangre fecal, causada por irritación gastrointestinal, pero en el 4 % de ellos se observó una reducción del valor globular (de la hemoglobina) y del valor hematócrito.

Se han observado casos de edema periférico más o menos en el 2 % de los pacientes tratados con Medicamento X. Por tanto, los pacientes aquejados de insuficiencia cardíaca, hipertensión u otras condiciones que predisponen a la retención de líquidos, deben usar Medicamento X con precaución.

Ocasionalmente, con el uso de Medicamento X aparecen signos y síntomas dermatológicos o alérgicos –o ambos– que indican enfermedad del suero. Éstos incluyen artralgias, pruritis, fiebre, fatiga y erupciones cutáneas, incluyendo reacciones «vesiculobulosas» y dermatitis exfoliativa.

Reacciones adversas: Con una frecuencia del 20 % inferior al 1 %: estomatitis, anorexia, alteración gástrica, náuseas, constipación, dolor abdominal, indigestión, prurito, erupción cutánea, mareo, sopor, vértigo, dolor de cabeza, malestar, zumbido del oído, ictericia, hepatitis, vómitos, hematemesis, melena, sangrado gastrointestinal, depresión de la médula ósea, anemia aplástica, cólicos, fiebre, ojos tumefactos, visión borrosa, espasmos bronquiales, urticaria, angioedema.

Aquí la advertencia se imprimió en caracteres de imprenta legibles, no en los pequeñísimos caracteres del volante de la caja del medicamento.

Se recomienda el Medicamento X para la artritis reumatoide y la osteoartritis, y dicen que ha sido administrado a millones de pacientes en ochenta países diferentes. ¿Cuántos de estos pacientes sufrieron efectos secundarios? ¿Cuántos leyeron las contraindicaciones antes de iniciar el tratamiento? Y ¿cuántos sabían que la vitamina niacinamida, fácil de conseguir, segura y barata podría haber controlado su artritis?

El trabajo de Kaufman y las observaciones de muchas personas muestran que un gramo mínimo de niacinamida por día es eficaz para controlar la artritis, y el doctor Ellis ha señalado que tuvo buenos resultados con la vitamina B_6. Aun sufriendo de artritis muy grave, no creo que yo empleara el Medicamento X. Más bien, si fuera necesario, probaría niacinamida, 5 g o más diarios, e incrementaría mi consumo de vitamina B_6.

También se publican advertencias parecidas a la arriba citada para los fármacos destinados a controlar enfermedades distintas a la disfunción de las articulaciones. A menudo, estos medicamentos ayudan a los pacientes, pero a veces el médico los administra aun teniendo dudas sobre su probable valor.

Por ejemplo, en Europa sólo se somete a quimioterapia a un pequeño porcentaje de cancerosos avanzados; aquellos que padecen el tipo de cáncer que responde a tal tratamiento, según lo observado. Pero en Estados Unidos la mayoría de estos pacientes son tratados con quimioterapia, con sus efectos secundarios desagradables. En nuestro libro *Cancer and Vitamin C*, Cameron y yo mencionamos que el doctor Charles G. Moertel, de la clínica Mayo, el conocido experto en cáncer, había hecho un comentario valioso en cuanto a la validez de un tratamiento de quimioterapia como último recurso para un paciente adulto, cuyo tumor maligno sólido no se había podido controlar por medio de otros tratamientos. En un resumen de la opinión actual sobre el empleo de la quimioterapia en el tratamiento de cáncer gastrointestinal, publicado en el *New England Journal of Medicine*, en 1978, Moertel señaló que hace veinticinco años se observó que las pirimidinas fluorinadas, 5-fluoruracilo (5-FU) y 5-fluoro-2'deoxiuridina podían producir una disminución transitoria del tamaño del tumor en los pacientes que padecían de cáncer metastático de origen intestinal. Un tratamiento intravenoso con dosis que producen reacciones tóxicas es el más eficaz, pero no es grande su efecto:

> Según una larga experiencia, aun administradas en los regímenes más ideales, las pirimidinas fluorinadas producen una respuesta objetiva sólo en el 15 al 20% de los pacientes tratados. En este contexto, generalmente se define la respuesta objetiva como una reducción de más del 50% en el producto de los mayores diámetros perpendiculares de una masa de tumor mensurable. Estas respuestas normalmente sólo son parciales y muy transitorias, y persisten sólo un tiempo medio de unos cinco meses. Esta pequeña ganancia para una minoría de pacientes tiene probablemente su contrapeso en la influencia perniciosa de la toxicidad para otros pacientes, y en el costo y la incomodidad que todo paciente experimenta. No existe ninguna prueba sólida de que el tratamiento con las pirimidinas fluorinadas contribuya a la supervivencia del conjunto de los pacientes que padecen de cáncer gastrointestinal, sea cual sea la fase de la enfermedad en que se apliquen.

Moertel también examinó las pruebas clínicas sobre 5-FU y otros agentes quimioterapéuticos considerados individualmente, y en diversas combinaciones, en relación con el cáncer colorrectal, el carcinoma gástrico, el carcinoma de células escamosas del esófago y otros, llegando generalmente a la misma conclusión, salvo por la adriamicina, que parece tener un valor significativo en el tratamiento del cáncer hepático primario. Señala también que, «en 1978, debemos concluir que no existe ninguna manera de abordar el carcinoma gastrointestinal, por quimioterapia que sea lo suficientemente eficaz como para justificar su aplicación como tratamiento clínico estándar».

Nosotros interpretaríamos esta conclusión como una razón válida para no someter a estos pacientes al malestar, al costo y a la molestia de la quimioterapia. Sin embargo, Moertel sigue diciendo:

> Sin embargo, esta conclusión no implica en absoluto que deban abandonarse dichos esfuerzos. Los pacientes que padecen de cáncer gastrointestinal avanzado y sus familias tienen la necesidad apremiante de una base de esperanza. Si no se ofrece dicha esperanza, irán rápidamene a buscarla a manos de curanderos y charlatanes. Se ha progresado bastante en la quimioterapia del cáncer gastrointestinal para poder generar una esperanza realista, integrando a dichos pacientes en estudios de investigación clínica, bien diseñados... Si podemos canalizar nuestros esfuerzos y recursos en programas de investigación constructivos, con un diseño científico válido, podremos ofrecer el tratamiento más esperanzador para el canceroso gastrointestinal, hoy, y crear una base sólida para enfoques quimioterapéuticos de valor sustancial para el paciente de mañana.

Diametralmente opuesta a la de la clínica Mayo y otros centros médicos de Estados Unidos, la práctica general en la mayoría de los hospitales de Gran Bretaña, durante más de una década, consiste en no someter a los pacientes que padecen cáncer gastrointestinal avanzado y cánceres similares al sufrimiento que acarrea la quimioterapia, ya que la experiencia ha mostrado que dicho tratamiento no es eficaz. Más bien a estos pacientes «sin esperanza» se les proporciona un tratamiento paliativo, que incluye morfina y heroína, según se necesite para controlar el dolor. Cameron mejoró estos procedimientos en el hospital Vale of Leven administrándoles vitamina C. Como vimos en el capítulo 19, así disminuyó el sufrimiento y aumentó la cantidad de «días buenos» en lo que quedaba de vida para los pacientes con cáncer terminal.

Fue el mismo Moertel quien tergiversó el trabajo de Cameron, en sus experimentos mal diseñados, con pacientes de la clínica Mayo. Compare el procedimiento de Cameron con la estrategia de Moertel al someter dichos pacientes al malestar de la quimioterapia, ¡por el bien de sus familias y de la moral del médico! Si Moertel hubiese seguido el procedimiento del Vale of Leven, hubiera advertido que ahora sí existe una verdadera esperanza para dichos pacientes y sus familias. Se puede administrar ascorbato suplementario a estos pacientes «no tratables» como única forma de tratamiento, así beneficiándolos y, ocasionalmente, llegando a un grado de beneficio que puede ser notable.

El aumento medio del tiempo de supervivencia de los pacientes que sufren de cáncer gastrointestinal avanzado, y que ingieren 10 g diarios de ascorbato, es mayor que el señalado por Moertel para los pacientes tratados con quimioterapia, y los primeros tienen la ventaja de sentirse bien con el tratamiento y de no tener la carga económica que representa la quimioterapia. Además, aún se ha hecho poco para determinar las dosis más eficaces de vitamina C, y el posible valor suplementario de la vitamina A, de las vitaminas B, de minerales y de una dieta rica en frutas, verduras y en los zumos de éstas. Este tratamiento nutricional del cáncer, con énfasis en la vitamina C, será probablemente más eficaz en las primeras fases del cáncer que en la fase terminal, y si se aplica a partir del primer síntoma de cáncer, y con las dosis más eficaces, podría muy bien disminuir la tasa de mortalidad por cáncer en un porcentaje mayor al de nuestro primer cálculo del 10%.

El mensaje de este capítulo es que usted debe ser precavido con los fármacos –los que no necesitan receta médica y los que sí la requieren–. También debe ser cuidadoso, claro está, con las afirmaciones hechas a favor de las vitaminas y otros nutrientes, aunque en su mayoría no son tan peligrosos como los fármacos. Investigue los datos y tome las mejores decisiones posibles basándose en el mejor consejo que usted pueda obtener.

Es evidente que los viejos libros sobre nutrición y salud no son fiables, porque es sólo en las últimas dos décadas que se ha recabado información sólida sobre los consumos óptimos de vitaminas. Algunos libros recientes tampoco responden a la verdad. Por ejemplo, Nathan Pritikin, en su libro *The Pritikin Program: 28 Days to a Longer, Healthier Life*, examina su programa de ejercicios y de una dieta rigurosa limitada que, sin duda, mejora la salud de la gente que sigue dicho programa. Sin embargo, señala que:

> Cuando ingiera una dieta variada, como la recomendada por el programa Pritikin, obtendrá usted todas las vitaminas que su cuerpo puede usar y algunas más. Sin embargo, mucha gente cree que ingerir vitaminas suplementarias, particularmente las B, C y E, proporcionará beneficios adicionales a la salud. Pero éste no es el caso... Los suplementos vitamínicos no sólo son innecesarios, sino que son potencialmente peligrosos para su salud... En este país hay muchos vendedores y mucha gente crédula que es económicamente víctima de los traficantes de vitaminas. Los norteamericanos excretan la orina más cara del mundo, pues está sobrecargada de vitaminas.

Creo que los asesores médicos y expertos en nutrición de Pritikin le aconsejaron mal. Sus clientes se benefician con su régimen, sin duda, mientras lo sigan. Se beneficiarían más con nutrientes suplementarios y la dieta podría ser menos limitada, con lo cual el cliente podría cumplir mejor su programa.

Un experto moderno en nutrición, el doctor Brian Leibovitz, concuerda conmigo. En su examen sensato de las dietas (1984) afirma que «quizá no se corra el peligro de padecer de carencia vitamínica bajo el plan Pritikin, pero tampoco se podrá lograr un estado óptimo de salud».

En otro libro popular, *Life Extension: A Practical Scientific Approach* («Prolongación de la vida: un enfoque científico práctico») (1981), los autores, Durk Pearson y Sandy Shaw, recomiendan un elevado consumo de vitaminas, a menudo mucho mayor del que yo recomiendo. Sin embargo, también consideran que muchos fármacos son buenos para la salud y conducen a una prolongación de la vida. Mencionan unas 150 veces uno de dichos medicamentos bajo uno de sus nombres comerciales, una mezcla de alcaloides de cornezuelo hidrogenados que bloquea el funcionamiento de las glándulas suprarrenales. Leibovitz (1984), tras mencionar las fuertes dosis de vitaminas, comenta que «más inquietante, sin embargo, es que se incluyan hormonas, fármacos y otras sustancias potencialmente peligrosas en la fórmula de Pearson-Shaw. La lista de compuestos potencialmente tóxicos es demasiado grande para examinarla en detalle, pero nótese que algunas de las sustancias recomendadas tienen una toxicidad reconocida. La vasopresina, llamada también hormona antidiurética, es uno de estos compuestos».

En resumen, intente mantener bajo su consumo de fármacos, y a su nivel óptimo el de vitaminas y otros nutrientes.

27. LA BAJA TOXICIDAD DE LAS VITAMINAS

Actualmente los médicos disponen de fármacos con potencia creciente que deben recetar y administrar con mucho cuidado, manteniendo a sus pacientes bajo atenta vigilancia. Y creo que si son tan recelosos a propósito de las vitaminas, es porque extienden a ellas su actitud precavida. Es fácil dejarse ganar por un miedo exagerado e injustificado de la toxicidad de las vitaminas. En años recientes, los autores que tratan de cuestiones médicas y de sanidad han convertido en norma el advertir a sus lectores que fuertes dosis de vitaminas pueden tener graves efectos secundarios. Por ejemplo, en *The Book of Health, a Complete Guide to Making Health Last a Lifetime* («El libro de la salud, una guía completa para que la salud dure toda la vida») (1981), compilado por el doctor Ernst L. Wynder, presidente de la American Health Foundation (Fundación norteamericana para la salud), se dice que «se debe evitar el llamado tratamiento megavitamínico –o sea, ingerir dosis masivas de una vitamina en particular–. Las vitaminas son nutrientes esenciales, pero dosis elevadas de las mismas se convierten en fármacos y sólo deben consumirse para tratar una afección específica. Fuertes dosis de las vitaminas A y D, liposolubles, tienen conocidos efectos dañinos, y esto debe ser cierto también en el caso de las otras. La vitamina C, ingerida en fuertes dosis, se elimina en gran parte por la orina. Cuando no existe certeza de que las "megavitaminas" son seguras, más vale evitarlas».

Los autores de este libro sobre la salud privan a sus lectores del beneficio proporcionado por la ingestión óptima de esos importantes nutrientes, las vitaminas, al crear en ellos el miedo a que un consumo superior a la RDA normal cause daños graves.

Creo que la principal razón de este consejo erróneo es la ignorancia de los autores. Afirman incorrectamente que las fuertes dosis de vitamina C se eliminan en gran parte por la orina. No parecen saber que las RDA para las vitaminas son los consumos que evitarían probablemente que la mayoría de la gente con un «estado normal de buena salud» muera de escorbuto, pelagra, beriberi u otras enfermedades carenciales, pero que no son los consumos adecuados para que la gente logre estar en óptima salud. No parecen saber que hay un largo trecho entre las RDA y las cantidades tóxicas de las vitaminas que presentan toxicidad y que no se conocen dosis máximas para la ingestión de varias vitaminas. Estas autoridades en salud deberían preocuparse más por la salud de los norteamericanos.

En su sección sobre vitaminas, el *Reader's Digest Family Health Guide and Medical Encyclopedia* (1976) dice que «una dieta bien equilibrada y variada contiene todas las vitaminas normalmente necesarias para la salud. Las vitaminas, ingeridas en cantidad superior a lo que el cuerpo requiere, no mejoran la salud o el bienestar, e incluso podrían causar enfermedades. Una mala dieta no se puede corregir con la simple ingestión de vitaminas en forma concentrada».

La primera frase, que parece expresar la creencia de casi todos los nutriólogos y médicos, puede ser correcta o falsa según lo que se entiende por «normalmente necesarias para la salud». Si entendemos que es necesaria para la salud media de la gente «saludable» de los Estados Unidos, que, es de suponerse, ingiere una buena dieta equilibrada y variada, entonces la afirmación es sólo un truismo, una verdad evidente, obvia; pero si por «salud» entendemos el estado de salud que se puede lograr con el consumo óptimo de vitaminas, como se va analizando a lo largo de este libro, entonces la afirmación es falsa.

Además, la segunda frase es evidentemente incorrecta. Existen pruebas abrumadoras, de las cuales sólo puedo incluir unas cuantas en este libro, de que las vitaminas suplementarias (más allá de lo que el cuerpo «necesita», según el criterio expresado en esta frase), mejoran la salud y el bienestar de muchas maneras. La forma de referirse a los posibles efectos secundarios, «incluso podrían causar enfermedades», puede impedir que el lector mejore su salud con una mayor ingestión de estos importantes nutrientes.

La última frase es muy engañosa debido a la omisión del adverbio *completamente*. Una afirmación verídica sería: «Una mala dieta no puede corregirse completamente con la simple ingestión de vitaminas en forma concentrada, pero el ingerirlas puede hacer mucho bien.»

Ya en 1976, los autores del libro sobre salud del *Reader's Digest* deberían haber sabido lo suficiente para hacer afirmaciones más correctas sobre la utilidad de las vitaminas suplementarias. Me recuerdan una experiencia que tuve, en 1984, en un programa médico por radio (en la cadena KQED) en San Francisco, California. En el programa había otro invitado, un profesor de nutrición de la Universidad de California, en Berkeley, ya retirado. Hice una afirmación sobre la utilidad de fuertes dosis de vitamina C (como mis 18 g diarios), y mencioné algunos argumentos para apoyarla, refiriéndome a ponencias publicadas en revistas médicas y científicas. El profesor de nutrición jubilado dijo simplemente: «Nadie necesita más de 60 mg diarios de vitamina C», sin aportar ninguna prueba en apoyo de su afirmación. Entonces presenté más pruebas a favor de mi elevado consumo, y él respondió: «60 mg diarios de vitamina C son adecuados para cualquier persona.» Cuando presenté más pruebas, dicho profesor jubilado dijo: «Hace cincuenta años que yo y otras autoridades en nutrición venimos diciendo que ¡60 mg diarios de vitamina C son todo lo que necesita una persona!» Sólo quedó suficiente tiempo en el programa en directo para que yo dijera: «Sí, ése es el problema: llevan cincuenta años de retraso.»

Estamos rodeados por sustancias tóxicas. En nuestros edificios y en el campo podemos estar expuestos al asbestos y a otros materiales silíceos que causan disnea (dificultad para respirar) y neumoconiosis (endurecimiento fibroso de los pulmones). En la vecindad de una granja podemos estar expuestos a algunos de los cincuenta insecticidas con fosfato orgánico, de los veinte insecticidas derivados del clorobenceno, o de los treinta pesticidas de otros tipos. En casa podemos estar expuestos a diversos productos químicos de uso doméstico y a fármacos.

Son los fármacos, particularmente los analgésicos y los antipiréticos, como la aspirina, los que causan la mayoría de las cinco mil muertes anuales por envenenamiento en los Estados Unidos. De este lúgubre total, unos dos mil quinientos son niños. De éstos, unos cuatrocientos mueren anualmente por envenenamiento con aspirina (ácido acetilsalicílico) u otro salicilato. La aspirina y otros fármacos similares se venden libremente, sin receta médica. Se estima que son sustancias excepcionalmente seguras. Sin embargo, la dosis mortal es de 0,4 a 0,5 g por kg del peso corporal; o sea, de 5 a 10 g en el caso de un niño, y de 20 a 30 g en el de un adulto.

Nadie muere por envenenamiento debido a una sobredosis vitamínica.

He reconocido la cautela del médico con relación a su paciente, pese a que esté completamente fuera de lugar. Varias personas me han sugerido otra posible explicación. Ésta consiste en que los fabricantes de medicamentos y las personas que participan en la llamada industria de la salud no quieren que los norteamericanos se enteren de que pueden mejorar su salud y recortar sus gastos médicos con la ingestión de dosis óptimas de vitaminas.

El prejuicio contra las vitaminas puede ilustrarse con un incidente que sucedió hace unos años. Un niño pequeño se tragó todos los comprimidos de vitamina A que encontró en un frasco. Sintió náuseas y se quejó de dolor de cabeza. Su madre lo llevó al hospital de una facultad de medicina de la costa Este de Estados Unidos, donde lo trataron y le dieron de alta. Los profesores de medicina escribieron entonces un artículo sobre este caso de envenenamiento con vitaminas. El artículo se publicó en el *New England Journal of Medicine*, el mismo que había rechazado un artículo escrito por Ewan

Cameron y por mí sobre nuestras observaciones de los pacientes cancerosos que ingerían fuertes dosis de vitamina C. El *New York Times* y muchos otros periódicos publicaron notas sobre este niño y sobre lo peligroso de las vitaminas.

Cada día, en los Estados Unidos, un niño muere de envenenamiento con aspirina. Los doctores de las facultades de medicina, las revistas médicas y el *New York Times* pasan por alto estos envenenamientos.

El índice del *Handbook of Poisoning* («Manual del envenenamiento»), del doctor Robert S. Dreisbach, profesor de Farmacología de la Facultad de Medicina de la Universidad de Stanford, tiene siete mil entradas. De éstas, cinco se refieren a las vitaminas; todas ellas relacionadas con las vitaminas A, D, K, K_1 (una forma de vitamina K) y las B.

No necesita usted preocuparse por la vitamina K. Es la que evita la hemorragia, facilitando la coagulación sanguínea. Generalmente, no forma parte de los comprimidos vitamínicos. Los adultos y los niños están normalmente provistos de una cantidad adecuada de dicha vitamina, que se encuentra en general en las «bacterias intestinales». El médico podrá recetar vitamina K a los recién nacidos, a parturientas o a personas que hayan absorbido una sobredosis de anticoagulante. La toxicidad de la vitamina K interesa al médico que la administra a un paciente.

La vitamina D es la vitamina liposoluble que evita el raquitismo. Es necesaria, junto con calcio y fósforo, para que los huesos crezcan normalmente. La RDA es de 400 UI diarias. Probablemente sea prudente no exceder mucho de este consumo. Según Dreisbach, la dosis tóxica es de 158 000 UI, con muchas manifestaciones de toxicidad: debilidad, náuseas, vómito, diarrea, anemia, disminución de la función renal, acidosis, proteinuria, tensión arterial elevada, deposición de calcio, etc. Kutzsky *(Handbook of Vitamins and Hormones* [«Manual de vitaminas y hormonas»], 1973) afirma que 4 000 UI diarias conducen a: anorexia, náuseas, sed, diarrea, debilidad muscular, dolores en las articulaciones y otros problemas.

La vitamina A se menciona normalmente como un ejemplo perfecto en cualquier análisis de la toxicidad de las vitaminas. Así, la escritora sobre alimentos Jane E. Brody, en su artículo publicado en 1984 en el *New York Times*, «Vitamin Therapy: The Toxic Side Effects of Massive Doses» («La terapia vitamínica: los efectos secundarios tóxicos de las dosis masivas»), afirmó que «la vitamina A ha sido la causante del mayor número de casos de envenamiento por vitaminas». No mencionó que los pacientes no murieron (como sucede con muchos de los que se envenenan con aspirina y otros fármacos), pero sí presentó dos historiales, presumiblemente los peores que pudo encontrar:

> Fue hospitalizada una niña de tres años que padecía de confusión, deshidratación, hiperirritabilidad, dolores de cabeza, del abdomen y de las piernas, y vómito, como resultado de la ingestión

diaria de 200 000 UI de vitamina A durante tres meses (2 500 es la dosis recomendada para un niño de esa edad, teóricamente para evitar infecciones respiratorias).

Un adolescente de dieciséis años ingirió 50 000 UI diarias durante dos años y medio para combatir el acné, se quejaba de rigidez del cuello, piel reseca, labios agrietados, tumefacción de los nervios ópticos y presión creciente en el cráneo.

Estos informes indican que el consumo continuo y prolongado de vitamina A en dosis que superan a la RDA 20 a 30 veces puede causar efectos secundarios relativamente graves. Dreisbach, en su libro sobre venenos, dice que, con el tiempo, estas dosis pueden causar tumefacción periósticà nodular dolorosa, osteoporosis, comezón, erupciones y ulceraciones cutáneas, anorexia, creciente presión intracraneal, irritabilidad, sopor, alopecia, crecimiento del hígado (ocasionalmente), diplopía y papiledema.

La RDA para la vitamina A es de 5 000 UI (para un adulto). Una única dosis de 5 000 000 UI, mil veces la RDA, causa náuseas y dolor de cabeza. Sería razonable no recomendar que se ingieran dosis únicas cercanas a ésta.

Con el consumo repetido y regular de esta vitamina liposoluble aumenta la cantidad almacenada en el cuerpo y, eventualmente, su actividad puede alcanzar niveles que causen dolor de cabeza debido a la creciente presión intracraneal y otros de los síntomas arriba mencionados. El consumo repetido de 100 000 o 150 000 UI diarias durante un año o más ha causado dichos problemas para algunas personas, pero no para otras. Yo recomiendo que se considere 50 000 UI diarias como el límite máximo para su ingestión. Cualquier persona que ingiera fuertes dosis de vitamina A debería vigilar la posible aparición de síntomas de toxicidad.

En cuanto a las vitaminas B, no hay dosis mortal de la B_1 ni ninguna dosis que sea gravemente tóxica. La RDA para un adulto es de 1,4 mg. La mayoría de la gente tolera un consumo diario y regular de 50 o 100 mg, que puede ser benéfico.

Que se sepa, no hay dosis mortal de la B_2 ni ninguna dosis que sea gravemente tóxica. La RDA para un adulto es de 1,6 mg. La mayoría de la gente tolera un consumo diario y regular de 50 o 100 mg, que puede ser benéfico.

Que se sepa, no hay dosis mortal de la B_3, niacina (ácido nicotínico, nicotinamida, niacinamida). El consumo de 100 mg o más de ácido nicotínico (las dosis difieren según las personas) causa bochorno, comezón, vasodilatación, un aumento en el flujo de la sangre en el cerebro y una disminución de la tensión arterial. Esta reacción de bochorno generalmente desaparece al cabo de cuatro días con un consumo diario de 400 mg o más.

Fuertes dosis de nicotinamida causan náuseas en algunas personas. La RDA es de unos 18 mg para un adulto. La baja toxicidad de la niacina (ya sea el ácido nicotínico o la nicotinamida) se puede demostrar por el hecho de que dosis diarias de 5 000 a 30 000 mg han sido ingeridas durante años por pacientes esquizofrénicos sin efectos tóxicos (Hawkins y Pauling, 1973).

Que se sepa, no hay dosis mortal de vitamina B_6, piridoxina. Cuando dicha vitamina se ingiere regularmente en dosis diarias muy elevadas, causa un daño neurológico significativo en algunas personas. La vitamina B_6 es la única vitamina hidrosoluble que tenga una toxicidad importante.

Existen varias sustancias (piridoxol, piridoxal, piridoxamina, fosfato piridoxal y fosfato de piridoxamina) que actúan como vitamina B_6 (protección contra las convulsiones, la irritabilidad, las lesiones cutáneas, la disminución en la producción de linfocitos). Piridoxina es el nombre que se da a todas las formas de vitamina B_6. Una vez convertida en el cuerpo en fosfato piridoxal, la vitamina B_6 actúa como coenzima en muchos sistemas enzimáticos. Se necesita un buen consumo de esta vitamina para que muchas de las reacciones bioquímicas esenciales en el cuerpo humano se produzcan al ritmo apropiado para llegar a la salud óptima.

Hasta 1983 se creía que ninguna de las vitaminas hidrosolubles tenía una toxicidad importante, incluso en fuertes dosis. Y entonces apareció un informe (Schaumberg et al., 1983) según el cual siete personas, después de ingerir entre 2 000 y 5 000 mg diarios (mil a tres mil veces la RDA) de vitamina B_6 durante períodos que oscilaban entre cuatro meses y dos años, habían experimentado una gradual pérdida de sensación en los dedos del pie y una tendencia a tropezar. Esta neuropatía periférica desapareció cuando los pacientes dejaron de ingerir estas fuertes dosis de la vitamina y no sufrieron ningún daño del sistema nervioso central.

Podemos concluir que existe un límite superior al consumo diario de vitamina B_6 que se sitúa en mil veces la RDA. Sin embargo, los autores del informe fueron mucho más cautelosos; recomendaron que nadie ingiriera más de la RDA para esta vitamina, o sea 1,8 a 2,2 mg diarios. Siguiendo esta recomendación, mucha gente se privaría del medio para mejorar su salud al no ingerir los 50 o 100 mg diarios, o más, que recomendé en el capítulo 5. Muchos psiquiatras ortomoleculares recomiendan 200 mg diarios a sus pacientes; a algunos incluso les aconsejan de 400 a 600 mg diarios (Pauling, 1983). Hawkings señaló que observando «más de 5 000 pacientes no hemos notado un solo efecto secundario al administrarles 200 mg de vitamina B_6 diariamente» (Hawkings y Pauling, 1973).

Se pueden administrar dosis únicas de 50 000 mg de vitamina B_6 sin efectos secundarios graves. Estas dosis se administran como antídoto a los pacientes envenenados con una sobredosis de isoniacida, un medicamento antituberculoso (Sievers y Harrier, 1984).

Que se sepa, no hay dosis mortal de folacina (ácido fólico), de ácido pantoténico, de vitamina B_{12} y de biotina. Estas cuatro vitaminas hidrosolubles se describen como no tóxicas, aun con dosis muy fuertes. Las RDA para hombres adultos son de 400 microgramos (μg) para la folacina, 7 mg para el ácido pantoténico, 3 μg para la vitamina B_{12} y 200 μg para la biotina.

En cuanto a la folacina, la situación es extraña. En 1960, la U. S. Food and Drug Administration (FDA) decretó que ningún comprimido vitamínico o multivitamínico debería contener más de 250 μg de folacina, aumentándolo posteriormente a 400 μg. Esta precavida orden no se debió a pruebas que demostraran la toxicidad de fuertes dosis de folacina. Ésta no es tóxica. De hecho, el límite de 400 μg de la RDA es inferior a la dosis considerada como necesaria para una buena salud. El profesor Roger J. Williams, que descubrió el ácido pantoténico y realizó los primeros experimentos con la folacina, escribió que «se recomendaría una dosis superior (2000 microgramos en vez de 400) a la cantidad especificada, si no fuera por los reglamentos conflictivos de la FDA» (Williams, 1975).

Entonces, ¿por qué la FDA nos impide tomar la cantidad adecuada de esta importante vitamina? La FDA actuó así para que los médicos pudieran diagnosticar más fácilmente una enfermedad, la anemia perniciosa. Ésta resulta de la incapacidad de transportar vitamina B_{12} del estómago a la red sanguínea. La carencia resultante de vitamina B_{12} se caracteriza por la anemia y por daños neurológicos que conducen a la psicosis. Tanto la vitamina B_{12} como la folacina son necesarias para producir células rojas en la médula ósea y se puede compensar parcialmente una carencia de vitamina B_{12} con un incremento en el consumo de folacina. Por tanto, un elevado consumo de folacina puede evitar el desarrollo de anemia, pero no controla el daño neurológico que resulta de la carencia de vitamina B_{12}, y posiblemente lo exacerba, ayudándola a gastar lo que queda de vitamina B_{12} almacenada, ya que incrementa la producción de células rojas.

En 1960, los portavoces de la profesión médica argumentaron que los médicos se apoyaban en el desarrollo de la anemia para reconocer dicha enfermedad y que si la folacina impedía la anemia, no sabrían si un paciente, que empezaba a mostrar síntomas de psicosis, estaba o no afectado de anemia perniciosa. Entonces, la FDA emitió la orden de limitar la dosis de folacina en los preparados vitamínicos. Por tanto, esta acción no tuvo por objetivo el proteger al público contra la toxicidad de la folacina, sino el de ayudar a los médicos a reconocer la anemia perniciosa en algunos pacientes que podrían estar ingiriendo cantidades mayores de folacina.

Ahora, un cuarto de siglo más tarde, los médicos saben más sobre la anemia perniciosa, la vitamina B_{12} y la folacina. Es fácil hacerle pruebas a un paciente con problemas neurológicos para ver si carece de vitamina B_{12}. Ya no es necesaria la reglamentación de la FDA limitando la dosis de folacina en los preparados vitamínicos. Dicho reglamento debería revocarse.

Que se sepa, no hay dosis mortal de vitamina C. Se han ingerido hasta 200 g, por vía oral, en el curso de unas horas, sin efectos secundarios dañinos. Se han administrado, por vía intravenosa, entre 100 y 150 g de ascorbato de sodio sin causar ningún daño.

Existen pocas pruebas sobre la toxicidad a largo plazo. Conozco a un hombre que ha ingerido más de 400 kg de dicha vitamina en los últimos nueve años. Es un químico que trabaja en California. Cuando enfermó de cáncer metastásico advirtió que podía controlar el dolor ingiriendo 130 g diarios de vitamina C, y ha consumido dicha cantidad durante nueve años. Salvo por el hecho que no ha logrado curarse totalmente del cáncer, su salud es razonablemente buena, sin ninguna indicación de efectos secundarios dañinos causados por esta vitamina.

Se ha hablado mucho sobre los posibles efectos secundarios debidos a consumos elevados de vitamina C. Este tema se tratará en el capítulo siguiente.

Que se sepa, no hay dosis mortal de las diversas sustancias –relacionadas entre sí– llamadas tocoferoles, que actúan como vitamina E. Se pueden conseguir distintas mezclas de dichos tocoferoles; su actividad, determinada por una prueba estándar, se expresa en unidades internacionales. Por ejemplo, 1 mg de tocoferol-D-alfa es igual a 1,49 UI, y 1 mg de acetato de tocoferol-D-L-alfa (una mezcla de D y L) es igual a 1 UI.

La vitamina E es eficaz en muchos casos, incluyendo el tratamiento de trastornos cardíacos y musculares. Funciona tanto como antioxidante general, colaborando con la vitamina C, como en algunas interacciones con proteínas y lípidos, en formas específicas aún no comprendidas.

La RDA de la vitamina E es de 10 UI diarias. Mucha gente ha ingerido cantidades mayores durante períodos muy largos. Los doctores Evan V. Shute y Wilfrid E. Shute, de Canadá, informaron sobre miles de personas que ingirieron entre 50 y 3 200 UI diarias de vitamina E, durante largos períodos, sin señales de toxicidad significativa (Shute y Taub, 1969; Shute, 1978). La vitamina E, como único antioxidante liposoluble, es una valiosa compañera de la vitamina C, el principal antioxidante hidrosoluble.

28. LOS EFECTOS SECUNDARIOS DE LAS VITAMINAS

En años recientes, a medida que más y más gente iba reconociendo el valor de un mayor consumo de vitamina C, se fue manifestando una creciente preocupación en cuanto a los eventuales efectos secundarios que puede acarrear un prolongado consumo de dicha vitamina. Esta preocupación del público la amplificaron los médicos, al transferir a las vitaminas la cautela que ejercen, con razón, hacia los efectos secundarios de los fármacos. Han propagado datos erróneos y falsas alarmas con sus escritos y en sus consultas con pacientes.

El problema se complica con la individualidad bioquímica (capítulo 10), que da lugar a la heterogeneidad de la población norteamericana. El hecho (capítulo 26) de que un hombre haya ingerido, durante nueve años, 130 g diarios de vitamina C, sin tener ningún signo de efectos secundarios dañinos, no implica que todo el mundo haría bien en ingerir tal dosis. El informe del doctor Fred R. Klenner es más pertinente, pues señala que observó centenares de personas que ingirieron 10 g diarios de vitamina C, durante años, y se mantuvieron con buena salud, sin problemas imputables al elevado consumo de la vitamina.

El doctor L. A. Barness, de la Facultad de Medicina de la Universidad de Florida del Sur, enumeró catorce efectos tóxicos de la vitamina C, en un análisis de los mismos (Barness, 1977). Los reseñaré todos. El doctor Barness indicó que muchos efectos tóxicos son insignificantes, poco comunes, o molestos pero poco importantes. Entre ellos se encuentra la esterilidad causada por la vitamina C, de la cual existe un solo caso dudoso. Se ha señalado que la vitamina causa fatiga, y el autor es escéptico al respecto; mucha gente dice que se siente más vigorosa al incrementar su consumo de vitamina C. En cuanto a casos de hiperglicemia, tras la ingestión de vitamina C, podrían no ser fidedignos los informes, debido a la interferencia con la prueba de azúcar en la orina, según se explica más adelante. Parece poco probable que las reacciones alérgicas, ocasionalmente atribuidas a la vitamina C, sean causadas por el ácido ascórbico y el ascorbato de sodio, ya que dichas sustancias cristalinas son sujetas a tantos procesos de purificación, en el curso de su síntesis a partir de la glucosa, que es dudoso que quede algún alergénico; no conozco ningún estudio cuidadoso que haya mostrado que la vitamina C en sí es alergénica.

Algunos de los efectos secundarios imputados a fuertes dosis de vitamina C han sido objeto de cuidadosos estudios y análisis en los últimos diez o doce años, y se han corregido muchas de las malas interpretaciones sobre su significado (Pauling, 1976). Sin embargo, muchos de los autores populares que se refieren a la nutrición sólo poseen un conocimiento incompleto, y siguen escribiendo historias de terror sobre los peligros de las megavitaminas y recomendando que no se ingiera más de la RDA sin antes consultar a un médico (que también puede ser un total ignorante en cuanto a las vitaminas). Un ejemplo de ello lo constituye el artículo de Jane E. Brody, en el *New York Times*, aparecido en 1984 (y citado en el capítulo 27), que se distingue por sus numerosas afirmaciones incorrectas y engañosas. Cuando señalé esos errores al director del *Times*, publicaron una corrección, pero sólo acerca de uno de ellos (7 de mayo de 1984). Casi todos los «peligros» mencionados en dicho artículo son analizados en este capítulo, o lo fueron en el anterior.

Mucha gente ha señalado un efecto de la ingestión de fuertes dosis de vitamina C. Se trata de su función como laxante, de su acción como causante de diarrea. Para algunas personas, una sola dosis de 3 g en ayunas, ejerce un efecto demasiado laxante, mientras que esa misma dosis, ingerida al terminar una comida no lo hace. Un médico, que trata a los pacientes aquejados de enfermedades infecciosas con la mayor cantidad de ácido ascórbico posible, sin que padezcan malestar, ha señalado que la mayoría ingiere entre 15 g y 30 g diarios (Cathcart, 1975). Virno et al. (1967) y Bietti (1967) han comuado que los pacientes afectados de glaucoma que ingieren entre y 40 g diarios de ácido ascórbico tienen diarrea durante tres o cuatro días, pero no después.

La constipación se puede controlar habitualmente, ajustando el consumo de vitamina C (Hoffer, 1971). Para estar perfectamente saludable es mejor evacuar el contenido del intestino grueso inferior cada día. Guardar el material de desecho durante más tiempo del necesario puede ser dañino. Por otro lado, los laxantes moderadamente irritantes, como la leche de magnesia, la cáscara sagrada o el sulfato de sodio, pueden causar algún daño. Los médicos aconsejan a menudo a los pacientes que padecen de constipación que ingieran una buena dieta, incluyendo muchas frutas y verduras. Éste es un buen tratamiento ortomolecular, pero la ingestión de vitamina C, además de las frutas y verduras, también lo es.

Un conocido tratado médico dice que no hay verdadero daño si no se depone durante tres o cuatro días, y que al intestino se le debe permitir que funcione solo, sin ayuda. Creo que esta opinión es errónea por varias razones. Debido al trabajo del doctor Robert Bruce, director de la sección del Ludwig Cancer Research Institute en Toronto, sabemos que existen presuntos carcinógenos en la materia fecal humana. La exposición continua del intestino grueso inferior a dichas sustancias aumenta la probabilidad de contraer cáncer del recto y del colon. También aumenta la cantidad de ácidos biliares de la materia fecal reabsorbidos en la red sanguínea, que los transporta al hígado, para transformarlos en colesterol, aumentando así el nivel de colesterol y, por tanto, la probabilidad de contraer una enfermedad cardíaca. También se reabsorben otras sustancias tóxicas que el cuerpo debería eliminar con la mayor brevedad posible. A veces, estas sustancias se pueden detectar en el aliento de la persona. Esto debería ser un aliciente adicional para que las personas atraídas por el sexo opuesto se deshagan rápidamente de sus desechos.

Esta eliminación se puede lograr con la acción laxante de una sustancia natural, la vitamina C. Al levantarse por la mañana, puede ingerir una buena dosis de 3, 5, 8 o 10 g de vitamina C, o sea la cantidad que cause una deposición inmediatamente después de desayunar, y que deberá usted determinar experimentando. Con esto, empieza usted el día con buen pie.

Según mis observaciones, calculo que este procedimiento acelera la eliminación de desechos aproximadamente en unas veinticuatro horas, incluso más para aquellos que hacen caso de la autoridad médica arriba citada.

También se ha señalado que para mucha gente un fuerte consumo de vitamina C incrementa la producción de gas intestinal (metano). Para minimizar dichos efectos, si son molestos, podrían probarse diversas clases de vitamina C y diversos modos de consumirla (por ejemplo, después de las comidas, como mencionamos anteriormente). Algunas personas dicen acomodarse mejor a la sal de ascorbato de sodio que al ácido ascórbico, y algunas, a una mezcla de ambos. Se puede adquirir el ascorbato de sodio y el ácido cítrico, o una mezcla a partes iguales, en Bronson Pharmaceuticals y en otros proveedores. Algunos efectos indeseables pueden atribuirse a las sustancias que sirven de relleno de excipiente, de colorante y de saborizante a los comprimidos, por lo que sería conveniente cambiar de marca o usar las sustancias puras. Los comprimidos de efecto retardado podrían resolver el problema para algunas personas.

No debe sorprendernos que nuestro intestino nos cause trastornos temporales cuando ingerimos 5 o 10 g de ácido ascórbico diarios, aunque sea la dosis óptima, como lo indica el hecho de que los animales producen dicha cantidad ellos mismos, y la producen en su cuerpo –en el hígado o en los riñones–. No pasa al estómago y a los intestinos, salvo la cantidad menor ingerida con sus alimentos. Cuando perdimos la capacidad de sintetizar dicho nutriente y empezamos a consumir alimentos que sólo nos lo proporcionaban en pequeñas cantidades, 1 o 2 g diarios, nuestro aparato digestivo no estaba bajo ninguna presión evolutiva para adaptarse a la recepción de mayores cantidades. Quizá nos hayamos adaptado, hasta cierto punto, a arreglarnos con cantidades menores, pero existen pruebas, mencionadas en otra parte de este libro, de que el consumo óptimo no es inferior a la cantidad sintetizada por otros animales para su bienestar.

Algunas personas me han preguntado si el ácido ascórbico, por actuar como ácido, no podría causar úlceras gástricas. De hecho, el jugo gástrico en el estómago contiene un fuerte ácido, y el ácido ascórbico, siendo un ácido débil, no aumenta su acidez. Los comprimidos de aspirina y de cloruro de potasio pueden corroer las paredes estomacales y causar úlceras. La vitamina C evita que éstas se formen, y si ya están formadas, ayuda a cicatrizarlas (para referencias y análisis adicional a este respecto, véase Stone, 1972).

En la crítica de mi libro *Vitamin C and the Common Cold*, aparecida en *Medical Letter*, a la que nos referimos en el anterior capítulo, se pretendía que la vitamina C podría acarrear el efecto negativo de causar la formación de cálculos renales. El autor de dicha crítica no firmada escribió: «Sin embargo, cuando se ingieren de 4 a 12 g diarios para la acidificación de la orina, como en el tratamiento de algunas infecciones crónicas del aparato urinario, puede haber precipitación del urato y formarse cálculos de cistina en el aparato urinario. Por tanto, se deben evitar las muy fuertes dosis de vitamina C para los pacientes con tendencia a la gota, a la formación de cálculos de urato, a la cistinuria.»

Esta afirmación es errónea. Decir que dichos pacientes deben evitar ingerir muy fuertes dosis de ácido ascórbico quizá sea correcto, pero no hay razón para que dejen de ingerir vitamina C en fuertes dosis, porque se puede tomar como ascorbato de sodio, lo que no acidifica la orina. La afirmación hecha en *Medical Letter* muestra, sencillamente, que los directores de la publicación no entendían lo que escribían.

De hecho, la vitamina C es el ion ascorbato. Este ion lleva una carga eléctrica negativa, y por tanto no podemos ingerir vitamina C sin tomar una cantidad equivalente de un átomo que lleve una carga eléctrica positiva. En el ácido ascórbico, éste es un ion de hidrógeno, H^+; en el ascorbato de sodio, es un ion de sodio, Na^+, en el ascorbato de calcio es medio ion de calcio, 1/2 Ca^{++}. Todas estas sustancias contienen vitamina C, el ion de ascorbato, y cada una de ellas también contiene algo más. Los efectos de ese «algo más», el ion de hidrógeno, de sodio o de calcio, no deben confundirse con los efectos del ion de ascorbato, como hicieron los editores de *Medical Letter* y como siguen haciendo los escritores que no lo entienden del todo.

Se sabe que existen dos clases de cálculos renales y que la tendencia a su formación se debe controlar de dos maneras bastante distintas. Los cálculos de una clase, o sea casi la mitad de todos los cálculos urinarios, se componen de fosfato de calcio, fosfato de amonio de magnesio, carbonato de calcio, o mezclas de dichas sustancias. Tienden a formarse en la orina alcalina, y a las personas con tendencia a fabricarlos se les aconseja que mantengan su orina ácida. Una buena manera, probablemente la mejor, de acidificar la orina es el ingerir 1 g más de ácido ascórbico diario. Muchos médicos utilizan el ácido ascórbico para este propósito y para evitar las infecciones del aparato urinario, particularmente las infecciones por organismos que hidrolizan la urea, formando amoníaco y, así, alcalizan la orina y promueven la formación de cálculos renales de esta clase.

Los cálculos renales del otro tipo, que tienden a formarse en la orina ácida, se componen de oxalato de calcio, ácido úrico, o cistina. A las personas que tienden a producir dichos cálculos se les aconseja mantener su orina alcalina. Esto se puede lograr ingiriendo vitamina C en forma de ascorbato de sodio o ácido ascórbico con justo lo suficiente de bicarbonato sódico u otro alcalizador, para neutralizarlo.

En las publicaciones médicas no se ha señalado un solo caso de cálculos renales causado por una elevada ingestión de vitamina C. Sin embargo, existe la posibilidad de que algunas personas tengan una mayor tendencia a producir cálculos de oxalato de calcio si ingieren fuertes dosis de vitamina C. Se sabe que el ácido ascórbico se puede oxidar, formando ácido oxálico en el cuerpo. Lamden y Chrystowski (1954) estudiaron cincuenta y un sujetos masculinos sanos que ingerían cantidades ordinarias de vitamina C (sólo la que estaba presente en sus alimentos) y observaron que la cantidad media de ácido oxálico eliminado por la orina era de 38 mg (en una escala de 16 a 64 mg). Esta medida sólo se incrementaba en 3 mg al ingerir 2 g diarios de ácido ascórbico adicional, y en 12 mg por día al ingerir 4 g. Un consumo adicional de 8 g diarios aumentaba la excreción de ácido oxálico en 45 mg, y en 68 mg con una ingestión de 9 g (como medio, un sujeto excretó hasta 150 mg). Es probable que la mayoría de la gente no tendría problemas con el ácido oxálico al ingerir fuertes dosis de vitamina C, pero algunos tendrían que cuidarse y evitar comer espinacas o ruibarbo, que tienen un elevado contenido de oxalato. Algunas personas padecen de una enfermedad genética poco común que conduce a una mayor producción de ácido oxálico en sus propias células (sobre todo a partir del aminoácido glicina), y se sabe de un joven que transforma más o menos el 15 % del ácido ascórbico ingerido en ácido oxálico, cincuenta veces más que la cantidad transformada por otras personas (Briggs, Garcia-Webb y Davies, 1973). Este joven y otras personas aquejadas del mismo defecto genético deben limitar su consumo de vitamina C.

En los últimos años he recibido muchas cartas de gente preocupada por un informe según el cual fuertes dosis de vitamina C ingeridas con los alimentos destruyen la vitamina B_{12} de los mismos, conduciendo a una carencia parecida a la anemia perniciosa. Respondí que el informe no era fidedigno, porque las condiciones en las cuales se investigaron los alimentos en el laboratorio no reproducían fielmente las de los alimentos ingeridos y retenidos en el estómago. Ya se ha demostrado que la comunicación original, de Herbert y Jacob (1975), era errónea porque emplearon un método de análisis de poca confianza, y que, de hecho, la vitamina C no destruye significativamente la vitamina B_{12} en los alimentos.

Herbert y Jacob estudiaron una comida con un bajo contenido en vitamina B_{12}, y otra con un elevado contenido de la misma, incluyendo esta última comida 90 g de hígado de res asado, conocido por ser rico en vitamina B_{12}. Algunas comidas contenían 100 mg, 250 mg o 500 mg de ácido ascórbico adicional. Las comidas se «homogeneizaron» en una batidora; se mantuvieron durante treinta minutos a la temperatura corporal (37 °C) y se analizaron por medio de isótopos radiactivos para ver su contenido en vitamina B_{12}. Los investigadores comunicaron que 500 mg de ácido ascórbico, añadidos a la comida, destruían el 95% de la vitamina B_{12}, en la comida de bajo contenido en dicha vitamina y casi el 50% en la comida de elevado contenido. Concluyeron que «fuertes dosis de vitamina C, popularmente utilizada como remedio casero contra el resfriado, destruyen elevadas cantidades de vitamina B_{12}, cuando se ingieren con los alimentos... La ingestión diaria de 500 mg o más de ácido ascórbico, sin un análisis periódico del nivel de vitamina B_{12} no es probablemente aconsejable». En los últimos años, esta afirmación se ha repetido en muchos artículos sobre nutrición y salud tanto en periódicos como en revistas.

Se sabe que la hidroxicobalamina y la cianocobalamina puras (formas de vitamina B_{12}) son atacadas y destruidas (la cianocobalamina menos rápidamente) por el ácido ascórbico en presencia de iones de oxígeno y de cobre, pero el nivel de destrucción comunicado por Herbert y Jacob fue sorprendentemente elevado. Además, en la relación de sus resultados, había indicios de que algo fallaba en su trabajo. La cantidad de vitamina B_{12} señalada por Herbert y Jacob en su análisis de las comidas (sin ácido ascórbico adicional) sólo representaba más o menos una octava parte de la que contienen los alimentos que figuraban en las comidas. Se sabe que una parte de la vitamina B_{12} de los alimentos se une fuertemente a las proteínas y otros componentes de los alimentos. Los bioquímicos concibieron procedimientos especiales para liberar la vitamina encadenada. Si no se utilizan dichos procedimientos sólo se puede determinar en el análisis la cantidad débilmente unida de vitamina B_{12}. Entonces, investigadores de dos laboratorios distintos repitieron el experimento utilizando métodos analíticos fidedignos (Neumark, Scheiner, Marcus y Prabhudesai, 1976). Encontraron, en ambas comidas, cantidades de vitamina B_{12} iguales a las calculadas en las tablas de alimentos, con un margen de error del 5 %. Estas cantidades representaban de seis a ocho veces las señaladas por Herbert y Jacob, y además, advirtieron que el añadir 100, 250 o 500 mg de ácido ascórbico no conducía a ningún cambio en la cantidad de vitamina B_{12} en la comida.

El supuesto de que la vitamina B_{12} es destruida en las comidas ingeridas con vitamina C también es refutado por dos estudios adicionales (Marcus, Prabhudesai y Wassef, 1980; Ekvall y Bozian, 1979). Podemos concluir que no existe el peligro atribuido por Herbert y Jacob al consumo de dosis moderadamente fuertes de vitamina C, 500 mg o más con los alimentos. Sacaron una conclusión incorrecta por haber seguido un método erróneo de análisis químico de la vitamina B_{12}. Los escritores que publican artículos sobre las vitaminas y los médicos que aconsejan sobre la salud deberían dejar de citar la destrucción de la vitamina B_{12} como una razón para no ingerir las dosis óptimas de vitamina C.

Una de las razones propuestas por *Medical Letter* para no ingerir una mayor cantidad de vitamina C es que la presencia de la misma en la orina podría causar un falso resultado positivo en los análisis normales en cuanto a la presencia de glucosa en la orina, señal de diabetes. Éste no es precisamente un argumento contra la ingestión de la valiosa vitamina C. Es más bien un argumento para que se conciban análisis fidedignos para detectar y medir la glucosa en la orina.

Brandt, Guyer y Banks (1974) han enseñado cómo se puede modificar el análisis de la orina para evitar la interferencia del ácido ascórbico.

Una manera más sencilla es no ingerir vitamina C el día en que se recoge la muestra de orina.

Otro análisis corriente que el ácido ascórbico estorba es la detección de sangre en la defecación, un indicador de sangrado interno (Jaffe et al., 1975). El doctor Russell M. Jaffe, de los National Institutes of Health, quien descubrió este efecto, está desarrollando un análisis más fidedigno.

Cuando una persona ingiere una cantidad normal de vitamina C cada día, la concentración de ascorbato en su sangre permanece constante en unos 15 mg por litro. Spero y Anderson (1973) estudiaron veintinueve sujetos a quienes se les administraron 1, 2 o 4 g diarios. Al principio, el nivel de ascorbato en su sangre alcanzó más de 20 mg por litro, pero después de unos días disminuyó. Harris, Robinson y Pauling (1973) observaron un efecto similar, que atribuyeron a un aumento de la utilización metabólica de la vitamina C, en respuesta al mayor consumo.

Este fenómeno es muy conocido en el caso de las bacterias. La bacteria intestinal común, el colibacilo, o *Escherichia coli*, utiliza normalmente un azúcar simple, la glucosa, como fuente de carbono.

También puede vivir en un disácarido, la lactosa (azúcar de la leche). Cuando se transfiere un cultivo de *E. coli* de la glucosa a la lactosa, crece muy lentamene durante un tiempo y luego de forma rápida. Para poder vivir de la lactosa, el organismo debe contener una enzima que divida la lactosa en dos mitades. El *E. coli* puede fabricar dicha enzima, la betagalactosidasa, por tener el gen correspondiente en su material genético, pero cuando vive de la glucosa, cada célula del cultivo contiene sólo una docena de moléculas de dicha enzima. Cuando se transfiere a un medio que contiene lactosa, cada célula sintetiza varios millares de moléculas de la enzima, permitiéndole utilizar más eficazmente la lactosa.

Este proceso se llama formación inducida de enzimas. Fue descubierto en 1900 y lo investigó cuidadosamente el biólogo francés Jacques Monod, que, en 1965, recibió el Premio Nobel de medicina, compartido con François Jacob y Andrew Lwoff. Monod y sus colegas demostraron que el ritmo de fabricación de la enzima, bajo el control de su gen específico es, a su vez, controlado por otro gen, lla-

«Dejé de tomar el medicamento porque prefiero la enfermedad original a los efectos secundarios.»

gen regulador. Cuando no hay lactosa, o hay poca, en el me-mbiente, el gen regulador deja de sintetizar la enzima, reduciendo así, para la bacteria, la carga innecesaria de fabricar una enzima inútil. Cuando hay presencia de lactosa, el gen regulador inicia el proceso de sintetización de la enzima para que la lactosa se pueda utilizar como alimento.

Como indican las pruebas, los seres humanos tienen genes reguladores similares que controlan la síntesis de las enzimas que participan en la transformación del ácido ascórbico en otras sustancias. Estas sustancias, productos de la oxidación, son importantes; por ejemplo, se sabe que son más eficaces que el ácido ascórbico para controlar el cáncer de los animales (Omura et al., 1974 y 1975). Pero el ácido ascórbico es también una sustancia importante, que participa directamente en la síntesis del colágeno y en otras reacciones del cuerpo humano. Sería catastrófico que, por un exceso de eficiencia, las enzimas transformaran todo el ácido ascórbico y el ácido dehidroascórbico en productos de oxidación, que no tienen las mismas propiedades bioquímicas que la vitamina. Por ello, los genes reguladores suspenden o disminuyen la fabricación de enzimas cuando la ingestión de vitamina C es reducida. Cuando es elevada, se producen muchas más enzimas, permitiendo que más ácido ascórbico se transforme en otras sustancias útiles.

Cuando una persona ha estado ingiriendo cantidades elevadas de vitamina C durante un tiempo más o menos corto, la cantidad de enzimas fabricadas es tan grande que, si vuelve a tomar pequeñas dosis, la mayor parte del ácido ascórbico se transforma rápidamente en otras sustancias y la concentración de ácido ascórbico y ácido dehidroascórbico en la sangre es entonces anormalmente baja. La resistencia de esta persona a cualquier enfermedad puede debilitarse. Se trata del efecto de discontinuación (también llamado efecto de rebote).

El efecto de discontinuación dura una o dos semanas. Para entonces, las enzimas se han reducido a la cantidad normal para una ingestión mínima, y la concentración de ácido ascórbico en la sangre ha vuelto a su nivel normal. Por tanto, es aconsejable que la gente que ha estado ingiriendo fuertes dosis de vitamina C y que decide volver a ingerir dosis pequeñas, lo haga disminuyendo las dosis gradualmente en el lapso de una o dos semanas y no repentinamente.

El efecto de discontinuación puede no ser muy importante para la mayoría de las personas. Anderson, Suranyi y Beaton (1974) comprobaron la cantidad de enfermedades invernales (principalmente resfriados) de sus sujetos en el mes inmediatamente posterior a la suspensión de la ingestión de los comprimidos de ácido ascórbico o del placebo. Durante este mes, los sujetos a quienes se les había administrado 1 o 2 g diarios de vitamina C y aquellos a quienes se les había dado el placebo contrajeron casi tantas enfermedades por persona, o sea 0,304 y 0,309, respectivamente. El número medio, por persona, de días pasados en casa –0,384 y 0,409 respectivamente– y el de los días no trabajados –0,221 y 0,268– fueron ligeramente menores para el primer grupo que para el segundo, y no el contrario, como se esperaría si el efecto fuera importante. Además no hubo más enfermedades durante la primera mitad del mes que durante la segunda.

Algunas personas pueden presentar una anomalía que afecta a estos genes reguladores. El exceso de las enzimas que catalizan la oxidación de la vitamina C puede ser el responsable de la anomalía en el metabolismo de la vitamina C, observado en algunos pacientes esquizofrénicos.

Sin embargo, el doctor Cameron y yo señalamos, en nuestro libro *Cancer and Vitamin C* (1979), que el efecto de discontinuación puede ser peligroso para los pacientes cancerosos y recomendamos que éstos no suspendan la ingestión ni siquiera un día. Volveremos con más detalle sobre el particular en el capítulo 29.

Hace más de treinta años que se sabe que las mujeres embarazadas necesitan más vitamina C que las otras. En parte esto se debe a que el feto en desarrollo necesita de un buen suministro de dicha vitamina y existe un mecanismo en la placenta para bombear la vitamina C de la sangre de la madre a la del feto. En uno de los primeros estudios, el de Javert y Stander (1943), se observó que la concentración de ascorbato en la sangre del cordón umbilical era de 14,3 mg por litro, cuatro veces la de la sangre de la madre. Continúa la merma de la sangre materna, para beneficio del bebé, aun después del parto, ya que el ascorbato se secreta en la leche materna. La leche de vaca es mucho menos rica en vitamina C que la humana; el becerro no necesita vitamina C adicional, pues la fabrica en las células de su propio hígado.

Se ha señalado que en un embarazo normal las mujeres que consumen las bajas dosis habituales de vitamina C muestran una disminución constante de la concentración de esta vitamina en el plasma sanguíneo, desde 11 mg por l (media para 246 mujeres), hasta 5 mg por l, a los cuatro meses, y hasta 3,5 mg por l, al término del embarazo (Javert y Stander, 1943). Estos bajos niveles corresponden a una mala salud no sólo de la madre, sino también del bebé. Se ha mostrado que una baja concentración de vitamina C en la sangre corresponde a la frecuencia de enfermedades hemorrágicas de los recién nacidos. Javert y Stander concluyeron que para tener una buena salud, las mujeres embarazadas necesitan ingerir 200 mg diarios, y es probable que para la mayoría de ellas el consumo óptimo sea mayor, de 1 g diario o más. Claro está, también se tienen que satisfacer otros requerimientos nutricionales. Brewer (1966) subrayó que un buen consumo de proteínas y otros nutrientes es vital para evitar la eclampsia puerperal, y que son dañinos los diuréticos y las restricciones dietéticas que se emplean para controlar el aumento de peso durante el embarazo.

Una buena ingestión de vitamina C es muy eficaz para controlar el riesgo de aborto, el aborto espontáneo y el habitual. En su estudio con setenta y nueve mujeres con riesgo de aborto, aborto espontáneo previo o abortos habituales, Javert y Stander tuvieron éxito en el 91 % de treinta y tres pacientes a quienes se les administraba vitamina C, junto con bioflavonoides y vitamina K (sólo tres abortos), mientras que abortaron las cuarenta y seis pacientes a quienes no se les administraron dichas sustancias. En su análisis del tratamiento del aborto habitual, Greenblatt (1955) concluyó que el mejor tratamiento consiste en vitamina C, con bioflavonoides y vitamina K, y que el que le sigue en eficacia consiste en progesterona, vitamina E y extracto de hormona tiroidea.

En los últimos siete años, varias autoridades en el campo de la nutrición, que publican artículos en diarios, han afirmado repetidamente que un elevado consumo de vitamina C puede causar un aborto. La base de dicha afirmación parece ser una breve ponencia de dos médicos de la Unión Soviética, Samborskaya y Ferdman (1966). Ellos informaron que a veinte mujeres cuyas edades oscilaban entre los veinte y los cuarenta años, y cuya menstruación se atrasaba entre diez y quince días, se les administraron 6 g diarios de ácido ascórbico por vía oral durante tres días sucesivos, y que dieciséis de ellas menstruaron. Escribí a Samborskaya y a Ferdman preguntando si se habían hecho pruebas de embarazo. Su respuesta fue únicamente otra copia de su ponencia.

Abram Hoffer (1971) señaló que ha utilizado megadosis de ácido ascórbico, o sea 3 a 30 g diarios, en más de mil pacientes desde 1953, y que no ha observado un solo caso de formación de cálculos renales, aborto espontáneo, deshidratación excesiva o cualquier otra forma de toxicidad grave.

No parece probable que el ácido ascórbico provoque abortos, aunque pueda ayudar a controlar dificultades menstruales. Lahann (1970) ha examinado lo publicado a este respecto, particularmente en las revistas alemanas y austríacas. Concluyó que se ha observado una notable mejoría de la menstruación con la ingestión diaria de 200 a 1000 mg de ácido ascórbico. Además, la utilización del ácido ascórbico aumenta drásticamente en el curso del ciclo menstrual, particularmente en el momento de la ovulación, y la medición de dicha utilización puede servir para determinar cuándo termina la ovulación y, por tanto, para determinar el tiempo óptimo para concebir, cuando se trata de superar la esterilidad (Paeschke y Vasterling, 1968).

El valor profiláctico de los suplementos vitamínicos –aun en las pequeñas dosis recomendadas por el Food and Nutrition Board– se señala en un informe realizado en Gran Bretaña sobre un estudio de los suplementos vitamínicos utilizados para prevenir el desarrollo de defectos del «tubo neural, como la espina bífida, en el embrión en desarrollo (Smithells, Sheppard y Schorah, 1976). La frecuencia de defectos en el «tubo neural» en la población blanca norteamericana es de unos dos por cada mil nacimientos. Esta frecuencia es mucho mayor para el segundo hijo de padres cuyo primer hijo padece de dicho defecto. En este estudio participaron 448 mujeres que habían dado a luz a un niño con defecto del «tubo neural». A la mitad de ellas se les administró una preparación de vitaminas múltiples y de hierro, y a la otra mitad, un placebo. Se evitaron casi completamente los defectos del «tubo neural», o sea que la frecuencia fue de sólo el 0,6% para los hijos de las madres que ingirieron el suplemento, comparado con el 5% para los hijos de las otras madres.

V. Cómo vivir más y sentirse mejor

29. UNA VIDA FELIZ Y UN MUNDO MEJOR

A partir del conocimiento acumulado en los últimos veinte años por la nueva ciencia de la nutrición, este libro le ha mostrado cómo puede vivir más tiempo y sentirse mejor. Para ganar este premio no necesita atenerse a un régimen pesado y desagradable. Al contrario, el régimen que debe seguir es el que se especifica en el segundo capítulo de este libro, sensato y placentero, y gracias al cual muchos de sus contemporáneos ya viven vidas más largas y más sanas. Puede usted multiplicar los beneficios de dicho régimen al convertir en hábito la recomendación más importante de esta nueva ciencia de la nutrición, a saber:

INGIERA CADA DÍA LA DOSIS SUPLEMENTARIA ÓPTIMA DE CADA UNA DE LAS VITAMINAS ESENCIALES

Sin importar su edad actual, puede usted conseguir un importante beneficio si empieza el régimen ahora. Las personas mayores pueden beneficiarse mucho, pues necesitan especialmente una nutrición óptima. La constancia en su cumplimiento es vital. Afortunadamente, el régimen impone pocas limitaciones dietéticas, por lo cual, en gran parte, puede usted mejorar la calidad de su vida comiendo alimentos que le agradan. Además puede, y de hecho se recomienda que lo haga, gozar del consumo moderado de bebidas alcohólicas.

De hecho, en cuanto al comer y al beber, en este libro sólo aparece una *prohibición*, el azúcar. Como el cigarrillo, la sucrosa del azúcar es una novedad de la civilización industrial. Juntos han causado pandemias de cáncer y de enfermedades cardiovasculares en las poblaciones, por lo demás afortunadas, de los países desarrollados. El azúcar en los cereales (a veces en cantidades iguales a los cereales mismos) es particularmente perjudicial para los bebés y los niños, y todavía falta resolver el problema de una buena bebida sin azúcar y sin los edulcorantes químicos que lo sustituyen. El peligro del cigarrillo se puede eliminar dejando de fumar. No se puede evitar la sucrosa, pero una fuerte disminución del consumo de este azúcar es esencial.

En este libro se ha explicado la necesidad de vitaminas suplementarias en la nutrición humana. Los primeros vertebrados gozaron de la ventaja evolutiva que les permitió dejar a las plantas que ingerían la tarea de sintetizar las vitaminas e incluso algunos de los aminoácidos. Como lo ha demostrado la nueva comprensión de la vida al nivel molecular, la última alteración genética de este tipo privó a los primates de la capacidad de fabricar su propia vitamina C. Gracias, en parte, a la ventaja de adaptación que le confirió esta alteración, la línea del primate dio origen a los seres humanos. Ahora la nueva ciencia de la nutrición nos indica que debemos aprovechar nuestra facultad racional, que es la ventaja de adaptación suprema de la especie humana, para soslayar cualquier desventaja que podamos sufrir por dichas alteraciones genéticas. Podemos y debemos hacerlo ingiriendo las vitaminas suplementarias, particularmente la vitamina C.

Además, en este libro hemos visto que al mantenernos en el mejor estado de salud, particularmente al continuar ingiriendo las dosis óptimas de vitaminas, podemos resistir a la larga lista de enfermedades que padece el hombre. La lista empieza con las aflicciones causadas por las carencias vitamínicas, tan fáciles de curar restaurando las funciones en la bioquímica del cuerpo; las vitaminas nos ayudan a repeler las infecciones y reforzar nuestros tejidos contra el autoasalto del cáncer y de las enfermedades autoinmunitarias. Tomando como ejemplo la vitamina que mejor se entiende, la C, hemos podido vislumbrar un nuevo tipo de medicina, la medicina ortomolecular, que utiliza sustancias que son naturales para el cuerpo, tanto para protegerlo de las enfermedades como para curarlo. Ya la medicina ortomolecular ha mostrado cómo la vitamina C puede evitar y curar, y quizá todavía pueda eliminar de la experiencia humana la enfermedad más común y más desconcertante para la antigua medicina, el resfriado.

Al final del libro he dedicado espacio a los argumentos en contra de la tesis ortomolecular emitidos por muchos médicos y nutricionistas anticuados. Lo tuve que hacer por no haber podido responder siempre a sus críticas en las publicaciones y foros en que las presentaron. Es probable que usted haya oído sus versiones más que la mía. En estas páginas habrá oído ambas.

Por tanto verá usted que tengo una segunda razón para alegrarme, al saber que usted vive más tiempo y que se siente mejor.

En los últimos veinte años hemos experimentado una revolución en nuestras vidas, revolución que nos permite mayor libertad para ser más productivos, para ejercer nuestra creatividad y para gozar de la vida.

Los animales salvajes dedican casi todo su tiempo y su energía en la búsqueda del suficiente alimento para sobrevivir. Los hombres, mujeres y niños primitivos también tenían que dedicar casi toda su energía y tiempo a la caza y a recoger sus alimentos, buscando frutas, bayas, frutos secos, semillas y plantas suculentas. Luego, hace unos diez mil años, hubo una revolución, al descubrirse la agricultura y al domesticarse los animales. La búsqueda de suficientes alimentos para sobrevivir ya no requería todo el tiempo y la energía de todos. Algunos podían pensar en nuevas formas de hacer las cosas, en nuevas herramientas hechas con piedra o metales, en el movimiento de los cuerpos celestes, en el lenguaje, e incluso en el sentido de la vida. Comenzaba a desarrollarse la civilización.

Otro paso se dio con la revolución industrial, cuando las máquinas accionadas por cascadas y por la combustión del carbón y de otros combustibles liberaron todavía más a los seres humanos de la pesadez de la monotonía del trabajo rutinario.

La revolución que está ocurriendo desde hace dos décadas libera del gran esfuerzo requerido para obtener alimentos adecuados, los que confieren la mejor salud y la mejor oportunidad de vivir una buena y larga vida, tan libre como sea posible del sufrimiento causado por las enfermedades. Esta revolución ocurre gracias al descubrimiento de las vitaminas y otros nutrientes esenciales y al reconocimiento de que los consumos óptimos, los que proporcionan la mejor salud, son a menudo mucho más elevados que los que recomiendan normalmente, tan elevados que sólo se pueden obtener en forma de suplementos nutricionales y no en una dieta con alimentos normales.

Durante cincuenta años, los médicos y los profesores de nutrición anticuados han estado exhortando a todo el mundo para que adopten una dieta descrita como sana. Durante dos o tres décadas nos han exhortado a seguir una dieta bien equilibrada, con porciones de las cuatro categorías de alimentos: carne, pescado o ave; cereales; frutas y verduras rojas o amarillas, y productos lácteos. Este régimen dietético se nos recomendó nos gustaran o no todos estos alimentos. Recientemente, dichas autoridades nos han quitado a muchos de nosotros gran parte del placer de vivir por sus fuertes recomendaciones adicionales. Nos dicen que no debemos comer un bistec suculento, por su grasa animal. Nos dicen que no debemos comer huevos, por el colesterol que contienen; en su lugar, nos empujan a comer una especie de producto manufacturado, una preparación, probablemente no muy sabrosa, hecha a base de huevos tratados con un solvente químico que remueve parte del colesterol. Nos dicen que no comamos mantequilla. Así, no es ningún placer ir a un buen restaurante; más bien es una razón para preocuparse y sentirse culpable.

¿Por qué nos hacen estas recomendaciones? Entre otras cosas, porque la buena salud depende de un buen aprovisionamiento en vitaminas. En el pasado, para obtener, aunque fuera una provisión pasable de vitaminas que conducía a una salud relativamente mala, se necesitaba un consumo moderadamente elevado de frutas y verduras. En todas las culturas, salvo las tropicales, se tenía que comer alimentos especiales, como la col ácida y otros alimentos en salmuera para poder sobrevivir durante el invierno. Aun con la mejor selección de alimentos, la mayoría de la gente no gozaba de muy buena salud en el pasado.

La revolución que se está llevando a cabo nos libera de esta obsesión por limitar nuestra dieta y de evitar comer los alimentos que nos gustan. Las únicas limitaciones que sugiero consisten en no comer grandes cantidades de alimentos y en limitar su consumo del azúcar (sucrosa). Esta libertad nutricional se ha hecho posible porque disponemos de suplementos vitamínicos y minerales.

Además, ahora es posible ingerir estos importantes nutrientes en dosis óptimas, mucho mayores de las que se pueden sacar de los alimentos, y llegar así a una especie de supersalud, muy superior a la que se podía obtener en el pasado. Podemos agradecer a los químicos orgánicos y a los bioquímicos de los últimos ciento cuarenta años, que laboriosamente resolvieron el enigma de la naturaleza de los compuestos del carbono y de la forma en que su interacción se produce en el cuerpo humano. Gracias a sus esfuerzos ahora podemos gozar más de la vida.

Finalmente, no puedo dejar de mencionar que el mayor peligro para su salud y la de sus hijos, nietos y otros, es el riesgo de una guerra nuclear. El riesgo real de que los norteamericanos y el resto del mundo morirían en una guerra nuclear entre los Estados Unidos y la Unión Soviética podría hacer pensar que hago un esfuerzo inútil al sugerir formas en que puede usted vivir más y ser más feliz. Sin embargo, creo que la catástrofe se puede evitar y que vale la pena intentar mejorar la calidad de su vida. Puede usted contribuir no sólo a la calidad de su propia vida, sino a la de sus congéneres si trabaja en favor de la cordura en las relaciones internacionales. El criterio para el éxito es la disminución de los presupuestos militares de las grandes potencias.

No deje que las autoridades médicas o los políticos le engañen. Infórmese sobre los hechos y tome sus propias decisiones sobre cómo vivir una vida feliz y cómo trabajar para un mundo mejor.

Bibliografía

ABBOTT, P.; otros setenta y siete (1968), «Ineffectiveness of Vitamin C in Treatring Coryza», *The Practitioner*, 200, pp. 442-445.

ABRAHAM, S.; LOWENSTEIN, F. W.; JOHNSON, C. L. (1976), «Dietary Intake and biochemical Findings (preliminary)», *First Health and Nutrition Examination Survey, United States*, 1971-1972. Department of Health, Education, and Welfare Publication No. (HRA) 76-1219-1.

ADAMS, J. M. (1976), *Viruses and Colds: The Modern Plaque*, American Elsevier, Nueva York.

AFZELIUS, B. A. (1976), «A Human Syndrome Caused by Immotile Cilia», *Science* 193, pp. 317-319.

ALTSCHUL, R. (1964), *Niacin in Vascular Disorders and Hyperlipemia*, Charles C. Thomas, Springfield, Illinois.

ALTSCHULE, M. D. (1976), «Is It True What They Say about Cholesterol?», *Executive Health*, 12, núm. 11.

American Psychiatric Association (1973), «Megavitamin and Orthomolecular Therapy in Psychiatry», *Task Force Report* 7. American Psychiatric Association, Washington, D. C.

ANAH, C. O.; JARIKE, L. N.; BAIG, H. A. (1980), «High Dose Ascorbic Acid in Nigerian Asthmatics», *Tropical and Geographical Medicine*, 32 pp. 132-137.

ANDERSON, R. (1981a), «Ascorbate-Mediated Stimulation of Neutrophil Motility and Lymphocyte Transformation by Inhibition of the Peroxidase-H_2O_2–Halide System in Vitro and in Vivo», *American Journal of Clinical Nutrition*, 34, pp. 1906-1911.

ANDERSON, R. (1981b), «Assessment of Oral Ascorbate in Three Children with Chronic Granulomatous Disease and Defective Neutrophil Motility over a Two-Year Period», *Clinical and Experimental Immunology*, 43, pp. 180-188.

ANDERSON, R. (1982), «Effects of Ascorbate on Normal and Abnormal Leukocyte Functions», en *Vitamin C: New Clinical Applications in Immunology, Lipid Metabolism, and Cancer*, A. Hanck, comp., Hans Huber, Berna, pp. 23-34.

ANDERSON, R.; HAY, I.; VAN WYK, H.; OOSTHUIZEN, R.; THERON, A. (1980), «The Effect of Ascorbate on Cellular Humoral Immunity in Asthmatic Children», *South African Medical Journal*, 58, pp. 974-977.

ANDERSON, T. W.; BEATON, G. H.; COREY, P. N.; SPERO, L. (1975), «Winter Illness and Vitamin C: The Effect of Relatively Low Doses», *Canadian Medical Association Journal*, 112, pp. 823-826.

ANDERSON, T. W.; REID, D. B. W.; BEATON, G. H. (1972), «Vitamin C and the

Common Cold: A Double Blind Trial», *Canadian Medical Association Journal,* 107, pp. 503-508.
ANDERSON, T. W.; SURANYI, G.; BEATON, G. H. (1974), «The Effect on Winter Illness of Large Doses of Vitamin C», *Canadian Medical Association Journal,* 11 pp. 31-36.
ANDREWES, C. (1965), *The Common Cold,* W. W. Norton, Nueva York.
Anónimo (1911), Scurvy, *The Encyclopedia Britannica,* 11.ª ed., vol. XXIV, p. 517, Universidad de Cambridge, Inglaterra.
ASFORA, J. (1977), «Vitamin C in High Doses in the Treatment of the Common Cold», *Re-evaluation of Vitamin C,* comp. A. Hanck y G. Ritzel. Hans Huber, Berna, pp. 219-234.
ATKINS, G. L.; BELLER, G. A.; PAINE, L. S.; THORUP, O. A., Jr. (1985), «High-Tech Cardiology–Issues and Costs», *The Pharos,* 48, núm. 3, pp. 31-37.
BANKS, H. S. (1965), «Common Cold: Controlled Trials», *The Lancet,* 2, p. 790.
BANKS, H. S. (1968), «Controlled Trials in the Early Antibiotic Treatment of Colds», *The Medical Officer,* 119, pp. 7-10.
BARNES, F. E., Jr. (1961), «Vitamin Supplements and the Incidence of Colds in High School Basketball Players», *North Carolina Medical Journal,* 22, pp. 22-26.
BARNES, L. A. (1977), «Some Toxic Effects of Vitamin C», en *Re-evaluation of Vitamin C,* comp. A. Hanck y G. Ritzel, Hans Huber, Berna, pp. 23-29.
BARR, D. P.; RUSS, E. M.; EDER, H. A. (1951), «ProteinLipid Relationships in Human Plasma. II. In Atherosclerosis and Related Conditions», *American Journal of Medicine,* 11, pp. 480-483.
BARTLEY, W.; KREBS, H. A.; O'BRIEN, J. R. P. (1953), *Medical Research Council Special Report Series,* núm 280, Her Majesty's Stationery Office, Londres.
BATES, C. J.; MANDAL, A. R.; COLE, T. J. (1977), «HDL-Cholesterol and Vitamin-C Status», *The Lancet,* 3, p. 611.
BELFIELD, W. O.; STONE, I. (1975), «Megascorbic Prophylaxis and Megascorbic Therapy: A New Orthomolecular Modality in Veterinary Medicine», *Journal of International Academy of Preventive Medicine,* 2, pp. 10-26.
BELFIELD, W. O.; ZUCKER, M. (1983), *The Very Healthy Cat Book,* McGraw-Hill, Nueva York.
BELFIELD, W. O.; ZUCKER, M. (1981), *How to Have a Healthier Dog: The Benefits of Vitamins and Minerals for Your Dog's Life Cycles,* Doubleday, Nueva York.
BELLOC, N. B.; BRESLOW, L. (1972), «The Relation of Physical Health Status and Health Practices», *Preventive Medicine,* 1, pp. 409-421.
BELLOC, N. B.; BRESLOW, L. (1973), «Relationship of Health Practices and Mortality», *Preventive Medicine,* 2, pp. 67-81.
BESSEL-LORCK, C. (1959), «Erkältungsprophylaxe bei Jugendlichen im Skilager», *Medizinische Welt,* 44, pp. 2126-2127.
BIETTI, G. B. (1967), «Further Contributions on the Value of Osmotic Substances as Means to Reduce Intra-Ocular Pressure», *Ophthalmological Society of Australia,* 26, pp. 61-71.
BJELKE, E. (1973), «Epidemiologic Studies of Cancer of the Stomach, Colon, and Rectum», tesis de doctorado, Universidad de Minnesota.

BJELKE, E. (1974), «Epidemiologic Studies of Cancer of the Stomach, Colon, and Rectum with Special Emphasis on the Role of Diet», *Scandinavian Journal of Gastroenterology*, 9, sup. 31, pp. 1-235.

BJORKSTEN, J. (1951), «Crosslinkages in Protein Chemistry», *Advances in Protein Chemistry*, 6, pp. 343-381.

BOISSEVAIN, C. H.; SPILLANE, J. H. (1937), «Effect of Synthetic Ascorbic Acid on the Growth of Tuberculosis Bacillus», *American Review of Tuberculosis*, 35, pp. 661-662.

BORDEN, E. C. (1984), «Progress toward Therapeutic Application of Interferons», *Cancer*, 54, pp. 2770-2776.

BOURNE, G. H. (1949), «Vitamin C and Immunity», *British Journal of Nutrition*, 2, pp. 346-356.

BOURNE, G. H. (1946), «The Effect of Vitamin C on the Healing of Wounds», *Proceedings of the Nutrition Society*, 4, pp. 204-211.

BOXER, L. A.; WATANABE, A. M.; RISTER, M.; BESCH, H. R., Jr.; ALLEN, J.; BACHNER, R. L. (1976), «Correction of Leukocyte Function in Chediak-Higashi Syndrome by Ascorbate», *New England Journal of Medicine*, 295, pp. 1041-1045.

BOXER, L. A.; VANDERBILT, B.; BONSIB, S.; JERSILD, R.; YANG, H. H.; BACHNER, R. L. (1979), «Enhancement of Chemotactic Response and Microtubule Assembly in Human Leukocytes by Ascorbic Acid», *Journal of Cellular Physiology*, 100, pp. 119-126.

BOYD, A. M.; MARKS, J. (1963), «Treatment of Intermittent Claudication: A Reappraisal of the Value of Alpha-tocopherol», *Angiology*, 14, pp. 198-208.

BOYD, T. A. S.; CAMPBELL, F. W. (1950), «Influence of Ascorbic Acid on the Healing of Corneal Ulcers in Man», *British Medical Journal*, 2, pp. 1145-1148.

BRAEDEN, O. J. (1973), «The Common Cold: A New Approach», *International Research Communications System*, 7, p. 12.

BRANDT, R.; GUYER, K. E.; BANKS, W. L., Jr.(1974), «A Simple Method to Prevent Vitamin C Interference with Urinary Glucose Determinations», *Clinica Chimica Acta*, 51, pp. 103-104.

BREWER, T. H. (1966), *Metabolic Toxemia of Late Pregnancy: A Disease of Malnutrition*, Charles C. Thomas, Springfield, Illinois.

BRODY, JANE E. (1984), «Vitamin Therapy: The Toxic Side Effects of Massive Doses», *New York Times*, Nueva York, 14 de marzo; corrección, 7 de mayo.

BROWN, E. A.; RUSKIN, S. (1949), «The Use of Cevitaminic Acid in the Symptomatic and Coseasonal Treatment of Pollinosis», *Annals of Allergy*, 7, pp. 65-70.

BROWN, W. A.; FARMER, A. W.; FRANKS, W. R. (1948), «Local Application of Aluminium Foil and Other Substances in Burn Therapy», *American Journal of Surgery*, 76, pp. 594-604.

BRUCE, R.; EYSSEN, G. M.; CIAMPI, A.; DION, P. W.; BOYD, N. (1981), «Strategies for Dietary Intervention Studies in Colon Cancer», *Cancer*, 47, pp. 1121-1125.

BRUCE, W. R.; VARGHESE, A. J.; WANG, S.; DION, P. (1979), *Naturally Occurring Carcinogens-Mutagens and Modulators of Carcinogenesis*, comp. E. C. Miller et al. Japan Sci. Soc. Press, Tokio / University Park Press, Baltimore, Maryland, pp. 117-184.

BURR, R. G.; RAJAN, K. T. (1972), «Leukocyte Ascorbic Acid and Pres-

sure Sores in Paraplegia», *British Journal of Nutrition*, 28, pp. 275-281.
BUZZARD, I. M.; MCROBERTS, M. R.; DRISCOLL, D. L.; BOWERING, J. (1982), «Effect of Dietary Eggs and Ascorbic Acid on Plasma Lipid and Lipoprotein Cholesterol Levels in Healthy Young Men», *American Journal of Clinical Nutrition*, 36, pp. 94-105.
CAMERON, E. (1966), *Hyaluronidase and Cancer*, Pergamon Press, Nueva York.
CAMERON, E. (1975), «Vitamin C», *British Journal of Hospital Medicine*, 13, pp. 511-514.
CAMERON, E. (1976), «Biological Function of Ascorbic Acid and the Pathogenesis of Scurvy», *Medical Hypotheses*, 2, pp. 154-163.
CAMERON, E.; BAIRD, G. (1973), «Ascorbic Acid and Dependence on Opiates in Patients with Advanced Disseminated Cancer», *IRCS*, carta al editor, agosto.
CAMERON, E.; CAMPBELL, A. (1974), «The Orthomolecular Treatment of Cancer. II. Clinical Trial of High-dose Ascorbic Supplements in Advanced Human Cancer», *Chemical-Biological Interactions*, 9, pp. 285-315.
CAMERON, E.; CAMPBELL, A.; JACK, T. (1975), «The Orthomolecular Treatment of Cancer. III. Reticulum Cell Sarcoma: Double Complete Regression Induced by High-dose Ascorbic Acid Therapy. *Chemical-Biological Interactions*», 11, pp. 387-393.
CAMERON, E.; PAULING, L. (1973), «Ascorbic Acid and the Glycosaminoglycans: an Orthomolecular Approach to Cancer and Other Diseases», *Oncology*, 27, pp. 181-192.
CAMERON, E.; PAULING, L. (1974), «The Orthomolecular Treatment of Cancer. I. The Role of Ascorbic Acid in Host Resistance», *Chemical-Biological Interactions*, 9, pp. 273-283.
CAMERON, E.; PAULING, L. (1976), «Supplemental Ascorbate in the Supportive Treatment of Cancer: Prolongation of Survival Times in Terminal Human Cancer», *Proceedings of the National Academy of Sciences USA*, 73, pp. 3658-3689.
CAMERON, E.; PAULING, L. (1978), «Supplemental Ascorbate in the Supportive Treatment of Cancer: Reevaluation of Prolongation of Survival Times in Terminal Human Cancer», *Proceedings of the National Academy of Sciences USA*, 75, pp. 4538-4542.
CAMERON, E.; PAULING, L. (1978), «Experimental Studies Designed to Evaluate the Management of Patients with Incurable Cancer», *Proceedings of the National Academy of Sciences USA*, 75, p. 6252.
CAMERON, E.; PAULING, L. (1979), «Ascorbate and Cancer», *Proceedings of the American Philosophical Society*, 123, pp. 117-123.
CAMERON, E.; PAULING, L. (1979), *Cancer and Vitamin C*, Linus Pauling Institute of Science and Medicine, Palo Alto, California.
CAMERON, E.; PAULING, L.; LEIBOVITZ, B. (1979), «Ascorbic Acid and Cancer: A Review», *Cancer Research*, 39, pp. 663-681.
CAMERON, E.; ROTMAN, D. (1972), «Ascorbic Acid, Cell Proliferation, and Cancer», *The Lancet*, 1, p. 542.
CARDINALE, G. J.; UDENFRIEND, S. (1974), «Prolyl Hydroxylase», *Advances in Enzymology*, 41, pp. 245-300.
CARR, A. B.; EINSTEIN, R.; LAI, L. Y.; MARTIN, N. G.; STARMER, G. A. (1981), «Vitamin C and the Common Cold, Using Identical Twins as Controls», *Medical Journal of Australia*, 2, pp. 411-412.

CARR, A. B.; EINSTEIN, R.; LAI, L. Y.; MARTIN, N. G.; STARMER, G. A. (1981), «Vitamin C and the Common Cold: A Second MZ Cotwin Control Study», *Acta Geneticae Medicae et Gemellologiae*, 30, pp. 249-255.

CATHCART, R. F. (1975), «Clinical Trial of Vitamin C», *Medical Tribune*, 25 de junio.

CATHCART, R. F. (1981), «Vitamin C, Titrating to Bowel Tolerance, Anascorbemia, and Acute Induced Scurvy», *Medical Hypotheses*, 7, páginas 1359-1376.

CATHCART, R. F. (1984), «Vitamin C in the Treatment of Acquired Immune Deficiency Syndrome (AIDS)», *Medical Hypotheses*, 14, pp. 423-433.

CEDERBLAD, G.; LINSTEDT, S. (1976), «Metabolism of Labeled Carnitine in the Rat», *Archives of Biochemistry and Biophysic*, 175, pp. 173-182.

CLEAVE, T. L. (1975), «*The Saccharine Disease*», Keats Publishing, Nueva Canaan, Connecticut.

CLECKLEY, J. M.; SYDENSTRICKER, V. P.; GEESLIN, L. E. (1939), «Nicotinic Acid in the Treatment of Atypical Psychotic States», *Journal of the American Medical Association*, 112, pp. 2107-2110.

CLEGG, K. M.; MACDONALD, J. M. (1975), «L-Ascorbic Acid and D-Isoascorbic Acid in a Common Cold Survey», *The American Journal of Clinical Nutrition*, 28, pp. 973-976.

CLEMETSON, C. A. B. (1980), «Histamine and Ascorbic Acid in Human Blood», *Journal of Nutrition*, 110 pp. 662-668.

COHEN, A. M. (1960), «Effect of Change in Environment on the Prevalence of Diabetes among Yemenite and Kurdish Communities», *Israel Medical Journal*, 19 pp. 137-142.

COHEN, A. M.; BAVLY, S.; POZNANSKI, R. (1961), «Change of Diet of Yemenite Jews in Relation to Diabetes and Ischaemic Heart-Disease», *The Lancet*, 2, pp. 1399-1401.

COLLIER, R. (1974), *The Plague of the Spanish Lady*, Atheneum, Nueva York.

COLLINS, C. K.; LEWIS, A. E.; RINGSDORF, W. J., Jr.; CHERASKIN, E. (1967), «Effect of Ascorbic Acid on Oral Healing in Guinea Pigs», *International Zeitschrift für Vitaminforschung*, 37, pp. 492-495.

Committe on Animal Nutrition (1972), *Nutrient Requirements of Laboratory Animals: Cat, Guinea Pig, Hamster, Monkey, Mouse, Rat*, National Academy of Sciences, Washington, D. C.

Consumer Reports (1971), «Vitamin C, Linus Pauling, and the Common Cold», febrero.

Consumer Reports (1973), «Vitamin E: What's Behind All Those Claims for It?», enero.

COOKE, W. L.; MILLIGAN, R. S. (1977), «Recurrent Hemoperitoneum Reversed by Ascorbic Acid», *Journal of the American Medical Association*, 237, pp. 1358-1359.

COON, W. W. (1962), «Ascorbic Acid Metabolism in Postoperative Patients», *Surgery, Gynecology, and Obstetrics*, 114, pp. 522-534.

Coronary Drug Project Research Group (1975), «Clofibrate and Niacin in Coronary Heart Disease», *Journal of the American Medical Association*, 231, pp. 360-381.

COTTINGHAM, E.; MILLS, C. A. (1943), «Influence of Temperature and Vitamin Deficiency upon Phagocytic Functions», *Journal of Immunology*, 47, pp. 493-502.

COULEHAN, J. L.; REISINGER, K. S.; ROGERS, K. D.; BRADLEY, D. W. (1974),

«Vitamin C in Prophylaxis in a Boarding School», *The New England Journal of Medicine*, 290, pp. 6-10.
COUSINS, N. (1979), *Anatomy of an Illness as Perceived by the Patient: Reflections on Healing and Regeneration*. W. W. Norton, Nueva York.
COWAN, D. W.; DIEHL, H. S. (1950), «Antihistamine Agents and Ascorbic Acid in the Early Treatment of the Common Cold», *Journal of the American Medical Association*, 143, pp. 421-424.
COWAN, D. W.; DIEHL, H. S.; BACKER, A. B. (1942), «Vitamins for the Prevention of Colds», *Journal of the American Medical Association*, 120, pp. 1268-1271.
CRANDON, J. H.; LENNIHAN, R., Jr.; MIKAL, S.; REIF, A. E. (1961), «Ascorbic Acid Economy in Surgical Patients», *Annals of the New York Academy of Sciences*, 92, pp. 246-267.
CREAGAN, E. T.; MOERTEL, C. G.; O'FALLON, J. R.; SCHUTT, A. J.; O'CONNELL, J. J.; RUBIN, J.; FRYTAK, S. (1979), «Failure of High-Dose Vitamin C (Ascorbic Acid) Therapy to Benefit Patients with Advanced Cancer: A Controlled Trial», *New England Journal of Medicine*, 301, pp. 687-690.
CHARLESTON, S. S.; CLEGG, J. M. (1972), «Ascorbic Acid and the Common Cold», *The Lancet*, 1, p. 1401.
CHATTERJEE, I. B.; DAS GUPTA, S.; MAJUMDER, A. K.; NANDI, B. K.; SUBRAMANIAN, N. (1975), «Effect of Ascorbic Acid on Histamine Metabolism in Scorbutic Guinea Pigs», *Journal of Physiology*, 251, pp. 271-279.
CHATTERJEE, I. B.; MAJUMDER, A. K.; NANDI, B. K.; SUBRAMANIAN, N. (1975), «Synthesis and Some Major Functions of Vitamin C in Animals», *Annals of the New York Academy of Sciences*, 258, pp. 24-47.
CHERASKIN, E.; RIGSDORF, W. M., Jr.; HUTCHINS, K.; SETYAADMADJA, A. T. S. H.; WIDEMAN, G. L. (1968), «Effect of Diet upon Radiation Response in Cervical Carcinoma of the Uterus: A Preliminary Report», *Acta Cytologica*, 12, pp. 433-438.
CHERASKIN, E.; RINGSDORF, W. M., Jr. (1971), *New Hope for Incurable Disease*, Arco, Nueva York.
CHERASKIN, E.; RINGSDORF, W. M., Jr. (1973), *Predictive Medicine, A Study in Strategy*, Pacific Press, Mountain Wiew, California.
CHERASKIN, E.; RINGSDORF, W. M., Jr. (1974), *Psychodietetics: Food as the Key to Emotional Health*, Stein and Day, Nueva York.
CHERASKIN, E.; RINGSDORF, W. M., Jr.; SISLEY, E. L. (1983), *The Vitamin C Connection*, Harper and Row, Nueva York.
CHERKIN, A. (1976), «Parnassus Revisited», *Science*, 155, pp. 266-268.
CHOPE, H. D.; BRESLOW, L. (1955), «Nutritional Status of the Aging», *American Journal of Public Health*, 46, pp. 61-67.
DAVIDSON, S.; PASSMORE, R.; BROCK, J. F.; TRUSWELL, A. S. (1975), *Human Nutrition and Dietetics*, Churchill Livingstone, Edimburgo, Londres y Nueva York.
DEBRÉ, R. (1918), «L'anergie dans la grippe», *Comptes rendus Soc. Biol*, París, 81, pp. 913-914.
DEBRÉ, R.; CELERS, J. (1970), *Clinical Virology*, W. B. Saunders, Filadelfia.
DE COSSE, J. J.; ADAMS, M. B.; KUZMA, J. F.; LO GERFO, P.; CONDON, R. E. (1975), «Effect of Ascorbic on Rectal Polyps of Patients with Familial Polyposis», *Surgery*, 78, pp. 608-612.
DEMOLE, V. (1934), «On the Physiological Action of Ascorbic Acid and Some Related Compounds», *Biochemical Journal*, 28, pp. 770-773.
DEUCHER, W. G. (1940), «Observaciones sobre el metabolismo de la vita-

mina C en pacientes con cáncer» (en alemán) *Strahlentherapie*, 67, pp. 143-151.
DICE, J. F.; DANIEL, C. W. (1973), «The Hypoglycemic Effect of Ascorbic Acid in a Juvenile-onset Diabetic», *International Research Communications System*, 1, p. 41.
DICKEY, L. D. (1976), *Clinical Ecology*, Charles C. Thomas, Springfield, Illinois.
DOLL, R. (1977), *Origins of Human Cancer: Book A, Incidence of Cancer in Humans*, H. H. Hiatt, J. D. Watson y J. A. Winsten, comp. Cold Spring Harbor Laboratory, Cold Spring, Nueva York, pp. 1-12.
DONEGAN, C. K.; MESSER, A. L.; ORGAIN, E. S.; RUFFIN, J. M. (1949), «Negative Results of Tocopherol Therapy in Cardiovascular Disease», *American Journal of the Medical Sciences*, 217, pp. 294-299.
DREISBACH, R. H. (1969), *Handbook of Poisoning: Diagnosis and Treatment*, 6.ª edición, Lange Medical Publications, Los Altos, California.
DUJARRIC DE LA RIVIÈRE, R. (1918), «La gripe est-elle une maladie à virus filtrant?», *Comptes rendus Acads, Sci.*, 167, París, p. 606.
DU VAL, M. K. (1977), «The Provider, the Government, and the Consumer» en *Doing Better and Feeling Worse: Health in the United States*, J. H. Knowles, W. W. Norton, comp., Nueva York, pp. 185-192.
DYKES, M. H. M.; MEIER, P. (1975), «Ascorbic Acid and the Common Cold», *Journal of the American Medical Association*, 231, pp. 1073-1079.
EATON, S. B.; KONNER, M. (1985), «Paleolithic Nutrition: A Consideration of Its Nature and Current Implications», *New England Journal of Medicine*, 312, pp. 283-289.
ECKHOLM, E. P. (1977), *The Picture of Health: Environmental Sources of Disease*, W. W. Norton, Nueva York.
EDWIN, E.; HOLTEN, K.; NORUM, K. R.; SHRUMPF, A.; SKAUG, O. E. (1965), «Vitamin B_{12} Hypovitaminosis in Mental Diseases», *Acta Medica Scandinavica*, 177, pp. 689-699.
EKVALL, S.; BOZIAN, R. (1979), «Effect of Supplemental Ascorbic Acid on Serum Vitamin B_{12} and Serum Ascorbate Levels in Myelomeningocele Patients». *Federation of American Societies of Experimental Biology*, 38, p. 452.
ELLIOTT, B. (1973), «Ascorbic Acid: Efficacy in the Prevention of Symptoms of Respiratory Infection on a Polaris Submarine», *International Research Communications System*, mayo.
ELLIOTT, H. C. (1982), «Effects of Vitamin C Loading on Serum Constituents in Man», *Proceedings of the Society for Experimental Biology and Medicine*, 169, pp. 363-367.
ELLIS, J. M. (1966), *The Doctor Who Looked at Hands*, Vantage Press, Nueva York.
ELLIS, J. M. (1983), *Free of Pain: A Proven and Inexprensive Treatment for Specific Types of Rheumatism*, Southwest Publishing, Brownsville y Dallas, Texas.
ELLIS, J. M.; PRESLEY, J. (1973), *Vitamin B_6, the Doctor's Report*, Harper and Row, Nueva York.
ELLIS, J. M.; FOLKERS, K.; LEVY, M.; SHIZUKOISHI, S.; LEWANDOWSKI, J.; NISHII, S.; SCHUBERT, H. A.; ULRICK, R. (1982), «Response of Vitamin B_6 Deficiency and the Carpal Tunnel Syndrome to Pyridoxine», *Proceedings of the National Academy of Sciences USA*, 79, pp. 7494-7498.

ENGEL, A.; ANGELINI, C. (1973), «Carnitine Deficiency of Human Skeletal Muscle with Associated Lipid Storage Myopathy: A New Syndrome», *Science*, 179, pp. 899-902.

ENLOE, C. F., Jr. (1971), «The Virtue of Theory», *Nutrition Today*, enero-febrero, p. 21.

ENSTROM, J. E.; PAULING, L. (1982), «Mortality Among Health-Conscious Elderly Californians», *Proceedings of the National Academy of Sciences USA*, 79, pp. 6023-6027.

EPSTEIN, S. S. (1978), *The Politics of Cancer*, Sierra Club Books, San Francisco.

ERICSSON, Y.; LUNDBECK, H. (1955), «Antimicrobial Effect *in vitro* of the Ascorbic Acid Oxidation. I. Effect on Bacteria, Fungi and Viruses in Pure Culture, II. Influence of Various Chemical and Physical Factors», *Acta Pathologica et Microbiologica Scandinavica*, 37, pp. 493-527.

ERTEL, H. (1941), «Der Verlauf der Vitamin C-Prophylaxen in Frühjahr», *Die Ernährung*, 6, pp. 269-273.

EULER, U. S. VON (1937), «On the Specific Vasodilating and Plain Muscle Stimulating Substances from Accesory Genital Glands in Man and Certain Animals (Prostaglandin and Vesiglandin)», *Journal of Physiology*, 88, pp. 213-234.

EVERSON, T. C.; COLE, W. H. (1966), *Spontaneous Repression of Cancer*, W. B. Saunders, Filadelfia.

FABRICANT, N. D.; CONKLIN, G. (1965), *The Dangerous Cold*, Macmillan, Nueva York.

FEIGEN, G. A.; SMITH, B. H.; DIX, C. E.; FLYNN, C. J.; PETERSON, N. S.; ROSENBERG, L. T.; PAVLOVIC, S.; LEIBOVITZ, B. (1982), «Enhancement of Antibody Production and Protection Against Systemic Anaphylaxis by Large Doses of Vitamin C», *Research Communications in Chemical Pathology and Pharmacology*, 38, pp. 313-333.

FIDANZA, A.; AUDISIO, M.; MASTROIACOVO, P. (1982), «Vitamin C and Cholesterol», en *Vitamin C: New Clinical Applications in Immunology, Lipid Metabolism, and Cancer*, A. Hanck comp., Hans Huber, Berna, pp. 153-171.

FLETCHER, J. M.; FLETCHER, I. C. (1951), «Vitamin C and the Common Cold», *British Medical Journal*, 1, p. 887.

FOLKERS, K.; ELLIS, J.; WATANABE, T.; SAJI, S.; KAJI, M. (1978), «Biochemical Evidence for a Deficiency of Vitamin B_6 in the Carpal Tunnel Syndrome Based on a Crossover Clinical Study», *Proceedings of the National Academy of Sciences USA*, 75, pp. 3418-3422.

FRANZ, W. L.; SANDS, G. W.; HEYL, H. L. (1956), «Blood Ascorbic Acid Level in Bioflavonoid and Ascorbic Acid Therapy of Common Cold», *Journal of American Medical Association*, 162, pp. 1224-1226.

FRIEDMAN, G. J.; SHERRY, S.; RALLI, E. P. (1940), «Mechanism of Excretion of Vitamin C by Human Kidney at Low and Normal Plasma Levels of Ascorbic Acid», *Journal of Clinical Investigations*, 19, pp. 685-689.

FULLMER, H. M.; MARTIN, G. R.; BURNS, J. J. (1961), «Role of Ascorbic Acid in the Formation and Maintenance of Dental Structures», *Annals of the New York Academy of Sciences*, 92, pp. 286-294.

FUNK, C. (1912), «The Etiology of the Deficiency Diseases: Beri-Beri Polyneuritis in Birds, Epidemic Dropsy, Scurvy, Experimental Scurvy in Animals, Infantile Scurvy, Ship Beri-Beri, Pellagra», *J. St. Med.*, 20, pp. 341-368.

GALLIN, J. I. (1981), «Abnormal Phagocyte Chemotaxis: Pathophysiology, Clinical Manifestations, and Management of Patients», *Reviews of Infectious Diseases*, 3, pp. 1196-1220.

GALLIN, J. I.; ELIN, R. J.; HUBERT, R. T.; FAUCI, A. S.; KALINER, M. A.; WOLFF, S. M. (1979), «Efficacy of Ascorbic Acid in Chediak-Higashi Syndrome: Studies in Humans and Mice», *Blood*, 53, pp. 226-234.

GEORGE, N. (1951), «Vitamin E and Diabetic Ulceration», *Summary* (Shute Foundation, Londres, Canadá), 3, pp. 74-75.

GERSON, M. (1958), *A Cancer Therapy: Results of Fifty Cases*, 2.ª edición, Totality Books, Del Mar, California.

GILDERSLEEVE, D. (1967), «Why Organized Medicine Sneezes at the Common Cold», *Fact*, julio-agosto, pp. 21-23.

GINTER, E. (1970), *El papel del ácido ascórbico en el metabolismo del colesterol*, Academia Eslovaca de Ciencias, Bratislava, Checoslovaquia.

GINTER, E. (1973), «Cholesterol: Vitamin C Controls Its Transformation into Bile Acids», *Science*, 179, p. 702.

GINTER, E. (1977), «Vitamin C and Cholesterol», en *Re-evaluation of Vitamin C*, A. Hanck y G. Ritzel, comp. Hans Huber, Berna, pp. 52-66.

GINTER, E. (1975), *El papel de la vitamina C en el catabolismo del colesterol y la aterogénesis*, Academia Eslovaca de Ciencias, Bratislava, Checoslovaquia.

GINTER, E. (1978), «Marginal Vitamin C Deficiency, Lipid Metabolism, and Atherosclerosis», *Lipid Research*, 16, pp. 167-220.

GINTER, E. (1982), «Vitamin C in the Control of Hypercolesteremia in Man», en *Vitamin C: New Clinical Applications in Immunology, Lipid Metabolism, and Cancer*, A. Hanck, comp. Hans Huber, Berna, pp. 137-152.

GLAZEBROOK, A. J.; THOMSON, S. (1942), «The Administration of Vitamin C in a Large Institution and Its Effect of General Health and Resistance to Infection», *Journal of Hygiene*, 42, pp. 1-19.

GLOVER, E.; KOH, E. T.; TROUT, D. L. (1984), «Effect of Ascorbic Acid on Plasma Lipid and Lipoprotein Cholesterol in Normotensive and Hypertensive Subjects», *Federation Proceedings*, 43, p. 1057.

GOLDBLATT, M. W. (1933), «A Depressor Substance in Seminal Fluid», *Journal of the Society of Chemical Industry*, 52, pp. 1056-1057.

GOETZL, E. J.; WASSERMAN, S. I.; GIGLI, I.; AUSTEN, K. F. (1974), «Enhancement of Random Migration and Chemotactic Response of Human Leukocytes by Ascorbic Acid», *Journal of Clinical Investigation*, 53, pp. 813-818.

GOMPERTZ, B. (1820), «A Sketch of the Analysis and Notation Applicable to the Value of Life Contingencies», *Philosophical Transactions of the Royal Society*, 110, pp. 214-294.

GOMPERTZ, B. (1825), «On the Nature of the Function Expressive of the Law of Human Mortality and on a New Mode of Determining the Value of Life Contingencies», *Philosophical Transactions of the Royal Society*, 115, pp. 513-585.

GOMPERTZ, B. (1862), «A Supplement to Two Papers Published in the Transactions of the Royal Society. "On the Science Connected with Human Mortality"; The One Published in 1820, and the Other

in 1825», *Philosophical Transactions of the Royal Society*, 52, pp. 511-559.
GREENBLATT, R. B. (1955), «Bioflavonoids and the Capillary: Management of Habitual Abortion», *Annals of the New York Academy of Sciences*, 61, pp. 713-720.
GREENWOOD, J. (1964), «Optimum Vitamin C Intake as a Factor in the Preservation of Disc Integrity», *Medical Annals of the District of Columbia*, 33, pp. 274-276.
GULEWITSCH, V. S.; KRIMBERG, R. (1905), «Sobre la naturaleza de las sustancias extraídas del músculo: Una comunicación sobre la carnitina», *Zeitschrift für Physiologische Chemie*, 45, pp. 326-330.
HAEGER, K. (1968), «The Treatment of Peripheral Occlusive Arterial Disease with Alpha-tocopherol as Compared with Vasodilator Agents and Antiprothrombin [Dicumarol]», *Vascular Diseases*, 5, pp. 199-213.
HALSTEAD, B. W., Jr. (1979), *The Scientific Basis of EDTA Therapy*, Golden Quill, Colton, California.
HAMMOND, E. C. (1964), «Some Preliminary Findings on Physical Complaints from a Prospective Study of 1.064.004 Men and Women», *American Journal of Public Health*, 54, pp. 11-22.
HAMMOND, E. C.; HORN, D. (1958), «Smoking and Death Rates: Report on 44 Months of Follow-Up on 187,783 Men. I. Total Mortality. II. Death Rates by Cause», *Journal of the American Medical Association*, 166, pp. 1159-1172, 1294-1308.
HARMAN, D. (1981), «The Aging Process». *Proceedings of the National Academy of Sciences USA*, 78, pp. 7124-7128.
HARRELL, R. F.; CAPP, R. H.; DAVIS, D. R.; PEERLESS, J.; RAVITZ, L. R. (1981), «Can Nutritional Supplements Help Mentally Retarded Children? An Exploratory Study», *Proceedings of the National Academy of Sciences USA*, 78, pp. 574-578.
HARRIS, A.; ROBINSON, A. B.; PAULING, L. (1973), «Blood Plasma L-Ascorbic Acid Concentration for Oral L-Ascorbic Acid Dosage up to 12 Grams per Day», *International Research Communications System*, p. 19, diciembre.
HARRIS, L. J.; RAY, S. N. (1935), «Diagnosis of Vitamin C-Subnutrition by Urinalysis with Note on Antiscorbutic Value of Human Milk», *The Lancet*, 1, pp. 71-77.
HARTZ, S. C.; MCGANDY, R. B.; JACOB, R. A.; RUSSELL, R. M.; JACQUES, P. (1984), «Relationship of Serum Ascorbic Acid and HDL Cholesterol in Elderly Non-Users of Nutrient Supplement», *Federation Proceedings*, 43, p. 393.
HAWKINS, D.; PAULING, L. (1973), *Orthomolecular Psychiatry*, W. H. Freeman and Company, San Francisco, California.
HERBERT, V.; JACOB, E. (1974), «Destruction of Vitamin B_{12} by Ascorbic Acid», *Journal of the American Medical Association*, 230, pp. 241-242.
HERJANIC, M.; MOSS-HERJANIC, B. L. (1967), «Ascorbic Acid Test in Psychiatric Patients», *Journal of Schizophrenia*, 1, pp. 257-260.
HINDSON, T. C. (1968), «Ascorbic Acid for Prickly Heat», *The Lancet*, 1, pp. 1347-1348.
HINES, K.; DANES, B. H. (1976), «Microtubular Defect in Chediak-Higashi Syndrome», *The Lancet*, pp. 145-146, 17 de julio.
HOEFEL, O. S.(1977), «Plasma Vitamin C Levels in Smokers», en *Re-*

evaluation of Vitamin C, A. Hanck, comp. Hans Huber, Berna, pp. 127-138.
HOFFER, A. (1962), *Niacin Therapy in Psychiatry*, Charles C. Thomas, Springfield, Illinois.
HOFFER, A. (1971), «Ascorbic Acid and Toxicity», *New England Journal of Medicine*, 285, pp. 635-636.
HOFFER, A.; OSMOND, H. (1960), *The Chemical Basis of Clinical Psychiatry*, Charles C. Thomas, Springfield, Illinois.
HOFFER, A.; OSMOND, H. (1966), *How to Live With Schizophrenia*. University Books, New Hyde Park, Nueva York.
HOFFER, A.; WALKER, M. (1978), *Orthomolecular Nutrition: New Lifestyle for Super Good Health*, Keats Publishing, Nueva Canaan, Connecticut.
HOLMES, H. N. (1943), «Food Allergies and Vitamin C», *Annals of Allergy*, 1, pp. 235-241.
HOLMES, H. N. (1946), «The Use of Vitamin C in Traumatic Shock», *Ohio State Medical Journal*, 42, pp. 1261-1264.
HOLMES, H. N.; ALEXANDER, W. (1942), «Hay Fever and Vitamin C», *Science*, 96, pp. 497-499.
HOPKINS, F. G. (1912), «Feeding Experiments Illustrating the Importance of Accesory Factors in Normal Dietaries», *Journal of Physiology*, 44, Londres, pp. 425-460.
HORROBIN, D. F.; MANKU, M. S.; OKA, M.; MORGAN, R. O.; CUNNANE, S. C.; ALLY, A. I.; GHAYUR, T.; SCHWEITZER, M.; KARMALI, R. A. (1979), «The Nutritional Regulation of T Lymphocyte Function» *Medical Hypotheses*, 5, pp. 969-985.
HORROBIN, D. F.; OKA, M.; MANKU, M. S. (1979), «The Regulation of Prostaglandin E1 Formation: A Candidate for One of the Fundamental Mechanisms Involved in the Actions of Vitamin C», *Medical Hypotheses*, 5, pp. 849-858.
HUGHES, W. T. (1984), «Infections in Children with Cancer», *Primary Care and Cancer*, octubre, pp. 66-72.
HUME, R.; WEYERS, E. (1973), «Changes in Leucocyte Ascorbic Acid during the Common Cold», *Scottish Medical Journal*, 18, pp. 3-7.
INGALLS, T. H.; WARREN, H. A. (1937), «Asymptotic Scurvy: Its Relation to Wound Healing and Its Incidence in Patients with Peptic Ulcer», *New England Journal of Medicine*, 217, pp. 443-446.
IRVIN, T. T. ; CHATTOPADHYAY, D. K. (1978), «Ascorbic Acid Requirements in Postoperative Patients», *Surgery, Gynecology, and Obstetrics*, 147, pp. 49-56.
ISSACS, A.; LINDEMANN, J. (1957), «Virus Interference. I. The Interferon», *Proceedings of the Royal Society of London*, B147, pp. 258-267.
JAFFE, R. M.; KASTEN, B.; YOUNG, D. S.; MAC LOWRY, J. D. (1975), «False-Negative Stool Occult Blood Tests Caused by Ingestion of Ascorbic Acid (Vitamin C)», *Annals of Internal Medicine*, 83, pp. 824-826.
JAVERT, C. T; STANDER, H. J. (1943), «Plasma Vitamin C and Prothrombin Concentration in Pregnancy and in Threatened, Spontaneous, and Habitual Abortion», *Surgery, Gynecology, and Obstetrics*, 76, pp. 115-122.
JOHNSON, G. E.; OBENSHAIN, S. S. (1981), «Nonresponsiveness of Serum High-Density Lipoprotein-Cholesterol to High Dose Ascorbic Acid

Administration in Normal Men», *American Journal of Clinical Nutrition*, 34, pp. 2088-2091.
JOHNSON, G. T. (1975), *What You Should Know about Health Care Before You Call a Doctor*, McGraw-Hill, Nueva York.
JONES, H. (1955), *A Special Consideration of the Aging Process, Disease, and Life Expectancy*, University of California Radiation Laboratory, núm. 3105.
JONES, H. B. (1956), «Demographic Consideration of the Cancer Problem», *Transactions of the New York Academy of Sciences*, 18, pp. 298-333.
JUNGEBLUT, C. W. (1935), «Inactivation of Poliomyelitis Virus by Crystalline Vitamin C (Ascorbic Acid)», *Journal of Experimental Medicine*, 62 pp. 517-521.
KALOKERINOS, A. (1981), *Every Second Child*, Keats Publishing, Nueva Canaan, Connecticut.
KARLOWSKI, T. R.; CHALMERS, T. C.; FRENKEL, L. D.; KAPIKIAN, A. Z.; LEWIS, T. L.; LYNCH, J. M. (1975), «Ascorbic Acid for the Common Cold: A Prophylactic and Therapeutic Trial», *Journal of the American Medical Association*, 23, pp. 1038-1042.
KAUFMAN, W. (1943), *The Common Form of Niacin Amide Deficiency Disease, Aniacinamidosis*, ed. por el autor, Bridgeport, Connecticut.
KAUFMAN, W. (1949), *The Common Form of Joint Disfunction: Its Incidence and Treatment*, E. L. Hildreth, Brattleboro, Vermont.
KAUFMAN, W. (1955), «The Use of Vitamin Therapy to Reverse Certain Concomitants of Aging», *Journal of the American Geriatrics Society*, 3, pp. 927-936.
KAUFMAN, W. (1983), «Niacinamide, A Most Neglected Vitamin», *International Academy of Preventive Medicine*, 8, pp. 5-25.
KEYS, A. (1956), «The Diet and the Development of Coronary Heart Disease», *Journal of Chronic Diseases*, 4, pp. 364-380.
KHAN, A. R.; SEEDARNEE, F. A. (1981), «Effect of Ascorbic Acid on Plasma Lipids and Lipoproteins in Healthy Young Women», *Atherosclerosis*, 39, pp. 89-95.
KIMOTO, E.; TANAKA, H.; GYOTOKU, J.; MORISHIGE, F.; PAULING, L. (1983), «Enhancement of Antitumor Activity of Ascorbate Against Ehrlich Ascites Tumor Cells by the Copper-Glycylglycylhistidine Complex», *Cancer Research*, 43, pp. 824-828.
KLASSON, D. H. (1951), «Ascorbic Acid in the Treatment of Burns», *New York State Journal of Medicine*, 51, pp. 2388-2392.
KLENNER, F. R. (1948), «Virus Pneumonia and Its Treatment with Vitamin C», *Journal of Southern Medicine and Surgery*, 110, pp. 60-63.
KLENNER, F. R. (1949), «The Treatment of Poliomyelitis and Other Virus Diseases with Vitamin C», *Journal of Southern Medicine and Surgery*, 113, pp. 101-107.
KLENNER, F. R. (1951), «Massive Doses of Vitamin C and the Viral Diseases», *Southern Medicine and Surgery*, 113, pp. 101-107.
KLENNER, F. R. (con BARTZ, F. H.) (1969), *The Key to Good Health: Vitamin C*, Graphic Arts Research Foundation, Chicago, Illinois.
KLENNER, F. R. (1971), «Observations on the Dose and Administration of Ascorbic Acid When Employed beyond the Range of a Vitamin in Human Pathology», *Journal of Applied Nutrition*, 23, pp. 61-88.
KLENNER, F. R. (1974), «Significance of High Daily Intake of Ascorbic

Acid in Preventive Medicine», *Journal of the International Academy of Preventive Medicine*, 1, pp. 45-69.
KNOX, E. G. (1973), «Ischaemic Heart Disease Mortality and Dietary Intake of Calcium», *The Lancet*, 1, pp. 1465.
KODICEK, E. H.; YOUNG, F. G. (1969), «Captain Cook and Scurvy», *Notes and Records of the Royal Society*, 24, pp. 43-60.
KOGAN, B. A. (1970), *Health*, Harcourt, Brace and World, Nueva York.
KORBSCH, R. (1938), «Cevitamic Acid Therapy of Allergic Inflammatory Conditions», *Medizinische Klinik*, 34, pp. 1500-1505.
KORDANSKY, D. W.; ROSENTHAL, R. R.; NORMAN, P. S. (1979), «The Effect of Vitamin C on Antigen-Induced Bronchospasm», *Journal of Allergy and Clinical Immunology*, 63, pp. 61-64.
KROMHOUT, D.; BOSSCHIÊTER, E. B.; COULANDER, C. DE L. (1985), «The Inverse Relation between Fish Consumption and 20-Year Mortality from Coronary Heart Disease», *New England Journal of Medicine*, 312, pp. 1205-1209.
KRUEGER, R. (1960), «Experimental and Clinical Observations on the Treatment of Alkali Corneal Burns with Ascorbic Acid», *Berichte der Versammlung der deutschen ophthalmologischen Gesellschaft*, 62, pp. 255-258.
KRUMDIECK, C.; BUTTERWORTH, C. E. (1974), «Ascorbate-Cholesterol-Lecithin Interactions: Factors of Potential Importance in the Pathogenesis of Atherosclerosis», *American Journal of Clinical Nutrition*, 27, pp. 866-876.
KUBALA, A. L.; KATZ, M. M. (1960), «Nutritional Factors in Psychological Test Behavior», *Journal of Genetic Psychology*, 96, pp. 343-352.
KUBLER, W.; GEHLER, J. (1970), «Zur Kinetik der enteralen Ascorbinsäureresorption zur Berechnung nicht dosisproportionaler Resorptionsvorgänge», *Internationale Zeitschrift für Vitaminforschung*, 40, pp. 442-453.
KURZROK, R.; LIEB, C. C. (1930), «Biochemical Studies of Human Semen. II. The Action of Human Semen on the Human Uterus», *Proceedings of the Society of Experimental Biology and Medicine*, 28, pp. 268-272.
KUTSKY, R. J. (1973), *Handbook of Vitamins and Hormones*, Van Nostrand Reinhold, Nueva York.
LAHANN, H. (1970), *Vitamin C, Forschung und Praxis*, Merck, Darmstadt.
LAI, H.-Y. L.; SHIELDS, E. K.; WATNE, A. L. (1977), «Effect of Ascorbic Acid on Rectan Polyps and Rectal Steroids», *Federation Proceedings* (Abs.), 35, p. 1061.
LANE, B. C. (1980), «Evaluation of Intraocular Pressure with Daily Sustaided Closework Stimulus to Accomodation to Lowered Tissue Chromium and Dietary Deficiency of Ascorbic Acid (Vitamin C)», tesis de doctorado, New York University.
LAMDEN, M. P.; CHRYSTOWSKI, G. A. (1954), «Urinary Oxalate excretion by Man Following Ascorbic Acid Ingestion», *Proceedings of the Society for Experimental Biology and Medicine*, 85, pp. 190-192.
LEAKE, C. D. (1955), «Drug Allergies», *Postgraduate Medicine*, 17, pp. 132-139.
LEE, P.-F.; LAM, K.-W.; LAI, M.-M. (1977), «Aqueous Humor Ascorbate Concentration and Open-Angle Glaucoma», *Archives of Ophthalmology*, 95, pp. 308-310.
LEE, T. H.; HOOVER, R. L.; WILLIAMS, J. D.; SPERLING, R. I.; et al. (1985), «Ef-

fects of Dietary Enrichment with Eicosapentaenoic and Decosahexaenoic Acids on In Vitro Neutrophil and Monocyte Leukotriene Generation and Neutrophile Function», *New England Journal of Medicine*, 312, pp. 1217-1224.
LEIBOVITZ, B. (1984), *Carnitine: The Vitamin B_T Phenomenon*, Dell, Nueva York.
LESSER, M. (1977), «Mental Health: It's Not Just in Our Heads», en *Diet Related to Killer Diseases*. V. *Nutrition and Mental Health*, Audiencia ante el Select Committee on Nutrition and Human Needs of the United States Senate. Government Printing Office, Washington, D. C., pp. 13-27, 94-96.
LIEB, C. W. (1926), «The Effect of an Exclusive, Long-Continued Meat Diet, Based on the History, Experiences, and Clinical Survey of Vilhjalmur Stefansson, Artic Explorer», *Journal of the American Medical Association*, 87, pp. 25-26.
LIBBY, A. F.; STONE, I. (1977), «The Hypoascorbemia-Kwashiorkor Approach to Drug Addiction Therapy: A Pilot Study», *Journal of Orthomolecular Psychiatry*, 6, pp. 300-308.
LIGHT, N. D.; BAILEY, A. J. (1980), «Molecular Structure and Stabilization of the Collagen Fibre», en *Biology of Collagen*. Viidik y J. Vuust, comp. Academic Press, Nueva York, pp. 15-38.
LIND, J. A. (1753), *A Treatise of the Scurvy*, Sands, Murray and Cochrane, Edimburgo. Reimpresión (1953) Edinburgh University Press.
LUND, C. C.; GANDON, J. H. (1941), «Human Experimental Scurvy and the Relation of Vitamin C Deficiency to Postoperative Pneumonia and to Wound Healing», *Journal of the American Medical Association*, 116, pp. 663-668.
LUNIN, N. (1881), «Über die Bedeutung der anorganischen Salze für die Ernährung des Tieres», *Zeitschrift für Physiologische Chemie*, 5, pp. 31-39.
MACON, W. L. (1956), «Citrus Bioflavonoids in the Treatment of the Common Cold», *Industrial Medicine and Surgery*, 25, pp. 525-527.
MANN, G. V. (1977), «Diet-Heart: End of an Era», *New England Journal of Medicine*, 297, pp. 644-650.
MARCKWELL, N. W. (1947), «Vitamin C in the Prevention of Colds», *Medical Journal of Australia*, 2, pp. 777-778.
MARCUS, M.; PRABHUDESAI, M.; WASSEF, S. (1980), «Stability of Vitamin B_{12} in the Presence of Ascorbic Acid in Food and Serum: Restoration by Cyanide of Apparent Loss», *American Journal of Clinical Nutrition*, 33, pp. 137-143.
MARTIN, N. G.; CARR, A. B.; OAKESHOTT, J. G.; CLARK, P. (1982), «Co-Twin Control Studies: Vitamin C and the Common Cold», *Progress in Clinical and Biological Research*, 103A, pp. 365-373.
MASEK, J.; NERADILOVA, M.; HEJDA, S. (1972), «Vitamin C and respiratory Infections», *Review of Czechoslovak Medicine*, 18, pp. 228-235.
MATSUO, E.; SKINSNES, O. K.; CHANG, P. H. C. (1975), «Acid Mucopolysaccharide Metabolism in Leprosy. III. Hyaluronic Acid Mycobacterial Growth Enhancement, and Growth Suppression by Saccharic Acid and Vitamin C as Inhibitors of Betaglucuronidase», *International Journal of Leprosy*, 43, pp. 1-13.
MAYER, J. (1977), *A Diet for Living*, Pocket Books, Nueva York.
MCCANN, J.; AMES, B. N. (1977), «The Salmonella / *Typhimurium* Micro-

some Mutagenicity Test: Predictive Value for Animal Carcinogenicity», en *Origins of Human Cancer.* Libro C, *Human Risk Assessment,* H. H. Hiatt, J. D. Watson, y J. A. Winsten, comp. Cold Spring Harbor Laboratory, Cold Spring, Nueva York, pp. 1431-1450.

McCormick, W. J. (1952), «Ascorbic Acid as a Chemotherapeutic Agent», *Archives of Pediatrics,* 69, pp. 151-155.

McCormick, W. J. (1959), «Cancer, a Collagen Disease, Secondary to a Nutritional Deficiency», *Archives of Pedriatics,* 76, pp. 166-171.

McCoy, E. E.; Yonge, K.; Karr, G. W. (1976), *Megavitamin Therapy: Final Report of the Joint University Megavitamin Therapy Review Committee,* Ministry of Social Services and Community Health, Alberta, Canadá.

McGinn, F. P.; Hamilton, J. C. (1976), «Ascorbic Acid Levels in Stored Blood and in Patiens Undergoing Surgery after Blood Transfusion», *British Journal of Surgery,* 63, pp. 505-507.

McPherson, K.; Fox, M. S. (1977), «Treatment of Breast Cancer», en *Costs, Risks, and Benefits of Surgery,* J. P. Bunker, B. A. Barnes, y F. Mosteller, comp. Oxford University Press, Nueva York, pp. 308-322.

McWhirter, R. (1948), «The Value of Simple Mastectomy and Radiotherapy in the Treatment of Cancer of the Breast», *British Journal of Radiology,* 21, p. 252.

Miller, J. Z.; Nance, W. E.; Norton, J. A.; Wolen, R. L.; Griffith, R. S.; Rose, R. J. (1977), «Therapheutic Effect of Vitamin C, a Co-Twin Control Study», *Journal of the American Medical Association,* 237, pp. 248-251.

Miller, J. Z.; Nance, W. E.; Kang, K. (1978), «A Co-Twin Control Study of the Effects of Vitamin C», *Progress in Clinical and Biological Research,* 24, pp. 151-156.

Miller, N. E.; Förde, O. H.; Thelle, D.; Mjös, O. D. (1977), «The Tromso Heart Study: High-Density Lipoprotein and Coronary Heart Disease, a Prospective Case-Control Study», *The Lancet,* 1, p. 965.

Miller, T. E. (1969), «Killing and Lysis of Gram-Negative Bacteria through the Synergistic Effect of Hydrogen Peroxide, Ascorbic Acid, and Lysozyme», *Journal of Bacteriology,* 98, pp. 949-955.

Moertel, C. G. (1978), «Current Concepts in Cancer Chemotherapy of Gastrointestinal Cancer», *New England Journal of Medicine,* 299, pp. 1049-1052.

Moertel, C. G.; Fleming, T. R.; Creagan, E. T.; Rubin, J.; O'Connell, M. J.; Ames, M. M. (1985), «High-Dose Vitamin C versus Placebo in the Treatment of Patients with Advanced Cancer Who Had No Prior Chemotherapy», *New England Journal of Medicine,* 312, pp. 137-141.

Mohsenin, V.; Du Bois, A. B.; Douglas, J. S. (1982), «Ascorbic Acid Exerts its Effect on Asthmatics through Prostaglandin Metabolism, *American Thoracic Society* 125, resumen.

Monjukowa, N. K.; Fradkin, M. J. (1935), «New Experimental Observations on the Pathogenesis of Cataracts», *Archiven der Ophthalmologie,* 133, pp. 328-338.

Morishige, F.; Murata, A. (1978), «Vitamin C for Prophylaxis of Viral Hepatitis B in Transfused Patients», *Journal of the International Academy of Preventive Medicine,* 5, pp. 54-58.

Morishige, F.; Murata, A. (1979), «Prolongation of Survival Times in Terminal Human Cancer by Administration of Supplemental Ascor-

bate», *Journal of the International Academy of Preventive Medicine*, 5, pp. 47-52.
MUKHERJEE, D.; SOM, S.; CHATTERJEE, I. B. (1982), «Ascorbic Acid Metabolism in Trauma», *Indian Journal of Medical Research*, 75, pp. 748-751.
MURAD, S.; GROVE, D.; LINDBERG, K. A.; REYNOLDS, G.; SIVARAJAH, A.; PINNELL, S. R. (1981), «Regulation of Collagen Synthesis by Ascorbic Acid», *Proceedings of the National Academy of Sciences USA*, 78, pp. 2879-2882.
MURAD, S.; SIVARAJAH, A.; PINNELL, S. E. (1981), «Regulation of Prolyl and Lysyl Hydroxylase Activities in Culture Human Skin Fibroblasts by Ascorbic Acid», *Biochemical and Biophysical Research Communications*, 101, pp. 868-875.
MURAD, S.; TAJIMA, S.; JOHNSON, G. R.; SIVARAJAH, A.; PINNELL, S. R. (1983), «Collagen Synthesis in Cultured Human Skin Fibroblasts: Effect of Vitamin C and Its Analogs», *Journal of Investigative Dermatology*, 81, pp. 158-162.
MURATA, A. (1975), «Virucidal Activity of Vitamin C: Vitamin C for Prevention and Treatment of Viral Diseases», *Proceedings of the First Intersectional Congress of Microbiological Societies*, Consejo Científico del Japón 3, pp. 432-442.
MURATA, A.; KITAGAWA, K. (1973), «Mechanism of Inactivation of Bacteriophage J1 by Ascorbic Acid», *Agricultural and Biological Chemistry*, 35, pp. 1145-1151.
MURATA, A.; KITAGAWA, K.; SARUNO, R. (1971), «Inactivation of Bacteriophages by Ascorbic Acid», *Agricultural and Biological Chemistry*, 35, pp. 294-296.
MYASNIKOVA, I. A. (1947), «El efecto del ácido ascórbico, el ácido nicotínico y la tiamina sobre la colesterolemia», *Voenno-Morskoi Med. Akad. Leningrad*, 8, p. 140 (en ruso).
MYLLYLÄ, R.; MAJAMAA, K.; GUNZLER, V.; HANUSKA-ABEL, H. M.; KIVIRIKKO, K. I. (1984), «Ascorbate is Consumed Stoichiometrically in the Uncoupled Reactions Catalyzed by Prolyl-4-Hydroxylase and Lysyl Hydroxylase», *Journal of Biological Chemistry*, 259, pp. 5403-5405.
NANDI, B. K.; SUBRAMANIAN, N.; MAJUMDER, A. K.; CHATTERJEE, I. B. (1976), «Effect of Ascorbic Acid on Detoxification of Histamine under Stress Conditions», *Biochemical Pharmacology*, 23, pp. 643-647.
New York Times (1985), «Aspirin: Firms Agree to Use Warnings», 12 de enero.
NEWMARK, H. L.; SCHEINER, J.; MARCUS, M.; PRABHUDESAI, M. (1976), «Stability of Vitamin B_{12} in the Presence of Ascorbic Acid», *The American Journal of Clinical Nutrition*, 29, pp. 645-649.
NICOLÉ, C.; LEBAILLY, C. (1918), «Quelques notions expérimentales sur le virus de la grippe», *Comptes rendus Acad. Sci.*, 167, París, pp. 607-610.
OCHSNER, A. (1964), «Thromboembolism», *New England Journal of Medicine*, 271, p. 211.
OCHSNER, A.; DEBAKEY, M. E.; DECAMP, P. T. (1950), «Venous Thrombosis», *Journal of the American Medical Association*, 144, pp. 831-834.
OGILVY, C. S.; DOUGLAS, J. D.; TABATABAI, M.; DU BOIS, A. B. (1978), «Ascorbic Acid Reverses Bronchoconstriction Caused by Methacholine Aerosol in Man; Indomethacin Prevents This Reversal», *The Physiologist*, 21, p. 86.

OGILVY, C. S.; DU BOIS, A. B.; DOUGLAS, J. S. (1981), «Effects of Ascorbic Acid and Indomethacin on the Airways of Healthy Male Subjects with and without Induced Bronchoconstriction», *Journal of Allergy and Clinical Immunology*, 67, pp. 363-369.

OMURA, H.; FUKUMOTO, Y.; TOMITA, Y.; SHINOHARA, K. (1975), «Action of 5-Methyl-3,4-Dihydroxytetrone on Deoxyribonucleic Acid», *Journal of the Faculty of Agriculture, Kyushu University*, 19, pp. 139-148.

OMURA, H.; TOMITA, Y.; NAKAMURA, Y.; MURAKAMI, H. (1974), «Antitumoric Potentiality of Some Ascorbate Derivatives», *Journal of the Faculty of Agriculture, Kyushu University*, 18, pp. 181-189.

OSMOND, H.; HOFFER, A. (1962), «Massive Niacin Treatment in Schizophrenia: Review of a Nine-Year Study», *The Lancet*, 1, pp. 316-322.

PAESCHKE, K. D.; VASTERLING, H. W. (1968), «Photometrischer Ascorbinsäure-Test zur Bestimmung der Ovulation, verglinchen mit anderen Methoden der Ovulationsterminbestimmung», *Zentralblatt für Gynakologie*, 90, pp. 817-820.

PANUSH, R. S.; DELAFUENTE, J. C.; KATZ, P.; JOHNSON, J. (1982), «Modulation of Certain Immunologic Responses by Vitamin C. III. Potentiation of In Vitro and In Vivo Lymphocyte Responses», en *Vitamin C: New Clinical Applications in Immunology, Lipid Metabolism, and Cancer*, A. Hanck, comp. Hans Huber, Berna, pp. 35-47.

PAPPENHEIMER, A. M. (1948), *On Certain Aspects of Vitamin C Deficiency*, Charles C. Thomas, Springfield, Illinois.

PASSMORE, R. (1971), «That Man... Pauling!», *Nutrition Today*, enero-febrero, pp. 17-18.

PASSWATER, R. A. (1975), *Supernutrition*, The Dial Press, Nueva York.

PASSWATER, R. A. (1977), *Supernutrition for Healthy Hearts*, Dial Press, Nueva York.

PATRONE, F.; DALLEGRI, F. (1979), «Vitamin C and the Phagocytic System», *Acta Vitaminologica et Enzymologica*, 1, pp. 5-10.

PAUL, J. H.; FREESE, H. L. (1933), «An Epidemiological and Bacteriological Study of the "Common Cold" in an Isolated Arctic Community (Spitsbergen)», *American Journal of Hygiene*, 17, pp. 517-535.

PAULING, L. (1953), «Protein Interactions: Aggregation of Globular Proteins», *Faraday Society Discussion*, pp. 170-176.

PAULING, L. (1958), «The Relation between Longevity and Obesity in Human Beings», *Proceedings of the National Academy of Sciences USA*, 44, pp. 619-622.

PAULING, L. (1960), «Observations on Aging and Death», *Engineering and Science Magazine*, California Institute of Technology, Pasadena, California, edición de mayo.

PAULING, L. (1961), «A Molecular Theory of General Anesthesia», *Science*, 134, pp. 15-21.

PAULING, L. (1968a), «Orthomolecular Psychiatry», *Science*, 160, pp. 265-271.

PAULING, L. (1968b), «Orthomolecular Somatic and Psychiatric Medicine», *Journal of Vital Substances and Diseases of Civilization*, 14, pp. 1-3.

PAULING, L. (1970a), *Vitamin C and the Common Cold*, W. H. Freeman, San Francisco.

PAULING, L. (1970b), «Evolution and the Need for Ascorbic Acid», *Proceedings of the National Academy of Sciences USA*, 67, pp. 1643-1648.

PAULING, L. (1971a), *Vitamin C and the Common Cold*, edición revisada, Bantam Books, Nueva York.
PAULING, L. (1971b), «That Man... Pauling!», *Nutrition Today*, marzo-abril, pp. 21-24.
PAULING, L. (1971c), «Vitamin C and the Common Cold», *Journal of the American Medical Association*, 216, p. 332.
PAULING, L. (1971d), «Vitamin C and Colds», *New York Times*, 17 de enero.
PAULING, L. (1972), «Preventive Nutrition», *Medicine on the Midway*, 27, pp. 15-17.
PAULING, L. (1973a), «Results of a Loading Test of Ascorbic Acid, Niacinamide, and Pyridoxine in Schizophrenic Subjects and Controls», *Orthomolecular Psychiatry: Treatment of Schizophrenia*, D. Hawkins y L. Pauling, comp. W. H. Freeman, San Francisco.
PAULING, L. (1973b), *Vitamin C and the Common Cold*, edición condensada, Bantam Books, Nueva York.
PAULING, L. (1974a), «Early Evidence About Vitamin C and the Common Cold», *Journal of Orthomolecular Psychiatry*, 3, pp. 139-151.
PAULING, L. (1974b), «On the Orthomolecular Environment of the Mind: Orthomolecular Theory», *American Journal of Psychiatry*, 131, pp. 1251-1257.
PAULING, L. (1974c), «Are Recommended Daily Allowances for Vitamin C Adequate?», *Proceedings of the National Academy of Sciences USA*, 71, pp. 4442-4446.
PAULING, L. (1976a), «On Fighting Swine Flu», *New York Times*, 5 de junio.
PAULING, L. (1976b), «Ascorbic Acid and the Common Cold: Evaluation of Its Efficacy and Toxicity», *Medical Tribune*, 24 de marzo.
PAULING, L. (1976c), «The Case for Vitamin C in Maintaining Health and Preventing Disease», *Modern Medicine*, julio, pp. 68-72.
PAULING, L. (1976d), *Vitamin C, the Common Cold, and the Flu*, W. H. Freeman, San Francisco.
PAULING, L. (1978), «Robert Fulton Cathcart, III. M. D., and Orthomolecular Physician», *Newsletter* 1, núm. 4, edición de otoño. The Linus Pauling Institute of Science and Medicine, Palo Alto, California.
PAULING, L. (1984), «Sensory Neuropathy from Pyridoxine Abuse», *New England Journal of Medicine*, 310, p. 197.
PAULING, L.; WILLOUGHBY, R.; REYNOLDS, R.; BLAISDELL, B. E.; LAWSON, S. (1982), «Incidence of Squamous Cell Carcinoma in Hairless Mice Irradiated with Ultraviolet Light in relation to Intake of Ascorbic Acid (Vitamin C) and of D,L- α -Tocopheryl Acetate (Vitamin E)», en *Vitamin C: New Clinical Applications in Immunology, Lipid Metabolism, and Cancer*, A. Hanck, comp. Hans Huber, Berna, pp. 53-82.
PAULING, L.; NIXON, J. C.; STITT, F.; MARCUSON, R.; DUNHAM, W. B.; BARTH, R.; BENSCH, K.; HERMAN, Z. S.; BLAISDELL, E.; TSAO, C.; PRENDER, M.; ANDREWS, V.; WILLOUGHBY, R.; ZUCKERKANDL, E. (1985), «Effect of Ascorbic Acid on the Incidence of Spontaneous Mammary Tumors in RIII Mice», *Proceedings of the National Academy of Sciences*, 82, pp. 5185-5189.
PEAR, R. (1985), «Lower Nutrient Levels Proposed in Draft Report on American Diet», *New York Times*, 23 de setiembre, 1, p. 17.
PEARSON, D.; SHAW, S. (1982), *Life Extension: A Practical Scientific Approach*, Warner Books, Nueva York.

PELLETIER, O. (1977), «Vitamin C and Tobacco», en *Re-evaluation of Vitamin C*, A Hanck, comp. Hans Huber, Berna, pp. 139-148.

PETROUTSOS, G.; POULIQUEU, Y. (1984), «Effect of Ascorbic Acid on Ulceration in Alkali-Burned Corneas», *Ophthalmic Research*, 16, pp. 185-189.

PFEIFFER, C. C. (1975), *Mental and Elemental Nutrients: A Physician's Guide to Nutrition and Health Care*, Keats Publishing, Nueva Canaan, Connecticut.

PFISTER, R. R.; KOSKI, J. (1982), «Alkali Burns of the Eye: Pathophysiology and Treatment», *Southern Medical Journal*, 75, pp. 417-422.

PHILLIPSON, B. E.; ROTHROCK, B. W.; CONNOR, W. E.; HARRIS, W. S.; ILLINGWORTH, D. R. (1985), «Reduction of Plasma Lipids, Lipoproteins, and Apoproteins by Dietary Fish Oils in Patients with Hypertriglyceridemia», *New England Journal of Medicine*, 312, pp. 1210-1216.

PHILPOTT, W. H. (1974), «Maladaptive Reactions to Frequently Used Foods and Commonly Met Chemicals as Precipitating Factors in Many Chronic Physical and Chronic Emotional Illnesses», en *New Dynamics of Preventive Medicine*, L. R. Pomeroy, comp. Intercontinental Book Corp., Nueva York, pp. 171-198.

PINNELL, S. R. (1982), «Regulation of Collagen Synthesis», *Journal of Investigative Dermatology*, 79, pp. 73s-76s.

PITT, H. A.; COSTRINI, A. M. (1979), «Vitamin C Prophylaxis in Marine Recruits», *Journal of the American Medical Association*, 241, pp. 908-911.

POHL, F.; KORNBLUTH, C. M. (1953), *The Space Merchants*, Ballantine Books, Nueva York.

PORTMAN, O. W.; ALEXANDER, M.; MARUFFO, C. A. (1967), «Nutritional Control of Arterial Lipid Composition in Squirrel Monkeys», *Journal of Nutrition*, 91, pp. 35-44.

PORTNOY, B.; WILKINSON, J. F. (1938), «Vitamin C Deficiency in Peptic Ulceration and Haematemesis», *British Medical Journal*, 1, pp. 554-560.

PRIESTMAN, T. J. (1977), *Cancer Chemotherapy – An Introduction*. Mont-Edison Pharmaceuticals, Ltd., Barnet, Inglaterra.

PRINZ, W.; BORTZ, R.; BRAGIN, B.; HERSCH, M. (1977), «The Effect of Ascorbic Acid Supplementation on Some Parameters of the Human Immunological Defence System», *International Journal of Vitamin and Nutrition Research*, 47, pp. 248-256.

PRITKIN, N. (1983), *The Pritkin Promise: 28 Days to a Longer Healthier Life*, Simon and Schuster, Nueva York.

PUGH, D. M.; SHARMA, S. C.; WILSON, C. W. M. (1975), «Inhibitory Effect of L-Ascorbic Acid on the Yield of Prostaglandin F from The Guinea-Pig Uterine Homogenates», *British Journal of Pharmacology*, 53, 469P.

RABACH, J. M. (1972), *Vitamin C for a Cold*, Dell Publishing, Nueva York.

RAFFEL, S.; MADISON, R. R. (1938), «The Influence of Ascorbic Acid on Anaphylaxis in Guinea Pigs», *Journal of Infectious Diseases*, 63, pp. 71-76.

RAMACHANDRAN, G. N.; REDDI, A. H. (1976), *Biochemistry of Collagen*. Plenum Press, Nueva York.

RAPAPORT, S. A. (1978). *Strike Back at Cancer: What to Do and Where to Go for the Best Medical Care*, Prentice-Hall, Englewood Cliffs, Nueva Jersey.

RAUSCH, P. G.; PRYZWANSKY, K. B.; SPITZNAGEL, J. K. (1978), «Immunocytochemical Identification of Azurophilic and Specific Granule Markers

in the Giant Granules of Chediak-Higashi Neutrophiles», *New England Journal of Medicine*, 298, pp. 693-698.
Reader's Digest Family Health Guide and Medical Encyclopedia (1976), The Reader's Digest Association, Pleasantville, Nueva York.
RÉGNIER, E. (1968), «The Administration of Large Doses of Ascorbic Acid in the Prevention and Treatment of the Common Cold», partes I y II, *Review of Allergy*, 22, pp. 835-846, 948-956.
RHOADS, G. C.; GULBRANDSEN, C. L.; KAGAN, A. (1976), «Serum Lipoproteins and Coronary Heart Disease in a Population Study of Hawaiian Japanese Men», *New England Journal of Medicine*, 294, p. 297.
RICH, A.; CRICK, F. H. C. (1961), «The Molecular Structure of Collagen. *Journal of Molecular Biology*», 3, pp. 483-506.
RIMLAND, B. (1973), «High-Dosage Levels of Certain Vitamins in the Treatment of Children with Severe Mental Disorders», en *Orthomolecular Psychiatry: Treatment of Schizophrenia*, D. Hawkins y L. Pauling, comp. W. H. Freeman, San Francisco, pp. 513-539.
RIMLAND, B. (1979), «Nutritional Medicine vs. Toxic Medicine», *Let's Live*, marzo, pp. 127-128.
RIMLAND, B.; CALLAWAY, E.; DREYFUS, P. (1977), «The Effect of High Doses of Vitamin B_6 on Autistic Children – A Double Blind Crossover Study», en *Diet Related to Killer Diseases* V. *Nutrition and Mental Health*, audiencia ante el Select Committee on Nutrition and Human Needs of the United States Senate, Government Printing Office, Washington, D. C., pp. 276-279.
RINEHART, J. F.; GREENBERG, L. D. (1956), «Vitamin B_6 Deficiency in the Rhesus Monkey with Particular Reference to the Occurrence of Atherosclerosis, Dental Caries, and Hepatic Cirrhosis», *American Journal of Clinical Nutrition*, 4, pp. 318-327.
RINGSDORF, W. M., JR.; CHERASKIN, E. (1983), «Vitamin C and Human Wound Healing», *Oral Surgery*, 53, pp. 231-236.
RITZEL, G. (1961), *Kritische Beurteilung des Vitamins C als Prophylacticum und Therapeuticum der Erkältungskrankheiten. Helvetica Medica Acta*, 28, pp. 63-68.
RITZEL, G.; BRUPPACHER, R. (1977), «Vitamin C and Tobacco», en *Reevaluation of Vitamin C*, A. Hanck, comp. Hans Huber, Berna, pp. 171-184.
ROBIN, E. D. (1984), *Matters of Life and Death: Risks vs. Benefits of Medical Care*, W. H. Freeman, Nueva York.
ROSS, W. S. (1971), «Vitamin C: Does It Really Help?», *Reader's Digest*, 98, pp. 129-132.
RUSKIN, S. L. (1938), «Calcium Cevitamate (Calcium Ascorbate) in the Treatment of Acute Rhinitis», *Annals of Otology, Rhinology, and Larynology*, 47, pp. 502-511.
SABISTON, B. H.; RADOMSKI, N. W. (1974), «Health Problems and Vitamin C in Canadian Northern Military Operations», *Defence and Civil Institute of Environmental Medicine Report num. 74-R-1012.*
SALOMON, L. L.; STUBBS, S. W. (1961), «Some Aspects of Metabolism of Ascorbic Acid in Rats», *Annals of the New York Academy of Sciences*, 92, pp. 128-140.
SAMBORSKAYA, E. P.; FERDMAN, T. D. (1966), «The Problem of the Mechanism of Artificial Abortion by Use of Ascorbic Acid», *Bjulletin Eksperimentalnoi Biologii i Meditsinii* 62, pp. 96-98.

SAYED, S. M. ; ROY, P. B.; ACHARYA, P. T. (1975), «Leukocyte Ascorbic Acid and Wound Infection», *Journal of the Indian Medical Association*, 64, pp. 120-123.
SCHAUMBERG, H.; CAPLAN, J.; WINDEBANK, A. (1983), «Sensory Neuropathy from Pyridoxine Use: A New Megavitamin Syndrome», *New England Journal of Medicine*, 309, pp. 445-448.
SCHEUNERT, A. (1949), «Der Tagesbedarf des Erwachsenen an Vitamin C», *Internationale Zeitschrift für Vitaminforschung*, 20, pp. 371-386.
SCHLEGEL, J. U. (1975), «Proposed Uses of Ascorbic Acid in Prevention of Bladder Carcinoma», *Annals of the New York Academy of Sciences*, 258, pp. 432-438.
SCHLEGEL, J. U.; PIPKIN, G. E.; BANOWSKY, L. (1967), «Urine Composition in the Etiology of Bladder Tumor Formation», *Journal of Urology*, 97, pp. 479-481.
SCHLEGEL, J. U.; PIPKIN, G. E.; NISHIMURA, R.; DUKE, G. A. (1969), «Studies in the Etiology and Prevention of Bladder Carcinoma», *Journal of urology*, 101, pp. 317-324.
SCHLEGEL, J. U.; PIPKIN, G. E.; NISHIMURA, R.; SCHULTZ, G. N. (1970), «The Role of Ascorbic Acid in the Prevention of Bladder Tumor Formation», *Journal of Urology*, 103, pp. 155-159.
SCHMECK, H. M., JR. (1973), «Research Funs and Disease Effects Held Out of Step», *New York Times*, 10 de febrero.
SCHORAH, C. J. (1981), «Vitamin C Status in Population Groups», en *Vitamin C (Ascorbic Acid)*, J. N. Counsell y D. H. Hornig, comp. Applied Science Publishers, Londres.
SCHRAUZER, G. N.; RHEAD, W. J. (1973), «Ascorbic Acid Abuse: Effects of Long Term Ingestion of Excessive Amounts of Blood Levels and Urinary Excretion», *International Journal of Vitamin and Nutrition Research*, 43, pp. 201-211.
SCHWARTZ, P. L. (1970), «Ascorbic Acid in Wound Healing – A Review», *Journal of the American Dietetic Association*, 56, pp. 497-503.
SCHWARZ, R. I.; MANDELL, R. B.; BISSELL, M. J. (1981), «Ascorbate Induction of Collagen Synthesis as a Means for Elucidating a Mechanism for Quantitative Control of Tissue-Specific Function», *Molecular and Cellular Biology*, 1, pp. 843-853.
SCHWERDT, P. R.; SCHWERDT, C. E. (1975), «Effect of Ascorbic Acid on Rhinovirus Replication in WI-38 Cells», *Proceedings of the Society for Experimental Biology and Medicine*, 148, pp. 1237-1243.
SELTER, M. (1918), «Zur Aetiologie der Influenza», *Deutsche medizinische Wochenschrift*, 44, pp. 932-933.
SHARMA, S. C. (1982), «Interactions of Ascorbic Acid with Prostaglandin», en *Vitamin C: New Clinical Applications in Immunology, Lipid Metabolism, and Cancer*, A. Hanck, comp. Hans Huber, Berna, pp. 239-256.
SHUTE, E. V. (1969), *The Heart and Vitamin E. The Shute Foundation for Medical Research*, Londres, Canadá.
SHUTE, W. E.; TAUB, H. J. (1969), *Vitamin E for Ailing and Healthy Hearts*, Pyramid House, Nueva York.
SHUTE, W. E. (1978), *Vitamin E Book*, Keats Publishing, Nueva Canaan, Connecticut.
SIEVERS, M. L.; HERRIER, R. N. (1984), «Sensory Neuropathy from Pyridoxine Abuse», *New England Journal of Medicine*, 310, p. 198.

SMITH, W.; ANDREWES, C. H.; LAIDLOW, P. (1933), «A Virus Obtained from Influenza Patients», *The Lancet*, 225, pp. 66-68.

SMITHELLS, R. W.; SHEPPARD, S.; SCHORAH, C. J. (1976), «Vitamin Deficiencies and Neural Tube Defects», *Archives of Disease in Childhood*, 51, pp. 944-950.

SOKOLOFF, B.; HORI, M.; SAELHOF, C. C., WRZOLEK, T.; IMAI, T. (1966), «Aging, Atherosclerosis, and Ascorbic Acid Metabolism», *Journal of the American Geriatric Society*, 14, pp. 1239-1260.

SPERO, L. M.; ANDERSON, T. W. (1973), «Ascorbic Acid and Common Colds», *British Medical Journal*, 4, pp. 354-359.

SPITTLE, C. R. (1971), «Atherosclerosis and Vitamin C», *The Lancet*, 2, pp. 1280-1281.

SPRINCE, H.; PARKER, C. M.; SMITH, G. G. (1977), «L-Ascorbic Acid in Alcoholism and Smoking Protection against Acetaldehyde Toxicity as an Experimental Model» en *Re-evaluation of Vitamin C*, A. Hanck, comp. Hans Huber, Berna, pp. 185-218.

STARE, F. J. (1969), *Eating for Good Health*, Cornerstone Library, Nueva York.

STEFANSSON, V. (1918), «Observations on Three Cases of Scurvy», *Journal of the American Medical Association*, 71, pp. 1715-1718.

STEFANSSON, V. (1964), *Discovery*, McGraw-Hill, Nueva York.

STELLAMOR-PESKIR, H. (1961), «On the Therapy of Alkali Burns of the Eye», *Klinische und Mikrobiologische Augenheilkunde*, 139, pp. 838-841.

STONE, I. (1965), «Studies of Mammalian Enzyme System for Producing Evolutionary Evidence on Man», *American Journal of Physical Anthropology*, 23, pp. 83-86.

STONE, I. (1967), «The Genetic Disease Hypoascorbemia», *Acta Geneticae Medicae et Gemellologiae*, 16, pp. 52-60.

STONE, I. (1972), *The Healing Factor: Vitamin C Against Disease*, Grosset and Dunlap, Nueva York.

STRAUSS, L. H.; SCHEER, P. (1939), «Über die Einwirkungen des Nikotins auf den Vitamin C-Haushalt», *Zeitschrift für Vitaminforschung* 9, pp. 39-48.

SUBRAMANIAN, N. (1978), «Histamine Degradative Potential of Ascorbic Acid: Considerations and Evaluations», *Agents and Actions*, 8, pp. 484-487.

SYDENSTRICKER, V. P.; CLECKLEY, H. M. (1941), «The Effect of Nicotinic Acid in Stupor, Lethargy, and Various Other Psychiatric Disorders», *American Journal of Psychiatry*, 98, pp. 83-92.

SZENT-GYORGYI, A. (1937), *Estudios sobre la oxidación biológica y algunos de sus catalizadores*, Szeged, Hungría.

TAJIMA, S.; PINNELL, S. R. (1982), «Regulation of Collagen Synthesis by Ascorbic Acid: Ascorbic Acid Increases Type I Procollagen mRNA», *Biochemical and Biophysical Research Communications*, 106, pp. 632-637.

TAYLOR, T. V.; RIMMER, S.; DAY, B.; BUTCHER, J.; DYMOCK, I. W. (1974), «Ascorbic Acid Supplementation in the Treatment of Pressure-Sores», *The Lancet*, 7 de setiembre, pp. 544-546.

TORREY, J. C.; MONTU, E. (1931), «The Influence of an Exclusive Meat Diet on the Flora of the Human Colon», *Journal of Infectious Diseases*, 49, pp. 141-176.

TSAO, C. S. (1984a), «Equilibrium Constant for Calcium Ion and Ascorbate Ion», *Experimentia*, 40, pp. 168-170.
TSAO, C. S. (1984b), «Ascorbic Acid Administration and Urinary Oxalate», *Annals of Internal Medicine*, 101, p. 405.
TSAO, C. S.; MIYASHITA, K. (1984), «Effects of High Intake of Ascorbic Acid on Plasma Levels of Amino Acids, *IRCS Medical Sciences*, 12, pp. 1052-1053.
TSAO, C. S.; SALIMI, S. L. (1984a), «Effect of Large Intake of Ascorbic Acid on Urinary and Plasma Oxalic Acid Levels», *International Journal of Nutrition and Vitamin Research*, 54, pp. 245-249.
TSAO, C. S.; SALIMI, S. L. (1984b), «Evidence of Rebound Effect with Ascorbic Acid», *Medical Hypotheses*, 13, pp. 303-310.
TSAO, C. S.; SALIMI, S. L.; PAULING, L. (1982), «Lack of Effect of Ascorbic Acid on Calcium Excretion», *IRCS Medical Science*, 10, p. 738.
TUKE, J. BATTY (1881), «Insanity», *The Encyclopedia Britannica*, 9.ª ed., vol. XIII, pp. 95-113, Charles Scribner's Sons, Nueva York.
TURKEL, H. (1972), *New Hope for the Mentally Retarded – Stymied by the FDA*, Vantage Press, Nueva York.
TURKEL, H. (1977), «Medical Amelioration of Down's, Syndrome Incorporating the Orthomolecular Approach», en *Diet Related to Killer Diseases* V. *Nutrition and Mental Health*, vista ante el Committee on Nutrition and Human Needs of the United States Senate. U. S. Government Printing Office, Washington, D.C., pp. 291-304.
TURLEY, S. D.; WEST, C. E.; HORTON, B. J. (1976), «The Role of Ascorbic Acid in the Regulation of Cholesterol Metabolism and in the Pathogenesis of Atherosclerosis», *Atherosclerosis*, 24, pp. 1-18.
TYRRELL, D. A. J.; CRAIG, J. W.; MEADE, T. W.; WHITE, T. (1977), «A Trial of Ascorbic Acid in the Treatment of the Common Cold», *British Journal of Preventive and Social Medicine*, 31, pp. 189-191.
VALIC, F.; ZUSKIN, E. (1973), «Pharmacological Prevention of Acute Ventilatory Capacity Reduction in Flax Dust Exposure», *British Journal of Industrial Medicine*, 30, pp. 381-384.
VALLANCE, S. (1977), «Relationships between Ascorbic Acid and Serum Proteins of the Immune System», *British Medical Journal*, 2, pp. 437-438.
VANE, J. R. (1971), «Inhibition of Prostaglandin Synthesis as a Mechanism of Action for Aspirin-like Drugs», *Nature (New Biol.)*, 231, pp. 232-235.
VARMA, S. D.; KUMAR, S.; RICHARDS, R. D. (1979), «Light-Induced Damage to Ocular Lens Cation Pump: Prevention by Vitamin C», *Proceedings of the National Academy of Sciences USA*, 76, pp. 3504-3506.
VARMA, S. D.; CHAND, D.; SHARMA, Y. R.; KUCK, J. F., JR.; RICHARDS, R. D. (1984), «Oxidative Stress on Lens and Cataract Formation», *Current Eye Research*, 3, pp. 35-37.
VARMA, S. D.; SRIVASTAVA, V. K.; RICHARDS, R. D. (1982), «Photoperoxidation in Lens and Cataract Formation: Preventive Role of Superoxide Dismutase, Catalase, and Vitamin C», *Ophthalmological Research*, 14, pp. 167-175.
VIRNO, M.; BUCCI, M. G.; PECORI-GIRALDI, J.; MISSIROLI, A. (1967), «Oral Treatment of Glaucoma with Vitamin C», *The Eye, Ear, Nose and Throat Monthly*, 46, pp. 1502-1508.
VOGELSANG, A. (1948a), «Effect of Alpha Tocopherol in Diabetes Mellitus», *Journal of Clinical Endocrinology*, 8, pp. 883-884.

VOGELSANG, A. (1948b), «Cumulative Effect of Alpha Tocopherol on the Insulin Requirements in Diabetes Mellitus», *Medical Record*, 161, pp. 363-365.

VOGELSANG, A.; SHUTE, E. V. (1946), «Vitamin E and Coronary Heart Disease», *Nature*, 157, pp. 772-773.

WALKER, M. (1980), *Chelation Therapy: How to Prevent or Reverse Hardening of the Arteries*, M. Evans, Nueva York.

WATNE, A. L.; LAI, H.-Y.; CARRIER, J.; COPPULA, W. (1977), «The Diagnosis and Surgical Treatment of Patients with Gardner's Syndrome», *Surgery*, 82, pp. 327-333.

WAUGH, W. A.; KING, C. G. (1932), «Isolation and Identification of Vitamin C», *Journal of Biological Chemistry*, 97, pp. 325-331.

WEINHOUSE, S. (1977), «Problems in the Assessment of Human Risk of Carcinogenesis from Chemicals», en *Origins of Human Cancer:* Libro C, *Human Risk Assessment*, H. H. Hiatt, J. D. Watson, y J. A. Winsten, comp. Cold Spring Harbor Laboratory, Cold Spring, Nueva York.

WHELAN, E.; STARE, F. J. (1975), *Panic in the Pantry*, Atheneum, Nueva York.

WHITE, P. L. (1975), «Editorial: Megavitamin This and Megavitamin That», *Journal of the American Medical Association*, 233, pp. 538-539.

WILLIAMS, R. J. (1951), *Nutrition and Alcoholism*, University of Oklahoma Press, Norman, Oklahoma.

WILLIAMS, R. J. (1956), *Biochemical Individuality, the Basis for the Genetotrophic Concept*, University of Texas Press, Austin, Texas.

WILLIAMS, R. J. (1959), *Alcoholism, the Nutritional Approach*, University of Texas Press, Austin, Texas.

WILLIAMS, R. J. (1967), *You Are Extraordinary*, Random House, Nueva York.

WILLIAMS, R. J. (1971), *Nutrition against Disease*, Pitman, Nueva York.

WILLIAMS, R. J. (1973), *Biochemical Individuality*, University of Texas Press, Austin, Texas.

WILLIAMS, R. J. (1975), *Physician's Handbook of Nutritional Science*, Charles C. Thomas, Springfield, Illinois.

WILLIAMS, R. J.; DEASON, G. (1967), «Individuality in Vitamin C Needs», *Proceedings of the National Academy of Sciences USA*, 57, pp. 1638-1641.

WILLIAMS, R. J.; KALITA, D. K.; COMP. (1977), *A Physician's Handbook on Orthomolecular Medicine*, Pergamon Press, Nueva York.

WILLIS, G. C.; FISHMAN, S. (1955), «Ascorbic Acid Content of Human Arterial Tissue», *Canadian Medical Association Journal*, 72, pp. 500-503.

WILLIS, R. A. (1973), *The Spread of Tumours in the Human Body*, 3.ª ed. Butterworth, Londres.

WILSON, C. W.; LOH, H. S. (1973), «Vitamin C and Colds», *The Lancet*, 1, pp. 1058-1059.

WILSON, C. W.; LOH, H. S.; FOSTER, F. G. (1976b), «Common Cold Symptomatology and Vitamin C», *European Journal of Clinical Pharmacology*, 6, pp. 196-202.

WINITZ, M.; GRAFF, J.; SEEDMAN, D. A. (1964), «Effect of Dietary Carbohydrate on Serum Cholesterol Levels», *Archives of Biochemistry and Biophysics*, 108, pp. 576-579.

WINITZ, M.; SEEDMAN, D. A.; GRAFF, J. (1970), «Studies in Metabolic Nutrition Employing Chemically Defined Diets. I. Extended Feeding of

Normal Human Adult Males», *American Journal of Clinical Nutrition*, 23, pp. 525-545.
WINITZ, M.; ADAMS, R. F.; SEEDMAN, D. A.; DAVIS, P. N.; JAYKO, L. G.; HAMILTON, J. A. (1970), «Studies in Metabolic Nutrition Employing Chemically Defined Diets. II. Effects on Gut Microflora Populations», *American Journal of Clinical Nutrition*, 23, pp. 546-559.
WITTES, R. E. (1985), «Vitamin C and Cancer», *New England Journal of Medicine*, 312, pp. 178-179.
WOOLLEY, D. W. (1962), *The Biochemical Bases of Psychoses*, Wiley, Nueva York.
WYNDER, E. L. (comp.) (1981), *The Book of Health*. Franklin Watts, Nueva York.
YANDELL, H. R. (1951), «The Treatment of Extensive Burns», *American Surgeon*, 17, pp. 351-360.
YEW, M. S. (1973), «"Recommended Daily Allowances" for Vitamin C», *Proceedings of the National Academy of Sciences USA*, 70, pp. 969-972.
YONEMOTO, R. H.; CHRETIEN, P. B.; FEHNIGER, T. F. (1976), «Enhanced Lymphocite Blastogenesis by Oral Ascorbic Acid», *Proceedings of the American Association for Cancer Research*, 17, p. 288.
YONEMOTO, R. H. (1979), «La vitamina C y la respuesta inmunológica en sujetos de control normales y en pacientes cancerosos» (en portugués), *Medico Dialogo*, 5, pp. 23-30.
YUDKIN, J. (1972), *Sweet and Dangerous*, Peter H. Wyden, Nueva York.
YUDKIN, J.; EDELMAN, I.; HOUGH, L. (comp.) (1971), *Sugar: Chemical, Biological, and Nutritional Aspects of Sucrose*, Daniel Davey, Hartford, Connecticut.
ZAMENHOF, S.; EICHHORN, H. H. (1976), «Study of Microbial Evolution Through Loss of Biosynthetic Functions: Establishment of "Defective" Mutants», *Nature*, 216, pp. 456-458.
ZUCKERKANDL, E.; PAULING, L. (1962), «Molecular Disease, Evolution, and Genic Heterogeneity», en *Horizons in Biochemistry*, M. Kasha y B. Pullman, comp. Academic Press, Nueva York, pp. 189-225.
ZUSKIN, E.; LEWIS, A. J.; BOUHUYS, A. (1973), «Inhibition of Histamine-Produced Airway Constriction by Ascorbic Acid», *Journal of Allergy and Clinical Immunology*, 51, pp. 218-223.
ZUSKIN, E.; VALIC, F.; BOUHUYS, A. (1976), «Byssinosis and Airway Responses Due to Exposure to Textile Dust», *Lung*, 154, pp. 17-21.

Sobre el autor

La primera vez que Linus Pauling atrajo la atención de sus compatriotas, fuera del campo científico, fue cuando formuló el planteamiento con el cual la opinión pública urgió, finalmente, la suspensión de las pruebas de armas nucleares en la atmósfera, por parte de los Estados Unidos, la Unión Soviética y el Reino Unido. Desde el momento, en 1951, que las pruebas nucleares empezaron en serio, en Frenchman's Flat, cerca de Las Vegas, Nevada, la Atomic Energy Commission (Comisión de Energía Atómica) fue distribuyendo regularmente boletines de prensa tranquilizadores. Éstos afirmaban que la radiación por energía elevada no había causado cantidades sospechosas de anomalías en los hijos de los padres expuestos en Hiroshima y Nagasaki. Las generaciones de tripéptidos (moscas de la fruta) criadas en contenedores radiactivos mostraban «más vigor, fortaleza, resistencia a las enfermedades, mayor capacidad reproductiva».

Fue Linus Pauling, hablando con la autoridad que le confería el Premio Nobel (de química, 1954), quien expuso el fraude de esta campaña gubernamental de relaciones públicas. Tradujo la acción física de las explosiones nucleares en un lenguaje y unas cifras que la gente podía comprender. Así, se supo que el flujo de neutrones en una explosión transforma el nitrógeno atmosférico en carbono 14 (C-14) radiactivo. La Atomic Energy Commission recurrió a otro Premio Nobel, Williard Libby, para mostrar que dicho efecto tendría consecuencias mínimas. Sin embargo, las grandes moléculas de las células vivientes están conformadas alrededor del carbono, y el C-14 sustituye fácilmente los isótopos de C-12 que no son radiactivos. A partir de las cifras del propio Libby, Pauling estimó que 55 000 niños nacerían con graves defectos físicos y mentales, que habría 500 000 abortos espontáneos, muertes de fetos y de niños al nacer, y tantos casos de leucemia y cáncer óseo como los causados por todos los productos de fisión de las explosiones combinadas, debido al C-14 resultante de las pruebas nucleares programadas en ese momento.

La controversia pública, apoyada por las sólidas contribuciones de Pauling, indujo finalmente a las superpotencias a dejar de probar bombas atómicas en la atmósfera; firmaron el tratado en 1963 y su vi-

gencia empezó el día mismo en que a Pauling se le otorgó el Premio Nobel de la paz de 1962.

En el curso de su campaña contra las pruebas de armas, en el clima político polarizado de Estados Unidos en los años cincuenta, Pauling tuvo que soportar la impugnación de su ciudadanía e incluso la afrenta del Departamento de Estado de que le retirara el pasaporte durante un tiempo. Todavía en 1963, el artículo de la revista Life *refiriéndose a su Premio Nobel de la paz fue titulado, «Extraño insulto de Noruega».*

Sin embargo, para Pauling la controversia no era una experiencia nueva. En sus primeras aportaciones seminales a la ciencia, en los años veinte, había introducido la física cuántica y su poderosa imaginación visual en la química. Entonces, la fórmula química, tendida en las dos dimensiones de la página, empezó a encontrar una expresión activa en la configuración estructural de las moléculas y los cristales en el espacio tridimensional. Pauling mostró cómo reconstruir dichas configuraciones a partir de la medición de las distancias y de los ángulos de los enlaces químicos que unen los átomos. Los químicos rutinarios, burocratizados, contentos con su ciencia en la etapa de recetas culinarias anterior a Pauling, intentaron rechazar la intrusión de la física en su campo. No sólo opusieron resistencia a su argumento conceptual y pusieron en duda sus datos, sino que también expresaron dudas acerca de su integridad. Sería difícil para las dos generaciones de químicos que desde entonces utilizan los libros de texto que incorporan la revolución que Pauling aportó a las bases de la química –y que incluyen el suyo– reconocer los fundamentos de esa controversia olvidada.

En una controversia, el método de Pauling ha consistido siempre en establecer los datos y, con serenidad y buen humor, explicar claramente el significado de éstos. Casi siempre tiene razón en cuanto a los datos y casi nunca se equivoca en cuanto al significado más amplio de los mismos. Sin embargo, en 1964, la provocación fue tal que demandó judicialmente a un periódico particularmente ofensivo. El jurado, mal instruido en cuanto a la ley de libelo, decidió que el periódico no podía dañar la reputación de un hombre tan eminente.

En los últimos doce años, las contribuciones de Pauling al mejor entendimiento de la nutrición y a la mejora de la salud de la gente –que es lo que se propone en este libro–, lo han envuelto en controversia con la medicina organizada y los nutriólogos anticuados. Los médicos, salvo algunas excepciones distinguidas, denuncian la intrusión de alguien que no es médico en la práctica de la medicina. Tienden a basar sus argumentos en terrenos ad hominem*: Pauling no es médico, dicen; es un científico jubilado que ya no está a la altura de sus pretensiones. Esta controversia ha sido algo solitaria para Pauling. La gente que reconoce su prestigio científico deplora que se haya alejado tanto de la «corriente». Sin embargo, mucha gente considera, junto con el difunto René Dubos, que la corriente converge en Pauling veinte años más tarde.*

Linus Carl Pauling nació en Portland, Oregón, el 28 de febrero de

1901, hijo de Herman William Pauling, farmacéutico, y de Lucy Isabelle (Darling). Cursó sus estudios en el Oregon Agricultural College (ahora Oregon State University) y se licenció en ingeniería química, en 1922; siguió sus estudios en el California Institute of Technology (Caltech) *donde Arthur A. Noyes, Richard C. Tolman y Roscoe G. Dickinson le ayudaron a orientar su carrera. Con su mujer, Ava Helen Miller, que se reunió con él después de un año, siguió estudiando química, física y matemáticas, obteniendo su doctorado en 1925. Ya honrado con su designación como National Research Fellow, Pauling recibió una beca Guggenheim para estudiar en Europa. Pasó la mayor parte del año y medio de la beca en el Instituto de física teórica de Arnold Sommerfeld, en Munich, Alemania, pero también pasó un mes en el instituto de Neil Bohr, en Copenhague, Dinamarca, y unos meses en Zurich, donde estudió con Erwin Schrödinger. Regresó a California en 1927 y empezó su larga carrera como profesor e investigador en Caltech.*

Pauling fue uno de los primeros químicos norteamericanos en dominar la tecnología de difracción por rayos X. Con esta herramienta se determinan los ángulos de los enlaces atómicos en la estructura tridimensional de cristales y moléculas; es la herramienta que condujo en primer lugar a la revolución en la vida científica que hoy conocemos como biología molecular. Gran parte de las primeras investigaciones de Pauling se refirieron a la difracción por rayos X de los cristales inorgánicos, por ejemplo, el topacio, las micas, los silicatos y los sulfuros. Su concepción de la teoría de coordinación de las sustancias complejas ayudó a crear el campo de la química del cristal. Entre las numerosas estructuras de cristal posibles, esta teoría guía la selección de la disposición químicamente razonable, y ayudó a aprovechar la difracción por rayos X en el análisis de la estructura de moléculas orgánicas. En Caltech, Pauling formó también muchos de los futuros cristalógrafos de rayos X, entre ellos el ganador del Premio Nobel, W. N. Lipscomb. En 1930, a consecuencia de una reunión mantenida con Hermann Mark, en Alemania, Pauling comenzó a interesarse en la difracción por electrones, y utilizó esta potente herramienta, junto con la difracción por rayos X, para determinar la estructura de las grandes moléculas de la vida.

Así como el análisis por rayos X y la difracción por electrones le proporcionaron herramientas experimentales para explorar la estructura de las moléculas, el estudio de la mecánica cuántica le proporcionó una herramienta teórica. Con esta serie de herramientas ayudó a reconstruir las bases de la química. Pauling fue el principal organizador, generalizador y constructor de sistemas de esta nueva química, que considera que los enlaces entre los átomos de una molécula se establecen por la acción de electrones. Su gran obra, The Nature of the Chemical Bond *(«La naturaleza del enlace químico») hace época en la historia de la ciencia.*

La llegada de T. H. Morgan a Caltech, a fines de los años veinte, como lo recuerda Pauling en este libro, estimuló su interés en las moléculas biológicas. Ya hacia mediados de los años treinta, Pauling es-

taba estudiando la molécula de hemoglobina, atraído por su notable color y la función vital servida por su propiedad de combinarse reversiblemente con la molécula de oxígeno. Ese interés por la hemoglobina le llevó naturalmente a un interés más general por las proteínas. Con Alfred Mirsky, publicó un ensayo sobre la teoría general de la estructura proteínica, sugiriendo que la cadena polipéptida de cada proteína se enrosca y se dobla en una conformación específica, que da cuenta de la función de dicha molécula en el cuerpo; la molécula pierde esta función, se «desnaturaliza», cuando se pierde dicha configuración por ruptura de los enlaces químicos que enroscan y doblan la molécula.

En una de sus visitas al Rockefeller Institute, en Nueva York, Pauling conoció a Karl Landsteiner, quien había descubierto los tipos sanguíneos, y quien le interesó en el campo de la inmunología. El primer trabajo de Pauling sobre la estructura de los anticuerpos se publicó en 1940. Durante la segunda guerra mundial, se orientó más hacia problemas prácticos, como, por ejemplo, la búsqueda de un sustituto artificial para el suero sanguíneo. Se le otorgó la Medalla presidencial al mérito por su trabajo al servicio del Office of Scientific Research and Development (Oficina de Investigación y Desarrollo Científico) durante la guerra.

Al finalizar la contienda, como resultado de un encuentro con el doctor William B. Castle, con quien trabajó en una comisión del Bush Report, Science the Endless Frontier («Informe Bush: la ciencia, frontera interminable»), Pauling se interesó por la drepanocitosis o anemia falciforme, que, según pensaba, podía ser una enfermedad molecular causada por una molécula anormal de hemoglobina. En 1949, en colaboración con Harvey Itano y otros, Pauling demostró que la hemoglobina anormal se debía a una única anomalía de un aminoácido en una de las cadenas polipéptidas.

En 1948, siendo profesor invitado de la Universidad de Oxford, Pauling volvió a interesarse por un problema que le había ocupado a finales de los años treinta, el enroscamiento de la cadena polipéptida en las proteínas. Doblando un papel en que había dibujado una cadena polipéptida, descubrió la hélice alfa. Pauling y Robert B. Corey publicaron, en 1950, una descripción de la estructura helítica de las proteínas, estructura que fue confirmada experimentalmente al poco tiempo.

Cuando se reconoció que el ácido desoxirribonucleico (ADN) es la molécula genética, Pauling se interesó en su estructura tridimensional. En 1953, él y Corey sugirieron que ésta se componía de tres cadenas, enroscadas entre sí como fibras de cuerda. Al poco tiempo, Watson y Crick propusieron la estructura de doble hélice, que resultó ser correcta. Watson y Crick tenían la ventaja de contar con fotografías de rayos X de ADN, tomadas por Rosalind Franklin, una ventaja que le fue negada a Pauling, pues el U. S. State Department le había retirado el pasaporte (que le fue devuelto cuando obtuvo el Premio Nobel de química, en 1954).

Con el mayor renombre público que le dio el Premio Nobel, Pauling empezó a dedicar más atención a cuestiones humanitarias relacionadas con la ciencia. En 1958, Pauling y su esposa presentaron una petición a Dag Hammarskjold, entonces secretario general de las Naciones Unidas, firmada por otros once mil científicos de todo el mundo, haciendo una llamada para que cesaran las pruebas atómicas. En 1960, tuvo que defender dicha petición ante un subcomité del Congreso, y corrió el riesgo de ir a la cárcel al negarse a entregar la correspondencia que había mantenido con aquellos que le habían ayudado a circular la petición. Entretanto, había publicado su libro, No More War! *(«¡No más guerras!»).*

Hacia la mitad de los años sesenta, Pauling estuvo en el Center for the Study of Democratic Institutions (Centro para el Estudio de las Instituciones Democráticas), en Santa Bárbara, California. Había dejado Caltech, sobre todo por la hostilidad institucional que inspiraban sus esfuerzos en favor de la paz. En Santa Bárbara esperaba poder trabajar en ambos campos, la ciencia y la paz. Allí trabajó sobre la estructura de los núcleos atómicos, a partir de la cual propuso su teoría sobre esferones compactos, según la cual protones y neutrones en el núcleo están dispuestos en racimos. La teoría provee una explicación sencilla de las propiedades nucleares, incluyendo la fisión asimétrica.

Pauling dejó Santa Bárbara para convertirse en profesor investigador de química de la Universidad de California en San Diego. Allí trabajó sobre la base molecular de la memoria, y publicó, en 1968, una comunicación sobre la psiquiatría ortomolecular. Este interés en la medicina ortomolecular continuó durante el período en que fue profesor en la Universidad de Stanford, a fines de los años sesenta y principios de los setenta, y condujo a la fundación, en 1973, del Linus Pauling Institute of Science and Medicine.

En esta última fase de su carrera, el interés de Pauling se ha centrado en la nutrición y la intervención de los micronutrientes, particularmente la vitamina C (ácido ascórbico), en la fisiología del organismo. De este trabajo salió un libro para el lector lego, Vitamin C and the Common Cold, *publicado en 1970, y al que se otorgó el* Phi Beta Kappa Award *como el mejor libro del año sobre ciencia. Poco después, Pauling se interesó en el uso del ácido ascórbico en el tratamiento del cáncer, principalmente por sus contactos con el médico escocés Ewan Cameron. Su colaboración resultó en el libro publicado en 1979,* Cancer and Vitamin C, *siendo coautor el doctor Cameron.*

Ahora, a sus ochenta y tantos años, Pauling sigue viajando alrededor del mundo, dando conferencias, tanto sobre su trabajo clásico en química, biología, medicina y paz, como sobre la actual ampliación de sus primeras ideas. También sigue escribiendo sobre dichos temas. Por ejemplo, en 1983, se publicó, marcando los veinticinco años de la publicación original, una edición revisada de No More War! *A través de todo esto, se ha mantenido fiel a su visión estructural, ya sea que la use para entender el mundo de la materia, ya sea para ayudar a mejorar el mundo del hombre.*

Doctor ROBERT J. PARADOWSKI
Rochester Institute of Technology

Índice onomástico

Índice de materias